Michael Kumpfmüller

Hampels Fluchten

Für Tanja

mit herzlichem Dank
für alles.

Michael Kumpfmüller

19.10.2000

Michael Kumpfmüller

HAMPELS FLUCHTEN

ROMAN

Kiepenheuer & Witsch

Die Arbeit an diesem Roman wurde
vom Deutschen Literaturfonds e.V. gefördert.

5. Auflage 2000

Umschlaggestaltung und Collage: Barbara Thoben, Köln
Umschlagmotive: photonica, CSA
photonica, plastock
Hulton Getty / GettyOne Stone
Gesetzt aus der Garamond Stempel (Berthold)
bei Kalle Giese, Overath
Druck und Bindearbeiten:
GGP Media GmbH, Pößneck
ISBN 3-462-02927-4

Für Sabine, Leon und Luis

I

An einem Dienstag im März ging Heinrich bei Herleshausen-Wartha über die Grenze. Das glaubt einem ja auf Anhieb keiner, daß ein Dreißigjähriger im Frühjahr neunzehnhundertzweiundsechzig mit nichts als einem Rucksack voll Wäsche und einer Flasche Whisky über die Grenze geht und an Frau und Kinder nicht denkt und erklärt, er möchte ein Bürger werden der Deutschen Demokratischen Republik in ihrem dreizehnten Jahr, und warum das so ist, muß in allen Einzelheiten vorläufig niemand erfahren.

Er hatte keinen genauen Plan, als er damals Richtung Grenze fuhr, bis zum Bahnhof in Fulda mit dem neuen *Citroën*, dann weiter mit dem Zug über Bebra bis kurz vor Herleshausen, an seinen Händen war noch der Geruch der Geliebten. An sie vor allem wird er gedacht haben, als er die letzten zwei, drei Kilometer abseits der Landstraße durch Felder, Wiesen, Waldstücke ging, aber vielleicht hatte er sie da ja schon vergessen und lauschte nur noch seinen Schritten auf dem feuchten, erdigen Boden, erschrak, wenn ein Passant seinen Weg kreuzte, begann ein bißchen zu schwitzen in seinem Anzug mit Weste und Hut und den weißen Schuhen, mit denen er sicher eine seltsame Figur abgab in der ländlichen Gegend, und also grüßte er nicht, wenn er gegrüßt wurde, sah nur immer die paar Meter, die vor ihm lagen, machte endlich eine Pause unter dem Dach einer Bushaltestelle und wußte, hier an der Bushaltestelle am

Ortseingang von Herleshausen mußte sich die Sache entscheiden.

Anfangs war nur ein großes Durcheinander in seinem Kopf: die Gerüche der Geliebten (Marga war ihr Name), die Angst vor den Gläubigern, die Erleichterung, daß er ihnen entkommen war, der Gedanke an Rosa, die Betrogene, die zurückblieb mit den beiden Kindern, das alles lärmte und flimmerte durch seinen Kopf. Mindestens eine Stunde saß er damals an dieser Bushaltestelle und dachte an sein Leben, die Frauen, die da waren und noch kommen würden, die Betten, die er mit ihnen geteilt hatte, seinen Anfang und sein Ende als Geschäftsmann, seine Reisen, seine Besäufnisse, die Jahre in der Sowjetunion, die Krankheit des Vaters, den frühen Tod der Mutter und noch einmal die Geliebten in alphabetischer Reihenfolge, die da hießen mit Namen Anna, Bella, Dora, Gerda, Ljusja, Marga, Rosa und Wanda und die er unterschied nach ihren Gesängen, wenn sie bei ihm lagen, ihren Muttermalen an verschiedenen Stellen.

Eine Stunde saß er so und wartete, und als der Sturm in seinem Kopf vorüber war und er sich leer und entschlossen fühlte, stand er auf und ging von der Bushaltestelle über die Straße in einen Gasthof, wo er von einer jungen Kellnerin bedient wurde und zum Abschied ein großes Frühstück bestellte, denn bei Marga am frühen Morgen hatte er nichts gegessen.

Weil die Kellnerin nicht viel zu tun hatte, fragte sie ihn gleich, ob er aus der Gegend sei, und ob er die neuen Grenzanlagen schon gesehen habe, aber er war ja auf der Durchreise, und die neuen Grenzanlagen kannte er nur aus dem Fernsehen. Schrecklich, sagte die Kellnerin, und daß sie persönlich dort drüben nicht leben möchte, lieber würde sie sich aufhängen.

Und wenn er ihr nun sagt, daß er noch in den nächsten Stunden für immer nach drüben geht, weil er sich dort nicht aufhängen muß, aber hier im Westen müßte er's?

Darüber soll er nun wirklich lieber keine Scherze machen auf Kosten der armen Schweine, die im Osten sind und keine andere Wahl haben, sagte die Kellnerin, und obwohl sie danach immer wieder verstohlen zu ihm herübersah und ein Auge auf ihn hatte und wie er da in seinen weißen Schuhen und dem Anzug am Tisch saß, schien sie ihm seine Bemerkung ernsthaft übelzunehmen. Mein Vater hat vor Jahren in Thüringen ein Haus gebaut, da möchte ich gerne leben, sagte Heinrich, als sie nach einer Weile die Rechnung brachte, und da stutzte sie einen Moment und sah ihn an, als müßte sie sich bei Heinrich entschuldigen, der aber stand auf und ging und war schon fort in Richtung Grenze.

Als er am Abend zuvor zum zweiten Mal vor Margas Haustür stand, zögerte er. Er war noch immer ein paar Minuten zu früh und sah das Licht in ihrem Fenster im zweiten Stock, und als er versuchte, sich an sie zu erinnern, fiel ihm ein, wie schmal sie gewesen war und wie vorsichtig. Wahrscheinlich schämte sie sich noch immer für die Geschichte damals bei ihm im Laden, und also bat sie ihn am Telefon um zwei Stunden, und erst nach Ablauf der zwei Stunden durfte er sie besuchen.

Obwohl er ein paar Minuten über die verabredete Zeit hatte warten wollen, war es Punkt acht, als er aus einer Telefonzelle in ihrer Straße noch einmal anrief, und weil ihre Stimme auf einmal ganz freundlich klang, lief oder vielmehr sprang er zu ihr die Treppen hinauf in den zweiten Stock, erkannte sie und gab ihr die Hand wie einer Fremden. Ja, sagte Heinrich und ließ sich von ihr durch eine sparsam möblierte Wohnung führen, im Badezimmer und auf dem

Couchtisch und in der Schlafkammer sah er gleich die Spuren eines anderen Mannes, aber der war zum Glück nicht zu Hause oder blieb nur manchmal für eine Nacht und einen Morgen, kannte ihre spitzen, knochigen Stellen, hatte gelernt, sich nicht daran zu stoßen.

Marga war nicht sehr verändert seit dem letzten Mal, dem ersten. Ihre Augen, auf die er sich wieder besann, als sie vor ihm stand, kamen ihm auch diesmal sehr schmal und ungewöhnlich klein vor, und die Haare trug sie jetzt kurz und ein dunkelblaues Kleid bis übers Knie, das durfte ihm womöglich gefallen. Wenn sie in den letzten zwei Stunden nicht allein gewesen ist, dachte Heinrich, so läßt sie es sich jedenfalls nicht anmerken oder hat die Spuren gut verwischt, aber die Pfeife und den Rasierpinsel und den Schlafanzug läßt sie zu meiner Ermahnung offen liegen. Sie hatte etwas zum Abendessen vorbereitet und in der Küche für zwei Personen den Tisch gedeckt, und da saßen sie nun und redeten, vielleicht war's ja ein Bruder, der aus beruflichen Gründen von Zeit zu Zeit in die Stadt mußte und bei der Schwester ein billiges Quartier fand, also das beschäftigte ihn, und ob sie nun alleine lebte oder mit einem anderen, nur das konnte er sie ja nicht einfach fragen.

Ich bin am Ende, sagte Heinrich, aber es gefällt mir, daß ich am Ende bin, und Marga nickte nur so mit dem Kopf dazu, sah seine schmutzigen Schuhe und den zerknitterten Anzug, wollte das alles nicht hören, für gute Ratschläge war's ja wahrscheinlich längst zu spät. Und Rosa? sagte Marga, und Heinrich sagte, daß er über Rosa jetzt nicht sprechen will, aber bleiben würde er gerne, und morgen früh geht er in den Osten und fängt ein neues Leben an. Gleich nach dem Abendessen muß er sie gefragt haben, ob sie etwas dagegen hat, wenn er seine letzte Nacht im Westen bei ihr verbringt, und am Ende ist es so gekommen, wie es immer gekommen ist, nur fragen oder bitten mußte er früher nie. Marga wird es auf ihre Art genossen haben, daß er sie hat bitten müssen, und so hat sie nur wieder mit dem Kopf genickt, hat das Geschirr vom Abendessen weggespült, ist eine halbe Stunde im Badezimmer verschwunden, hat den Schlafanzug, die Pfeife, den Rasierpinsel und ein paar andere Kleinigkeiten ihres Geliebten oder auch Bruders weggeräumt und sich zu Heinrich an den ovalen Couchtisch gesetzt und gesagt, daß er nur nicht glauben soll, sie erinnert sich nicht, und daß sie sich je dafür geschämt hat, das soll er sich bitte aus dem Kopf schlagen. Soviel dazu.

Sie ließ ihn noch ein bißchen warten, bevor es soweit war, und dann war da gar nicht viel, das heißt, er hing sehr an ihr, aber in dieser Nacht brachte er einfach nichts zustande als Liebhaber, und als Marga ihn hat trösten wollen, hat er gesagt: In Ordnung, und daß es hoffentlich auch für sie in Ordnung ist, so anhänglich war der auf einmal und so selbstlos in der Kunst der Liebe, und wie eine Frau noch bei einem Versager auf ihre Kosten kommt, na ja, das wußte er.

Irgendwann in dieser Nacht muß Marga ihm gesagt haben, daß sie es begreift, warum er in den Osten geht, und daß es ihr doch ein Rätsel ist, sogar als Kommunistin. Da staunte Heinrich, daß Marga sich eine Kommunistin nannte und ein paar Leute kannte, mit denen sie über Perspektiven des Kommunismus in Westdeutschland redete, und dann trafen die sich immer abwechselnd in irgendeiner Wohnung und diskutierten bis spät in die Nacht über die Möglichkeit einer Parteigründung, und manchmal, wenn sie alle sehr müde waren und kein Bus mehr fuhr, blieben ein paar Genossen zum Übernachten und vergaßen ihre Schlafanzüge.

Schreibst du mir deine Adresse, wenn du drüben bist, fragte sie, als alles gesagt war, und er versprach es, weil er wußte, daß alles gesagt war, und ob sie mir auf meine Briefe antworten wird, kann ich nicht wissen. Dann schliefen sie noch eine Weile im Bett der westdeutschen Genossin, das eher schmal war für zwei Leute, aber schön warm und weich und gemütlich, und am nächsten Morgen küßte er sie zum Abschied auf den Mund und ging zum Bahnhof und löste eine Fahrkarte bis Herleshausen.

Die westdeutschen Grenzbeamten schüttelten nur den Kopf, als Heinrich kurz nach eins bei ihnen auftauchte und seinen Reisepaß vorzeigte und sagte, er möchte in den Osten und hat nur einen Rucksack dabei, und weil er sich insgeheim fürchtete, man könnte ihn schon suchen auf Betreiben der bankrotten Firma und an Ort und Stelle verhaften lassen als einen Betrüger, der mit einer Viertelmillion Schulden in den Osten geht, machte er alles ganz langsam und bedächtig für die Beamten, sagte ein paar Sätze über das Haus des Vaters und seine ostdeutsche Herkunft, legte die Wäsche, die Strümpfe, Hemden, Hosen sorgfältig auf einen Stapel, öffnete die Schachtel mit den Briefen und Fotos, machte einen Scherz über die angebrochene Flasche Whisky, die er getrunken hätte, wenn Marga nicht zu Hause gewesen wäre, machte einen zweiten Scherz über seine unpassenden Schuhe, die weißen, übertrieb es nicht mit seinen Scherzen und wartete auf das Urteil der Beamten. Bis auf den Sportteil der *Süddeutschen Zeitung* vom Montag, hieß es, dürfe er alles behalten, nur damit es keinen unnötigen Ärger gibt, und außerdem hat er ja in Zukunft den Sportteil des *Neuen Deutschland*. Ob er sich auch alles gut überlegt hat mit der Rückkehr in seine mitteldeutsche Heimat, der Herr Hampel? Ja, das habe er. Sicher? Aber sicher, ja. Und daher gab es für die Beamten nichts weiter zu sagen, der Herr Hampel sei ein freier Bürger in einem freien Land, und nur ein paar Schritte weiter beginnt das Territorium der Deutschen Demokratischen Republik, auf Wiedersehen.

So erleichtert war Heinrich über den gelungenen Auftakt, daß er am liebsten die angebrochene Flasche Whisky aus dem Rucksack geholt hätte, aber dann fand er, daß man sich auch ohne Whisky guter Laune zeigen können muß, am Ende wurde er von denen da drüben ja beobachtet, und da hätten sie womöglich gleich gedacht, daß es ihm gar nicht ernst ist mit dem neuen Leben im neuen, besseren Deutschland, und ob er glaubt, bei der DDR handelt es sich um einen Staat, für den man sich noch auf den letzten Metern Mut antrinken muß, also bitte. Damit nur niemand einen falschen Eindruck von ihm bekam, ging Heinrich besonders entschlossen und sogar pfeifend in Richtung Kontrollpunkt, sah links und rechts die hohen Metallgitterzäune, die hier die Grenze waren, und über die trat im Frühjahr 1962 so leicht kein Gläubiger oder Gerichtsvollzieher und vielleicht noch nicht mal eine Ehefrau.

Erst auf den allerletzten Metern fiel ihm ein, daß er gar nicht wußte, was er denen da drüben sagen sollte über seine Gründe. Ob die sich freuten über einen wie ihn und folglich gar nicht groß fragten, welche guten oder schlechten Gründe einer hatte, so lange er nicht nach drüben in den Westen wollte, und von dort floh er ja und wollte bestimmt nicht wieder zurück. Wie ein Willkommener wollte Heinrich behandelt sein im Arbeiter-und-Bauern-Staat, alles hinter sich lassen dürfen, selbst neu anfangen im Land des Neuanfangs, noch einmal ein unbeschriebenes Blatt sein mit seinen dreißig Jahren, und wer immer Lust dazu hatte, durfte etwas drauf schreiben.

Noch als die Grenzsoldaten ihn nach seinen Papieren fragten, konnte sich Heinrich die Begrüßung nicht anders vorstellen denn als eine freundliche, herzliche. Er war ganz arglos. Nur daß sie ihm gleich die Flasche wegnahmen, überraschte ihn, und bei der zweiten Durchsuchung auch die Schachtel mit den Briefen und den Fotos seiner Geliebten, und dabei hätte er den Angehörigen der Grenztruppen nur zu bereitwillig alles von denen erzählt: ihre speziellen Eigenschaften, ihre Kenntnisse, das erste und das letzte Mal, die Wiederholungen, die nicht ausgeblieben waren, die Zerwürfnisse; wer nach ihnen gekommen war und wer nach diesen, warum sie alle kein bißchen wie Rosa waren (alle waren wie Rosa), aber bei jeder einzelnen gab es mindestens eine winzige vertraute Kleinigkeit.

Er war ziemlich verwundert über den Anfang und daß sie ihn einfach stehenließen in Gesellschaft eines jungen Soldaten, der kein einziges Wort herausbrachte, und im Inneren des Grenzgebäudes sah man die anderen bei irgendwelchen Telefonaten und wie sie nacheinander seinen Paß studierten, geboren am 25.8.1931 in Jena, besondere Kennzeichen: keine.

Nach ungefähr einer halben Stunde stellten sie ihm die ersten Fragen. Ob er polizeilich gesucht werde im Westen, wollten sie wissen (nein), ob er Verwandte in der DDR hat (leider nicht), was er weiß vom Aufbau des Sozialismus und den Fortschritten dabei (da konnte er nicht viel sagen). Er kenne in Fulda eine Kommunistin, sagte Heinrich, und fließend Russisch spreche er seit seinem fünfzehnten Jahr, das immerhin interessierte die. Er möge doch bitte dem Genossen Leutnant in einen kleinen Aufenthaltsraum folgen, dort solle sich Heinrich ein wenig ausruhen und ein Glas Tee trinken, und so führten sie ihn gleich in den ersten Minuten in die Kunst des Wartens ein, die schwierige, noch hatte er wenig Übung darin.

Kurz vor Fulda war er noch in einen heftigen Schneeregen geraten, und während es draußen stürmte und niemand weiter sah als ein paar Meter, versuchte er sich zu erinnern, aus welcher Stadt sie ihm damals die Postkarte geschrieben hatte, und ob das wirklich Fulda gewesen war oder eine Stadt mit ähnlichem Namen, wie kam er bloß auf Fulda. Stammte sie etwa von dort oder war sie damals gerade hingezogen oder auf der Durchreise? Sie schien ja überhaupt viel auf Reisen zu sein als Bettenliebhaberin, und eines Tages stand sie da ausgerechnet in seinem Laden mit ihren Fragen und blieb und war nur eine von vielen, hinterließ als eine von vielen keine genaue Spur. Nur an ihre Stimme erinnerte er sich, denn die war rauh und dunkel und verheißungsvoll (so nannte er's), und wie eine Musik war ihre Stimme und ließ sich mit Worten leider nicht beschreiben.

Auf dem Foto, das sie ihm Jahre später schickte, sah sie ja eher unscheinbar aus: ein schmales blasses Gesicht, das nur wenig preisgab, die Nase etwas zu lang, also, auf der Straße hätte er sie glatt übersehen. Sommer 1968 stand hinten auf dem Foto, es lebe die Deutsche Kommunistische Partei, Du erinnerst Dich, Deine M.

Da entließen sie ihn gerade zum ersten Mal aus dem Gefängnis, als sie ihm das schickte ohne dazugehörigen Brief, und obwohl sie ihn in späteren Jahren ein paarmal besuchte anläßlich irgendwelcher Parteigeschichten im Lande – als er völlig am Ende war, vergaß auch sie ihn sehr schnell, die zarte Kommunistin, die aus dem Westen war und einen dieser Münder hatte, bei denen man immer denkt, sie bitten oder flehen um irgend etwas, aber ganz leise und unaufdringlich, und diesen Mund mit den schmalen aufgeworfenen Lippen hatte er vor Jahren einmal geküßt. Er wird nicht wirklich gerechnet haben mit ihren Ausflüchten, ihren Bedingungen, damals im März 1962, denn das hatte er bislang nicht kennengelernt, daß eine Frau oder auch Geliebte ihn am Telefon kurzerhand abfertigte und wissen ließ, im Augenblick sei sein Besuch sehr ungelegen, aber ein bißchen später wolle sie ihn gerne empfangen.

Das war in einer Telefonzelle am Bahnhof, als sie ihm das mitteilte, und weil er nicht recht wußte, was er mit sich anfangen sollte in den zwei Stunden, trieb er sich noch eine Weile in der Eingangshalle herum, trank im Stehen eine Tasse Kaffee, holte endlich sein Gepäck aus dem Wagen und ging zu ihrer Wohnung lange vor der vereinbarten Zeit, an den erleuchteten Fenstern im zweiten Stock des schmucklosen Neubaus erkannte er, sie war zu Hause.

Dann wartete er und erwog ihre Gründe: daß sie einen anderen hatte (ja, wahrscheinlich) und noch nicht fertig war mit dem anderen oder ihn gerade hinauskomplimentierte, daß sie sich schön machte für Heinrich (lächerlich), daß sie eine wichtige Arbeit zu erledigen hatte (war sie nicht Lehrerin?) oder einfach nur in der Wohnung saß und mit dem Gedanken spielte, den Abend irgendwo anders zu verbringen, und wenn sie zurückkam, stand dieser Heinrich bestimmt nicht mehr dort unten auf der Straße und wartete, daß sie sich zeigte und ihn nach oben in die Wohnung rief, das alles hielt er für möglich.

Fast zwei Stunden wartete Heinrich und hielt fast alles für möglich, verwarf es, hielt es wieder für möglich, so verging ihm die Zeit. Gegen sieben erwog er kurz, in ein nahe gelegenes Hotel zu gehen und auf Marga zu verzichten, dann wieder schloß er mit sich und Marga seltsame Abkommen und fand sich selbst lächerlich, weil er in seinen Abkommen alles davon abhängig machte, mit welchen Worten, welchen Gesten sie ihn empfing, und ob sie noch einmal etwas wissen wollte von ihm als Freund oder auch Liebhaber, und wenn ja, was. Weil er fror, wenn er zu lange einfach in der Gegend herumstand und zu ihrem Fenster hinaufsah und auf einen Schatten wartete oder zwei, ging er ein paarmal über den alten Friedhof gegenüber, auf dem schon seit Jahren niemand mehr beerdigt worden war, und entzifferte auf den verwitterten Steinen die Namen der fremden Toten, und weil es von der Straße nur wenig Licht gab, war's ein ziemlich mühseliges Geschäft, eine Tote mit dem Namen Marga war nicht dabei.

Nach ungefähr einer Stunde brachte ein Grenzsoldat einen langen Fragebogen, den sollte er ausfüllen und die Namen und Geburtsdaten seiner Verwandten eintragen bis ins letzte Glied, dazu ihre Berufe, und ob sie Mitglied waren in Parteien, Gewerkschaften und Vereinen, nur wie sollte er das alles wissen. Nach gut einer halben Stunde war er fertig mit den sechs Seiten (halb drei), dann wurde der Fragebogen abgeholt (drei Uhr nachmittags), dann wieder Warten und Geduldigsein, für jede unbeantwortete Frage ließen sie ihn offenbar ein paar Minuten sitzen. Gegen halb vier erschien ein älterer Zivilist in einem einfachen grauen Anzug und kariertem Hemd, der entschuldigte sich. Leider sei Heinrich auch heute wieder nicht der einzige, der in unsere Deutsche Demokratische Republik will, er möge sich doch bitte noch gedulden, in einer halben Stunde gehe es weiter, da dürfe er noch einmal sagen, wer er sei und woher er komme und wieviel Westgeld er mit sich führe, Umtausch zum Kurs von 1:1 bis zum Abend, also, direkt unfreundlich waren die ja nicht.

Die beiden Soldaten, die sein Gepäck durchsuchten, mußten aus der Gegend sein, denn obwohl sie nicht sehr gesprächig waren, redeten sie immerhin so viel, daß er sie erkannte an ihrem thüringischen Dialekt und sich einen Moment lang heimisch fühlte, so schnell ging das. Ihr müßt aus der Gegend von Jena sein oder ganz aus der Nähe, sagte er und redete auf einmal selbst, wie er seit Jahren nicht mehr geredet hatte, und da freuten die sich einen Augenblick, nahmen gleich wieder Haltung an und fuhren fort mit der Erforschung seines Gepäcks, durchsuchten, als sie das Gepäck durchsucht hatten, seine Kleider, fanden in der Westentasche ein paar Pfennige Westgeld, an die er nicht gedacht hatte, und ließen ihn sehr wohl merken, wie sehr sie solche Kleinigkeiten mißbilligten, aber weil Heinrich ihre Sprache redete, wollten sie keine große Sache draus machen, warten Sie bitte draußen, wir melden uns dann, da war's bald vier.

Der nächste, den Heinrich zu sehen bekam, war ein älterer Offizier aus dem Sächsischen, es gäbe da noch ein paar Fragen zu seinen Angaben. Was denn werden soll aus seiner Frau und den Kindern, die er zurückläßt, und ob es Pläne gibt, daß sie später nachkommen. Das könne er sich eigentlich nicht vorstellen, leider, darüber haben wir nicht gesprochen, sagte Heinrich, aber wie es mit ihm persönlich weitergehe, würde er gerne erfahren, und daß er am liebsten noch heute nach Jena will, denn dort sei er aufgewachsen, dort stehe das Haus des Vaters, dort kenne man ihn.

So einfach dürfen Sie sich das aber nicht vorstellen, sagte der Offizier und hatte so eine Art dabei, daß Heinrich zu begreifen begann, wie falsch seine Vorstellungen von den Leuten an der Grenze waren und warum seine Flucht oder auch Rückkehr Fragen für die aufwarf, und jede Frage, die man ihm stellte, war Teil einer Prüfung, die darüber entschied, ob sie ihn nun nahmen oder wieder zurückschickten in den Westen. Schließlich kann die Deutsche Demokratische Republik nicht jeden ruinierten Kaufmann, oder was sonst noch für Leute zu uns wollen, ohne jede Prüfung ins Land lassen, sagte der Offizier, und daß der deutsche Arbeiter-und-Bauern-Staat kein Abladeplatz für asoziale Elemente ist, so ungefähr drückte der sich aus. Also, wie geht Ihre Geschichte, aber bitte kurz und knapp, schließlich sind Sie nicht der erste, der hier mit irgendwelchen Geschichten ankommt und der Meinung ist, wir kennen die Geschichten nicht, dabei kennen wir sie in- und auswendig. Wir haben alles schon hier gehabt, sagte der Offizier. Allerlei Stellenlose haben wir hier gehabt und noch viel mehr Deserteure, aber auch so manchen Abenteurer, allein gelassene Frauen und betrogene Ehemänner, die obdachlose Familie aus dem Ruhrgebiet, den bankrotten Kartonagefabrikanten aus Hamburg, den Taschendieb aus Kiel: alles schon dagewesen. Sie müssen mir nicht erklären, wie das im allgemeinen so zugeht im kapitalistischen Westen und was so alles passiert, bevor einer seine Koffer packt und alle Hoffnung auf die DDR setzt; von all jenen, die einmal voller Illusionen gegangen sind und jetzt enttäuscht und ernüchtert wiederkommen, wollen wir gar nicht reden.

In welcher Branche Heinrich tätig gewesen sei?

In der Bettenbranche.

Ja, das wäre ihnen nun allerdings noch nicht vorgekommen, daß einer aus der Bettenbranche ist, aber das Genick gebrochen haben ihm bestimmt die Banken.

Ja, die Banken, sagte Heinrich und war sehr erleichtert, daß der längst über alles Bescheid wußte und auf weitere Einzelheiten nicht bestand, die eine oder andere unangenehme Einzelheit hätte es ja gegeben.

Es wurde dann auch nur noch kurz über Heinrichs russische Vergangenheit gesprochen und am Rande über seine Kontakte zu den westdeutschen Kommunisten, so einer wie Heinrich, meinte der Offizier aus Sachsen, werde sich ohne Zweifel zurechtfinden im ersten deutschen Arbeiter- und-Bauern-Staat, und gleich nachher bringen wir Sie erst mal nach Eisenach in unser schönes Aufnahmeheim, die

Schachtel mit den Briefen und den Fotos bekomme er dann spätestens bei der Abfahrt.

Im Nachhinein war es auch für Heinrich schwer zu sagen, wann und wo ihm zum ersten Mal der Gedanke gekommen war, in den Osten zu gehen, und wie das alles war, als er seinen Bruder verlachte, und Rosa stand verzweifelt dazwischen und hörte den älteren Bruder sagen: Dann geh doch nach drüben in den Osten, denn eine andere Wahl bleibt dir nicht.

Natürlich hatte Theodor nicht im Ernst daran geglaubt, Heinrich könnte in den Osten gehen, und Heinrich hatte in diesem Augenblick auch nicht daran gedacht, er wollte nur weg, und Rosa hatte nicht die geringste Ahnung, sie ahnte ja noch nicht einmal den bevorstehenden Ruin. Nur daß er jetzt zu allem fähig war, spürte sie und wollte ihn noch aufhalten und verhindern, daß er vor ihren Augen in den blauen *Citroën* stieg und davonfuhr für wer weiß wie lange: vergeblich. Wohin fährst du denn, um Gottes willen, rief sie ihm hinterher, und als er noch einmal einen Blick in den Rückspiegel warf, sah er, wie Theodor voller Verachtung auf den Boden spuckte und den Arm um Rosa legte, und nun mußte die eben sehen, wie sie zurechtkam ohne ihren Heinrich, den Treulosen, leicht würde es ja wohl nicht werden.

Auf den ersten dreißig Kilometern bis zum Autobahnanschluß Frankfurt-Hoechst war Heinrich zu keinem klaren Gedanken fähig, doch dann allmählich beruhigte er sich, fuhr in nördlicher Richtung an Homburg und Bad Nauheim vorbei und ab Gießen in östlicher Richtung weiter Richtung Bad Hersfeld, und irgendwo auf der Strecke muß ihm der Gedanke gekommen sein: der Osten. Damit rechnen sie alle bestimmt am allerwenigsten, daß einer wie ich über die Grenze geht und weg ist und nicht wiederkommt, aus und vorbei.

Müde von den nächtlichen Gesprächen mit Rosa, machte er noch eine Pause in einem Rasthaus kurz vor Bad Hersfeld, dachte darüber nach, was für ein Gedanke das war, den er da soeben zum ersten Mal gedacht hatte, also, sein Bruder Theodor würde es nicht fassen. Es gefiel ihm, daß sein Bruder es nicht fassen würde, und es gefiel ihm, daß auch seine Freunde, Bekannten und Geschäftspartner es nicht fassen würden, und also ging er zurück zu seinem Wagen, las nach ein paar Kilometern ein Hinweisschild mit dem Namen Fulda, stutzte kurz und erinnerte sich mit einemmal an irgend so eine Geschichte im letzten Winter, war auch ganz erleichtert, daß ihm der dazugehörige Name sofort einfiel (Marga hieß sie), und also konnte er die doch einmal besuchen in ihrem Fulda und ein paar Erinnerungen mit ihr austauschen, ein wenig Bedenkzeit konnte gewiß nicht schaden.

Noch auf dem Weg zum Bahnhof erinnerte er sich daran, daß es in jenem Winter einen unangenehmen Zwischenfall mit dieser Marga gegeben hatte, das heißt, nachdem sie schon weg war und er gerade nach Hause wollte, hatte es einen unangenehmen Zwischenfall gegeben, denn da stand auf einmal Rosa im Laden, und natürlich sah sie gleich das Bett, in dem er noch vor einer halben Stunde Marga umarmt hatte. Ihre Umarmungen und ihre ganze Art hatten ihm nicht übel gefallen, wenn er sich recht erinnerte, und also hatte ihm Rosa eine dieser Szenen gemacht, die in den letzten Jahren immer häufiger vorkommen waren und bei denen Rosa mit immer weniger Worten ausdrückte, wie sehr sie Heinrich für all die Nachmittage mit irgendwelchen dahergelaufenen Frauen verachtete.

Nun treibst du es also auch schon hier im Laden, hatte Rosa gesagt, und Heinrich hatte wie immer gar nichts gesagt, und dabei war Marga wirklich nur ganz zufällig in seinen Laden hineingeschneit, und was immer danach aus ihr geworden war: keine Ahnung. Nur die eine nichtssagende Postkarte hatte sie ihm eines Tages aus ihrem Fulda geschrieben, und obwohl sie ihm damals wirklich völlig nichtssagend erschienen war, brachte sie ihn noch Monate später auf die abwegigsten Gedanken, und daß er ja nur einfach zu ihr fahren mußte, damit noch einmal alles so wäre, wie es damals an diesem Nachmittag im Laden gewesen war, und sei's nur für die Nacht, bevor er in den Osten ging oder sich entschloß, eben wegen der einen Nacht bei Marga seine Entscheidung zu widerrufen.

Ich finde dich zum Kotzen, hatte Rosa damals zu ihm gesagt, und so, wie sie es gesagt hatte, war er ziemlich sicher gewesen, daß sie wirklich nur das ungemachte Bett gesehen hatte und zu spät gekommen war, das hoffte er. Sie besuchte ihn nie wieder im Laden (so wie ihn auch Marga nie wieder im Laden besucht hatte), aber nachträglich fühlte er sich von ihr beobachtet. Sie hatte noch immer nicht aufgegeben mit ihm, damals, im Januar 1962 oder vor sieben Wochen: Sieben Wochen war das alles erst her, mein Gott, Heinrich kam's vor wie eine Ewigkeit.

Über seine Tage im Lager Eisenach redete er später nur das Allernötigste, oder wenn die Fragen besonders hartnäckig ausfielen oder eine Frau ihm gefiel, dann immerhin erzählte er, daß es schon dunkel war bei seiner Ankunft und daß er in eine der noch ziemlich neuen Holzbaracken gebracht wurde, fürs Abendessen war's leider schon zu spät. Ein paar hundert Leute dürften damals im Lager gewesen sein, eine Baracke für jeweils acht Personen, und drei Wolldecken mit Bettwäsche zum Schlafen gab es und ein Eßgeschirr und eine Tasche, das war der Anfang.

Er machte sich keine große Gedanken über den Anfang, oder er war einfach zu müde dazu, oder er dachte, daß er seine Entscheidung ja noch immer rückgängig machen konnte, zum Beispiel, wenn ihm die Leute in der Baracke nicht gefielen, die mit der Sprache nicht herausrückten oder sich schlafend stellten und wollten, daß er schön leise ist und das Maul hält um die Zeit, was läßt man auch so spät noch jemand ins Lager.

Alles in allem begriff er wohl erst in Bautzen, daß seine Entscheidung unwiderruflich war und daß er sich täuschte, wenn er alles für ein Provisorium hielt, und wenn es uns nicht paßt, fangen wir eben etwas Neues an oder machen da weiter, wo wir früher einmal aufgehört haben, so einfach stellte er sich das nämlich vor. Im nachhinein sagte er: Ich bin da hineingeschlittert, einfach so hineingeschlittert, und später war mir manches recht und manches weniger, aber wirklich entschieden habe ich mich nie. Wie hieß es doch immer bei ihm? Mal sehen, was noch alles draus wird, und es wird bestimmt etwas draus, und genau so und nicht anders verschlug es ihn in den Osten. Mal sehen, was wird, wenn ich Richtung Herleshausen fahre, mal sehen, was wird, wenn Marga mich empfängt, mal sehen, was wird, wenn ich am nächsten Morgen in Richtung Grenze gehe, und wenn die Tage im Lager erst vorbei sind und eine neue Bleibe ich habe und eine neue Stelle, so schlimm wird das alles nicht werden (wurde es nicht), und besser als im Westen wird es allemal.

So oder so ähnlich wird er gedacht haben am ersten Abend in Eisenach, als die anderen schliefen und niemand etwas wissen wollte von ihm, da war er sehr optimistisch, und am nächsten Morgen gab's ein großes Frühstück, und auch die fünf jungen Kerle in seiner Baracke waren gar nicht so übel, die waren aus der Gegend von Göttingen und laut und abenteuerlustig (der Zukunft zugewandt) und wollten so bald wie möglich aus dem Lager, die Gegend erkunden, nur Heinrich mußte bleiben, für den galt eine vierundzwanzigstündige Quarantäne.

Es herrschte eine seltsame Stimmung im Lager. Überraschend still war es, aber die Baracken voll mit einem Gemisch aller möglichen Menschen, die so leicht nicht redeten über sich und ihre Vergangenheit und warum genau sie gekommen waren und mit welchen Hoffnungen, das alles behielten sie aus Mißtrauen oder Klugheit oder auf Anweisung lieber für sich. Nur mit Tom redete Heinrich viel und von Anfang an, der war gerade zwanzig und nahm das Leben noch wie etwas sehr Leichtes, Unbedeutendes, und wenn es Schwierigkeiten gab (er hatte mehrfach größere Summen unterschlagen, war seit Monaten auf der Flucht), flog er davon und ließ sich nieder, wo immer es ihm gefiel.

Er lernte ihn beim Mittagessen kennen, und kurz nach dem Mittagessen stellte sich ihm ein Mann von der Staatssicherheit vor und war sehr freundlich und zuvorkommend, sogar eine Zigarette hatte er für Heinrich, und die Fragen waren nur ein paar wenige und ganz leicht zu beantworten: Ob er Verwandte, Geschwister bei der Bundeswehr habe oder dem Bundesgrenzschutz oder der Polizei? Irgendwelche Kenntnisse militärischer Anlagen? Das verneinte er. Ob er sich schon eingewöhnt habe im Lager, danke der Nachfrage, da war er auch schon entlassen. Das Mittagessen folgte, ein erstes Gespräch mit Tom, dann nachmittags im Fernsehraum Aussprache mit dem Kulturleiter. Ein einfach gekleideter Herr in den Fünfzigern hielt eine kurze Ansprache, in der von westlichen Abhöranlagen die Rede war und einer Nummer für jeden Bewohner des Lagers, daran würde man sich aber gewöhnen, fand Heinrich, so wie man sich an das frühe Abendessen gewöhnen würde, der Tee, die Wurst, der Käse, die Butter, das Brot schmeckten ja nicht viel anders, als er's kannte von zu Hause.

Gehst du zum Abendvortrag, hatte Tom nach dem Abendessen gefragt und die Augen dazu verdreht, daß Heinrich gleich wußte, es ist nichts Besonderes, aber hingehen kannst du trotzdem, es gibt ja keine Alternative. Auch aus den anderen Baracken waren die meisten gekommen, es sprach ein Oberleutnant der Volkspolizei über Spionage, Sabotage, Militaristen und Kapitalisten, aber Heinrich hörte gar nicht richtig hin, und was er hörte, klang nach einer neuen fremden Sprache (der Bonner Imperialismus), bei der ihm anfangs nur das eine oder andere Wort vertraut war und ungefähr denselben Sinn hatte, wie er ihn kannte aus dem Westen.

Nach dem Vortrag war dann nicht mehr viel. Auf dem Weg zur Baracke redete er noch ein paar Sätze mit Tom, ging wie alle früh zu Bett und konnte nicht schlafen, versuchte an Marga zu denken und wie er nicht gewollt hatte, daß sie ihn tröstete mit ihren Händen, und nun tat er's selbst und bewegte sich leise unter der dünnen Bettdecke, hatte nur Bilder von Rosa. Einen Augenblick lang wunderte er sich über sich, denn das war seit Jahren nicht mehr vorgekommen, daß er ohne Bedenken freundlich zu sich war und an niemand anders denken konnte als an Rosa, die Treue, und danach war er tatsächlich müde und zufrieden und fiel in einen sorglosen Schlaf.

Rosa hatte ihn nicht wirklich ernst genommen, damals, Anfang März, als alles auf Messers Schneide stand, so wenig Ahnung hatte die und wollte an die bevorstehende Niederlage nicht glauben. Na gut, du weißt für heute keinen Ausweg, hatte sie gesagt, fahren wir zu Theodor, besprechen wir alles, er ist dein Bruder, und ihr liebt euch nicht, aber in der Not ist Blut dicker als Wasser, und am nächsten Morgen fährst du in aller Ruhe nach Frankfurt und verhandelst wegen eines Kredits mit Offermann (den hatte er erfunden), so wird es gehen.

Meinst du wirklich?

Ja, das meine ich. (Rosas große Stunde.) Haben wir nicht schon ganz andere Sachen mit Anstand hinter uns gebracht?

Ja, das haben wir. (Ihm fiel nur die Sache mit Susanna ein.)

Der Tochter sagten sie, wir fahren ein paar Tage nach Wiesbaden, aber wenn wir zurückkommen, darfst du nicht verraten, wo wir gewesen sind, setzten sie nach hinten in den neuen *Citroën* und brauchten von Haustür zu Haustür keine vier Stunden.

Was um Gottes willen ist denn in euch gefahren, fragte Theodor, weil er Besuche ohne Voranmeldung nicht leiden konnte, und seine Frau Ilse, die den jüngeren Bruder nicht leiden konnte, fragte, warum um Gottes willen sie nur immer ohne Voranmeldung kommen mußten, seit Jahren dasselbe Lied. Es ist wegen der Firma, sagte Heinrich, und daß das erste Jahr immer das schwierigste ist, er begann sehr vorsichtig. Darauf Theodor mißtrauisch: Ein Jahr hast du die Firma schon?

Im Februar war's ein Jahr genau.

Die Zeit vergeht.

Und dann ließ Theodor ihn zappeln. *Die Zeit vergeht.* War das alles, was er zu sagen hatte: Die Zeit vergeht? So konnte natürlich nur reden, wem das Wasser noch nie bis zum Hals gestanden hatte und wer das Seine für die Seinigen immer rechtzeitig ins Trockene brachte und das Risiko scheute wie der Teufel das Weihwasser (hätte Rosa gesagt) und ein wohlhabender Mann wurde nur durch eigener Hände Arbeit, Fleiß und Genügsamkeit. Heinrich spürte, wie der ältere Bruder sich noch immer fürchtete vor diesen Begegnungen und Konfrontationen, aber er spürte auch, daß sich das Blatt zu wenden begann, den bevorstehenden Triumph des Langsamen, Rechtschaffenen über den Skrupellosen, Ungeduldigen, der er immer gewesen war, und nun auf einmal wurde er mit irgendwelchen Floskeln abgespeist, und das alles nur, damit er nicht gleich wieder mit der Tür ins Haus fiel und das leidige Geldthema anschnitt, ich bitte dich, erst wenn die Kinder im Bett sind, bis dahin reiß dich zusammen, mir zuliebe.

Mein Anwalt sagt, es gibt verschiedene Paragraphen, und im besten Fall gehe ich für ein paar Jahre ins Gefängnis, und im schlimmsten bleibe ich ein Leben lang ein armer Schlukker und arbeite nur noch für meine Gläubiger.

Ich bin nicht zuständig für deine Fehler.

Mein Bruder bist du.

Nicht dein Hüter.

Und das war alles, was sie beredeten an diesem Abend, und als die beiden Frauen ein Essen aus der Küche brachten, war's, als sei's ein gewöhnlicher Besuch unter Verwandten, und weder Theodor noch Heinrich sprachen die Sache noch einmal an. Nur Rosa sprach die Sache auf ihre Weise noch einmal an, das war lange nach Mitternacht, und Theodor fand es ziemlich unpassend, daß sie ihm um diese Zeit noch einmal mit Heinrichs Geschichten kam, und inwiefern er nun ein Pechvogel war oder ein Versager, und wie das eine in das andere übergeht, und ob es Versager von Geburt an gibt, oder ob sie erst dazu gemacht werden, das waren so die Fragen, die sie damals beschäftigten, und Heinrich stand in der Nähe der Tür und konnte nicht anders, als die beiden belauschen.

Später fand er, daß Rosa sehr sanft und entschlossen war, er hätte nur gern gewußt, wovon das alles immer abhing bei ihr, und warum sie sich manchmal von einer Sekunde auf die andere alles anders überlegte, und dann beugte sie sich wie jetzt zu ihm herüber und flüsterte ihm ein paar Worte ins Ohr, und wie er begriff, was sie ihm da ins Ohr flüsterte, freute er sich. Es waren wirklich nur ein paar tausend Male gesagte Worte. Aber er freute sich.

Nach dem Frühstück am Donnerstag sagte Tom: Nun hast du die vierundzwanzig Stunden hinter dir, aber aus dem Lager lassen sie dich noch lange nicht, denn bevor sie dich aus dem Lager lassen, müssen sie dich erst mal untersuchen, anschließend dürfen wir zum Mittagessen, und was sie sich für danach ausdenken, fängt nicht selten mit einer Zigarette an und endet bei wer weiß welchen Verwicklungen oder auch Verpflichtungen. Das nur als Ratschlag, lieber Heinrich, du bist noch neu hier, und die Zigarette gestern war nur der Auftakt, spätestens ab dem dritten Tag kommst du ihnen so leicht nicht davon.

Der junge Arzt, der ihn untersuchte oder vielmehr befragte, brauchte keine zwei Minuten, bis er über Heinrich Bescheid wußte, denn der war jung und kräftig, schaute einem gerade in die Augen und schien für jede Arbeit brauchbar. Ob er sich schon freue auf die Zeit nach dem Lager, wollte der Arzt wissen, dann folgten schon die Fragen: Ansteckende Krankheiten, an denen wir leiden oder früher einmal gelitten haben? Umgang mit Personen männlichen oder weiblichen Geschlechts, die an ansteckenden Krankheiten leiden oder gelitten haben? Na, vielen Dank auch. Nicht einmal den Oberkörper mußte Heinrich frei machen oder in die Hose sich schauen lassen zum Zwecke der Überprüfung seiner Angaben, gar nichts. Kerngesund sei Heinrich und voll arbeitsfähig, das stehe fest, zum Beispiel in der Landwirtschaft suchen wir ja noch Leute, die sich fürs Arbeiten nicht zu schade sind und anpacken, wenn einmal Not am Mann ist, da mag einer Bettenverkäufer gewesen sein wie Heinrich oder sonst was, wer bereit ist zur Mitarbeit am Aufbau des Sozialismus, bei uns ist er willkommen. (Also doch.)

Der freundliche Offizier von der Staatssicherheit hatte wie schon am Vortag eine Zigarette für Heinrich, aber diesmal lehnte Heinrich die Zigarette ab, und so stutzte der freundliche Offizier von der Staatssicherheit und machte sich im Kopf Notizen, vielleicht war Heinrich ja jemand, der für das eine oder andere zu gebrauchen war, mit Whiskytrinkern hatte er eigentlich nur gute Erfahrungen.

Und so kam Heinrichs Whisky wieder ins Spiel, den hatten sie ihm aufbewahrt, der schmeckte nach früher, den boten sie ihm an. Nicht wahr, das hätten Sie nicht gedacht, daß Sie Ihren Whisky wiedersehen und dann auf diese Weise, sagte der Offizier, und Heinrich sagte, nein, das hätte er nicht gedacht, und also stießen sie an und tranken einen Schluck, denn davon hatte Tom nichts gesagt, daß man mit der Staatssicherheit keinen Whisky trinken darf, fürs erste war ja auch alles harmlos. Heinrich mußte von den Jahren sechsundvierzig bis einundfünfzig in der Sowjetunion erzählen, und Herr Harms von der Staatssicherheit (sagen Sie doch Herr Harms zu mir) erzählte, wie er als junger Kommunist durchs zertrümmerte Thüringen fuhr und für die Sache des Fortschritts warb, das war im Herbst 1946, ein halbes Jahr nach Gründung der Sozialistischen Einheitspartei Deutschland, daß er an den Sozialismus auf deutschem Boden zu glauben begann, und zwischen dem dritten und vierten Glas Whisky erzählte er's: alles harmlos.

Nach über einer Stunde war noch immer kein einziges Wort über Heinrichs Zukunft gefallen, oder Heinrich hörte einfach nicht richtig zu, wenn von seiner Zukunft die Rede war, und weil sich Herr Harms in Heinrichs Anwesenheit wohl zu fühlen schien, begann auch Heinrich sich wohl zu fühlen, schließlich war es ja seine Flasche, aus der sie tranken, und wenn sie bei dieser Geschwindigkeit blieben, würde sie nicht lange reichen.

Hatte nun Herr Harms ihm einen Gefallen getan oder umgekehrt oder sie beide sich den Gefallen gegenseitig?

Heinrich fand, er dürfe auf keinen Fall ins Hintertreffen geraten beim Austausch dieser kleinen Gefälligkeiten, und deshalb tat er dem Mann von der Staatssicherheit den Gefallen und nannte die DDR ein Land der Hoffnung, und wenn er darf, schreibt er's noch heute seiner Frau Rosa, dann kann sie sich bald mit eigenen Augen davon überzeugen.

Das wäre doch etwas, sagte Herr Harms.

Ja, das wäre etwas, sagte Heinrich, aber soll ich's mir auch wünschen? Eigentlich brachte er Rosa ja nur Herrn Harms zuliebe ins Spiel, dachte er und überlegte, ob einer wie Harms auch Familie hatte, und dann ging so einer am Abend nach Hause und berichtete der Frau von seinen neuesten Eroberungen auf dem Felde des ideologischen Kampfes, und einer, mit dem ich kämpfe, heißt Heinrich und gefällt mir, wer weiß warum.

Wenn Sie wollen, sagte Harms zum Abschied am frühen Abend, sprechen wir die Tage noch einmal, bis dahin können Sie sich die Sache ja in aller Ruhe überlegen, und Ihrer Familie sollten Sie schreiben und ein paar erste Eindrücke gewinnen vom Leben außerhalb des Lagers, wir haben Zeit.

Später hatte Heinrich einige Mühe, den Nachmittag mit Harms in allen Einzelheiten zu rekonstruieren (nur weil Tom es wissen wollte), und warum der Mann von der Staatssicherheit so großen Wert darauf legte, daß er Rosa nicht vergaß, und was für eine Sache das überhaupt war, die er sich in Ruhe überlegen sollte. Es fiel ihm aber längst nicht alles ein, was ihm hätte einfallen sollen, wenn es nach Tom gegangen wäre, hoffentlich hast du auch nichts unterschrieben. Hatte er nicht.

An seinem letzten Abend mit Rosa hatte Heinrich erst am späten Nachmittag zu trinken begonnen, und so war er milde zu ihr und ihrem Vorschlag mit Wiesbaden und widersprach ihr nicht, und dabei war doch Theodor der letzte, von dem in seiner Lage Hilfe zu erwarten war, aber wenigstens aus der Stadt wollte Heinrich und erfand für Rosa diesen Offermann in Frankfurt, bei seinen Touren durch Bars und Kneipen hatte er solche Leute schon kennengelernt.

Na, siehst du, sagte Rosa und war auch ihrerseits ganz milde und freundlich und ohne Vorwurf. Fast schien es Heinrich, als sei es ihr gerade recht, daß er geschäftlich in Schwierigkeiten war und fürs erste nicht weiter wußte (sie waren am Ende), denn so kam er wenigstens nicht auf dumme Gedanken und war noch einmal der, der er vor vier, fünf Jahren gewesen war: ein bißchen unzuverlässig, aber ehrgeizig und treu noch als Treuloser, und genau so hatte sie sich den Mann ihres Lebens immer gewünscht. Sie war nicht unzufrieden gewesen mit ihrem Heinrich anfangs, und die paar Frauen, die vor ihr waren (am Ende wußte sie ja nicht alles), na gut, da hatten sie ihm immerhin das eine oder andere beigebracht.

Er und sie hatten ein bißchen zugenommen in den letzten Jahren, die aufwendigen Mahlzeiten, die sie an den Abenden für ihn kochte, und das eine oder andere Glas Whisky zuviel hatten ihre Spuren hinterlassen, aber es gefiel ihr der Heinrich von neunzehnhundertzweiundsechzig, und noch erkannte sie ihn auch wieder in dem Heinrich von neunzehnhundertzweiundfünfzig, diesen Angeber, der mit seinem Bruder um sie gewettet hatte, und daß er sie schon ansprechen würde bei Gelegenheit und ihr sagen, er möchte mit ihr ins Freibad drüben auf den Fischerwiesen, dann kann er sie gleich in allen Einzelheiten studieren.

Das war im Juni neunzehnhundertzweiundfünfzig, daß er um sie gewettet hatte und sie ansprach auf der Straße am frühen Nachmittag, und Rosa hörte sich alles an und konnte nicht anders, als ihm gehorchen. Na, meinetwegen, sagte sie, und Marie, die Freundin, blieb zurück und staunte, wie Rosa sich ohne Zögern auf sein geliehenes Fahrrad setzte (er hatte ja nichts) und sich bei ihm festhielt und in das Freibad auf der anderen Seite des Flusses bringen ließ, der neue Badeanzug zum Glück gefiel ihm, und was es sonst noch für Badeanzüge und dazugehörige Mädchen in diesem Sommer gab, hatte ihn gar nicht zu interessieren.

Gleich in den nächsten Wochen hatte sie Anlaß, ihn ein bißchen zu tadeln und zu schelten für die eine oder andere Frechheit, die er sich herausnahm, aber meistens wußte er, wann und wo die Grenze bei ihr war, und wo er sie einmal überschritt (seine warmen, trockenen Hände unter ihrem Badeanzug), war's zu ihrem Nachteil nicht. Am Ende beneideten sie alle um diesen Heinrich mit seinem weißen Seidenschal und den flotten Sprüchen und Einladungen vom geliehenen Fahrrad herunter, ja, sogar die schöne Marie beneidete sie, denn am Ende war es immer Rosa, die sich im Schwimmbad ein dünnes Handtuch mit ihm teilte und sich von ihm küssen ließ und dampfte unter seinen Küssen, das hoffte sie und strafte ihre Neiderinnen durch gelegentliche Andeutungen oder das eine oder andere Detail seiner vorsichtig-dreisten Erkundungen. Dann schwiegen die immer oder gaben sich hochnäsig und erfahren ohne Erfahrung, denn mit Anfang Zwanzig war es bei den meisten ja nicht weit her mit diesen sogenannten Erfahrungen, und also genoß es Rosa einen ganzen Sommer lang, wenn ihre Freundinnen heimlich ein Auge auf ihren Heinrich hatten und nicht loskamen von dem, sie fand, das schmückte sie.

Noch Jahre später sagte sie zu Marie, der Freundin, die ihr geblieben war nach einem Sommer im Freibad: Ich muß verrückt gewesen sein, daß ich mich mit ihm verlobt habe nach nicht einmal vier Monaten, aber ich beglückwünsche mich zu meiner Verrücktheit und daß er mich genommen hat, und dabei hatte ich doch nichts als ein paar schöne Augen und einen Körper mit Kurven und Rundungen für zwei. Du mußt verrückt sein, daß du dir das bieten läßt, hatte Marie gesagt, aber Rosa hatte nur abgewunken, nun fang mir bloß nicht damit an, was kümmern mich seine Affären, wenn er doch immer wieder auf mich zurückkommt und mich nimmt und behält, als wär's das erste Mal und für immer, das Leben ist, wie es ist, und einen Besseren finde ich nicht, oder hast du etwa einen Besseren? Na also.

Sie dachte gern an diese Zeit, die erste, und dann waren ja auch noch seine beruflichen Erfolge und das viele Geld, das mit den Erfolgen ins Haus kam seit nunmehr sieben Jahren, das waren die fetten, und auf sieben magere, wenn sie denn folgten, wollte sie sich gerne einstellen.

Ich möchte nicht darüber reden, hatte Heinrich an ihrem letzten gemeinsamen Abend in Regensburg gesagt, denn ihm steckte noch immer der Onkel in den Knochen mit seinen Drohungen und Beschimpfungen, nur was kümmert's uns, wenn der Onkel sein Geld nicht wiedersieht im Falle eines Falles (das war nun wieder typisch Rosa), er hat doch genug, und daß es wirklich schiefgehen kann, wenn der beste Bettenverkäufer südlich des Mains eine eigene Firma aufmacht, das glaube ich persönlich nie und nimmer. (Ach, wenn du wüßtest.)

Wir könnten eine kleinere Wohnung nehmen, wenn es hilft für den Übergang, hatte Rosa gesagt, und daß die erste

Zeit immer die schwierigste ist, ich könnte beim Essen sparen, oder den neuen Fernseher könnten wir verkaufen, aber das alles wollte Heinrich auf keinen Fall. Pack mir lieber ein paar Sachen für Frankfurt, hatte er gesagt und saß bis lange nach Mitternacht im Fernsehzimmer und betrank sich, wußte keinen Rat.

Mit dem Brief an Rosa tat er sich schwer. Er hätte gerne Harms um Rat gefragt, der hatte bestimmt Erfahrung mit solchen Briefen, aber beim Abendvortrag ließ sich Harms leider nicht blicken, und bis zum nächsten Morgen wollte Heinrich nicht warten. Noch als er zu schreiben begann, hatte er keinen Plan. Sie sollte denken, er bemüht sich um sie, aber daß sie ihm folgt, erwartet er nicht im Ernst, und so schrieb er: Eisenach, den 16.3.1962. Meine Lieben! Ich konnte nicht anders! Ich weiß nicht, wie ich es überstanden hätte, aber hier sehe ich eine Möglichkeit für die Zukunft. Meinen Wagen habe ich in Fulda am Bahnhof stehenlassen. Ich denke immer an Euch. Bitte schreibe mir an folgende Adresse: H. H., Aufnahmeheim Eisenach, DDR. Gruß an die Kinder. Brief folgt.

Danach ließ er sich noch kurz von den Jungs aus Göttingen erzählen, und was für erste Eindrücke sie hatten, denn natürlich war er doch sehr gespannt, wie das alles aussah außerhalb des Lagers, und ob das alles nun wirklich schon ganz anders geworden war, als er es kannte aus dem Westen, keine Ahnung. Die Jungs aus Göttingen schienen sich auch gar keine große Gedanken darüber zu machen, für sie war's nur wichtig, daß eine Stadt vorhanden war (grau und dämmrig), und in der gingen sie bei strömendem Regen spazieren und fanden kein Café, in dem sie sich hätten wärmen können. Waren zehn Jahre eine lange Zeit für ein Land oder eine kurze? Und wieder: Was wußte er überhaupt von diesem Land und seinen Bewohnern, seiner Politik seit damals, als die Familie im Verlaufe weniger Monate in den Westen ging, die Brüder im Sommer 1951 bei Sonneberg über die grüne Grenze, und schließlich im Herbst über den Ostteil der Stadt Berlin nach langem Zögern der Vater, die Mutter mit den beiden jüngeren Schwestern, so gingen sie zwischen den Grenzen alle paar Jahre hin und her.

Die Stadt Eisenach immerhin kannte er flüchtig von einem Ausflug mit einem Mädchen im Sommer einundfünfzig, die war die Tochter des zweiten Kreissekretärs der SED in Jena und hatte aus Heinrich vorübergehend einen Schriftführer bei der *Freien Deutschen Jugend* gemacht, denn mit der FDJ hatte sie es und wollte einen wie Heinrich nicht eher berühren, als bis er einen Beweis erbrachte für seinen richtigen Standpunkt im Klassenkampf.

Daran mußte Heinrich denken, als er am nächsten Morgen für drei Stunden das Lager verließ, die beiden Wachsoldaten waren nicht eben freundlich, aber das brauchte ihn ja nicht weiter kümmern: Er war draußen.

Damals, im Sommer einundfünfzig, hatte er für die Stadt gar keinen rechten Blick gehabt und immer nur nach kleinen verschwiegenen Orten Ausschau gehalten, an denen unter Umständen der eine oder andere Fortschritt bei diesem fortschrittlichen Mädchen möglich war, aber die begeisterte Tochter (Dora hieß sie mit Namen) hatte immer nur ihre FDJ im Kopf gehabt und wie genau die Losungen an den Häuserfassaden lauteten (Helft mit beim Aufbau des Sozialismus) und welches Gefühl das für sie war, auf einem Platz zu stehen, der nach dem größten Bewunderer und Freund des deutschen Volkes, Josef Wissarionowitsch Stalin, benannt war: herrlich, einfach herrlich.

Nach all den Jahren befürchtete Heinrich, er würde sich nicht zurechtfinden in der Stadt von damals, aber dann ging er los und fand das meiste wie ehedem: den Markt, das Schloß, die beiden großen Kirchen, das Bach- und das Lutherhaus, den alten Park: alles da. Und wieviel lebendiger und frischer sah alles aus, von den Zerstörungen der letzten Kriegstage kaum eine Spur. Nur nach dem Freund und Bewunderer des deutschen Volkes, Josef Wissarionowitsch Stalin, waren kein Platz und keine Straße mehr benannt, und viele neue Autos sah man jetzt überall in der Stadt, die kannte er bislang nur als Witz aus westdeutschen Blättern.

Über zwei Stunden ging er so und schaute und verglich, was er mit eigenen Augen sehen konnte und worüber es im Westen immer geheißen hatte, so und nicht anders geht es jenseits der Grenze zu, und daß das so ist, können wir so schnell nicht ändern, nur gutheißen können wir es auf keinen Fall. Heinrich dagegen fand, er habe nicht wirklich etwas zu befürchten, wenn das Land so war, wie es sich zeigte auf den ersten oder zweiten Blick, zum Beispiel nach Hunger sahen die Leute hier nicht aus, und sie redeten seine Sprache und waren freundlich und müde von einer Arbeit, die er nicht kannte.

Vielleicht, so dachte er, ist es nur, weil ich mich erinnere an dieses Mädchen, oder ich sehe längst nicht alles, oder man müßte eine Zeitung lesen (dünn sahen die Zeitungen aus), zum Beispiel über den Beschluß der Volkskammer vom 24. Januar (Gesetz über die Einführung der Wehrpflicht) erfuhr man auf so einem Spaziergang natürlich wenig, aber die Frauen gefielen ihm (die große Schwarzhaarige am Kiosk), und eine junge Wurstverkäuferin wünschte ihm doch tatsächlich einen schönen Tag.

Und wie finden Sie nun unser Land, wollte Harms wissen, als Heinrich auch diesmal den Whisky nicht ausgeschlagen hatte und von den Zigaretten erst die dritte, aber Heinrich konnte von seinen Eindrücken so schnell nicht reden, und was es mit seiner Dora genau auf sich gehabt hatte, an die nämlich mußte er denken. Na, sehen Sie, das wird doch alles, sagte Harms, der sich Heinrichs Vormittag auf seine Weise zusammenfaßte, und schon wurde er dienstlich und fing mit seinen berühmten Fragen an, aber eine Dora tauchte in all den Fragen nicht auf.

Obwohl in den Tagen davor immer wieder Gläubiger gekommen waren und ohne jede Rücksicht auf anwesende Kunden häßliche Szenen gemacht hatten, betrat Heinrich auch am letzten Tag pünktlich um acht die Geschäftsräume zwischen Tändler- und Wahlengasse, begann auf einem der ausgestellten Betten die Zeitung zu lesen und wartete auf Kundschaft. Fast hatte er sich schon gewöhnt daran, daß kein Onkel und kein Lehmann und kein Fräulein Swoboda mehr da waren und hinten im Büro oder im Lager den halben Tag verplauderten, während er vorne Kunden beriet, aber es war auch nicht viel los an diesem Vormittag, und sogar seine Gläubiger schienen Besseres zu tun zu haben, oder sie hatten alle Hoffnung längst fahren lassen und setzten mit ihren Rechtsanwälten lange komplizierte Schriftsätze auf, in denen sie der Firma *Betten Hampel KG* in Regensburg unwiderruflich letzte Fristen setzten, und wenn dann immer noch kein Geld floß, landete die Sache eben beim Staatsanwalt.

Jetzt rächte es sich, daß er Rosa immer von allen geschäftlichen Angelegenheiten ferngehalten hatte und daß sie statt dessen lieber brav zu Hause geblieben war und die Kinder versorgte und an den Abenden irgendwelche Geschäftsfreunde mit Ehefrauen oder noch viel häufiger allerlei Bekannte aus Bars und Kneipen und irgendwelchen dubiosen Clubs und privaten Saunas bewirtete, und dann tranken sie bis spät in die Nacht aus teuren Gläsern den feinen teuren Whisky und den noch feineren teuren Kognak, und erst kurz vor Mitternacht mahnte Rosa zum Aufbruch und verschwand und sagte: Es ist wegen des Kleinen, entschuldigt, aber er schreit jetzt beinahe jede Nacht.

Die ersten Kunden hatte er gegen elf, doch obwohl er sich Mühe gab mit dem jungen Paar aus einem Dorf nahe der Grenze (wir heiraten Ende April) und ihnen geduldig Vor- und Nachteile der neuen Modelle aus Frankreich erklärte, konnten sich die beiden zu keinem Kauf entschließen und turnten und alberten und kicherten fast eine Stunde lang in den verschiedensten Betten herum, bis endlich auch Heinrich die Geduld verlor und den beiden vorschlug, sie möchten doch noch einmal alles in Ruhe überschlafen, schließlich seien er und seine Betten auch morgen und übermorgen noch da, und da gingen die endlich und ließen ihn mit seiner Zeitung allein.

Um dich und deinen Laden mache ich mir keine Sorgen, hatte ihn der Vater zum Jahreswechsel telefonisch beglückwünscht, denn aufs Verkaufen und Loben und Preisen verstehst du dich nun einmal wie kein zweiter, und weil es den Leuten an Geld nicht mangelt, kaufen sie außer Kühlschränken und Fernsehapparaten oder dem neuen *Käfer* auch neue Betten und Kissen und Matratzen und Überzüge und Laken, gründen mit Anfang Zwanzig neue Familien oder lassen sich lieber noch etwas Zeit damit, in ihren Betten neue Familien zu gründen, so offen konnte der Vater neuerdings mit Heinrich reden. Du würdest sogar mir ein neues Bett verkaufen können mit deinen Sprüchen, hatte der Vater gesagt und sich über die teuren Zigarren zum Namenstag gefreut oder die sechzig Rosen zum Sechzigsten, aber vermutlich war das ja ein Irrtum, daß Heinrich immer geglaubt hatte, der Vater freue sich über die viel zu teuren Geschenke und den Erfolg des zweiten Sohnes im fernen Regensburg, denn was war das schließlich schon groß: ein Bettenverkäufer im verschlafenen Regensburg und zwei Kinder und eine Wohnung mit sieben Zimmern im dritten Stock, aber immer flüssig und großzügig, wenn die kleinlichen Brüder wieder mal knapp bei Kasse waren und so taten, als sei's eine Gnade, daß sie von seinem Geld das neue Auto zahlten oder die neue Schrankwand im Schlafzimmer.

Das war gegen eins, als ihm die Sache mit dem geliehenen Geld wieder einfiel und er sich noch einmal ärgerte über Paul und Theodor und das Geschäft für geschlossen erklärte und im Büro zwei kurze förmliche Briefe schrieb, in denen er um Rückzahlung ihrer Schulden zum Fünfzehnten des Monats bat und seine verzweifelte Lage noch nicht mal erwähnte.

Hunger hatte er, als er fertig war.

In seinem Stammlokal über die Straße gab's Eisbein mit Sauerkraut und Kartoffelbrei, das ließ er sich einpacken und nahm es mit nach hinten an den Schreibtisch und aß und dachte an die Brüder und Bella und ob die wohl noch einmal vorbeikam, er hoffte nicht.

Er dachte: Die Brüder sollen ruhig denken, es ist eine Laune von mir, daß ich das Geld von ihnen zurück will zu diesem äußerst ungünstigen Zeitpunkt, und Bella soll ruhig denken, ich bin schon fort und für immer.

Dann saß er still in seinem Büro und tat überhaupt nichts, der Rest Whisky, den er im Schreibtisch fand, reichte gerade für zwei Gläser.

Von einem Abschied wußte er nichts.

Er machte das Licht aus um vier, als käme er wieder, ließ die beiden Rolläden herunter und schlich aus dem Laden wie ein Dieb.

In der vierten Nacht im Lager erwachte Heinrich von einem Traum, in dem er noch einmal bei Marga war, und plötzlich stand da seine Rosa unten an der Tür und stieg die Treppen hoch und sah Marga, wie sie sich in aller Eile einen Morgenmantel überzog und Heinrichs Rasierpinsel und seinen Schlafanzug und seinen Whisky im Schrank versteckte, aber Rosa hatte gar keinen Blick dafür, und daß auch Heinrich nackt und verschlafen war und verlegen eine Begrüßung stotterte und einen Morgenmantel für sich nicht fand. Ich habe nur eine halbe Stunde, hatte Rosa gesagt, dann muß ich wieder ins Lager, ich sage euch, es ist entsetzlich und schmutzig und erbärmlich, aber wir alle haben große Hoffnungen, und in den Baracken der Männer auf den Laken für jede Nacht ein Fleck. Habt ihr etwas zu trinken für mich? Ich weiß, ich hätte euch nicht wecken dürfen, aber ein schönes Paar seid ihr, so nackt und bloß und den Schlaf noch in den Augen, und im Bett die Spuren der letzten Umarmung, ich beneide euch. Na ja, du kommst ein bißchen ungelegen, hatte Heinrich gesagt, aber Rosa hatte sich nicht abweisen lassen, und so hatten sie im Wohnzimmer zu dritt eine Flasche Wein getrunken, und Heinrich hatte gesagt, ich bin jetzt bei den Kommunisten, sorge dich nicht, neu anfangen kann man schließlich immer.

An die Verhältnisse im Lager hatte er sich bald gewöhnt. Nach dem Frühstück ging er nun meistens für ein paar Stunden in die Stadt, in der er mit Dora gewesen war, oder er redete mit Tom über die neuen und alten Zeiten und welchen Abendvortrag es diesmal geben würde (es sprach die junge Vorsitzende der *Gesellschaft zur Verbreitung wissenschaftlicher Kenntnisse*), aber spätestens Ende der ersten Woche begann sich alles zu wiederholen: die abendlichen Betrachtungen über den imperialistischen Westen und die friedliebende DDR, die Nachrichten aus den Lagerlautsprechern, die überraschenden Spindkontrollen, in denen nach heimlich mitgeführten Büchern oder Radios gesucht wurde, die stummen Berührungen unter den Lagerdecken, der Lärm der Kinder in den Familienbaracken, die Witze über die vergeblichen Appelle zu mehr Sauberkeit und Ordnung, das morgendliche Gedränge in den Waschräumen, die Gedanken an die zurückgebliebenen Familien, die Hoffnungen auf den Neubeginn.

Am meisten freute sich Heinrich auf die Nachmittage bei Harms, von dem er annahm, daß der praktisch rund um die Uhr mit Gesprächen oder auch Verhören beschäftigt war, und der doch immer unbegrenzt Zeit für Heinrich hatte und bei einem Glas Whisky aus Heinrichs Flasche seine harmlos-vertrackten Fragen nach Rosa und der Vergangenheit stellte, es war auch tatsächlich immer noch ein Rest Whisky da.

Wenn die Flasche leer ist, sage ich gar nichts mehr, hatte Heinrich bei ihrem vierten oder fünften Treffen gesagt, aber Harms schien erst gar nicht darauf zu achten, wahrscheinlich hatte er ja ausreichend Vorräte für einen Fall wie diesen, und dann schüttete er aus seinen Vorräten immer gerade so viel nach, daß die Flasche nie ganz leer wurde. Irgendwann achtete Heinrich auch einfach nicht mehr darauf und plauderte und redete ohne Bedenken von seinem Leben, und was genau für berufliche Aufgaben der Vater und Theodor vor und nach ihrer Flucht gehabt hatten, und welche Leute im Werk in Jena Heinrich beim Namen kannte und welche in Mainz, er fand, das konnten die ruhig wissen.

Mitte der zweiten Woche versuchte Heinrich, noch einmal über die bevorstehende Zukunft zu sprechen, aber Harms erklärte, daß er als Mann der Staatssicherheit für solche Fragen leider nicht zuständig sei, nach Berlin und Dresden dürfe Heinrich auf keinen Fall, aber er wolle ja auch nach Jena, richtig, Sie werden die Stadt nicht wiedererkennen, und eine

Wohnung und eine Arbeit findet sich ohne große Schwierigkeiten.

Da dankte Heinrich dem Mann von der Staatssicherheit, bei dem der Whisky nicht ausging und der den ganzen Tag im Plauderton seine Verhöre führte, wir sehen uns dann morgen. Sind übrigens die Göttinger noch da? Nein, die Göttinger waren gestern abgereist, Heinrich wußte auch nicht genau wohin, aber irgendwohin ins Mecklenburgische, und seitdem bin ich der Stubenälteste.

Nach genau siebzehn Tagen war Heinrich der Stubenälteste geworden, und noch einmal vier Tage später empfing ihn Harms mit Handschlag und sagte, er habe da eine Überraschung. Wir haben vor ein paar Tagen Kontakt mit Ihrer Frau aufgenommen, sagte er, und stellen Sie sich vor, Sie hat sich mit Ihren beiden Kindern in den Zug gesetzt, vor einer Stunde bekam ich die Nachricht von unseren Grenztruppen, also packen Sie Ihre Sachen, Sie ziehen in eine andere Baracke, in ein, zwei Stunden müßte Ihre Frau mit den Kindern im Lager eintreffen.

Das glaube ich nicht, sagte Heinrich, und Harms sagte, daß er's selber kaum glauben könne, aber für Heinrich habe er die Hoffnung nie aufgegeben, also, sie habe eigentlich ganz munter geklungen.

Aber ja.

2

NOCH IM HERBST sah es so aus, als würde Heinrich alles gelingen: Die Geschäfte gingen gut, die Ehe mit Rosa, dazu eine Reise von Zeit zu Zeit und Bella jeden zweiten Nachmittag; es waren seine besten Monate. Wir haben eine Glückssträhne, sagte Rosa, und Bella sagte, ich bin zufrieden, wie es ist, und hoffentlich bleibt es so. Sie hätte nichts dagegen gehabt, Heinrich auch weiterhin in ihrem kleinen Zimmer unter dem Dach zu empfangen, nur Heinrich bestand auf einmal auf Veränderung und wollte von seinen Plänen lange nichts sagen. Erst als er den Vertrag für ein Apartment mit Zentralheizung und Blick auf die Donau unterschrieben hatte und für ein paar tausend Mark Möbel, Geschirr und teure Teppiche besorgt waren, sagte er etwas und übergab ihr die Schlüssel, als dürfe sie sich über dergleichen Geschenke in Zukunft nicht mehr wundern.

Aber Heinrich, sagte Bella, die Satte, und fühlte sich von nun an in der Schuld bei ihm und vergaß ihre Schuld und freute sich an den drei Sesseln in verschiedenen Farben und einem Bett so breit und elegant wie in einem französischen Spielfilm mit Lino Ventura oder Jean Gabin. Es gab Tage, da saß sie nach der Arbeit lange staunend in den modern eingerichteten Zimmern und konnte ihr Glück nicht fassen mit diesem Heinrich, der mit seinem Lieferwagen an den Nachmittagen quer durch die Stadt fuhr und den Leuten die bestellten Betten ins Haus lieferte, und dann kam er und wurde erwartet, schlüpfte in sie hinein und blieb und staunte über ihre Bereitwilligkeit, war dankbar, daß sie dankbar war, verschlief den halben Nachmittag zwischen ihren Schenkeln. Ach, Bella, du Kluge, Weise, du Unersättliche, Geliebte, komm, zieh das neue Kleid an, das blaue, oder komm noch einmal zurück, unter der Decke ist's warm, und nun sag ich dir, was ich mir wünsche für dich, ein Paar neue Strümpfe für deine schönen Beine, die Spitzen über deinen kugelrunden Brüsten, der seidene Morgenmantel auf deiner Haut; so kleidete er sie mit seinen Sätzen auf Kosten einer anderen (seiner Rosa) ein.

Es war schon lange nichts mehr vorgefallen zwischen ihm und Rosa und den Kindern, und so geschah es nur aus Übermut, daß er im Verlauf des Oktobers immer unvorsichtiger wurde, oder weil er sich langweilte an den immer gleichen Abenden nach Geschäftsschluß, wenn zur *Tagesschau* um acht die Kinder noch immer nicht schliefen und kein Besuch die anschließenden Stunden mit der erschöpften Rosa verkürzte und keine interessante Sendung im Fernsehen. Rosa schien es auch gar nicht zu bemerken, daß er immer später zu Hause war und für die Stunden zwischen sechs und neun nur immer dieselben ungefähren Auskünfte gab, und dabei sah sie ihn manchmal an und schätzte die Zahl der Gläser, die er getrunken hatte, aber an seinen Händen den Geruch der anderen überging sie und ließ ihn lange glauben, sie wüßte nichts von seinen Nachmittagen, und daß es ihr nichts ausmachte, wenn er in den Nächten etwas an ihr probierte, das er für eine andere erfunden und wiederholt hatte zu deren Wohlgefallen.

Manchmal mahnte ihn Bella dann und sagte: Wenn sie stillhalten soll, mußt du zu ihr gehen von Zeit zu Zeit. Denke nicht an mich dabei. Umarme sie, wie du sie früher umarmt hast, oder wie du es bei mir gelernt hast, und wenn du das nächste Mal kommst, erzählst du, wie es gewesen ist. Aber Heinrich redete nicht gern über seine Nächte mit Rosa und schrieb auch immer nur ein paar Zeilen in sein altes Notizbuch, in dem das russische Mädchen Ljusja vorkam und all die langen und kurzen Nächte, seit er zum Mann geworden war, und hin und wieder durfte Bella drin lesen und trug ihm vor, was er zuletzt geschrieben hatte: Eintrag 29. September, nachmittags B., abends Rosa. Weißt du noch das erste Mal? Komm, das erste Mal war schön und die Male danach auch. Aber ernst ist sie geworden. Und Bella lacht die ganze Zeit und hört bis zuletzt nicht auf.

Ja, das ist wahr, sagte Bella dann, oder sie sagte: Du, das mag ich, wenn du so schreibst über mich, aber zufrieden bin ich erst, wenn ich in deinen Notizen öfter vorkomme als alle anderen zusammen.

Stört es dich, daß ich lache dabei, hatte sie ihn im Sommer kurz nach Susannas Tod gefragt, und es war das erste Mal gewesen, daß er bei ihr geschlafen hatte, und sie war sehr neugierig und wollte, daß er von seinen früheren Frauen redete, und ob es eine gegeben hatte, die wie Bella war, aber es fiel ihm auf Anhieb keine ein, die wie Bella gewesen wäre, nur Ljusja ein bißchen, und das war in Rußland vor vielen Jahren, und Ljusja war sehr jung und unerfahren und hatte für ihr Lachen andere Gründe.

Das war Mitte Oktober, daß sie sich daran erinnerten, wie das alles gewesen war im Sommer nach Susannas Tod und worüber sie geredet hatten nach dem ersten Mal, und nun hatten sie eine eigene Wohnung mit Einbauküche und den neuesten Möbeln aus Skandinavien, und der Eintrag im Grundbuch lautete auf Bellas Namen.

Über das Geschäft redete Heinrich auch mit Bella nicht. Nur einmal sagte er: Ich muß meinem Buchhalter genauer auf die Finger schauen, ich glaube, er hat die eine oder andere Rechnung verschwinden lassen, und dann habe ich den Schaden, und weiß nicht genau, welchen.

Von Buchhaltung verstehe ich nichts, sagte Bella. Und Heinrich: Aber auf unserem Ausflug hat er dir zweimal in den Mantel geholfen.

Durfte er nicht?

Ich glaube, er hält's mit den Sozialdemokraten.

Na, wenn du wüßtest.

Heinrich hatte wie schon bei den letzten Wahlen für die CSU gestimmt, das war am dritten Sonntag im September kurz vor Schließung der Wahllokale, sie kamen gerade von einem Ausflug ins Gebirge: Heinrich, Bella, Lehmann und der Onkel, und Rosa saß zu Hause und war nicht mitgekommen, weil der Kleine in der Nacht gebrochen hatte, und ein bißchen fiebrig war er leider auch. Wie schade, hatte Heinrich gesagt, und Rosa hatte gesagt, ja, schade, wirklich, aber nun amüsiert euch schön, und so hatte er kurzerhand Bella gefragt und sie nach hinten neben den Buchhalter gesetzt, am frühen Sonntagmorgen brachen sie auf. Darf ich vorstellen? Bella Anton, eine Bekannte; mein Buchhalter Lehmann, mein Onkel aus Köln.

Weiß jemand, wo es schön ist, hatte Heinrich gefragt, doch hatte auf Anhieb niemand gewußt, wo es schön ist, und so nahm er einfach die Autobahn Richtung Passau, und da schwiegen sie erst einmal alle und dachten an Rosa, die zu Hause geblieben war, und Bella sah die ganze Zeit aus dem Fenster und erfüllte den ganzen Wagen mit ihrem Duft. Mußt du unbedingt so schnell fahren, sagte der Onkel, weil ja doch einmal etwas gesagt werden mußte, und fing noch einmal mit der Hotelgeschichte an und was für ein Auftrag das wäre, ein Haus mit fünfzig Betten, Anfang der Woche sollte sich alles entscheiden. Was meinst du, kriegen wir den

Auftrag? Aber klar kriegen wir den Auftrag, erwiderte Heinrich, Montag früh rufen sie uns an, du wirst ja sehen. Im Rückspiegel sah er, wie der Buchhalter Bella ein paar verstohlene Blicke zuwarf, aber den Mund nicht aufbrachte und sich Gedanken machte, was das wohl für eine Bekannte war, und ob sie auch dabei wäre, wenn Rosa dabei wäre, das war ja wohl die Frage.

Alles in Ordnung bei Ihnen, Frau Anton?

Ja, danke, alles bestens. Habe ich dir übrigens schon gesagt, daß ich als Kind fast vier Jahre bei meiner Großmutter in Zwiesel gelebt habe? Ich bin schon eine Ewigkeit nicht mehr dagewesen. Aber schön ist es in Zwiesel und das Haus der toten Großmutter eine Reise wert.

Und so war beschlossen, daß sie alle nach Zwiesel fuhren am Sonntag der Wahl zum Vierten Deutschen Bundestag und daß Heinrich und Bella nicht länger Sie zueinander sagten vor den anderen, es schien auch niemand etwas dabei zu finden. Sie fuhren. Draußen war es noch einmal spätsommerlich warm geworden, und weil Bella bei der Ankunft in Zwiesel Lust auf ein zweites Frühstück hatte, gingen sie noch schnell in ein Café am Marktplatz und bestellten ein paar Eier mit Speck und Sekt für alle. Bella nannte eine paar Orte in der näheren Umgebung, die sie kannte von ihren Spaziergängen mit der Großmutter, und erinnerte sich, wie sie einmal kurz vor der Spiegelhütte in ein Unwetter geraten waren und über zwei Stunden in einem Verschlag auf das Ende des Regens gewartet hatten. Na ja, man plauderte. Lehmann machte Bella ein Kompliment wegen ihrer hübschen Sommersprossen, und der Onkel und Heinrich tranken ein Gläschen Kognak, und danach wollten sie endlich sehen, wo die kleine Bella ihre halbe Kindheit verbracht hatte, zur Spiegelhütte schafften sie es leicht in zwei, drei Stunden. Kurz hinter der Stadtgrenze meinte der Onkel:

Junge, also, deine Bella, ich muß schon sagen, ich begreife dich. Und Bella, die ein Stück weiter vorne neben Lehmann ging und auf seine Zweideutigkeiten nicht achtete: Ist es nicht herrlich? Heinrich: Ja, wunderschön. Alles ganz einfach, alles ganz wunderbar, und wenn du willst, kommen wir nächstes Wochenende wieder und nehmen uns ein Zimmer, das wäre noch schöner.

Ganze vier Wochen hatten sie danach immer wieder davon gesprochen, den Ausflug in Bellas Vergangenheit zu wiederholen, aber erst konnte Heinrich wegen der Hotelsache nicht, und als Bella endlich in ihrer schönen neuen Wohnung saß, betrachtete sie jede Stunde außerhalb ihrer vier Wände wie etwas Verschwendetes. (Aber er überredete sie.)

Später erinnerte sich Heinrich an zwei verregnete Tage in einem Hotelzimmer mit zwei alten durchgelegenen Betten, die sie nur zu den Mahlzeiten unten in der verrauchten Gaststube verließen, und den Rest der Zeit hatten sie es mit früher, tranken Wein und Whisky aus Flaschen, waren neugierig und unvorsichtig (Heinrich machte ein paar Aufnahmen von sich und ihr), und drei Wochen später rief Bella in heller Aufregung an und dachte, sie wäre schwanger.

An einem Dienstag Anfang November war es, als Bella ihn mit der schlechten Nachricht überraschte, und Anfang November war es auch, daß Heinrich seinen Buchhalter nach dem Verbleib verschiedener Rechnungen fragte, doch Lehmann ließ ihn erst gar nicht zu Wort kommen, gab sich empört, daß Heinrich ihn des Betrugs verdächtigte, und daß das ja noch die Frage sei, wer hier wen betrüge, er als Buchhalter wisse schließlich am besten, wie es um die Firma stehe, und was wohl der Onkel sagen würde, wenn er wüßte, wie Heinrich all das viele Geld verpraßt und die Lieferanten wechselt wie andere Leute ihre Unterwäsche, na, vielen Dank auch. Wenn wir so weitermachen, kommen wir noch nicht mal ins zweite Jahr, sagte Lehmann, und kurz darauf hatte Bella angerufen, und es war nicht weiter die Rede davon.

Ein paar Tage später sagte Bella: Ich war ganz erschrokken, als das Blut nicht kam, und nun, da ich weiß, es ist nichts, bin ich beinahe enttäuscht. Wir müssen ein bißchen vorsichtiger sein in Zukunft. Versprichst du mir, daß du in Zukunft ein bißchen vorsichtiger bist? Das versprach er. (Und rührte sie die nächsten Tage nicht an.)

Von Rosa wußte er in jenen Wochen nur, daß sie an den Abenden lange Briefe an irgendwelche Freundinnen schrieb oder an ihren Friedrich aus dem Osten und daß sie nicht auf ihn achtete, wenn er sich um acht oder halb neun das Essen in der Küche aufwärmte und aus Töpfen und Pfannen aß, was sie für sich und die Kinder gekocht hatte. Ach Rosa, sagte er dann, wenn Rosa den ganzen Abend nicht redete, und war neidisch auf ihren Friedrich aus dem Osten und die Freundinnen, denen sie mit kleiner runder Schrift ihr Leben aufschrieb und sich beklagte und bedauerte.

Ihr Brief an Friedrich, den er wenige Tage später im Fernsehzimmer fand, hinterließ in Heinrich ein seltsames Gefühl der Rührung. Anfangs dachte er: Nun also schreibt sie mir, der ich nicht weiß, was sie denkt, und der ich noch nie einen Brief von ihr bekommen habe, aber dann las er den fremden Namen und zögerte und las, was sie über ihn geschrieben hatte und ihm verheimlichte: Lieber Friedrich! Ich denke oft an die Tage im August, als ich Dir alles erzählt habe und noch alles ganz neu war für Dich. Hast Du Dich inzwischen eingelebt bei uns im Westen? Leider bin ich heute wieder mal am Ende meiner Kräfte, und so hatte ich wieder Gedanken, daß es doch gar niemanden gibt, der es bedauern würde, wenn ich nicht mehr am Leben wäre. Heinrich war übers Wochenende wieder mit ihr im Gebirge, Du kannst Dir ja vorstellen, was da wieder los war und wie weh so etwas tut. In Heinrichs Brieftasche habe ich jede Menge Fotos von den beiden entdeckt, man sah sie in den unmöglichsten Stellungen, ich begreife es einfach nicht. Was würde ich dafür geben, wenn ich die Geschichte nur geträumt hätte, mein Leben würde ich dafür geben. Bist Du bei Deinem Robert inzwischen weitergekommen? Mag er Dich wenigstens? Du hättest es verdient. Deine Rosa.

Heinrich konnte sich noch gut daran erinnern, wie Friedrich eines Tages bei ihnen aufgetaucht war und nur seine Papiere bei sich hatte und die Kleider, die er am Leib trug, und natürlich hatte Rosa gesagt, wir müssen ihm helfen, schließlich hat er keine Verwandten hier im Westen und weiß noch nicht mal die einfachsten Dinge, aber feine Hände hat er, und vorhin im Café, als ich ihn ansprach, saß er wie verloren. Heinrich hatte im ersten Moment nicht gewußt, was Rosa meinte, wenn sie sagte, wir müssen ihm helfen, aber am Ende ging es nur um ein paar hundert Mark, und also verzog sie sich mit ihrem Friedrich in den Garten und ließ sich noch einmal in allen Einzelheiten von seinem Robert berichten, und wie sie vor ein paar Tagen gemeinsam über die noch offene Grenze in den Westen gekommen waren. Zweitausend Mark (West) hatte Friedrich an Robert bezahlt, der schon über vierzig war, verheiratet, zwei Kinder, und ausgerechnet in so einen mußte sich der Arme verlieben.

Und was sagt er so von drüben, fragte Heinrich, als sie alleine waren, und Rosa berichtete, daß sie ihn schrecklich drangsaliert hätten drüben im Osten, denn erstens sei er nun einmal ein sensibler Musiker, und zweitens mache er sich leider nichts aus Frauen. Aber ob er seine feinen Pianistenhände gesehen habe, wollte Rosa wissen, die womöglich nicht nur nach seinen Händen verrückt war (leider hatte sie gesagt), und eine Woche später bauten sie in Berlin eine Mauer, und einer der letzten, die es noch geschafft hatten, war Friedrich.

Am Tag, als er von den Bauarbeiten in Berlin erfuhr, war Heinrich mit Bella im Freibad. Ihm zuliebe hatte sie den neuen rosafarbenen Badeanzug angezogen und wollte erst gar nicht hören, was da aus dem kleinem Kofferradio für Nachrichten kamen, aber Heinrich wollte alles ganz genau hören und vergaß seine Hände und Bella und dachte an den Vater. Nur auf Drängen der Mutter hatte er damals, im Oktober einundfünfzig, das Haus in Jena verlassen, und nun bewohnte es da für allezeit einer dieser Parteibonzen mit Frau und Kindern und lachte sich kaputt über den alten kranken Mann im Westen, der noch immer alles für ein Provisorium hielt und das 1936 erbaute Haus auf der Wilhelmshöhe für sein Eigentum. Erst vor ein paar Jahren hatte der Vater Heinrich ein Schreiben der Gemeinnützigen Eigenheimgenossenschaft gezeigt, in dem das Gegenteil stand (Ihr Grundstück ist in Eigentum des Volkes übergegangen. Sie erhalten dasselbe aber bei einer Rückkehr in die DDR zurück), und auch was er denen geantwortet hatte, hatte der Vater ihm gezeigt: daß seine Abwesenheit nur bis zur Wiedervereinigung der beiden Zonen befristet sei, und durch die stetigen Bemühungen von West und Ost ist das sicher nicht in allzu ferner Zukunft.

Vermutlich dachte der Vater ja an all das, wenn er in seinem Zimmer im Taunus die Nachrichten hörte (er war seit Anfang des Monats Insasse der Kuranstalt Hohe Mark in Oberursel), und wahrscheinlich würde er den Kopf schütteln über diesen Ulbricht und seine Konsorten, oder er würde es wie Bella gar nicht hören wollen, was schwer bewachte Bautrupps im Auftrag von Ulbricht und Konsorten in Berlin zur Verteidigung der Deutschen Demokratischen Republik quer durch die Stadt bauten, und schrieb statt dessen: Oberursel im Taunus, 13. August 1961, meine Lieben, morgen ist meine Zeit um, und gut erholt geht es wieder nach Hause. Soviel ich mich erinnere, war es Heinrich, der die ersten Wochen nur festen Brei bei sich behielt. Vielen herzlichen Dank und viele Grüße. Euer Vater.

Mußt du dir wirklich die ganze Zeit so schreckliche Dinge anhören, hatte Bella gefragt und Heinrich einen ihrer berühmten Bella-Blicke zugeworfen, mit dem sie ihm zu verstehen gab, du mußt das doch gar nicht, kümmere dich lieber um deine Bella, und schau, wie gut mir dein schöner neuer Badeanzug steht, und wenn du brav bist, verrate ich dir, was mir bei der Hitze die ganze Zeit nicht aus dem Kopf geht.

Und, habt ihr gehört, was in Berlin passiert ist, fragte Heinrich am nächsten Morgen im Laden. Ja, schrecklich, sagten alle, diese Verbrecher, aber so wie sie es sagten, konnte man merken, daß es ihnen nicht wirklich ernst war mit ihrer Empörung, denn um wirklich empört zu sein, hätten sie wie Heinrich einen Vater haben müssen, der an diese Verbrecher ein Haus verlor, oder eine Familie, die im Osten geblieben war und nun so leicht nicht wieder herauskam, das war das mindeste. Ich kann es einfach nicht fassen, sagte Heinrich, und Lehmann sagte: Entschuldige, aber wir müssen neue Bettlaken bestellen, außerdem hat sich gestern ein Matratzenvertreter vorgestellt; zwei Mahnungen sind gekommen, und um vier hast du einen Liefertermin bei Frau Sander. War das nicht die Brünette, deren Mann sich ständig auf Reisen befand? Ja, die Sander. Die hatte etwas. Sogar Andeutungen hatte sie bei seinem ersten Besuch gemacht (wie sie sich vor ihm immer auf das Bett warf), aber obwohl er sie nicht übel fand, fuhr er da heute nicht gerne hin. Er hätte lieber mit dem Vater gesprochen, oder mit Rosa hätte er gerne gesprochen, doch die hatte seit Tagen nur ihren Friedrich im Kopf und war glücklich, daß sie ihn trösten durfte wegen Robert, und fast beneidete er Friedrich jetzt darum, daß er sich von Rosa seit Tagen trösten lassen durfte, denn als Trösterin hatte sich Rosa immer sehr wohl gefühlt, und wenn sie sich wohl fühlte, war sie sehr sanft und milde und freundlich.

Im ersten Moment war sich Heinrich nicht sicher, ob Rosa empört darüber gewesen wäre, daß er heimlich ihre Briefe las, oder ob es ganz in ihrem Sinne war, wenn er erfuhr, wie schlimm das alles für sie war, und wie widerlich sie das fand, in seinen Kleidern, seinen Papieren nach Spuren dieser Bella zu suchen und die Fotos zu sehen und sich zu verfluchen für jeden Blick darauf.

Heinrich hatte sich keine große Mühe gegeben, ihren Brief an Friedrich genau dort zu hinterlassen, wo er ihn gefunden hatte, aber Rosa hatte nichts bemerkt oder war darüber hinweggegangen, und am nächsten Abend war der Brief verschwunden und abgeschickt, oder sie zögerte noch, ihn abzuschicken, oder hatte ihn versteckt oder zerrissen. Einmal sagte er (nur aus Mitleid sagte er es): Komm, laß uns wegfahren für ein paar Tage, das wird uns guttun, aber Rosa wollte nicht wegfahren für ein paar Tage, weil sie sein Mitleid nicht wollte, das verstand er. Nicht sehr viel später war er ihr auch als Mann nicht mehr willkommen gewesen, und danach gab es die ersten Schwierigkeiten im Geschäft, und so blieb fürs erste alles, wie es geworden war, und änderte sich nicht bis zu Heinrichs Flucht in den Osten.

Was die Geschäfte anging, so hatte es den einen oder anderen Engpaß gegeben in der letzten Zeit, und obwohl er seinen finanziellen Verpflichtungen noch immer hatte nachkommen können, machte es sich allmählich bemerkbar, daß er über seine Verhältnisse lebte und sich selbst und Bella und Rosa und den Kindern jeden Wunsch erfüllte und sich keine Gedanken darüber machte, was an den verfügbaren Summen der laufende Umsatz war und was ein tatsächlicher Gewinn. Nicht nur einmal hatten sie in den vergangenen Monaten Lieferanten wechseln müssen, weil für eingehende Rechnungen das Geld nicht da war, und so waren sie zunehmend auf die Geduld der kleinen und großen Lieferanten angewiesen und begannen mit deren Geduld zu kalkulieren. Begann einer nach der zweiten oder dritten Mahnung unangenehm zu werden, entzog ihm Heinrich mit ein paar knappen Sätzen kurzerhand alle weiteren Aufträge und bestellte die neue Ware bei einem anderen, bezahlte die Rechnungen des alten Lieferanten mit dem Erlös der Ware des neuen, rechnete nun auch mit dessen Geduld, erschöpfte seine Geduld, ersetzte auch ihn durch einen anderen und spielte das Spiel immer weiter bis zum bitteren Ende, an das er vorläufig nicht glaubte, und vielleicht endete es ja auch nie (oder die Firma erholte sich auf wunderbare Weise), es durfte eben nur niemand vorzeitig die Geduld verlieren, und er und Lehmann (der Betrüger) durften den Bogen nicht überspannen, und wenn das alles so blieb oder sich so erfüllte, würde am Ende alles noch gutgehen, also, daran glaubte er.

Als sie Anfang Dezember die letzten Rechnungen für den großen Hotelauftrag stellten, sagte Heinrich: Na, sehen Sie, Lehmann, so schlimm kann es um uns nicht stehen, wenn wir solche Aufträge an Land ziehen und unseren Auftraggebern dicke Rechnungen schicken, und tatsächlich hatte Lehmann ein ziemlich verdutztes Gesicht gemacht, oder es war Heinrich nur so vorgekommen, als habe Lehmann ein ziemlich verdutztes Gesicht gemacht, wenigstens widersprach er nicht.

Auch als der Onkel im Dezember seine üblichen drei, vier Tage pro Monat nach Regensburg reiste und von morgens bis abends im Geschäft herumsaß und nicht wußte, wie er sich nützlich machen sollte, schilderte Heinrich die Lage als eine den Umständen entsprechend rosige, ja eigentlich hervorragende, aber anders als die anderen Male machte der Onkel ein ziemlich griesgrämiges Gesicht zu Heinrichs Optimismus, der Buchhalter Lehmann habe da ein paar Andeutungen gemacht, und was denn das bitte zu bedeuten habe, daß sich in den Schubladen die Mahnungen stapeln, und wenn keiner etwas dagegen tut, drehen sie euch Anfang nächster Woche den Strom ab.

Ach, die Stromrechnung, sagte Heinrich und fand, der Onkel schlage hier auf einmal einen ziemlich unpassenden Ton an, oder wolle er Heinrich etwa erklären, wie es heutzutage in der Bettenbranche zugeht?

Ich habe zweihunderttausend in die Firma gesteckt.

Ja, ich weiß.

Ohne meine Bürgschaft hätte dir die Bank keinen Pfennig gegeben.

Ja, ich weiß.

Zwei Häuser habe ich für dieses Abenteuer aufs Spiel gesetzt, und von deiner Bella rede ich noch gar nicht.

Ich bitte dich, laß Bella aus dem Spiel.

Ist sie so teuer als Geliebte, oder woran liegt es, daß du deine Rechnungen nicht bezahlen kannst?

Ich bitte dich, laß Bella aus dem Spiel.

Und dann nahm er den Onkel mit nach hinten ins Büro des Buchhalters, der Onkel mache sich Sorgen wegen der Firma, was Lehmann dazu meine.

Wegen einer Firma habe man doch eigentlich immer Sorgen.

Der Onkel: So schlimm steht es also?

Und wieder Lehmann: Er sei hier nur der Buchhalter. Aber noch habe er keine schlaflosen Nächte gehabt wegen der Firma. Man müsse abwarten. Die Ruhe bewahren. Das erste Jahr überleben. Dann überleben wir auch das zweite.

In den Tagen danach dachte Heinrich an das Geld, das er in den letzten Jahren ausgegeben hatte, aber außer der Wohnung für Bella, dem neuen Wagen alle zwei Jahre, den Reisen nach Holland, Frankreich und Italien im Sommer, den Anschaffungen für die Kinder, für Rosa (die Bescheidene), fiel ihm nichts Besonderes ein. Nun gut, die Weine, die sie ihren Gästen anboten, waren teuer, der zwanzig Jahre alte Whisky, den er trank, die Zigarren aus Kuba, die er rauchte, wenn er zufrieden war mit sich und der Welt (und das war lange her, daß er nicht zufrieden gewesen war mit sich und der Welt), und indem er so über alles nachdachte, schien es ihm selbst verwunderlich, daß er auf einmal mit solchen Rechnereien begann, und solange das Geld da war, hatte er sich gar nichts daraus gemacht.

Er konnte sich auch gar nicht mehr genau daran erinnern, wie das alles gewesen war, als er mit Anfang Zwanzig als Lagerarbeiter beim alten Betten-Franz angefangen hatte und ein paar hundert Mark im Monat nach Hause brachte und in der kleinen Erdgeschoßwohnung in der Nähe der Schleuse die zerkochten Eintöpfe Rosas aß und Hinz und Kunz an ihrem Küchenfenster vorbeispazierten und sie beobachteten, wie sie bei einer Kanne Tee von einem neuen Wagen träumten und ein paar Vorhängen für die feuchte Küche, denn in der Küche saßen sie damals am liebsten. Gut zwei Jahre hatten sie es in den zwei Zimmern mit fließend Wasser und WC auf der Treppe ausgehalten, und nach einer Weile war Heinrich Fahrer geworden bei *Betten-Franz* und das Jahr darauf Verkäufer, und von da an war das Geld kein Thema mehr bei ihnen gewesen, und die Vorhänge in den drei Zimmern der neuen Altstadtwohnung hingen bis auf die Fußböden und waren aus den feinsten Stoffen. Damals, im Sommer 1956, hatte Rosa gesagt: Das habe ich mir in meinen kühnsten Träumen nicht vorgestellt, und Heinrich hatte gesagt: Ja, hier läßt es sich aushalten, aber am Ende meiner Träume bin ich noch lange nicht.

Dann war Susanna in ihr Leben gekommen, und als Susanna nach vier Monaten aus ihrem Leben wieder verschwunden war, hatte Rosa ein Museum aus ihrer Wohnung gemacht, und wäre Heinrich nicht gewesen und nicht der eine heimliche Nachmittag mit Bella auf dem zitronengelben Sofa, wären sie wahrscheinlich ein Leben lang von diesem toten Kind nicht loskommen, und daß es nicht hatte leben wollen und jede Mühe von Anfang an umsonst gewesen war.

Eigentlich hatte es damals keinen rechten Grund gegeben, Bella mit in die Wohnung zu nehmen, aber die Gelegenheit war günstig gewesen, und so hatte er sich mit Bella auf das zitronengelbe Sofa gesetzt und ihr bei ein paar Drinks sein Leben als Ehemann erklärt (mehr war da gar nicht), und kurz nach ihrer Rückkehr fand Rosa unter den Kissen einen parfümierten Bella-Schal und wollte in den vertrauten vier Wänden nicht länger bleiben. Fangen wir noch einmal von vorne an, hatte Heinrich gesagt und in nur wenigen Tagen eine neue Wohnung in der Rote-Hahnen-Gasse gefunden, und Rosa hatte gesagt, gut, ein letztes Mal noch, aber das Sofa verkaufen wir, und bis Ende des Monats gibst du Bella den Laufpaß. Einverstanden? Ja, einverstanden. Er versuche es. Und an unsere Susanna wollen wir von nun an nicht anders denken als an einen Gast.

Die telefonische Zusage für die Rote-Hahnen-Gasse erreichte sie am Vorabend ihrer Abreise nach Wiesbaden zum sechzigsten Geburtstag des Vaters, und weil es der Makler auf einmal sehr eilig machte und Rosa die Wohnung noch nicht gesehen hatte, war für zehn Uhr vormittags eine Besichtigung vereinbart worden, und da gingen sie eine Stunde lang durch die leeren weißen Zimmer und staunten und zählten und kamen aus dem Staunen und Zählen gar nicht heraus. Heinrich, der schon zweimal dagewesen war, sagte nicht viel und überließ es mehr oder weniger Rosa, sich Gedanken über jedes einzelne Zimmer zu machen: die Küche mit eingebautem Kühlschrank und Elektroherd, das kleine Eßzimmer, die große quadratische Diele, das Wohnzimmer mit Blick auf den Dom, das Kinderzimmer zum Hinterhof, das rot geflieste Bad, die grün geflieste Toilette, das Fernsehzimmer, das Schlafzimmer, den Flur. Ja, dachte Heinrich, so hätte es sein können zwischen ihr und mir, und wie sie da so plante und beim Planen alles durcheinanderbrachte und den Makler mit tausend unwichtigen Fragen bestürmte, schien es ihm einen Augenblick, als könne er auf Bella verzichten.

Sie waren spät losgekommen in Regensburg, verspätet trafen sie in Wiesbaden ein. Heinrich hatte darauf bestanden, daß sie noch an einem Blumenladen haltmachten (sechzig langstielige rote Rosen für den Vater), und so waren im Gasthof *Zum Heiligen Kreuz* schon alle versammelt: Theodor mit Ilse und den beiden Kindern, Paul mit seiner pummeligen Hilde, die schöne Constanze (ohne Ferdinand), die Stiefmutter im grauen Kostüm wie immer griesgrämig und am Kopf des Tisches der Vater mit neuer Weste und Zigarre; ja, er freute sich.

Ach, ja, die Regensburger, seid ihr auch schon da, und für wen um Gottes willen denn bloß die vielen Rosen seien, doch nicht etwa für den Vater. Doch, für den Vater; sechzig Rosen hat Heinrich für den Vater gekauft, für jedes Jahr eine. Und da strahlte der. Obwohl es verrückt war, strahlte der einfach nur und schickte die Kellnerin nach drei großen Bierkrügen mit frischem Wasser. Was machen die Geschäfte? fragte Theodor, der sich erst kürzlich fünfhundert Mark für einen neuen *VW-Käfer* bei Heinrich geliehen hatte, aber Heinrich wollte viel lieber von der neuen Wohnung reden, und ob sie denn schon etwas zum Essen bestellt hätten. Nein, sie hatten ja gewartet. So viel Glück möchte ich auch einmal haben, sagte die pummelige Hilde, und der Vater meinte, das Glück von Rosa und Heinrich sei aber auch unübersehbar. Oder erwartet ihr etwa schon wieder Nachwuchs?

Auf der Heimreise sagte Rosa: Das hätte ich auch gerne mal, daß du mir einen Strauß Rosen zum Geburtstag schenkst, aber auf Blumen bettest du ja seit langem lieber eine andere. Ruft sie dich beim Namen, wenn es ihr kommt? (Ja und nein.)

Zwischen Weihnachten und Neujahr machte Heinrich mit Lehmann Inventur, und obwohl er längst nicht alle Berechnungen des Buchhalters durchschaute, begriff Heinrich, daß es nicht gut aussah für das kommende Jahr 1962, die Lager waren halb voll, die unbezahlten Rechnungen häuften sich, und in den beiden umsatzschwachen Monaten Januar und Februar war auf schnelle Besserung nicht zu hoffen, so sah das auch Lehmann. Die Kosten senken und den Umsatz erhöhen, das wäre es. Was aber verursacht Kosten? Zum Beispiel eine Verkäuferin. Und wie erhöht man den Umsatz, wenn man die Preise nicht senken kann, kein Personal für besseren Service hat und kein Geld für eine Werbekampagne? Das war die Frage.

Am Ende sah Heinrich zwei Möglichkeiten: Er mußte Fräulein Swoboda entlassen und er mußte sich wieder der Geschäftsmethoden bedienen, mit denen er in seiner Zeit bei *Betten-Franz* Jahr für Jahr die Umsätze erhöht hatte. Fräulein Swoboda, der er Ende Dezember persönlich die schlechte Nachricht überbrachte, zeigte sich sehr verständig, bestand noch nicht mal auf der gesetzlichen Kündigungsfrist und wünschte Heinrich alles Gute. Schwieriger waren die Gespräche mit Bella und Rosa. Vor allem Rosa wollte von irgendwelchen zweifelhaften Verwicklungen mit einsamen Hausfrauen und Kundenbesuchen außerhalb der Geschäftszeiten nichts wissen, und auch Bella war zunächst nicht begeistert und formulierte allerlei komplizierte Überlegungen zu den Frauen im allgemeinen und den Kundinnen im besonderen und daß es ja ein Unterschied sei, ob er an einer Frau zu Geschäftszwecken ein bißchen herumfummelt (na, wenn es denn sein muß) oder ob er für einen lumpigen Kaufvertrag alle paar Wochen (entschuldige) eine Nummer schiebt.

Heinrich: Ihr habt ja alle keine Ahnung, wie ernst die Lage ist. Darauf Rosa: Ich will von deinen Weibergeschichten nichts wissen. Und Bella: Also einverstanden. Ich möchte für deinen Ruin die Verantwortung nicht haben.

Dann wartete er.

In der erste Januarwoche passierte überhaupt nichts. In der zweiten tändelte er mehr oder weniger erfolglos mit einer jungen Floristin aus Donauwörth herum, lieferte je ein Doppelbett zur Probe nach Pettendorf und nach Wenzenbach, wurde bei seinen Hausbesuchen zweimal zu einer Tasse Tee und fünfmal zu einer Tasse Kaffee eingeladen, lernte ein paar eifersüchtige Ehemänner kennen, dazu diverse Schichtarbeiter, einen verkrachten Maler, einen arbeitslosen Hausfreund, einen kranken Versicherungsagenten, einen arbeitslosen Schauspieler, Schulkinder, die hereinschauten und wieder gingen, Freundinnen und Bekannte, die auf einen Sprung vorbeikamen und einfach sitzen blieben, und wenn es dann darum ging, über den Kauf einer Matratze zu reden, wollten alle erst einmal Bedenkzeit.

In der dritten Woche tauchte dann auf einmal Marga auf. Nachmittags um halb vier stand sie plötzlich im Laden, erkundigte sich höflich nach einer harten Matratze (und dabei war sie doch auf der Durchreise), probierte in aller Ruhe eines der neuen belgischen Betten, in denen man fast auf der Erde schlief, fragte nach Bettbezügen aus Samt und Seide und wurde des Fragens nicht müde. Heinrich müsse entschuldigen, sagte sie, aber sie sei nun einmal völlig verrückt nach all den Sachen, in jeder neuen Stadt müsse sie immer sofort in ein Bettengeschäft, und würde es nach ihr gehen, kaufte sie alle drei Monate ein neues Bett, und Laken und Wäsche jede zweite Woche. Ob er ein bißchen Zeit habe für ein paar Geschichten von Leuten und ihren Betten und wie sie darin sterben und essen und lieben, aber Heinrich hatte noch einen Liefertermin in Kumpfmühl und vertröstete sie auf den Abend.

Kurz nach Geschäftsschluß war sie wieder da. Sie roch nach frischen Zitronenblättern und von ferne nach einem feinen italienischen Rotweinessig, und als er sie zum ersten Mal küßte, seufzte sie. Er schätzte sie auf Anfang Dreißig, und weil es schon ziemlich dunkel war, als sie sich zwischen all den Betten und Liegen die Kleider vom Leib blätterten, sah er von ihrem schmalen, fast knabenhaften Körper nur ein paar Umrisse.

Bist du da?

Ja, ich bin da. Aber nun komm und warte bitte nicht auf mich, ich bin sehr langsam in diesen Dingen, kümmere dich einfach nicht darum, und wenn es schön war für dich und alles vorbei ist, darf ich mir etwas wünschen.

Das war Marga.

Bevor sie ging, erzählte sie noch, wie sie auf ihn gekommen war (eine Freundin hatte ihn empfohlen), und Heinrich sagte, daß er Marga gerne die dunkelgrüne Seidenbettwäsche schenken würde, und als sie fort war, hatte er nicht mal eine Adresse.

Das war ihm in den vergangenen Jahren nicht oft passiert, daß er mit einer Kundin ins Bett stieg und nicht wußte, ob und wieviel sie am Ende kaufte, und dazu das Ganze auch noch hier im Laden, in dem es sowohl zur Tändlergasse als auch nach hinten zur Wahlengasse große Schaufenster gab, und durch jedes dieser Schaufenster sah man durch die Verkaufsräume bis auf die gegenüberliegende Seite.

Schon mit Mitte Zwanzig hatte er zum alten Betten-Franz gesagt: Es gibt Bettenverkäufer, die sind erfolgreich, weil sie etwas von Betten verstehen, und es gibt Bettenverkäufer, die sind erfolgreich, weil sie etwas von Frauen verstehen, aber die Zukunft gehört den letzteren. Er hätte ein Buch schreiben können über seine Erfahrungen, seine Kniffe, Manöver, und es wäre ein Loblied auf die Frauen gewesen: die kleinen Schwächen, die sie alle hatten, die winzigen Schönheiten, die er an ihnen entdeckte, der Makel, die verborgene Sehnsucht, die Gier, die Sanftheit, ihr Sinn für Farben und Gesten, ihre Liebe zu den Dingen, ihr Hang zur Verschwendung, mit dem er rechnete, in seinem Notizbuch (dem russischen) hatte er sie alle verewigt.

Nicht immer war etwas.

Von den Frauen, die in Begleitung ihrer Männer oder Liebhaber kauften, gab es solche, die ihn gar nicht richtig wahrnahmen als Mann oder Verkäufer (das war die große Mehrheit), und es gab ein paar wenige, die sich etwas merkten an ihm und hinter dem Rücken ihrer Männer etwas versprachen oder für möglich erklärten, und nach ein paar Tagen stand die eine oder andere unschlüssig draußen vor den Schaufenstern, gab sich einen Ruck und erkundigte sich noch in der Tür nach der geblümten Bettwäsche in der Auslage oder einem Doppelbett mit durchgehender Matratze für sich und ihren Mann.

Kamen Frauen ohne männliche Begleitung (und das waren mit Abstand die meisten), gab es erfahrungsgemäß mehrere Möglichkeiten. In aller Regel waren ihm die schnell Entschlossenen lieber als die Zögernden, die Frauen um die Fünfzig lieber als die Zwanzigjährigen und die Zwanzigjährigen lieber als die Frauen zwischen Anfang Dreißig und Ende Vierzig mit ihren kleinen Verzweiflungen, ihren Entsagungen. Manchmal genügte ihnen schon eine Bemerkung zu ihren Kleidern oder der Art, wie sie sich schminkten oder die Haare frisierten, und da gaben sie sich immer sehr erstaunt und geschmeichelt und manchmal auch sehr gleichgültig oder hochmütig, aber allein daß sie merkten, er sah in ihnen nicht nur die Kundinnen, machte ihnen das Kaufen leicht. Meistens blieb es auch bei diesen harmlosen Bemerkungen und Aufmunterungen, und wenn ihm eine gefiel, sagte er unter Umständen noch etwas zu ihren Schuhen und den schönen schmalen Füßen, die in diesen Schuhen steckten, erklärte in aller Kürze die Vorteile der teuren Daunen aus dem hohen Norden Kanadas, und so war man manchmal schon beim Thema und redete über das Schlafen im allgemeinen und im besonderen und wie das ist, wenn man an den Winterabenden zu zweit oder alleine in ein warmes Bett schlüpft, nur besser war's natürlich zu zweit.

Dann kam es sehr darauf an.

Manche hatten nach solchen Erörterungen das Gefühl, zu weit gegangen zu sein, und wieder andere schienen einen Augenblick zu zögern, und in dieses Zögern hinein sagte

Heinrich, daß er sich entschuldige, sollte er zu weit gegangen sein, oder er sagte: Wir können Ihnen das Bett und die Matratze auch ein paar Tage zur Probe liefern, oder er sagte: Ich kann mir nicht helfen, aber Ihren Mann oder auch Geliebten beneide ich.

Dann kam es wieder sehr darauf an.

Die meisten waren natürlich böse, wenn er so offen und eindeutig zweideutig mit ihnen redete, oder sie taten zumindest so, als wären sie ihm ein bißchen böse, und einige wenige erwiderten: Na, wenn Sie wüßten, und dann waren sie ihren derzeitigen Männern oder Geliebten nicht gewogen oder hatten den Richtigen noch nicht gefunden, aber für das Bett da, diese Matratze, könnten sie sich unter Umständen erwärmen.

Die Idee mit den Probelieferungen hatte Heinrich schon zu seinen Zeiten beim alten Betten-Franz gehabt, aber der alte Betten-Franz hatte von solchen Neuerungen nichts wissen wollen. Gleich in den ersten Wochen nach der Eröffnung hatte Heinrich den neuen Service angeboten, und so wie es aussah, war die Rechnung aufgegangen, auch wenn sich schon bald herausstellte, daß seinen Erfolgen und Mißerfolgen im Laden nur selten zu trauen war, eine eher Schüchterne in ihren eigenen vier Wänden auf einmal zu unglaublichsten Dreistigkeiten fähig war, während sich die besonders Forschen und Frechen zu Hause oft von ihrer verschlossenen und zugeknöpften Seite zeigten: Es war in diesen Angelegenheiten auf nichts Verlaß.

Seine Maxime in allen Fällen: Vor allem Ruhe bewahren. Die Arbeit an der Kundin fortsetzen. Ihren früheren Zeichen, ihren Ermunterungen nicht trauen, aber auch nicht den neuen. Sich immer erst dann auf etwas einlassen, wenn das Gefühl sagt, die Kundin ist einem Kauf nicht abgeneigt, aber sie braucht noch etwas, das ihr die Entscheidung erleichtert.

Meistens fummelten sie nur ein bißchen, oder man knöpfte ein paar Knöpfe auf, da hatten die meisten schon Bedenken. Vor allem ihre Männer fürchteten die mutlos gewordenen Mutigen, und daß die plötzlich in der Tür standen und sie nicht wiedererkannten in den Armen eines dahergelaufenen Bettenverkäufers, oder Heinrich schmeckte ihnen auf einmal nicht, oder die Stunde, in der er gekommen war, wurde für ungünstig erklärt, das waren so die Hindernisse. Heinrich war nie böse in solchen Fällen, nahm alle Schuld auf sich, und je bereitwilliger er alle Schuld auf sich nahm (das lehrte die Erfahrung), desto bereitwilliger schlossen die Kundinnen in ihrer Erleichterung noch die ungünstigsten Kaufverträge ab.

Daß es wirklich zum Äußersten kam: die Ausnahme. Manche schämten sich, wenn sie unter Heinrichs Blicken ihre Wäsche, ihre Kleider zusammensuchten, oder es befiel sie eine unerklärliche Traurigkeit, hinter der sie ihre Verwunderung über sich und Heinrich verbargen, aber wenn sie fröhlich waren danach und lachten, war es eigentlich immer ganz nett. Seine Fehler in der ersten Zeit (Anfängerfehler): daß er wiedergekommen war in ein, zwei Fällen. Seine abfälligen Bemerkungen über eine Schlafzimmereinrichtung. Daß er sie manchmal grüßte auf der Straße. Die Fälle, in denen er von ihnen träumte.

Auch Bella hatte er längst nicht alles erzählt, als er im Frühjahr 1961 seine ersten Erfahrungen mit der neuen Methode sammelte, aber wahrscheinlich wollte Bella ja auch längst nicht alles erfahren, oder sie dachte sich ihren Teil, und solange sie sich nur ihren Teil dachte, war ja alles in bester Ordnung.

Tatsächlich verkaufte Heinrich im Januar 1962 nur wenig mehr, als er normalerweise in einem Januar verkauft haben würde, und obwohl ihm inzwischen so gut wie jede auffiel, wenn sie im Laden stand, und er sie genau prüfte auf verborgene Wünsche und Möglichkeiten, und was im einzelnen er in welchem Moment sagen mußte, damit sie vergaß, warum sie gekommen war und am Ende gerade deshalb etwas mehr als nötig kaufte, war außer dieser Marga nicht viel gewesen, und ausgerechnet die Sache mit Marga war rein betriebswirtschaftlich ein Verlust. Nicht nur einmal hatte er den Buchhalter dabei überrascht, wie er durch die angelehnte Bürotür Heinrichs verzweifelte Versuche zur Umsatzsteigerung beobachtete und daß der inzwischen auch vor Frauen weit über die Fünfzig nicht mehr zurückschreckte und ihnen schöne Augen machte, ganz gleichgültig, ob er ihnen schon aus der Ferne ansah, daß sie für dergleichen Spielchen nicht zu haben waren, oder er vertat seine Zeit mit irgendwelchen Witwen, die sich seit Wochen mit dem Verkauf des gemeinsamen Ehebetts quälten und von Heinrich wissen wollten, ob er ihnen guten Gewissens dazu rate.

Obwohl er auch in solchen Fällen geduldig blieb (einmal ging er sogar zu einer nach Hause), merkte man ihm ab Anfang Februar die Fehlschläge an. Er begann Fehler zu machen als Verkäufer, täuschte sich in seinen Möglichkeiten, nutzte bestehende Möglichkeiten nicht rechtzeitig aus, war am Anfang oft zu schnell und am Ende oft zu langsam (oder umgekehrt), verlor den Überblick, verhedderte sich. Immer häufiger konnte es nun geschehen, daß eine Kundin fluchtartig und empört über Heinrichs Manöver das Geschäft verließ, und dann stürzte er ihnen manchmal hinterher und bat sie wortreich um Verzeihung oder verwünschte sie. Man begann zu reden über ihn. Die ersten Wechsel wurden ausgestellt, und obwohl sie ihm vorübergehend Luft verschafften, fürchtete er schon den Tag, an dem sie platzten.

Der Brief von Friedrich und Margas Ansichtskarte trafen am selben Tag ein. Sie hatte eine sommerliche Stadtansicht gewählt, und was sie schrieb, klang, als schriebe sie einem Verschollenen, an den zu erinnern ihr nach all den Jahren (es waren ein paar Wochen) schwerfiel. Ich gehe durch die Straßen einer für mich noch immer fremden Stadt und vergleiche sie mit den Straßen der Stadt, in der ich Dich kannte. Marga.

Marga? fragte Rosa.

Ach, vergiß es.

Gut, ich vergesse es.

Und was gibt es Neues von deinem Friedrich?

Er geht zurück in den Osten. Kommt nicht zurecht mit Land und Leuten hier. Er hat lange hin und her überlegt, aber drüben ist ihm nun einmal alles vertraut.

Das muß ein schöner Idiot sein, der freiwillig in den Osten geht.

Ich habe mir heute den neuen *Opel Kapitän* in der Stadt angeschaut.

Und? Hast du dich verliebt in ihn?

Unsterblich.

Und also kaufte er ihr den Wagen. (Aus Liebe kaufte er ihn. Und weil er ihr etwas schuldig war.)

Paul, der Ende Januar ein paar Tage zu Besuch war, zeigte sich natürlich beeindruckt von den beiden Wagen nach nicht einmal einem Jahr Selbständigkeit, und also stellte er auch gar keine großen Fragen, es schien ja alles in Ordnung zu sein, und Heinrich hütete sich, ihm zu widersprechen. Paul war vor allem wegen seiner Hilde gekommen, die war schwanger im sechsten Monat und hatte fast drei Jahre auf seine Rückkehr aus Südafrika gewartet, wo es eine Jüdin aus Johannesburg gegeben hatte und lange unbeschwerte Nachmittage unter Palmen oder was immer sonst für Bäume in diesem verdammten Südafrika in den Himmel wuchsen und Schatten gaben, und dann trank und lachte und vögelte ihr Paul tagaus, tagein mit dieser Jüdin und hatte noch nicht mal Zeit für eine Weihnachtskarte an die Familie. Sie hätte ihn beinahe nicht wieder zurück nach Deutschland bekommen, und demnächst sollte nun Hochzeit sein, und wer noch immer zögerte, war unser lieber Paul. Er müsse immer an Rheina denken. Jedesmal, wenn er Hilde umarme, denke er an die. Hilde sei so verklemmt in diesen Sachen: raus und rein und Schweigen. Drei Jahre habe sie auf ihn gewartet, obwohl schon alles aus gewesen sei, und dabei habe er noch nicht mal einen Beruf mit seinen achtundzwanzig Jahren, dann Frau und Kinder, das sei doch Wahnsinn.

Ob er sich das nicht hätte früher überlegen können?

Ja, das hätte er.

Vergiß die Frau in Südafrika, wenn ich dir einen Rat geben darf. Reiß dich zusammen, Mann. Such dir eine gut bezahlte Arbeit und meinetwegen eine Geliebte, wenn deine Hilde gar so langweilig ist, aber heirate sie um Gottes willen und kümmere dich um das Kind. Hat mich etwa meine Ehe je gestört? Stört es mich, daß mir die Bank kein Geld mehr gibt? Das alles stört mich überhaupt nicht. Ganz und gar nicht stört mich das. Und zur Hochzeit in vierzehn Tagen kommen wir.

Natürlich war es im Grunde verrückt, ausgerechnet auf dem Höhepunkt der geschäftlichen Krise für ein paar Tage nach Wiesbaden zu fahren und sich nach der Trauung in einem billigen Lokal in der Nähe des Kurparks ein lausiges Mittagessen vorsetzen zu lassen, aber da es nun einmal Paul war und Paul ihn mehrmals darum gebeten hatte, nahm er die weite Reise auf sich, tanzte öfter als jeder andere mit der pummeligen Hilde, die nun seine Schwägerin geworden war, machte ihr ein paar Komplimente über ihr viel zu enges Cocktailkleid und brachte sie einmal in Verlegenheit, als er ihr halb im Scherz ins Ohr flüsterte, was das mit ihm machte, wenn sie sich beim Tanzen mit ihrem schönen weichen Busen an ihn schmiegte, und was für Schön- oder auch Weichheiten er sonst noch bei ihr vermute, aber nun sei man da ja leider verschwägert.

Es war ein lustiger Abend; erst kurz vor drei ging man auseinander. Sogar Theodor hatte mit seiner Ilse getanzt, und der Vater erst mit der Stiefmutter und dann mit allen Frauen, die er kannte, reihum. Kurz vor eins nahm Paul seinen Bruder beiseite und fragte: Und wie findest du sie? Und Heinrich sagte: Alle Achtung, sagte er, mit deiner Hilde wirst du deinen Spaß noch haben, und wenn nicht, wird es an ihr nicht liegen.

Als sie wieder in Regensburg waren, erwartete ihn Lehmann mit schlechten Nachrichten: Ein Wechsel sei geplatzt, außerdem habe der Mann von der Bank am Freitag zweimal angerufen, und seit heute morgen alle zwei Stunden.

Nun wird es also ernst, sagte Heinrich.

Ja, nun wird es ernst.

Der Rechtsanwalt, den Heinrich am Dienstag morgen in seinem Büro aufsuchte, hatte ihn schon bei der Eintragung ins Handelsregister beraten, und worin die Vorteile einer Kommanditgesellschaft bestehen und worin die Nachteile einer GmbH. Er hatte Heinrich alles Gute gewünscht, aber als er von dem geplatzten Wechsel hörte und den Summen, die Heinrich der Bank schuldete, schüttelte er nur den Kopf, fertigte Heinrich ab und riet ihm zu einem Blick ins Strafgesetzbuch, das er eines der wichtigsten Bücher der Menschheit nannte und ein ehrliches Orakel in allen denkbaren Not- und Krisenfällen, Heinrich möge sich den passenden Paragraphen heraussuchen.

Wieder auf der Straße, schien es Heinrich, als müsse er dem Rechtsanwalt dankbar sein für seine düsteren Prophezeiungen, mit denen er ihn vor der nackten Wahrheit bewahrte, und die Wahrheit war, daß es sehr schlimm um Heinrich stand, von einer hohen Geldstrafe bis zu ein paar Jahren Gefängnis: alles möglich. Ein Anflug von Panik erfüllte ihn, als er in der Bücherei die Paragraphen zu den verschiedenen Formen des Konkurses las, und welchen Unterschied das Gesetz zwischen einem Bankrott und einem besonders schweren Fall des Bankrotts machte, er mochte sich das alles lieber gar nicht merken.

Erst nach dem dritten Glas in seiner Stammbar in der Blauen-Lilien-Gasse wurde er optimistischer; er mußte an Rosas Friedrich denken und seine idiotische Rückkehr in den Osten. Ob Rosa etwas mit ihm angefangen hätte, wenn es Robert nicht gegeben hätte oder einen anderen? Vielleicht sollte er jetzt ja reden mit ihr und gemeinsam nach einem Ausweg suchen, zum Beispiel konnte er kurzfristig den Wagen verkaufen, den *Opel* von Rosa, ihren selten getragenen Schmuck, oder er konnte Bella fragen, ob sie zu seinen Gunsten auf die neue Wohnung verzichtete, also zu spät war es ja genaugenommen noch nicht.

Als er über die Steinerne Brücke zu Bellas Wohnung ging, schien ihm die Lage verzweifelt, aber nicht hoffnungslos. Er war zu früh gekommen, Bella war noch bei der Arbeit, aber als sie in die Straße bog, war er sofort über alle Maßen erleichtert. Mein Gott, du siehst ja furchtbar aus, sagte sie. Hat der Rechtsanwalt dir denn gar keine Hoffnung gemacht? Doch nun komm erst mal rein und setz dich, ich mach uns etwas zu trinken, und nun sag, was los ist, oder laß es bleiben.

Später sagte sie: Komm, laß uns das alte Spiel spielen. Sag mir, was du an mir magst, aber was nicht schön ist. Doch er wollte nicht, und erst lange nach Mitternacht fiel ihm ein, was er an ihr mochte, obwohl es nicht schön war, da schlief sie schon (und hoffentlich auch Rosa). Wenn sie manchmal schielte vor Müdigkeit oder weil sie über etwas nachdachte. Die kleinen Krümel zwischen ihren Zehen. Ihre Haare, wenn sie drei Tage nicht gewaschen waren. Überhaupt alles Ungewaschene an ihr. Daß sie von Politik keine Ahnung hatte. Ihre Tobsuchtsanfälle bei nichtigen Anlässen. Ihre kleinen Rundungen, die vom Whisky kamen und weil sie zum Frühstück immer nur ein Stück Schokolade aß. Ihre Maßlosigkeiten. Daß sie schmatzte beim Essen. Ihre ewigen Trödeleien im Badezimmer. Sie war nie eifersüchtig in all den Jahren. Schade, daß du nie eifersüchtig gewesen bist (so begann er seinen Abschied), schade, daß du nicht weißt, daß es das Ende ist.

Das war im Freibad an der Schillerwiese gewesen, daß er sie entdeckte unter tausend Schönheiten und nicht mehr aus den Augen ließ, damals, im Sommer 1957 am Ufer der Donau, da war sie Mitte Zwanzig und schwamm und tauchte wie ein Mann bis weit in die Mitte des Flusses, schüttelte sich bei ihrer Rückkehr das Wasser aus dem Haar (dem roten), legte sich mit ausgestreckten Armen auf die Wiese und achtete nicht weiter auf ihre Umgebung, blätterte in einem Buch oder in einer Zeitschrift, wies von Zeit zu Zeit einen allzu aufdringlichen Verehrer ab, dachte an nichts, wärmte sich, schwamm und tauchte ein zweites Mal, wickelte sich zum Umziehen in ein altes grünes Handtuch und blieb nie länger als eine Stunde.

Zwei oder drei Wochen ging das so, und Heinrich fiel nichts anderes ein, als sie aus der Ferne zu beobachten, wie sie Nachmittag für Nachmittag in ihrem himbeerroten Badeanzug auf der Wiese lag und von einem Heinrich nichts wußte und nichts von all den anderen, die ihr heimlich hinterhersahen, wenn sie die in die Uferböschung eingelassenen Stufen zum Fluß hinabstieg und auf alle nur denkbaren Arten davonschwamm und wiederkam als ein und dieselbe. Die ersten drei Wochen dachte er: Es wird mir schon etwas einfallen mit der Himbeerroten, die wie ein Mann schwimmt, und als ihm auch Anfang der vierten Woche nichts eingefallen war, packte er eines Nachmittags seine Sachen und ging ihr nach bis vor die Haustür, erwartete sie am nächsten Tag zur bekannten Stunde und folgte ihr eine Woche lang jeden Nachmittag von der Roten-Löwen-Gasse bis zum Freibad und eine Stunde später denselben Weg zurück.

Und so begann es. Eines Tages sagte sie: Was läufst du mir hinterher wie ein Hund, nimm lieber meine Tasche und kauf ein Eis für uns zwei oder eine Limonade, und dann fragen wir uns aus und erzählen, warum und weshalb wir hier sind und ob es einen Grund gibt, daß wir einander gefallen. Ende Juli 1957, als er zum zweiten Mal neben ihr auf der Wiese lag, sagte Heinrich: Das ist ein Geschenk des Himmels, daß ich dich gefunden habe und neben dir im Gras liege und mir vorstelle, wie das wäre mit dir, und Bella hatte nur gesagt: Ja, so und nicht anders fängt es an, soll es also anfangen mit uns, ich bin mit allem einverstanden, und wenn du willst, nehme ich dich mit zu mir nach Hause und lasse dich zur Feier des Tages bei mir wohnen.

Sie war ein halbes Jahr älter als er, und mehr als einen Sommer gab sie ihnen nicht. Ende des ersten Sommers sagte sie: Das mag ich, daß alles so unverbindlich und flüchtig und verschwiegen ist, und noch Ende des zweiten Sommers sagte sie: Anfangs mochte ich dich gar nicht besonders, aber dein Mund, deine Hände, dein Schwanz tun mir wohl, das vor allem. Es gab nun Tage, da wehrte sie sich nicht länger, wenn Heinrich mit irgendwelchen Plänen anfing, in denen ein eigenes Geschäft in der Altstadt vorkam und eine Wohnung mit Blick auf die Altstadt für Bella. Das bringt mir Glück, daß ich alles mit dir bespreche, hatte Heinrich im vierten Sommer gesagt, und Bella hatte geantwortet: Ja, hoffentlich, und mit deinem Onkel mußt du reden, denn wenn er das Geld herausrückt, kannst du in ein paar Monaten anfangen.

Das war im November, drei Monate nach Heinrichs neunundzwanzigstem Geburtstag, daß er dem Onkel in zwei langen Nächten das Geschäft in der Altstadt schmackhaft machte, und danach vergingen noch ein paar Monate mit der Suche nach geeigneten Räumen und diversen finanziellen Transaktionen zwischen den Banken und Heinrich und dem Onkel, und Anfang Februar 1961 (es war an ihrem dreißigsten Geburtstag) überraschte er Bella mit einem gebrauchten *Karmann Ghia* und einem Auszug aus dem Handelsregister der Stadt Regensburg: Eintrag der Firma *Heinrich Hampel Betten und Bettenzubehör KG*, 7. Februar 1961. Herzlichen Glückwunsch. Ja, herzlichen Glückwunsch. Möge alles so werden, wie wir's uns wünschen, nun fängt das Leben erst richtig an, und auch Rosa hatte gesagt, daß nun das Leben erst richtig anfängt mit einem gesunden Sohn von nicht einmal zwei Wochen und einer Firma in bester Lage. Herzlichen Glückwunsch. Ja, herzlichen Glückwunsch. Möge alles so werden, wie wir's uns wünschen.

Bei der Eröffnung der Geschäftsräume eine Woche später war Heinrich nach nicht einmal einer Stunde betrunken. Er hatte zwei Kisten Champagner kaltgestellt, und belegte Brötchen auf silbernen Platten hatte er kommen lassen, und nun tranken sie alle auf seine und Rosas und Bellas Zukunft und waren ausgelassen und optimistisch. Sogar der alte Betten-Franz war gekommen und Rosa mit dem schlafenden

Konrad und kurz vor Geschäftsschluß für ein paar Minuten Bella, aber da waren Rosa und der Kleine schon wieder weg. Fräulein Swoboda verkaufte vor lauter Aufregung zwei Garnituren geblümter Bettwäsche zum Preis einer einzigen, und der Onkel stand mit Lehmann hinten bei den Federkernmatratzen aus Frankreich und träumte von fetten Gewinnen.

Nur Heinrich träumte nicht. Er wäre gerne auf einen Sprung zu Bella gegangen, denn dann hätte er sich ein bißchen bei ihr ausruhen können, und Bella hätte irgendwann ihre Hand auf sein schmerzhaft pochendes Teil gelegt, dessen Aufdringlichkeit ihm hier und jetzt, unter all den Kunden und Geschäftsfreunden, wie ein böser Witz vorkam und für das er bei nächster Gelegenheit ein gutes Wort einlegen mußte bei seiner Bella, die auf einmal etwas sehr Fremdes und Fernes und Unerreichbares hatte, und da stand sie auch schon in der Tür und winkte ihm ganz freundlich und aufmunternd zu, wie wenn sie ihm zu verstehen geben wollte: Na, siehst du, habe ich es dir nicht gleich gesagt? Du weißt noch lange nicht alles über mich, und über meine Küsse und meine Freiheiten wirst du dich noch wundern.

Die ersten Gläubiger kamen Anfang März. Als hätten sie sich verabredet, kamen die Gläubiger, mahnend und drohend und ihn verwünschend die einen, mit konkreten Forderungen und der Bereitschaft zu Verhandlungen die anderen. Manchmal zahlte Heinrich eine geringfügige Summe, einfach, um sie für eine Weile los zu sein und zu verhindern, daß sie bei ihm im Treppenhaus ein großes Geschrei veranstalteten und bei Rosa und den Kindern den Eindruck hinterließen, als sei es nur noch eine Frage von Tagen, daß man ihn verhaftete und mitnahm, wer weiß wohin.

Über Rosa (seine Rosa) konnte er sich nur wundern. Es hätte die Stunde ihres Triumphes sein können, nun da sie sah, es ging zu Ende mit ihm und Bella und den Kränkungen, die mit Bella verbunden waren, aber statt dessen sagte sie nicht viel und war sehr zurückhaltend und umsichtig und leise. Ja, das habe ich mir fast gedacht, sagte sie, oder: Gedacht habe ich es mir, aber daß es nun so schnell geht, hätte ich mir nicht träumen lassen.

Was soll nur werden aus uns, sagte Heinrich.

Ja, was soll nur werden. Laß dir etwas einfallen. Verkauf den neuen *Opel*, wenn es etwas nützt, oder bring meinen Schmuck ins Pfandhaus, vielleicht rückt ja auch deine verfluchte Bella etwas heraus, aber hör endlich auf, dich und mich und deine verdammte Bella zu bemitleiden, damit kommen wir nicht weiter. Denn das war doch dein Credo, daß es immer weitergeht und daß man immer von vorne anfangen kann, erinnerst du dich? Das darf nicht sein, daß einem eine Welt untergeht nach dem Tod eines Kindes, man muß sich zusammenreißen, nach vorne schauen, sich bemühen: Heinrich 1957. Ja, ich erinnere mich, sagte Heinrich, aber wenn es nachher wieder klingelt, geh bitte du, ich bleibe hier sitzen. Und so war es bald nur noch Rosa, die am frühen Morgen oder abends oder am Wochenende den ungeduldigen Händlern und Lieferanten den Zutritt verwehrte und sie abwimmelte wie lästige Kinder, die um ein paar Süßigkeiten bettelten, ihr Mann sei leider nicht zu sprechen, nein, er sei auf Reisen, ja, geschäftlich, aber wenn er zurückkommt, wird er sich bei Ihnen melden, das verspreche ich.

Wie im Nebel vergingen ihm jetzt die Tage, und nur wenn er bei Bella lag und Bella sein müdes Teil zum Leben erweckte, vergaß er für eine Weile seine Gläubiger und wie sie im Büro bei Lehmann auf ihn warteten und sich das Maul über ihn zerrissen, und ob er womöglich längst über alle Berge war oder sich vor Kummer in der Bahnhofsgaststätte um den Verstand trank und mit dem Trinken und Jammern nicht eher aufhörte, als bis sich ein Wirt oder eine Kellnerin seiner erbarmte und ihn vor die Tür setzte. Tatsächlich begann Heinrich nun schon immer am Vormittag zu trinken, aber heimlich und in kleinen Mengen, zum Beispiel am frühen Morgen auf dem Weg zum Wagen einen Schluck und dann noch einmal, wenn er sah, wie Lehmann pünktlich um halb neun den Laden aufmachte und so tat, als käme es auf ein paar Einnahmen mehr oder weniger nicht an.

In den Kneipen, in denen er sich alle paar Stunden aufwärmte nach seinen Spaziergängen, kannte man ihn schon. Gegen Mittag ging er meist in ein Lokal drunten am Fluß, aß mehrere Tage hintereinander dieselben Gerichte, kaute Pfefferminzpastillen, schrieb eine Ansichtskarte an seinen Vater, ging noch einmal beim Laden vorbei, machte lieber einen großen Bogen um den Laden, wartete auf Bella, machte sich Notizen. Montag, der fünfte: Die Elektrizitätswerke haben ohne jede Vorwarnung den Strom abgestellt. Dienstag, der sechste: Ich habe Bella mit Rosa verwechselt. Mittwoch, der siebte: Lehmann hat sich mit den Einnahmen der letzten acht Tage aus dem Staub gemacht. Donnerstag, der achte: Von der Bank gibt es definitiv keinen Pfennig mehr. Wir sind am Ende.

Heinrich hatte sich noch nicht an den Gedanken gewöhnt, als am Freitag, den achten, auf einmal der alte Betten-Franz bei ihm zu Hause anrief und sich nach Heinrich erkundigte und ob er nicht wieder anfangen wolle bei ihm, er habe es seinem ehemaligen Verkäufer nicht vergessen, was er für die Firma getan habe, und für die bestehenden Verbindlichkeiten oder auch Schulden gebe es gewiß eine Lösung.

Na ja, das sagen Sie jetzt einfach so, sagte Heinrich.

Ich mache Ihnen ein Angebot, sagte der alte Betten-Franz.

Also nein, ich weiß nicht recht, die Sache sieht doch ziemlich übel aus.

Sie müssen es wissen.

Am Samstagmorgen begann Heinrich mit dem Abschied. Anfangs war ihm gar nicht bewußt, daß es ein Abschied war und daß er schon wie ein Fremder durch die seit Jahren vertrauten Gassen lief oder wie ein Reisender, dessen Zug in ein, zwei Stunden geht und der sich noch ein paar letzte Einzelheiten einprägt, bevor er die Stadt womöglich für immer verläßt. Wie bei seiner Ankunft vor knapp zehn Jahren wunderte sich Heinrich, wie kurz und überschaubar die Wege in dieser Stadt waren, und wie nah und vertraut ihm alles gewesen war, das alles versuchte er an diesem Samstagmorgen mehr oder weniger für sich zu rekapitulieren.

Ganz alleine ging Heinrich die alten, hundert- und tausendmal gegangenen Wege. Von der Altstadt über die Steinerne Brücke und weiter bis zur Schleuse ging er und unterschied Bella-Orte und Rosa-Orte und Orte, an denen er ganz für sich gewesen war, prüfte vertraute und längst vergessene Gerüche und Geräusche, sah mit den Augen von damals die kleinen Fenster der ersten gemeinsamen Wohnung neben der großen Autowerkstatt, stand noch einmal mit Bella in dem schmalen dunklen Durchgang zu ihrem Lieblingskino im Hinterhof, saß noch einmal auf der steinernen Treppe im Hinterhof der Malzfabrik *Herrmann* und erzählte Rosa von seinem ersten verkauften Doppelbett, merkte sich Cafés und Gasthäuser und Bars und Restaurants, in denen er mit Bella oder Rosa oder Freunden und Geschäftspartnern gesessen hatte, erinnerte sich an eine Kundin, deren Namen er im Vorübergehen auf einem Klingelschild oder auf einem Briefkasten entdeckte, wurde endlich müde vom vielen Gehen und Erinnern und Wiedervergessen und ging nach Hause zu Bella.

Er hatte sie nicht fragen wollen wegen der Wohnung.

Es sollte ihr etwas bleiben von diesem Heinrich, der er gewesen war und womöglich so leicht nicht wieder wurde.

Ich habe dich so früh nicht erwartet, sagte sie, und daß sie sich leider ziemlich miserabel fühle, Heinrich solle nicht böse sein, aber am liebsten würde sie sich ins Bett verkriechen, schon morgen früh sei das Schlimmste vorbei, und zum Sektfrühstück am Sonntag könne er auf sie rechnen. Oder hast du es dir anders überlegt? Nein, nur das Fräulein Swoboda wisse noch nichts, er werde gleich vorbeigehen, sie fragen, vielleicht freut sie sich ja oder hat von Lehmann eine Nachricht, dem Schuft, wer weiß.

Ja, doch, sie komme gerne, hatte Fräulein Swoboda gesagt, aber was es denn um Himmels willen zu feiern gebe, sie habe doch hoffentlich keinen runden Geburtstag vergessen, da konnte Heinrich sie beruhigen.

Muß das wirklich sein, hatte Rosa gesagt, und Heinrich hatte gesagt: Ja, leider, das Fräulein Swoboda wird fünfundfünfzig und freut sich schon seit Wochen darauf, aber länger als zwei, drei Stunden soll es mit Fräuleins ja nicht dauern.

Es wurde ein seltsamer Sonntag in einem Café im Osten der Altstadt. Anfangs wunderte sich das Fräulein Swoboda, warum die verspätete Feier zum einjährigen Jubiläum der Firma ohne Lehmann und den Onkel stattfand, aber dann gab es schon den ersten Sekt und das Frühstück, und Fräulein Swoboda war's zufrieden und Heinrich und Bella auch. Heinrich machte Fräulein Swoboda ein Kompliment wegen ihrer neuen Schuhe, und Fräulein Swoboda machte Bella ein Kompliment wegen ihrer fein gezupften Augenbrauen, und später setzten sich noch ein paar Leute vom Stammtisch herüber und schwadronierten über die verkommene Jugend und die vielen ausländischen Arbeitskräfte, die da neuerdings aus aller Herren Länder ins Land schwappten und sich um die Arbeit in den Fabriken rissen, und weil doch am Ende alles ziemlich lustig zuging bei Sekt und Kognak und ein paar Gläschen Likör für Fräulein Swoboda, blieben sie alle bis zum späten Nachmittag.

Später, im Wagen auf dem Weg nach Hause, sagte Bella: Manchmal fürchte ich mich vor dir, oder ich denke, woran du selbst nur in deinen ehrlichsten Momenten zu denken wagst, und das war das letzte Mal, daß er sie sah und hörte. Wenn er später an sie dachte, sah er sie immer in ihrer kleinen Wohnung mit Blick auf Donau und Altstadt, und daß ihr ein paar Fotos geblieben waren und im Wohnzimmerschrank ein halbes Dutzend Flaschen Whisky, von dem sie das eine oder andere Mal gekostet hatte, damals, als er fast jeden Nachmittag gegen vier, halb fünf bei ihr in der Tür stand und so leicht nicht müde wurde an ihr: Daran würde sie sich hoffentlich erinnern.

Noch am selben Abend schrieb Heinrich in sein Notizbuch: Bella Anton, 25.7.1957 bis 11.3.1961. Sie hatte rote Haare und sang sehr schön. Anfangs war sie nicht begeistert, aber mit der Zeit gewöhnte sie sich an mich.

Dann packte er.

3

Die ersten Wochen im neuen Land waren noch einmal Wochen des Wartens, und schwierig und vielversprechend waren die ersten Wochen und Wochen, in denen er fast alles Rosa überließ, denn die hatte ihren eigenen Kopf, war noch einmal Anfang Zwanzig und behandelte ihn wie Luft. Auch gut einen Monat, nachdem Rosa mit den beiden Kindern im Lager aufgetaucht war und nicht wieder ging und blieb und bereute und das Gefühl der Reue in sich niederkämpfte im Namen der Familie, ertappte sich Heinrich bei dem Gedanken, wie das alles wäre, wenn Rosa und die Kinder nicht wären, und wenn die Familie Birnstiel nicht wäre, bei der sie vorübergehend untergekommen waren und die ihnen die neuen Verhältnisse erklärte am Beispiel einer Badehose im einst zertrümmerten Land. Vom ersten Augenblick an beneidete Heinrich diese Birnstiels. Um ihre Ehe beneidete er sie, das Haus, den Garten, ihre Gespräche über Gott und die Welt, die Beschlüsse des letzten Parteitags, den laufenden Siebenjahrplan, die Zukunft der Schwerindustrie, des Weltfriedens. Das kannte Heinrich aus dem Westen nicht, daß einem das Schicksal des eigenes Landes derart am Herzen lag und daß auf einmal die lächerlichsten Dinge von Bedeutung waren, es kam eben nur immer darauf an, ob man's mit den Augen der Partei betrachtete wie Friedhelm oder mit den Augen einer berufstätigen Mutter wie Anneliese, die für ein paar Kinderschuhe oder eine rote Badehose einmal quer durch die ganze Stadt mußte: Das war die Lage. Wir können uns nicht beklagen, hatte Anneliese am ersten Abend gesagt, und Friedhelm hatte gesagt: Wir sind voller Hoffnung, die neue Grenze hat uns Luft verschafft, und an der Partei der Arbeiterklasse liegt's ja nicht, daß Anneliese für ein paar Orangen oder eine rote Badehose einmal quer durch die ganze Stadt muß, aber dafür war dann auch die Freude größer (Anneliese), und alles in allem sei man eben noch immer am Anfang (Friedhelm).

Nach Heinrichs und Rosas Leben im Westen hatten sich die beiden nur ganz allgemein erkundigt; sie schienen das meiste längst zu wissen, oder sie schämten sich oder fürchteten Vergleiche, und so berichtete Heinrich nur in groben Zügen, sagte, wie es um den Vater stand und um die Geschwister, wechselte schnell das Thema, wenn Rosa zum hundertsten Mal von der großen Regensburger Wohnung und den beiden Wagen anfing, begegnete allem Neuen mit hartnäckigem Wohlwollen.

Er mußte oft an Harms denken und was ihm Harms zum Abschied über das Land gesagt hatte, da schmeckten die Äpfel und der Kohl und das Fleisch und die Kartoffeln nach Arbeit; still sei das Land und bescheiden und wohlgemut, dazu nicht nur aus Gründen der Stromersparnis viel weniger bunt und beschriftet als der Westen mit seinen hell erleuchteten Städten und der Reklame und den vielen schön gekleideten Frauen, von denen zu träumen leicht ist, aber bleiben möchte man doch lieber bei einer anderen, einfacheren, einer, die nicht alles kann und hat und ist, und wenn's drauf ankommt, bemüht sie sich und ist verläßlich wie unsereins. Heinrich werde sich umstellen müssen in der neuen Heimat, hatte Harms gesagt, und daß man Geduld haben müsse mit Land und Leuten (er redete aus Erfahrung), und nach einem Vierteljahr oder einem halben komme ich Sie besuchen und lasse mir berichten.

Und damit ging Heinrich durch seine Tage, lernte die neuen Gerüche vom Himmel oder aus den gräulich-braunen Böden auf den Ämtern, prägte sich Abkürzungen und Begriffe der bestehenden Ordnung ein, fragte viel und bekam Antwort, wurde an seinen Fehlern erkannt als einer aus dem Westen und an seinen Kenntnissen von früher als einer der hiesigen: Wohnort Deutsche Demokratische Republik, Universitätsstadt Jena (Bezirk Gera), Windbergstraße 6, Erdgeschoß, rechts.

Gleich am ersten Abend hatten die freundlichen Birnstiels gesagt: Tut uns leid, aber für Heinrich haben wir nur ein Zimmer gegenüber, dort wohnte bis zu seiner Flucht im Sommer ein Professor der Physik, und seither steht das Zimmer leer mit Bett und Stuhl und einem Waschbecken neben der Tür und wird fürs erste hoffentlich reichen. Wenn er am Fenster stand, sah er weit links das Haus des Vaters und gegenüber das Haus, in dem Rosa und die Kinder den Birnstiels ein Zimmer belegten, aber sehr viel bekam er von deren Leben nicht mit. Begegnungen fanden nur statt, wenn er drüben zum Abendessen eingeladen war oder der Zufall es wollte oder ein Termin auf dem Wohnungsamt, da waren sie dann noch einmal ein Paar. Wahrscheinlich spürte Rosa, daß er lieber für sich gewesen wäre für den Anfang, oder es war im Gegenteil so, daß sie ihrerseits lieber für sich blieb und mit ihren Vergangenheiten ins Reine kam oder sich abfand, daß das gar nicht so leicht war, aber der Kinder wegen mußte man sich zusammenreißen oder von vorne anfangen wie Heinrich, der soff sich die gemeinsame Vergangenheit einfach aus dem Kopf und sammelte die leeren Flaschen wie Trophäen.

So vergingen die Tage.

Arbeit und Wohnung waren in Aussicht gestellt, aber noch nicht gefunden, und so war er viel spazieren, verdämmerte ganze Nachmittage im Zimmer des in den Westen getürmten Professors, und wenn er zwischendurch erwachte, war ihm wieder mal das Fräulein Swoboda im Traum erschienen, da hatte sie kugelrunde Brüste und redete wie Harms sehr mahnend und begütigend auf ihn ein: Daß es eben seine Zeit braucht, bis einer alles hinter sich gelassen hat, na gut, aber einen Staat kann man damit nicht machen. Oder kann man das? Na ja, jedenfalls keinen wie diesen, sagte das schöne Fräulein Swoboda, das aus dem fernen Schlesien stammte und wer weiß welchen Staat meinte mit ihren kugelrunden Brüsten, und wenn man sie küßte (im Traum küßte Heinrich die), brummte sie ein bißchen und ballte ihre kleinen Fäuste oder vielmehr Tatzen, so war das.

Nur ein einziges Mal war Rosa länger geblieben, das war kurz nach Ostern, da hatte sie gesagt: Komm, wir müssen reden, von deinem Bruder ist ein Brief gekommen, und was er schreibt, ist folgendes und wird dich nicht freuen. Obwohl sie gleich die Batterie Flaschen neben seinem Bett gesehen hatte und die ganze Zeit in der Tür stehengeblieben war, hatte sie ganz fröhlich geklungen in ihrem weißen Pullover mit den schwarzen Punkten und ihren sanften Rundungen, die er nur ahnte, so wie auch ihr erster Brief an Theodor fröhlich und unbeschwert geklungen hatte: Jena, 19. April 1962. Meine Lieben! Gerade sitze ich mit Heinrich im Ratskeller, und ich kann Euch sagen, Jena ist eine herrliche Stadt. Wir wohnen im Moment bei der Familie Birnstiel, und die Leute sind alle sehr nett. Die Wilhelmshöhe ist das wunderbarste Stück Erde. Das Haus Eures Vaters ist sehr schön instand gesetzt: gelb angestrichen, grüne Fensterläden; der Mann, der's bewohnt, ist Dozent an der Universität. Warum um Gottes willen schreibt Ihr denn nicht. Auch Heinrich läßt Euch herzlich grüßen, Ihr habt ja noch Geld von ihm. Kauft doch bitte einen Kühlschrank und einen Fernseher davon, wenn erst mal das ganze Umzugsgut hier ist, kommen wir bestimmt zurecht.

Heinrich hatte nur ein paar kurze, nichtssagende Grüße hinzugefügt, und daß Rosa ihm alles hinterbracht habe, Wort für Wort. Daß es um Heinrich nicht schade sei, Rosa solle doch um Himmels willen ihr Leben nicht verpfuschen wegen eines Betrügers, am Ende sei doch alles besser als ein Leben hinter Mauer und Stacheldraht: alles Worte des feinen Bruders.

Und was schrieb der nun zur Antwort?

Ja, vom Vater. Und was für eine Arbeit die Wiesbadener haben durch unseren Weggang, und daß Theodor und Ilse immer für uns dagewesen sind, aber ob das in jedem Falle richtig war, müssen sie heute bezweifeln. Das schreibt er gegen Ende, daß er immer für uns dagewesen ist, und die ersten Sätze gehen so: Soeben kommen wir von einem Besuch beim Vater, der seit 14 Tagen sehr krank ist und sich seit zehn Tagen wieder in einem Nervensanatorium aufhält. Die Gründe, warum er mit seinen Nerven am Ende ist, brauche ich wohl nicht näher zu erläutern.

Fast war Heinrich ein bißchen böse auf den Vater und seine seltsame Krankheit und daß er sich immer alles so zu Herzen nahm und wochenlang zu Hause in seinem großen Sessel saß und kein Wort herausbrachte, und von heute auf morgen schlug die Stimmung um, und er machte in den Nächten kein Auge zu, war euphorisch und leichtsinnig, fuhr mit dem Taxi nach Aachen zu seinem Bruder Jakob oder bestellte für Paul oder Theodor einen sündhaft teuren Wagen in einem neu eröffneten Autosalon, da hatten sie dann immer Mühe mit den Erklärungen und mußten alle Käufe stornieren.

Theodor hatte über die näheren Umstände nichts mitgeteilt, aber sicher war es auch diesmal nach einem seiner verrückten Käufe oder einer seiner Taxifahrten gewesen, daß sie ihn gegen seinen Willen hatten einweisen lassen, denn das war ja das Tückische seiner Krankheit oder auch Unbeherrschtheit, daß er seiner Umgebung noch in der größten Verzweiflung nicht zur Last fiel, aber wenn er glücklich war und voller Tatendrang, sperrten sie ihn weg in eine Klinik, wo man ihn ans Bett fesselte und mit einer Handvoll Tabletten das Maul stopfte, denn erst dann gab er Ruhe, wurde verträglich und sanft.

Das mit dem Vater tut mir leid, hatte Heinrich zu Rosa gesagt, aber auf alles andere bekommen die Wiesbadener keine Antwort, und Rosa hatte gesagt: Ja, verstehe, aber die Sachen müssen sie uns doch schicken, zum Beispiel einen Kühlschrank für den Sommer könnten wir gut gebrauchen.

Bleibst du noch ein bißchen? hatte Heinrich gefragt.

Ja, ein bißchen bleibe ich noch. Aber nicht, wozu du denkst.

Ja, schade.

Schade, ja.

Die Frage ist, wie es weitergehen gehen soll mit uns.

Das war die Frage.

Wäre es nach Heinrich gegangen, hätte er auch im neuen Land ein Bettenverkäufer werden wollen, aber die Frau auf dem Amt hatte ihm von Anfang an wenig Hoffnung gemacht, und so war er nicht überrascht, als ihm die Behörden im April mitteilten, er könne als Fahrer bei der staatlichen Handelsorganisation (HO) anfangen und verschiedene Geschäfte im Westteil der Stadt mit Lebensmitteln beliefern.

Am frühen Morgen des 2. Mai möge er bitte bei der zuständigen Stelle vorstellig werden, die Genossin Müller werde ihn einweisen, mit sozialistischen Grüßen.

Die Genossin vom Rat der Stadt Jena hatte ihm gleich gefallen mit ihrem streng nach hinten gekämmten Haar und der Art, wie sie ihn für seine Wünsche im stillen belächelte und seine Erfahrungen in der Bettenbranche das eine nannte und die Erfordernisse in der sozialistischen Produktion ein anderes, schön, daß Sie sich für unsere Deutsche Demokratische Republik entschieden haben, und ein Fahrer müsse Heinrich ja nicht für allezeit bleiben.

Rosa hatte nur gesagt: Na, endlich, das Geld haben wir bitter nötig, ich weiß schon gar nicht mehr, was ich den Kindern aufs Brot schmieren soll, und Friedhelm hatte hinzugefügt: Hier bei uns bekommt eben jeder seinen Anfang, und wenn du etwas machst daraus und dich bemühst, vergeht kein Jahr, bis sie dich fragen, ob du nicht studieren willst oder eine Kaderschulung besuchen für künftige Betriebsleiter, du wirst schon sehen. Ja, das wäre was, fand Rosa und sah Heinrich schon das große Geld nach Hause bringen, am zweiten Mai um sechs Uhr morgens trat er seine Stelle an. Gleich zur Begrüßung im Büro der Genossin Müller hatte er eine Tasse Kaffee trinken müssen, und dabei hatte ihm die Genossin Müller erklärt, was bei den Fahrten mit dem Lieferwagen alles zu beachten war. Vor allem das Fahrtenbuch müsse jederzeit korrekt und penibel geführt werden, Heinrich solle nur immer von allen Beteiligten die Unterschriften einfordern, und wenn das alles der Fall ist und nach der Probezeit alle zufrieden sind, darf er gerne bleiben.

Der ältere Kollege oder Genosse, der Heinrich auf seiner ersten Tour begleitete, schien auf Anhieb nicht besonders begeistert zu sein, einen aus dem Westen in die sozialistische Kunst der Lebensmittellieferung einzuführen, oder es waren ihm nach all den Jahren hinter dem Steuer die Worte ausgegangen, oder er wartete auf Heinrichs ersten Fehler, zum Beispiel beim Schalten mit dem schwergängigen Getriebe oder beim Ausfüllen der Papiere.

Erst Tage später begriff Heinrich, daß genau das sein Fehler gewesen war: daß er dem Mann aus der Lausitz, der seit über zehn Jahren jeden Morgen die Milch und das Brot und die Brötchen und ab Mittag Fleisch und Wurst und Käse ausfuhr, keinen noch so kleinen Fehler gegönnt hatte. Und dabei wäre das doch der einzig denkbare Anfang gewesen: daß ein Neuling wie Hampel früher oder später einen Fehler macht, und dann darf man ihn ein bißchen tadeln und belehren und sagen: Ja, das ist mir früher auch passiert, aber nun sag schon, wie ist es gewesen im Westen, vor Jahren habe ich drüben mal eine dieser kleinen *Schlampen* gekannt, und daß das überhaupt das Schlimmste am Sozialismus auf deutschem Boden sei, daß es die kleinen netten *Schlampen* nicht mehr gibt, aber solche wie die Genossin Müller gibt es, und von denen läßt doch unsereiner besser die Finger.

Heinrich hätte liebend gern etwas erfahren über die Genossin Müller, und warum man besser die Finger von so einer ließ, und ob sie denn nun verheiratet oder geschieden war, hätte Heinrich gerne gewußt, aber der Lausitzer ließ ihn einfach ins Leere laufen mit seinen Fragen, schien auch nicht wirklich neugierig auf den Flüchtling, fand ihn lästig, des Vertrauens nicht wert und vielleicht noch nicht mal des Mißtrauens.

Aber lernen konnte Heinrich viel bei dem. Schaute sich ab, wie man beim Verladen in der Zentrale Zeit sparte und noch einmal bei der Auslieferung, lernte die feinen Unterschiede bei der Begrüßung der Betriebsleiter, der Verkäufer und der Fahrer, merkte sich Namen und Gesichter, und die Verpackung und das Gewicht der Ware merkte er sich, mochte an den Männern, daß sie ihn nahmen, als wäre er einer von ihnen, und an den Frauen, daß sie mit anpackten und den Dreck nicht scheuten, und wenn sie am Abend aus der Badewanne stiegen und nach Vanille dufteten oder nach Maiglöckchen, taten ihnen die Knochen weh, aber anders als Heinrich fiel es ihnen seit langem gar nicht mehr auf.

Man war zufrieden im Hause Hampel. Auch von Theodor und Ilse gab's nun das eine oder andere Freundliche, und Rosa dankte es ihnen mit einem ihrer doppelt freundlichen Briefe: Meine Lieben! Das war aber eine Überraschung, als heute Euer Paket ankam, der Reis war meine Rettung fürs Mittagessen! Heinrich bekommt ja erst am 24. des Monats das erste Geld, aber wenn wir noch den Fotoapparat verkaufen, wird es schon gehen. Bei uns gibt es viel Neues. Wir haben in Jena-Ost eine Wohnung bekommen, am 1. Juni ist sie bezugsfertig. Es ist auch ein großer Garten mit sieben Obstbäumen dabei (6,20 Mark Miete im Monat), dann kann ich Gemüse anpflanzen. Heinrich ist sehr fleißig geworden, er arbeitet von früh bis nachts. Im September will er das Abitur nachmachen und anschließend studieren. Und wie geht es Vater? Ich habe schon einige Briefe geschrieben, aber sie bleiben alle unbeantwortet.

Ich weiß schon, wie das alles ist, schrieb Heinrich in einem Nachsatz, der Vater beneidet mich und schweigt. Mein großer Bruder Theodor würde natürlich untergehen in diesem Land, und ohne die Mutter wäre der Vater geblieben.

Dann wären wir uns nie begegnet, sagte Rosa.

Aber das Haus wäre noch immer das unsrige.

Gleich am zweiten oder dritten Morgen war Heinrich über die Straße zum Haus seines Vaters gegangen und hatte sich bei den neuen Mietern vorgestellt, das heißt, er wollte eigentlich nur sehen, was die aus den vielen kleinen Zimmern gemacht hatten und aus dem Garten mit der alten Birke, schilderte kurz die Gründe, warum er wieder in der Stadt war, und konnte mehr als ein paar Sätze nicht sagen, so unwillkommen war Heinrich denen, und als hätten sie etwas von ihm zu befürchten. Er habe nur einmal sehen wollen, wer das Haus seines Vaters bewohne nach all den Jahren, hatte Heinrich gerade noch sagen können, und da waren die ihm gleich über den Mund gefahren, das Haus sei seit Jahren Eigentum des Volkes, und daß er der Sohn des vormaligen Besitzers ist, was kümmert's uns. Ja, leider, hatte der Dozent gesagt, und seine magere Frau hatte ein Gesicht dazu gemacht, und wenn Heinrich richtig darin zu lesen verstand, war es voller Verachtung für ihn und das ganze Flüchtlingspack, das sich im Westen wer weiß welche goldenen Nasen verdient, und wenn die Sache schiefgegangen ist, kommt es zurück und erwartet, daß man es jederzeit und überall willkommen heißt.

Sie hatte ihn im ersten Moment an Marga erinnert mit ihrem schmalen Mund und den kleinen mißtrauischen Augen, aber dann war er sich auf einmal nicht sicher, ob er Marga nicht Unrecht tat, wenn er sie mit so einer Frau verglich, und was es ihn andererseits überhaupt scherte, wenn er dieser Marga durch irgendwelche Vergleiche ein Unrecht tat, im Grunde handelte es sich bei der doch mehr oder weniger um eine Verstorbene. Auch an Bella hatte er seit seiner Ankunft nur noch als Verstorbene gedacht, redete manchmal mit der und fand sie farblos und langweilig, zum Beispiel von seinen ersten Eindrücken, den alten Wegen, die er ging und manchmal nicht wiederfand oder sehr verändert, konnte er einer Toten wie Bella doch schlecht berichten. Noch als Tote hörte er Bella lachen über den Heinrich des Frühjahrs 1962, und wie er da durch die Stadt seiner Kindheit spazierte und zu begreifen versuchte und immer schön brav die großen roten Transparente las und träumte und auf sich bezog: All unsere Fähigkeit für die Stärkung unseres Vaterlandes, das wir lieben und mit unserer Kraft reich machen, so redeten hierzulande die Studenten, im Oberen Philosophenweg über den Eingang der Mensa fand er's geschrieben.

Die alten Wege gehen, das hieß: vom Gänseberg über den Burgweg in die Stadt hinunter bis zur Camsdorfer Brücke, die Saale überqueren, über den Marktplatz am großen *Zeiss*-Werk vorbei Richtung Westbahnhof gehen und vom Westbahnhof über die Schottstraße bis vor das Werkstor B: das war der Weg des Vaters. Täglich zweimal war der Vater mit seiner dünnen, vom vielen Tragen speckig gewordenen Aktentasche zwischen 1931 und 1946 diesen Weg gegangen, aber die schweren Einkaufstaschen mit den Vorräten für mindestens sieben Esser oben auf der Wilhelmshöhe schleppte immer die Mutter. Vom ersten Tag an hatte die Mutter den Weg von der Camsdorfer Brücke über den Burgweg hinauf zum Gänseberg im stillen hassen und verfluchen gelernt, so wie auch die Kinder den Weg von der Camsdorfer Brücke über den Burgweg hinauf zum Gänseberg bald hassen und verfluchen gelernt hatten, wenn die Mutter zum wer weiß wievielten Male mit Migräne oben in ihrem verdunkelten Zimmer lag und unter Schmerzen die Anweisungen gab: Heinrich, hol einen Sack Kohlen, ich kann nicht, und du, Constanze, vergiß die Kartoffeln nicht, denn euer geliebter Vater, mein Mann, wird die Kohlen und Kartoffeln nicht tragen.

Sie wäre dreiundsechzig geworden im Sommer, und der Weg in die andere Richtung hinauf zum Fuchsturm war ihr Lieblingsweg gewesen, denn dort droben unter dem Fuchsturm verjüngte und erneuerte sie sich und war für ein paar Stunden noch einmal das feine schmale Mädchen, das sie in den späten Zwanzigern gewesen war: auf den Fotos der volle Mund und das Lächeln ein bißchen schief vor Aufregung über die unbestechliche Maschine des Fotografen, das feste, braune Haar in der damaligen Mode streng auf die Seite gekämmt, die Augen ernst und dunkel und spöttisch für den Fall aller Fälle. Kleine, unter dunklen, schweren Gewändern versteckte Brüste, denen man fünf Geburten nicht zutraute und am Ende noch nicht mal einen Mann. Eine schöne Frau. Kräftig und zart war die Mutter und milde und grausam. Sie vertrugen sich nicht lange, nahmen's zu genau oder im Gegenteil sehr leicht, waren verschieden. Ihre hellen, klaren Schläge mit dem Weidenstock, die er fürchtete, ihr Schweigen, ihre Bannflüche: Du bist der letzte Nagel an meinem Sarg, ich sag's dir, und wenn ich ins Grab muß eines Tages, seid ihr alle es gewesen.

Schon am zweiten Tag hatte ihn der Lausitzer nur noch bis zum *Konsum* hinter der Stadtkirche begleitet, dann fuhr er mit der Straßenbahn zurück ins Lager, Heinrich habe ja schnell begriffen, was zu begreifen sei, und was für Tücken der Lieferwagen außer dem Getriebe sonst noch habe, das werde der kluge Mann aus dem Westen noch merken, in allen übrigen Fragen wende er sich bitte an die Genossin Müller.

Ob die womöglich schon wartete auf ihn? Eine ganze Woche lang beschäftigte sich Heinrich mit dieser schwierigschönen Frage, und ob er wohl besser gleich am frühen Morgen oder lieber erst am späten Abend bei ihr vorbeischaute, aber jedesmal, wenn er sich für irgendeine Stunde, eine Gelegenheit entschieden hatte, schreckte er im letzten Augenblick zurück, belud wie immer in Windeseile seinen Lieferwagen, sah sie bei seiner Rückkehr in ihrem Bürozimmer über irgendwelchen Abrechnungen sitzen, zögerte. Nur ein einziges Mal frühmorgens hatte er sie im hintersten Winkel des Betriebsgeländes bei ein paar Fahrern stehen sehen, und für einen Augenblick war es Heinrich so vorgekommen, als habe sie ihm ein paarmal freundlich zugewinkt, und obwohl er nicht ganz sicher war, ob das wirklich ein Winken war oder eine Aufforderung oder eine zufällige Bewegung der Hand, hatte auch er so getan, als winke er, hob die Hand in ihre Richtung und fuhr schnell los.

Der erste Samstag kam und der erste freie Sonntag, und am Montagmorgen, als er gerade das letzte Brot verlud und die Kisten mit den noch warmen Brötchen, stand sie auf einmal neben ihm und war sehr jung und appetitlich, wie sie da stand: als käme sie für ihn in Frage. Wollten Sie mich nicht besuchen und berichten, wie Sie zurechtkommen, fragte sie, und ob er denn glaubt, sie sieht es nicht, wenn er am Abend wie ein Dieb vom Hof schleicht und ein paar heimliche Blicke zu ihrem Fenster wirft? Oder ob er etwas auf dem Herzen habe? Nein, danke, ja, es sei nicht wichtig. Er müsse sich entschuldigen bei der Genossin, entschuldigte sich Heinrich und merkte, er hatte keine Sprache für sie, und obwohl sie ihm noch nicht einmal besonders gefiel, gefiel ihm für den Augenblick praktisch alles an der: ihre etwas spöttische Art, ihn zu mustern, ihre Hand auf dem verrosteten Wagendach, ihre Hand auf seiner Schulter (den Bruchteil einer Sekunde), wie sie ihre Haare glattstrich von Zeit zu Zeit oder ihre Hände vorwurfsvoll in die Hüften stemmte, sie machte offenbar viel mit Händen.

Sie habe da viel Gutes gehört von Heinrich, sagte sie, während Heinrich noch immer mit dem Anblick ihrer kleinen kräftigen Hände beschäftigt war, vor allem der Lausitzer habe nur das Allerbeste berichtet, aber auch die Betriebsleiter, das Verkaufspersonal, die Packer, Fahrer, alle seien des Lobes voll, nur wirklich vertrauen würde sie da einzig dem

Lausitzer. Heinrich: So kann man sich täuschen. Und sie: Ja, und dann weiß man die Wahrheit und hat sich wieder getäuscht.

Es schien sie verlegen zu machen, das gesagt zu haben, als habe sie ihm ein Geheimnis anvertraut oder sich zu einer politisch zweideutigen Bemerkung hinreißen lassen, aber Heinrich fand, daß ihr das stand, wenn sie ihm Geheimnisse anvertraute und zu politisch zweideutigen Bemerkungen hinreißen ließ und verlegen war und wie ein ertapptes Schulmädchen an ihren Fingern zupfte und gleich merkte, daß sie wie ein ertapptes Schulmädchen an ihren Fingern zupfte und das Thema wechselte, da waren sie dann leider schon bei der großen Politik. Heinrich mußte plötzlich an Ljusja denken und wie er beim ersten Mal gedacht hatte, das also mag sie und dieses weniger, es ist kein großes Geheimnis alles in allem, aber bei einer anderen ist's womöglich ganz anders, denn er hatte ja damals vorläufig wenig Ahnung in solchen Dingen, und ob die Mädchen sich immer erst versteckten und ganz still wurden, und ob sich auch die Genossin beim ersten Mal vor ihm versteckt hätte und ganz still geworden wäre, das beschäftigte ihn.

Ich denke da gerade an ein russisches Mädchen, sagte Heinrich, aber da war sie schon ganz woanders und sagte (mitten in seine Ljusja- und Genossinen-Gedanken hinein sagte sie): Mein Vater war in Buchenwald als Kommunist von 1941 bis 45 und als Sozialdemokrat noch einmal von 1945 bis 46, da hatte er genug und beharrte nicht länger darauf. Wahrscheinlich verhungerte er, oder sie haben ihn erschlagen in ihrem Buchenwald, wo die besonders Hartnäckigen den falschen Glauben verloren oder daran zugrunde gingen, so ganz genau haben wir es nie erfahren. Da war ich fünfzehn oder sechzehn, als mein Vater in Buchenwald vor Hunger starb oder erschlagen wurde, und also bin ich mit zwanzig in die Partei eingetreten und versuche mein Bestes. Ich wollte es anders machen als mein Vater, der an seinem Glauben zugrunde ging, wie ich finde ohne Not.

Deshalb, sagte die Genossin, die einen toten Vater in Buchenwald hatte.

Ja, Buchenwald, sagte Heinrich.

Ja, Buchenwald, sagte sie.

Ihr Parfüm mag ich.

Ein bulgarisches. Mein Mann ist von dort.

Und was ich sonst noch an Ihnen mag, behalte ich lieber für mich.

Von Buchenwald war auch in den Wochen im Lager mehrfach die Rede gewesen. Harms hatte Heinrich bei Gelegenheit geraten, daß er da einmal hinfahre und sich vor Ort einen Eindruck verschaffe, und noch am Vorabend ihrer Entlassung hatte es einen Abendvortrag zum Thema *Die Bedeutung Buchenwalds im Friedenskampf der Deutschen Demokratischen Republik* gegeben, aber von einem Lager Buchenwald unter sowjetischer Besatzung war darin nicht die Rede gewesen, oder Heinrich hatte wieder einmal nicht richtig hingehört, denn daß die Russen mit ihren geschlagenen Feinden irgendwohin mußten, fand er im großen und ganzen verständlich.

Rosa hatte zum Abschied gesagt: Nun also bekommst du deine letzte Chance, Heinrich, auch bei mir soll es deine letzte sein, und nun hilf mir beim Packen, wir haben morgen einen anstrengenden Tag. Sogar Harms war noch mit ans Tor gekommen und Tom ein bißchen zögerlich den halben Weg, und dann waren sie zu viert vom Lager bis zur nächsten Bushaltestelle gelaufen, Rosa mit Heinrichs Rucksack und dem Kleinen auf dem Arm, Heinrich mit den beiden Koffern Rosas und vorneweg die fünfjährige Eva, das

Evchen, die große Kleine, die seit Tagen und Wochen aus dem Staunen nicht herauskam und ganz still wurde in ihrem Staunen, denn nun war man also endlich in diesem fremden Land, in dem die Leute alles andere als fremd aussahen, sogar dieselbe Sprache sprachen die und benannten ihr Land mit drei Buchstaben, davon war einer doppelt, und der dritte rollte so schön: Willkommen, Evchen, in der D-Drrr.

Auch Rosa fand, das neue Land zeige sich bei diesem frühlingshaften Wetter von seiner vorteilhaften Seite, die Busse fuhren wie Busse überall langsam von Haltestelle zu Haltestelle, und die Städte bestanden aus Häusern, Straßen und Plätzen, nur weniger bunt als im Westen sah alles aus, das war ihr erster Eindruck. Eine schöne deutsche Stadt, dieses Eisenach, fand Rosa und bemerkte hie und da Schlangen vor den Geschäften, doch Schlangen hatte es im Westen auch gegeben, die Leute sahen zufrieden aus, wie auch die Leute im Westen an den ersten Frühlingstagen zufrieden aussahen, etwas kühl war es noch, aber sonnig und heiter mit den ersten Liebespaaren auf den Straßen, also auch zum Küssen hatte man im Sozialismus Gelegenheit, na immerhin.

Um die Mittagszeit erreichten sie Eisenach, und weil es in den nächsten eineinhalb Stunden keinen Zug nach Jena gab und sie etwas zu feiern hatten, aßen sie in einer HO-Gaststätte am Bahnhof Bockwurst mit Krautsalat, und Heinrich trank ein erstes Bier dazu und Evchen und Rosa eine Limonade mit Zitronengeschmack. Rosa schien es, als schauten die Leute ein bißchen komisch, weil sie mit ihren Koffern und den beiden Kindern zwei Tische belegten, aber Heinrich sagte: Ach was, die sind nur neidisch, weil wir gute Laune haben und feiern, daß wir endlich draußen sind, und daß wir geradewegs aus dem Lager kommen, sieht man uns doch gewiß nicht an.

Bei der Ankunft in Jena/Saalbahnhof waren sie alle ganz überrascht, daß die Reise gerade einmal eineinhalb Stunden gedauert hatte, aber weil sie ständig Station machten und alle sehr gespannt waren, wie das wohl aussah in Heinrichs Jena und ob die Birnstiels auch rechtzeitig die Karte bekommen hatten, verging ihnen die Reise wie im Flug. Heinrich war ganz sicher, daß die Karte an die Birnstiels rechtzeitig angekommen war, so wie Rosa ihrerseits ganz sicher war, daß die Birnstiels überhaupt keine Ahnung hatten, und dann war da auch tatsächlich niemand, der ihnen das schwere Gepäck abnahm oder behilflich war, nur Heinrich fand das alles halb so schlimm. Als sie zu Fuß vom Saalbahnhof über den Marktplatz zur Camsdorfer Brücke gegangen waren, sagte er: Nun bin ich zu Hause, und Rosa fand, na ja, zu Hause, aber hie und da wie in Regensburg sieht es immerhin aus: die schmutzige Saale ein bißchen wie die Donau, das sogenannte Paradies so still und lauschig wie der Park derer von Thurn und Taxis, nur steiler und bergiger und verwinkelter war hier alles, und wenn man endlich oben war, hatte man wunderbare Aussichten über Stadt und Land.

Als sich die freundlichen Birnstiels vom ersten Schreck erholt hatten, war Heinrich noch einmal zum Haus des Vaters gelaufen, und danach kamen die Geschichte mit der roten Badehose und der erste Abend im Zimmer des geflüchteten Professors, aber obwohl er sich ein bißchen sehnte und dehnte und streckte und Rosas Düfte ihm nicht aus dem Kopf gingen, war er auf einmal sparsam und geizig und optimistisch und faßte sich nicht an.

In den Tagen nach ihrem Bekenntnis war die Genossin förmlich, ja kühl. Wahrscheinlich bereute sie, Heinrich von ihrem Vater erzählt zu haben, oder sie hatte Ärger wegen einer ausgebliebenen Lieferung, oder weil ihr Mann sie des Nachts belagerte, und wenn er sich heimlich über sie beugte, dachte sie immer an Heinrich und wußte keinen Grund.

Auch sonst schien Heinrich kein Glück zu haben bei den Frauen im neuen Land, oder er begegnete immer nur den falschen, und für die richtigen hatte er noch keinen Blick. Nur mit ein paar HO-Verkäuferinnen wechselte er gelegentlich ein paar Worte, und natürlich waren die immer ziemlich neugierig, wie das alles war im Westen, und ob es dort auch so schwierig ist, einen vernünftigen Badeanzug für die kommende Badesaison zu bekommen, und da erschraken die gleich über ihre Sätze, ihre Fragen, und behandelten ihn, als wäre er ein Spitzel.

Anfangs dachte Heinrich, das kommt, weil ich nur ein einfacher Fahrer bin, ein einfacher Fahrer ist eben auch hierzulande nichts, aber vielleicht hatten die Leute ja auch Angst. Papperlapapp Angst, sagte Friedhelm, in unserem Land gibt es keine Angst, und daß es wahrscheinlich an der Kleidung lag oder an Heinrichs Sprache, war die Vermutung von Anneliese. Die Leute sehen dir einfach an, daß du aus dem Westen bist, noch an den kleinsten Gesten, Blicken, Bewegungen, deinen teuren Hemden, den weißen Schuhen merken sie's und machen sich ihren Reim drauf. Es hat hie und da Enttäuschungen gegeben mit den Leuten aus dem Westen, erklärte Friedhelm, und Rosa fand, daß man mit einem Rucksack voll Kleidung auf die Dauer ohnehin nicht weit komme, und also hatte er ihren Segen und durfte sich in den letzten Maiwochen völlig neu einkleiden, kaufte ein paar unscheinbare Hosen, Hemden, Schuhe, Strümpfe, und behielt von seinen Sachen nur die Papiere. Sogar die Unterwäsche hatte er eines Morgens heimlich in den Müll getan, nur für den Fall aller Fälle und damit er keine Schwierigkeiten bekam, zum Beispiel von der Genossin mit den schönen fleißigen Händen hätte er nicht hören wollen, daß er es wohl nicht ernst meine mit seinem Leben im neuen Staat, denn wer es ernst meint mit einem Leben im Arbeiter-und-Bauern-Staat, trägt keine Wäsche aus dem Westen.

War ihr das zuzutrauen? Heinrich fand, es waren ihr noch ganz andere Dinge zuzutrauen, aber was immer er ihr auch zutraute, am Ende lag er meistens daneben. Also, er staunte einfach über die und wie sie auf alles achtete und eines Tages sagte, sie vermisse seine schönen weißen Schuhe, und daß er eine hübsche kleine Tochter habe, aber die roten Haare und die Sommersprossen hat sie nicht von Ihnen. Natürlich wissen Sie, daß es unseren Fahrern streng verboten ist, Verwandte oder Bekannte oder fremde Personen mit ins Fahrzeug zu nehmen, aber wegen der roten Haare und der Sommersprossen Ihrer Tochter werde ich ein Auge zudrücken. Ob er sie einmal mitbringe morgen oder übermorgen? Ja, sehr gern.

Von der Frau Genossin und ihrem Büro, in dem es immer nach bulgarischen Parfüms duftete, hatte er Eva schon erzählt: Man fand sich sympathisch. Eva mußte natürlich gleich sagen, wie dem Vater eines Morgens ein Topf Wurstsalat im Wagen umgefallen war, und daß die frischen Brötchen immer so schön knackten, plauderte sie aus, aber genommen habe sie immer nur ein einziges. Zeigst du mir dein Parfüm-Büro, sagte Eva, und die Genossin zeigte Eva das Parfüm-Büro und im Anschluß die große Garage und das noch größere Lager, und für den Abend sollte sich Heinrich doch Zeit nehmen, sie habe da etwas mit ihm zu besprechen, sagen wir um sieben in meinem Büro? Sie kenne eine kleine Bar am westlichen Stadtrand, man finde etwas schwer hin, viele russische Offiziere und Leute aus der Partei, aber amüsant.

So eine nette Tochter habe ich?

Na ja, zum Beispiel.

Die Bar am westlichen Stadtrand hieß *Kosmonaut* und war gerade mal wohnzimmergroß, aber den französischen Kognak und den Whisky und den Wodka gab es reichlich, und ab halb zehn tanzte die Genossin erst ein paarmal mit Heinrich und dann nach jedem Glas mit einem anderen Offizier. Sie trug ein kurzes geblümtes Sommerkleid und sah nun gar nicht mehr wie eine Genossin aus, und auch die Genossen von der befreundeten Sowjetarmee fanden, sie sehe überhaupt nicht wie eine Genossin aus, und wirbelten sie abwechselnd durch die Luft. Nur kurz vor Mitternacht tanzte sie einmal für ein paar Augenblicke an seinen Tisch und sagte: Gisela, und Heinrich sagte: Heinrich, ich hoffe, du verträgst den Wodka. Aber ja. Komm du mir nur auf keine dummen Gedanken bei mir, sagte sie, es ist schon mancher auf dumme Gedanken gekommen an solchen Abenden, aber als Tochter meines Vaters habe ich nun einmal meine Prinzipien, und glücklich verheiratet bin ich auch. Soll ich dir Gesellschaft besorgen, damit du mich nicht den ganzen Abend anstarren mußt, wie ich unseren russischen Freunden zum Spaß den Kopf verdrehe? Ich bringe dir meinen verliebten Wladimir, ja, das ist eine Idee, und da brachte sie ihm Wladimir, der war aus dem fernen Sibirien und starrte wie Heinrich die ganze Nacht zur Genossin mit dem geblümten Sommerkleid und wie sie tanzte und sich drehte und zwischen den tanzenden Russen verschwand und wieder auftauchte und wieder verschwand. Wladimir erzählte von seiner sibirischen Heimat und Heinrich von den zurückliegenden Wochen im Lager, und da war sie auf einmal fort und nach Hause ohne ein Wort des Abschieds, leider. Ja, leider, meinte auch Wladimir und bestellte erst einmal eine neue Flasche Wodka, und bevor die uns hier nicht hinauswerfen, gehen wir nicht. Ach Geinrich, das ist eine

Frau, sagte Wladimir, und Heinrich, der das schon kannte, daß die Russen immer Geinrich zu ihm sagten, nickte ein paarmal dazu, er fand, Geinrich und Gisela, das paßte doch schön zusammen.

Am nächsten Morgen sagte Rosa: Manchmal kenne ich dich gar nicht: Du bist schon richtig verrostet, so grau und still und unscheinbar, und getrunken hast du gestern auch.

Ja, mit Wladimir. Die Genossin Müller hat mich hingeschleppt, aber was sie eigentlich wollte, keine Ahnung.

Es sei ein Brief gekommen aus Eisenach: Harms, der Offizier. Aber er will nur wissen, wie es uns geht.

Und wie geht es uns?

Mal so, mal so.

Das war ein schlimmer Moment gewesen, als Harms ihm die Nachricht überbrachte, Rosa und die Kinder seien unterwegs, und es sei kein Scherz, daß Rosa und die Kinder seit dem frühen Morgen unterwegs seien, und spätestens am frühen Abend träfen sie hier im Lager ein. Harms schien im ersten Moment verwundert, daß es Heinrich wie eine schlechte Nachricht aufnahm (als wären sie gestorben), aber er fragte lieber nicht weiter, schenkte sich und Heinrich nach und dachte an ein paar zurückliegende Fälle, bei denen er sein Gegenüber auch nicht gefragt hatte und mit einem Schluck Whisky über die schlimme Nachricht hinwegtröstete, und dann lagen die ein paar Nächte schweigend neben ihren Frauen, begannen flüsternd mit den ersten Umarmungen, waren trotzig und verzweifelt, liebten sich aus Langeweile oder aus Gleichgültigkeit oder am frühen Nachmittag nach den letzten Verhören, wenn sie ganz klein und fromm und duldsam waren und sich bei offenem Fenster aneinander beruhigten und vergaßen, so schlimm würde es für einen wie Heinrich nicht kommen.

Sie werden sich schon daran gewöhnen, hatte Harms gesagt, und wenn es Ihnen recht ist, begleite ich Sie. Kurz vor sechs war das gewesen, Harms hatte Heinrich gleich im Büro behalten, und nach einer Weile war ein kurzer Anruf gekommen, Rosa und die Kinder stünden mit Sack und Pack am Eingang und warteten auf Befehle. Rosa sagte gleich: Du hast getrunken, und Heinrich sagte, daß er das Theodor nie verzeihe, so wenig mochte er das alles glauben. Dann schwiegen sie und wogen die Enttäuschung. Rosa stand mit den beiden großen Koffern und dem Jungen auf dem Arm im Lagereingang, und Heinrich starrte seine Tochter Eva an und bewegte sich nicht vom Fleck. Nur Harms verlor auch jetzt nicht den Überblick, er nahm die Koffer und sagte: Sieh an, du mußt die kleine Eva sein, und: Herzlich willkommen bei uns in Eisenach, Frau Hampel, Ihr Mann hat mir schon viel von Ihnen erzählt. Das, schien es, überraschte Rosa. Und wo sie denn nun hin solle mit dem vielen Gepäck und den beiden Kindern, sie alle hätten eine schrecklich lange Reise hinter sich, und hungrig und durstig seien sie auch. Aber bitte, gerne, sagte Harms, ich zeige Ihnen gleich Ihr Zimmer, in der Baracke dort drüben bekommen Sie selbstverständlich zu essen, ein Glas Saft für die Kinder, ein Schnitzel, ein Bier aus der Gegend.

Später meinte Rosa: Was haben die denn da für Leute im Osten, der tut ja gerade so, als wäre er ein Freund von dir, der jeden zweiten Nachmittag einen mit dir trinken geht, aber in Wirklichkeit horcht er dich aus und dreht dir bei der erstbesten Gelegenheit einen Strick daraus.

Ja, so ungefähr.

Rosa hätte am liebsten gesagt: Du freust dich nicht, und Heinrich hätte am liebsten gesagt: Glaube du nur nicht, ich freue mich, aber dann sagten sie beide etwas anderes und mußten erst zum Essen und dann die Kinder ins Bett bringen, nur bevor sie nicht wußte, was für ein Land das war, in dem es so komische Häuser und Zimmer und Betten und Waschgelegenheiten gab, wollte die kleine Eva nicht schlafen. Heinrich: Ich bin doch auch erst heute hier eingezogen, und die Betten nennt man Stockbetten. Hier die Buchstaben und die Zahlen auf dem Bettzeug verraten dir, daß du in einem fremden Land bist, aber in ein paar Wochen fühlst du dich schon wie zu Hause.

Eine schlimme Reise, sagte Rosa, und ab wann genau sie gewußt hatte, sie kann nicht zurück, doch wenn sie könnte, würde sie's sofort. Theodor lasse ihn natürlich grüßen und Ilse und Paul und Hilde auch, sie alle hätten sie begleitet. Nur für ihre Mutter sei sie auf einmal eine Kommunistin gewesen, und einer Kommunistin spuckte eine wie Rosas Mutter zum Abschied nicht mal hinterher.

Hat dir dieser Harms etwas zum Trinken gegeben, fragte sie, als die Kinder endlich schliefen.

Das ist eine andere Geschichte, sagte Heinrich.

Ja, die kenne ich.

Er wird dir gefallen, glaube mir.

Also, das bezweifle ich.

Am Ende hatte sie Harms dann gar nicht kennengelernt, nur aus der Ferne, wenn Heinrich dessen Büro verließ, oder beim Abendvortrag sah sie ihn, aber zu den üblichen Verhören schickte man sie zu jemand anderem.

Rosa war von Anfang an nicht sehr gesprächig, wenn sie von den Verhören in einer abseits gelegenen Baracke zurückkehrte, nur daß sie mit einem weiblichen Offizier zu tun hatte und alles mehr oder weniger lächerlich war, berichtete sie, und daß kein Whisky und kein Likör ihr die Zunge lösten, außer ein paar Namen und Fakten, die sie zu Recht für unverfänglich hielt, bekamen die von ihr einfach nichts heraus. Du kannst noch zurück, hatte Heinrich gesagt, den der neue Staat offenbar vom ersten Tag an als einen der seinen betrachtete, und Rosa hatte gesagt, daß sie den Gestank und das ewige Geschrei der Kinder nicht lange aushält, und was immer schiefgelaufen ist zwischen dir und mir, bringen wir im Westen nicht leichter in Ordnung als hier im Osten, das fand auch Heinrich.

Von Harms bekam er schon bald zu hören, daß man allgemein einen sehr guten Eindruck von Rosa und den Kindern gewonnen habe, er höre überhaupt nur Gutes von Heinrichs Rosa, und was sie sage, decke sich mit Heinrichs Angaben bis auf wenige, unbedeutende Ausnahmen, zum Beispiel diese Bella habe Heinrich ja bislang sozusagen verschwiegen. Rosa habe der Genossin P. ihr Herz ausgeschüttet, Heinrich möge verzeihen, die Deutsche Demokratische Republik betrachte das alles als seine Privatangelegenheit, aber ob Heinrich gewußt habe, daß Frau Bella Anton in jungen Jahren mit einem SS-Offizier verkehrte? Wir haben seine Akte hier, ich kann sie Ihnen zeigen: Peter Fehrenkötter, geboren am 22.8.1922, Mitglied der Waffen-SS seit Februar 1943, diverse Einsätze in Litauen, Weißrußland und der Ukraine, unter dem falschem Namen Alfred Schumann wohnhaft seit Juni 1950 in Aichach bei München, Handelsreisender für Chemikalien in der Oberpfalz. Gesucht wegen diverser Verbrechen gegen die Menschlichkeit, darunter mehrere Geiselerschießungen, Massenexekutionen von Juden, Partisanen und Deserteuren. Ein unauffälliger, freundlicher Mann Ende Dreißig, als er sie kennenlernte in einem Schwimmbad. Ein Frauentyp. Seit Sommer 1957 verschollen, wahrscheinlich Südamerika. Natürlich hat sie den Mann niemals auch nur mit einer Silbe erwähnt. Ein dummer Zufall, daß sie ihn kennenlernt und nach seiner Vergangenheit nicht fragt, aber beim nächsten Mann macht sie alles besser. Heinrich Hampel ist ein Glücksfall für Bella Anton, vermuten wir. Wir wünschten, er wäre ein Glücksfall auch für unseren noch jungen Staat.

Das also sind Ihre berühmten Geschichten, sagte Heinrich.

Es muß nicht wahr sein, was ich Ihnen sage, obwohl es schwarz auf weiß in unseren Akten steht.

Kein Wort ist wahr.

Und wenn es jedes fünfte wäre.

Ja, schlimm genug.

Zu Rosa sagte er ein paar Tage später in Erinnerung an dieses Gespräch: Manchmal fängt es ganz harmlos an, und dann denken die sich irgendeine Geschichte aus, und manche Geschichten sind wie Gift. Du weißt, sie sind erfunden, ausgedacht, um dich zu verwirren oder in Sicherheit zu wiegen, und am Ende glaubst du mindestens den Anfang oder das Ende oder eine Einzelheit, denn wie sonst sollte einer ausgerechnet auf diese eine Einzelheit kommen, da fängst du schon an zu glauben.

Das war Anfang der fünften Woche im Lager Eisenach, und Rosa, für die es gerade einmal Anfang der zweiten Woche war, sagte: Ich glaube, ich weiß, was du meinst, aber helfen kann ich dir nicht, es sei denn, wir helfen uns selber.

Sogar die kleine Eva hatten sie ein- oder zweimal (mehr zum Scherz) zum Verhör geladen, und Eva, die nicht wußte, daß es sich um ein Verhör handelte, war wie immer neugierig und aufmerksam, zum Beispiel über ein paar Geheimnisse mit ihren Freundinnen wollte sie vor der fremden Frau in Uniform nicht sprechen. Das tut man nicht, sagte Eva, und merken tut man's auch, denn wer ein Geheimnis verrät, bekommt vom lieben Gott einen Hexenschuß, und das war also die Sicht, die Eva auf die Dinge hatte, und daß es eng und laut und schmutzig war in den Baracken, fand sie nicht schlimm, so lange sie ein paarmal am Tag nach drüben zu Tom laufen durfte, denn an diesem Tom hatte sie nun einmal einen Narren gefressen, und so wie es aussah, er auch an ihr; sie fand von seinen Geschichten die wahren immer am schönsten.

Am Ende der fünften Woche meinte Tom zu Heinrich: Deine Tochter ist eine ganz Kluge, und wärst du nur halb so klug wie sie, würdest du deine Nachmittage nicht mit Harms verbringen, denn zwingen kann er dich noch nicht mal zu einer Zigarette.

Auch Rosa hielt von Anfang an viel von Tom und seinen Prinzipien, und von ihm vor allem lernte sie, daß man bei diesen Leuten am besten selbst die Fragen stellt, und als Antwort nur Ja und Nein. Sag, du willst nach Hause, etwas anfangen, hatte Tom geraten, und so wiederholte Rosa bei jedem Verhör und jeder Befragung, sie wolle nach Hause (Heinrichs Zuhause), und jeder Tag, den sie hier länger herumsaßen, war für das sozialistische Vaterland ein verlorener.

Vielleicht ist es ja doch möglich, daß wir etwas in Ordnung bringen, sagte Heinrich Mitte April in seinem vorletzten Gespräch mit Harms, und Harms erwiderte: Das höre ich gerne, dann fangt schon einmal an mit dem Plänemachen, in ein, zwei Tagen könnt ihr raus.

Und wie macht man das: einen Plan? fragte Eva.

Ja, das ist schwer.

Nein, ganz leicht.

Noch Wochen später mußte Heinrich daran denken, wie überrascht er war, daß seine kleine Eva sich längst ihre eigene Gedanken machte, und wie es hatte kommen können, daß sie sich ihre eigenen Gedanken machte, und er als Vater hatte nicht die geringste Ahnung. Als sie fünf gewesen war, im Sommer 1960, hatte er ihr ein paar Wochen lang jeden Abend den Mond zeigen müssen und die vielen schönen Sterne hoch droben am Himmel, und im Strandbad an der Schillerwiese hatten sie jeden zweiten Samstag eine Handvoll Kieselsteine gesammelt und in Evas gelbem Plastikeimer nach Hause getragen. Dann vergaß er sie. Den Lampionumzug am Abend ihres sechsten Geburtstags wußte er noch, danach nur Herbst und Winter, die langen Verhandlungen mit dem Onkel, die Geburt des ersten Sohnes, die Geschäftseröffnung, die Nachmittage mit Bella, das Zerwürfnis mit Rosa.

Es war ihm nicht recht, daß er ihr gegenüber keine genauen Worte für sein Versäumnis fand, aber Eva machte es ihm leicht und nahm die Dinge noch immer wie sie kamen, freute sich, wenn er sie ab und zu im Lieferwagen mitnahm, und begrüßte das neue Leben im übrigen wie eine interessante Neuigkeit, ließ sich die Texte auf den roten Transparenten in der Stadt vorlesen, beneidete die FDJ-Kinder um ihre schönen blauen Hemden und kannte nach ein paar Wochen die Fahnen aller sozialistischen Bruderländer, und jeden Sommer reisen wir in ein anderes, davon träumte sie. Sie mochte es, wenn er am Abend ihre neuesten Wasserfarbenlandschaften bewunderte und ihr zuhörte, wenn sie von dem Mädchen mit den blonden Zöpfen erzählte, das wohnte am Ende der Straße und schimpfte Eva eine Kapitalistin. Selber Kapitalistin, hatte Eva gesagt, und das war Ende Mai gewesen, daß sie das gesagt hatte und nicht wußte, wovon sie redete, und Anfang Juni packten sie ihre Sachen und zogen in die neue Wohnung im ersten Stock eines langgestreckten Mietshauses in Jena-Ost, da redeten die Kinder in einer ihr verständlichen Sprache, sie hatten noch nicht mal ausgeladen, da rief man sie schon bei ihrem neuen Namen: Rotschopf.

Heinrich hatte sich den Umzug schon zu Fuß machen sehen, aber dann hatte die Genossin Müller einen Nachmittag den Lieferwagen zur Verfügung gestellt, das sei sie ihm nach dem verrückten Abend droben in der Bar *Kosmonaut* ja wohl schuldig, und daß man doch erst ein Mensch ist, wenn man eine eigene Wohnung hat.

Sogar für dich und die Kinder ist noch Platz, hatte Heinrich gesagt, als er seinen Rucksack und Rosas Koffer und ein paar Schachteln mit Geschirr und Töpfen sowie das geliehene Bettzeug der Familie Birnstiel verstaut hatte, und Rosa hatte gesagt: So wenig also haben wir, mit so wenig fangen wir an, und später, in der leeren, heruntergekommenen Wohnung, noch einmal: So wenig also haben wir, mit so wenig fangen wir an.

Wir sind am Samstag umgezogen, schrieb sie in einem Brief an die Wiesbadener vom 3. Juni 1962, Ihr könnt Euch ja denken, was es da an Arbeit gibt. Das Haus ist vollkommen runter, im Moment streicht Heinrich gerade die Fensterläden. Er hat sich vorgenommen, jeden Tag bis neun Uhr zu renovieren, und das Wohnzimmer sieht auch schon nach etwas aus. Ich habe mir eine Kastenmatratze organisiert und für die alte Couch der Vormieter einen neuen Bezug geschneidert, nun fehlt eigentlich nur noch ein neuer Fernseher, aber den wollt Ihr uns ja leider nicht schicken. Von den Birnstiels habe ich vorübergehend zwei Federbetten bekommen, leider ohne Bettzeug, und Bettwäsche ist sehr teuer, zumal Heinrich ja nur 520 Mark verdient. Da ich von Euch noch 600 Mark bekomme, kauft mir doch bitte je zwei Bettbezüge, Kissen und Bettücher, aber nicht zu teuer, damit noch etwas bleibt, es gibt hier doch so manches entweder überhaupt nicht oder aber zu völlig überhöhten Preisen. Eva hat sich schon gut eingelebt, im Herbst kommt sie in die zweite Klasse, und der Kleine ist ja noch gar so klein. Eine Liste mit dringend benötigten Kleidungsstücken für die Kinder lege ich bei. Wir haben es nicht leicht (ich darf das gar nicht sagen), aber beklagen wollen wir uns auch nicht.

Sie sehen müde aus, sagte die Genossin, wenn Heinrich in diesen Wochen zur ersten Tour um fünf den Wagen belud und ein paar Spritzer minzgrüne Badezimmerfarbe im Haar hatte und später vom dunklen Ocker für die Küche, fragte ihn aus, lobte und tadelte ihn für seinen Fleiß, mit dem er seit Tagen alte Tapeten von den Wänden riß und in den Fachgeschäften unten in der Stadt das Richtige nicht fand und suchte und sich aus dem kleinen Angebot am Ende immer etwas herausfischte: als wäre er hier seit langem zu Hause. Das gefalle ihr an ihm, sagte die Genossin und zupfte Heinrich die getrocknete Farbe aus dem Haar, und das war es dann, woran er dachte, wenn er in den Nächten auf der neuen Luftmatratze lag: daß sie ihm ein Stück Farbe aus dem Haar gezupft hatte wie eine Geliebte, und Rosa redete immer nur von den Kindern oder den nächsten Besorgungen und wann denn endlich die Sachen aus Wiesbaden kämen, aber die kamen nicht.

Das dauert, sagte die Genossin Müller, als er's ihr gegenüber erwähnte, und ob er die Tage in die Bar mitkomme ihren Geburtstag nachfeiern, ihr Mann fahre morgen für ein paar Tage nach Bulgarien. Ich hätte den einen oder anderen Schmuck zu verkaufen, sagte Heinrich, und die Genossin sagte: Ja, Wladimir. Den kannst du fragen. Aber so eine Freude sah man ihr an.

In der letzten Juniwoche kurz vor ihrem achten Hochzeitstag fand Heinrich, daß sie eine Pause verdient hatten, und weil er nicht wußte, wie er Rosa eine Freude machen sollte, lud er sie zu einem Abendessen in das Gasthaus *Zur Sonne* ein und bezahlte der ältesten Birnstiel-Tochter fünf Mark Ost für ihre Dienste als Aufpasserin.

Heinrich konnte sich nicht erinnern, wann er Rosa zum letzten Mal in einem Kleid gesehen hatte, und Rosa in ihrem neuen grauen Kleid konnte sich nicht daran erinnern, wann Heinrich sie zum letzten Mal zum Essen ausgeführt hatte, und weil nun einmal ein jeder auf seine Weise vom anderen überrascht war, wurde der Abend ein ziemlicher Erfolg. Nur die beiden Kellner waren hektisch und unfreundlich und schienen alles andere als begeistert, daß die Leute an einem ganz gewöhnlichen Mittwoch für einen Sauerbraten mit Stampfkartoffeln und Rotkohl Schlange standen und auf einen Platz warteten, und wenn man erst mal drin war, saß man in einem halbleeren Lokal.

Nun erzähl, sagte Heinrich, als der Kellner ihnen einen Tisch in der Nähe des Eingangs angewiesen hatte, und bestellte für Rosa die Schweinebauchrouladen in Majorantunke und für sich das Eisbein mit dicken Bohnen. Und also begann Rosa zu erzählen, und wie das alles gewesen war, als Heinrich sich in seinen Wagen setzte und nach Fulda fuhr und nicht zurückkehrte, und je länger sie redete, desto seltsamer fand es Heinrich, daß er praktisch gar nicht vorkam in den zwei Wochen vor ihrer Abreise, und wo er vorkam, war er der Narr, der Heuchler, das Schwein, er, der seiner Rosa und dem Onkel und allen, die ihm vertraut hatten, eine Welt zum Einstürzen brachte, die offenen Rechnungen nicht beglich, sich aus dem Staub machte Richtung Osten, denn da war er her. Sie habe es lange nicht glauben können, daß ihr Heinrich wirklich nach drüben in den Osten gegangen war und nicht länger mit ihr rechnete, so ahnungslos sei sie gewesen, so wenig habe sie ihn gekannt, und die Leute nannten ihn natürlich einen Spion für die Russen und wunderten sich noch nicht mal, wie wenig sie sich wunderten.

Noch am Abend ihrer Rückkehr nach Regensburg habe sie als erstes bei seiner Bella geklingelt, aber die hatte ihre Schäfchen natürlich längst im Trockenen und wäre mit ihrem Heinrich überall hingegangen, aber in den Osten auf keinen Fall. Ich habe verstanden, daß du gegangen bist, ich habe dich verflucht dafür. In den ersten Tagen vor allem habe ich dich verflucht, aber dann waren da die Gläubiger, der Gerichtsvollzieher, die Besuche deines Bruders Theodor, der mir immerzu etwas aus- und einredete, und als Trost hatte er eine bescheidene Zukunft mit Heimarbeit für *Bertelsmann* und einer Wohnung in irgendeinem Neubauviertel. Alle haben sie zu mir gesagt: Bleib da, wir machen das schon, was hast du mit den Geschäften deines Heinrichs zu tun, wir helfen dir, und wer seit Jahren so übel betrogen worden ist, wird um den Betrüger nicht lange weinen. So redeten sie mit mir und fanden es nicht weiter schlimm, daß ich die Miete für die alte Wohnung nicht bezahlen konnte und der Gerichtsvollzieher seine Marken noch auf die wertlosesten Dinge klebte, und nur die kleine Eva hatte keine Ahnung und beneidete ihren Vater um die Ferien. Ich habe alles für möglich gehalten, während ich in der Küche für ein paar lumpige Mark Bucheinbände aus durchsichtigen Folien schnitt und dein Bruder am Telefon sich regelmäßig nach mir erkundigte, ich wäre ja selbst am liebsten weg und auf und davon. Deinem Vater schrieb ich, er soll dich nicht verurteilen, im Grunde deines Herzens seist du ein weicher und guter Mensch, und anstatt zu antworten, ging dein Vater lieber stundenlang am Fluß spazieren und verstand die Welt nicht mehr.

Ja, der Vater, sagte Heinrich, nun muß er eben sehen, wie er zurechtkommt, und du und ich müssen es auf unsere Weise. Weißt du übrigens, was geworden ist aus deiner Bella, fragte Rosa, aber Heinrich hatte keine Ahnung, was aus seiner Bella geworden war, aber nicht die geringste, ehrlich.

An diesem Abend im Gasthaus *Zur Sonne* und in der darauffolgenden Nacht, als Rosa die Geschichte ihrer Reise erzählte und Heinrich stumm und aufmerksam neben ihr auf der Matratze lag, schlossen sie eine Art Waffenstillstand, und daß das Vergangene vergangen war und es keinen Sinn hatte, immer und immer wieder von Bella anzufangen und wie es dazu gekommen war, daß sich alles in Luft aufgelöst hatte in ihrem Regensburg, allein der Onkel verlor ja am Ende zwei Häuser.

Und die Reise? fragte Heinrich.

Ja, die Reise. Eva, damit sie nichts verpaßte, saß in Fahrtrichtung am Fenster, Konrad, halb schlafend, im Sportwagen, und Rosa in ihrem neuem Persianer und den Pumps und dem hochgesteckten Haar entschlossen skeptisch mittendrin. Sie hatte nicht einmal eine Hand frei, um Theodor und all den anderen zum Abschied zu winken, und ähnlich wie Heinrich genoß sie es für einen Augenblick, daß sie alle böse auf sie waren und im Zorn eine Kommunistin aus ihr machten, bevor sie bei denen überhaupt einen Fuß auf den Boden gesetzt hatte und sich ins Unglück stürzte, und daß das alles nicht wahr war, wußte oder vielmehr hoffte allein noch sie.

Den Leuten im Abteil war es nicht entgangen, wie sie da alle bis zur letzten Sekunde um sie herumstanden und auf sie einredeten und den Untergang der Kinder heraufbeschworen, und nun glotzten die Leute alle ganz unverfroren und bedauerten die beiden Kinder, daß sie keine Mutter hatten als diese Rosa, die ging doch tatsächlich aus freien Stücken in den Osten zu ihrem verkommenen Mann. Auch dem jungen Grenzbeamten, der Rosa kurz hinter Bebra seine Hilfe anbot, schien ein Fall wie ihrer noch nie begegnet zu sein, und wann immer sie es sich anders überlege, er hole sie da raus, bitte informieren Sie mich, Name, Adresse stehen auf dem Zettel, ich hole Sie raus.

Das war, weil du ihm gefallen hast, sagte Heinrich, und Rosa sagte: Wer weiß, und daß sie gelacht habe über seinen Vorschlag, aber auf dem grauen Zettel standen wirklich ein Name und eine Adresse mit Telefonnummer: Horst Lange oder so ähnlich, irgendwo zwischen den beiden Kontrollpunkten habe sie den Zettel aus dem Fenster geworfen, sie mußte es sich einfach beweisen.

Und dann fuhren sie wieder ein Stück und standen wieder und fuhren, und je näher sie ihrem Ziel gekommen sei, desto öfter habe sie gedacht: Um Gottes willen, alle paar Meter einer mit Maschinenpistole, jetzt bist du dran. Gleich bei der Ankunft in Eisenach sei sie von zwei Rot-Kreuz-Schwestern in eine Kammer gebracht worden, in der es keine Türklinken gab, nur vergitterte Fenster und auf dem Tisch *Das Neue Deutschland*, da habe sie gedacht: Ich muß hier weg, Heinrich wird mir nicht böse sein, und wie sie's noch dachte, fingen die schon an mit der Kontrolle des Gepäcks. Devisen und Waffen suchten sie, etwas Kleingeld und eine Schallplatte mit Hitlerreden fanden sie und zwischen einem Stapel Blusen und Hemden den neuen Smoking von Heinrich, da hielten sie ihn gleich für einen Musiker, stachen mit ein paar Stricknadeln in Rosas hochgestecktes Haar (und fanden nichts), hielten Rosas Schminkkoffer für verdächtig (und fanden nichts), wir haben unsere Vorschriften.

So kam sie ins Land und überraschte sich selbst, und Heinrich wie gesagt überraschte sie, aber der gewöhnte sich. Wahrscheinlich hätte sie nichts dagegen gehabt, wenn etwas gewesen wäre in der Nacht, da sie endlich alles los wurde und redete, bis ihnen die Augen zufielen, aber Heinrich fand, das sei er ihr schuldig, daß er sich wie der Schuldige benahm und ihren Geschichten lauschte und sich erkundigte, was genau sie gedacht hatte, als sie mit den Kindern zum Lager fuhr, vielleicht war es ja derselbe Bus wie vor ein paar Wochen bei ihm.

Ich hätte mich auch nicht gefreut an deiner Stelle, sagte Rosa, aber da schlief Heinrich schon fast, und was er murmelte, wußte er selbst nicht noch Rosa, hoffentlich war's auch bestimmt nichts über die Genossin Gisela mit ihrem bulgarischen Ehemann, der war fast immer auf Reisen und brachte seiner Gisela kleine runde Flakons mit fremden süßen Düften, und da schnupperte Heinrich immer an der und freute sich, wenn sie ihn beschimpfte und beim Schimpfen so hübsch den Kopf zur Seite neigte und das Unmögliche für möglich erklärte, und er natürlich glaubte daran, nannte sie im Halbschlaf beim Namen, hatte den Ärger.

Na, dann laßt euch mal was einfallen, hatte Gisela bei ihrem zweiten Besuch in der Bar *Kosmonaut* gesagt und Heinrich und Wladimir abwechselnd nach vorne auf die kleine Tanzfläche geschleppt und nach jedem fünften Lied zu einem neuen Drink an den Tresen, und obwohl sie immerhin zu zweit waren, tanzte und zechte sie die beiden auch diesmal mehr oder weniger in Grund und Boden, sah sich schon bald nach anderen Tänzern und Zechern um und fand und nahm und genoß, was sie gerade brauchte und ihr Recht nannte, und ihre beiden Treuesten, Heinrich und Wladimir, saßen wie Schuljungen an ihrem Tischchen und träumten von ihren Küssen. Was glotzt ihr denn so, ihr beiden, habt ihr nichts zu besprechen, rief sie ihnen nach einer Weile von der kleinen Tanzfläche aus zu, und da wußte Heinrich schon, sie hatte Wladimir längst eingeweiht wegen des Schmucks, Rosa hatte ihm am Nachmittag alles in dickes

Packpapier eingeschlagen: ein paar Ringe in Gold und Silber, eine Brosche, zwei Perlenketten, und an Edelsteinen den Smaragd, den Rubin, den Bergkristall, gekauft in den Jahren 1954 bis 61, versteckt im doppelten Boden eines Kosmetikkoffers, und dabei hatten die an der Grenze mit doppelten Böden doch gewiß Erfahrung.

An diesem Abend im *Kosmonaut* wurden Heinrich und Wladimir Freunde oder vielmehr Geschäftspartner, denn sie sprachen gemeinsam eine Sprache, und in der Sprache, in der sie sprachen, hießen die Mädchen Ljusja und Sonja und Bascha und Natalia, die träumten von jungen großen Offizieren und ihren Siegen für die ruhmreiche Sowjetunion, und von der Liebe in großen Betten träumten sie, soviel war sicher. Komm, ich zeig dir, wo ich zu Hause bin, hatte Wladimir gesagt und Heinrich gegen die Vorschrift in die Kasernen in Zwätzen gebracht, wo sie bei einem Glas Wodka im Kasino den Schmuck und die Steine schätzten und es sehr bald wieder von der schönen Gisela hatten und wie weit sie inzwischen ein jeder bei der gekommen waren, es war aber nichts Berühmtes. Wladimir dachte, es nütze ihm bei der Genossin, wenn er Heinrich etwas Gutes tat, und Heinrich dachte, die Freunde meiner Freunde sind auch meine Freunde, und wenn sie sich ziert und nicht will und die Küsse lieber für sich behält, das Wohlwollen einer Genossin konnte man schließlich immer gebrauchen.

Rosa wunderte sich ja manchmal, mit welcher Hochachtung Heinrich von der Genossin Gisela sprach, und daß die bis morgens um vier in einer Bar am westlichen Stadtrand die Männer unter den Tisch soff, und am nächsten Morgen hielt sie lange Vorträge über den Marxismus-Leninismus und seine Bedeutung für die Versorgung der Bevölkerung mit verderblichen Gütern des täglichen Bedarfs. Rosa fand, das tat ihm gut, daß er da sozusagen verliebt war in diese Gisela und keinen richtigen Erfolg hatte bei der, und obwohl er Rosa allmählich überholte in der Kunst der Anpassung und Worte verwendete, denen sie sich noch nicht gewachsen fühlte, war sie mit ihrem neuen alten Heinrich zufrieden, denn der war geduldig und fleißig, trank nur am späten Abend, wenn er durch die neuen Zimmer ging und sich und Rosa aufzählte, was schon alles fertig war, redete bereitwillig über die Kinder und immer wieder über diese Gisela und Harms, und wie doch alles ganz anders war im neuen Land, zum Beispiel die Frauen (Rosa sagte es) trugen die Nase oft sehr hoch, waren unfreundlich und müde von der Arbeit, standen Schlange, holten ihre Kinder aus den Krippen, hatten immer etwas zu tun. So werde ich nie sein, sagte Rosa und wußte nicht, wie sie selbst eines Tages sein würde, auch Heinrich wußte es nicht, aber im Zweifelsfall bleibst du eben wie du bist. Darüber freute sie sich. Und daß sie in den Nächten wieder gerne neben ihm lag, freute sie, und daß sie etwas für möglich hielt und mit ihm lachte, daß sie hier auf einem Paar dunkelblauen Luftmatratzen ihre Nächte verbrachten, und noch vor ein paar Monaten lagen sie in sündhaft teuren Betten aus Frankreich. Ja, das war schön, daß sie wieder an ihn denken mochte und darauf wartete, daß er bei ihr anklopfte und sich zeigte und ihr einen Sohn zeugte oder eine Tochter, am Ende taten sie's auch aus Trotz. Denkst du jetzt an sie? fragte Rosa, als Heinrich ihr einen Sohn gezeugt hatte (oder in der Nacht darauf), und Heinrich, wie wenn er sich wunderte: Nein, aber an Harms denke ich, und daß er es gewesen ist, der wollte, daß wir uns vertragen.

Danach hatten sie ein paar gute Monate, die Sachen aus dem Westen kamen und eine zweite Postkarte von Harms. Mitten in der Woche, als Heinrich wie immer Brot und Wurst und Käse durch die Stadt fuhr und an Giselas schönen Mund dachte oder ihr neues Kostüm, hatten sie ihnen auf einmal zwei große Holzkisten vor die Tür gestellt, und in der einen war Wäsche und Bettzeug und die alte Waschmaschine, und in der zweiten die vertrauten Kleider und der Kühlschrank und von Theodor ein neues Transistorradio. Wie lange vermißte Schätze hatten Heinrich und Rosa und die kleine Eva unter den Blicken der Nachbarn die Sachen in die neue Wohnung getragen, und danach ging Heinrich zur Feier des Tages los, eine Flasche ungarischen Weißwein besorgen, und keine zwei Tage später schrieb da also schon wieder Harms. Wie es ihnen denn ergangen sei, schrieb Harms, die Genossin M. habe ihm das eine oder andere berichtet, aber nun wolle er doch einmal selbst sehen und schlage vor, daß man sich trifft zu einem vertraulichen Gespräch im Gasthaus *Zur Sonne* am Donnerstag. Wie Heinrich die Leute findet und das Land; was die Leute über das Land sagen; was Rosa. Ein Plauderstündchen unter alten Bekannten, ab sieben erwarte er ihn, er solle vorher nicht essen.

Tom würde nicht hingehen, sagte Rosa, die schon fast sicher war, daß ihr Heinrich auf der Luftmatratze ein Kind gezeugt hatte, und dann sagte sie's ihm, und Heinrich sagte: Ja, fein, aber daß ich Hunger habe, wirst du mir nicht vorwerfen.

4

Die Ärzte hatten ihnen von Anfang an wenig Hoffnung gemacht und nannten die Krankheit bei ihrem lateinischen Namen *Spina bifida totalis:* offener Rücken. Es tut uns leid, Herr Hampel, aber wir haben schlechte Nachrichten, hatte der Arzt gesagt und Heinrich am frühen Morgen des sechsundzwanzigsten in ein kleines Zweibettzimmer geführt, und da lag Rosa und war bleich und erschrocken wie zu Tode und staunte, daß er gekommen war, und das Ding an ihrer Seite war ein paar Stunden alt und sah aus, als wär's gesund.

Das fängt nicht gut an, hatte Rosa am Nachmittag zuvor am Telefon gesagt, komm schnell, ich bin ganz naß, und noch eine halbe Stunde später auf dem Weg ins Krankenhaus: Das fängt nicht gut an, wenn alles so schnell geht und du auf einmal ausläufst und das Wasser zwischen den Beinen hervorsprudelt wie von zwei Bächen, warum so eilig, mein Kleines, Liebes, mach mir keinen Kummer. Heinrich war es so vorgekommen, als könne er das Wasser riechen, das aus Rosa herausgelaufen war wie von zwei Bächen, und an seinen Händen die Spuren Gerdas konnte er riechen, denn die, von der er gekommen war, hieß Gerda und duftete nach geschwefelten Hölzern.

Bei Evchen, unserer kleinen Großen, war alles ganz anders, hatte Rosa im Taxi gesagt, und dann lag sie zwei Stunden im Kreißsaal, und nichts passierte, und eine dritte und eine vierte Stunde lag sie, und nach acht Stunden schickte sie nach Heinrich und wollte nicht länger, daß er wartete und sich die Beine in den Bauch stand und fragte, wie lange es wohl noch dauert und ob er sich Sorgen machen muß, daß es dauert; das mußte er nicht. Komm, geh schlafen, nach Hause, denk an mich, trink etwas, morgen früh ist's vorbei, dann brauche ich dich, aber als einen Ausgeschlafenen, es ist ja nicht ungewöhnlich, daß bei Frauen im letzten Monat das Wasser kommt, und dann müssen die Frauen sich hinlegen und warten und tapfer sein wie immer. Meinst du? hatte Heinrich gefragt (da war's schon ein Uhr nachts), und Rosa war ganz sicher gewesen, im Kühlschrank sei noch ein Rest Rosenkohl und Roulade, und wenn etwas ist, rufen sie dich an, oder du erfährst es am nächsten Morgen.

Er war nicht sein Plan gewesen, sie auch in dieser Nacht zu betrügen und keine Geduld zu haben und aus Langeweile zu Gerda zu gehen. Gerade weil Rosa es ihm erlaubt oder vielmehr befohlen hatte, hatte Heinrich bleiben wollen und sich auf den kahlen langen Krankenhausfluren die Beine in den Bauch stehen, aber dann wurde er müde und zappelig, hörte in der Ferne die Schreie der Frauen und hoffte, jetzt, in aller Stille sei es geschehen, jetzt gleich werde man ihm die Nachricht überbringen. Eine Stunde ging er noch einmal auf und ab, sah, wie die gelegentlich vorbeihuschenden Schwestern, Ärzte, Pfleger ihn sahen: müde und zappelig und beschäftigt, nicht an Rosa zu denken und nicht an Gerda, die nach geschwefelten Hölzern roch, das war ihm bislang noch nicht vorgekommen.

Gerda war natürlich überrascht, daß er zu so später Stunde bei ihr auftauchte, sie hatte sich schon hingelegt und war verschlafen, aber empfing ihn wie einen Willkommenen, und wie wach sie immer nach seinen Küssen war und welche Ideen sie dann immer hatte, wenn er sie wach küßte, da staunte sie oft über sich selbst. Sie wußte nicht viel von diesem Kerl namens Heinrich und nahm ihn wie eine, die weiß, daß man auf einen Kerl wie Heinrich nicht warten darf, aber wenn er sie besuchte und wärmte und wach machte und biegsam, war ihr alles recht und daß sie über seine Tage nichts wußte und seine Nächte. Wenn er wieder weg war, ging sie immer in allen Einzelheiten durch, was genau er diesmal getan hatte, und sagte es nicht einmal ihrer besten Freundin Anna, und wie er sie gleich beim ersten Mal *Mein kleines Ferkel* genannt hatte und immer Dinge mit ihr machte, wenn er sie *Mein kleines Ferkel* nannte, daß ihr noch Tage später ganz anders wurde, und wie die Dinge, die er mit ihr machte, auch sie die unaussprechlichen Dinge mit ihm machen ließen, ihre Freundin Anna hätte ihr kein Wort geglaubt.

Zwei Stunden blieb er und ging zurück ins Krankenhaus zu seiner Rosa, und was die in den Armen hielt, ahnten weder sie noch Heinrich. Mein Gott, was haben wir getan, hatte Rosa gesagt und Heinrich nicht weiter gefragt, woher er kam und wohin er gegangen war, und sie hatte gesagt: Schau, wie schön sie schläft, man merkt ihr gar nichts an, aber ohne das Pflaster sähst du ihr bis aufs Rückenmark. Heinrich wollte nicht wissen, wie das wäre, wenn man seiner Susanna bis aufs Rückenmark sähe, aber dann sah er das große Pflaster und erschrak und fürchtete sich und fand's verzeihlich. Nicht böse sein, sie kann nichts dafür, sagte er, und Rosa sagte: Ja, nein, ich bin nicht böse, nur ein klein bißchen, und außerdem haben wir ja unser Evchen.

Angefangen hatte es mit Gerda Anfang des Jahres nach einem Kundenbesuch, da lebte sie noch zu Hause bei ihren Eltern und saß mit Vater und Mutter am Küchentisch und machte ihm schöne Augen. Manchmal wunderte er sich, wie dreist und verdorben diese Gerda war, wenn sie in Stimmung war und in einer Pension nahe der Steinernen Brücke versaute Witze zum Besten gab und darüber lachte und ganz unschuldig war und in aller Unschuld Dinge an ihm tat, die er von Rosa nicht kannte und womöglich nicht mal von seiner Ljusja, damals im russischen Winter 1949/50, da war er gerade achtzehn.

Es war Anna gewesen, die Heinrich auf Gerda aufmerksam gemacht hatte, und Anna war eine Studentin im dritten Semester und in Liebesdingen leider etwas kompliziert, das heißt, sie machte sich einfach nichts daraus, fand das auch nicht weiter schlimm, daß sie sich nichts daraus machte, wenn Heinrich alle paar Wochen in ihrer Studentenbude im Wohnheim zwischen ihren weißen Schenkeln turnte und sich mühte und probierte, und dann stand die einfach mitten in einer Umarmung auf und fragte, ob sie nicht eine kleine Spritztour mit Heinrichs neuem *17 M* machen sollten, und wenn wir keine Lust mehr haben, legen wir uns hin und machen weiter, wo es eben am schönsten war. Ich denke zuviel nach bei der Liebe, deshalb klappt es bei mir so selten, außerdem verstehe ich das alles auch gar nicht und warum die Leute so verrückt nach all den Sachen sind, aber wenn er sich nur immer Mühe gibt, wird sie's eines Tages begreifen, ehrgeizig genug war er.

Meine Freundin Gerda wäre was für dich, hatte Anna nach einem ihrer mißglückten Liebesversuche gesagt, vielleicht mache ich euch einmal bekannt, so wie uns damals dein Chef miteinander bekannt gemacht hat, wahrscheinlich hast du's längst bereut. Habe ich nicht, hatte Heinrich beteuert und sich an die Weihnachtsfeier Anfang Dezember 1956 erinnert, als er Anna entdeckte, und Anna war die Tochter eines befreundeten Bettenhändlers aus Straubing und studierte die englische und französische Sprache in Regensburg. Sie hatten über Politik gestritten auf der Weihnachtsfeier, und Anna hatte gesagt: Ich mag die Kommunisten nicht, aber vor einem Atomkrieg fürchte ich mich, und Heinrich hatte gesagt: Ach was, Atomkrieg, den Russen muß man zeigen, daß es einem Ernst ist im Falle eines Falles, da kenne ich mich aus.

Noch Monate später konnte es vorkommen, daß Anna ihn fragte, wie das damals alles gewesen war in der fernen Sowjetunion, und also mußte Heinrich erzählen und zugleich darauf achten, daß er nicht zuviel erzählte, denn sonst fing sie gleich wieder an zu denken, und wenn sie zuviel dachte, wurde das alles wieder mit der Liebe nichts, da konnte er sich mühen wie er wollte. Später, als Heinrich schon zu Gerda ging, redeten Anna und er auch über Gerda, und was für einen Spaß sie damals gehabt hatte, als Heinrich in der Küche ihrer Eltern über die Vor- und Nachteile polnischer Bettfedern referierte und über Betten aus Holz und Eisen und Gold und Silber, und wie Gerda auf einmal ihre schmalen Füßchen unter dem Küchentisch an Heinrichs Füße lehnte oder – wie soll man sagen – schmiegte, sie waren auch wirklich schön warm. Anna hätte stundenlang über Gerda reden können (aber es nützte nichts), während umgekehrt die freche Gerda Anna mit keinem einzigen Wort erwähnte, womöglich hatte sie ja so ihre Befürchtungen, oder sie schämte sich oder wußte keine Worte für die Dinge, für die sie sich schämte im Nachhinein, auch vor Anna.

Das war die Geschichte mit Anna und ihrer Freundin Gerda. Manchmal sah er sie nur ein-, zweimal im Monat, und es gab Tage, da hätte er sie gerne miteinander bekannt gemacht als seine Liebhaberinnen, deren Namen er manchmal verwechselte und deren Gesichter Düfte Bewegungen Flüssigkeiten sich vermischten und überlagerten und von denen er manchmal trank und sich dachte als Vater ihrer

Töchter, Söhne. Anna sagte immer, was für eine Närrin sie doch sei, daß sie einen Schuft wie Heinrich zwischen ihre Schenkel lasse, und dann nahm sie manchmal ihren alten Fotoapparat und machte ein paar Aufnahmen von ihrem Schuft, wie er in Hut und Mantel und einer *Chesterfield* im Mund und als wär's nicht der Heinrich, den sie kannte, sondern ein Gangster aus Chicago, ins Bild grinste oder ganz lässig an ihr vorbei ins Weite blickte und sich wohl fühlte und dachte: So ist das also, wenn alles in Butter ist und immer nur alles gelingt und das Geld bringt und die Frauen, so herrlich unbeschwert konnte das Leben sein, und Rosa war im fünften Monat, und was ihm vielleicht noch fehlte, war ein Sohn.

Heinrich hätte nicht wirklich sagen können, daß er sich einen Sohn wünschte, aber Rosa hatte sich unbedingt einen Sohn gewünscht, und als es soweit war, daß sie ihn wieder zu sich ließ und ihn ermunterte und die günstigen Tage im voraus berechnete, hatte er ihr zuliebe immer an einen Sohn gedacht. Anders als bei Eva zwei Jahre zuvor klappte es diesmal nicht gleich, aber Heinrich war ganz froh, daß es diesmal nicht gleich klappte, denn anders als beim ersten Mal geschah nun alles mit Bedacht und Absicht, und Heinrich fand, daß das alles veränderte, wenn es mit Bedacht und Absicht geschah und er seinen Samen in sie hineingoß und wußte, das war, damit sie einen Sohn hatten oder wenn es sein mußte eine Tochter. Er war nicht sicher, ob Rosa ihn wirklich verstand, aber er fühlte sich sehr stark und männlich und lüstern in diesen Wochen, und da war es wie eine schwere, beglückende Arbeit, wenn er sie nahm und sich in sie hineinbog und jubelte und wartete, daß auch Rosa jubelte, aber die dachte nur immer an seinen Saft.

Er hatte nicht zum ersten Mal eine Menge Provision bekommen in diesem Sommer, und also hatten sie zur Feier des Tages zwei Garnituren der teuersten Bettwäsche gekauft, und das war, damit sie sich freuten und nicht müde wurden und mit Geduld das zweite Kind machten, von Gerda oder Anna war ja da noch keine Rede. Er mochte das gerne, zwei, drei Monate fast jeden Abend mit Rosa die Betten aufschlagen und sich paaren, und wenn es endlich klappte, wurde es ein Bruder oder eine Schwester für Eva, die würde nehmen, was kam.

Obwohl ihnen die Ärzte von Anfang an wenig Hoffnung gemacht hatten, gab vor allem Heinrich die Hoffnung nicht auf, wollte von der tödlichen Gefahr einer Infektion nichts wissen und nichts von Rosas Alpträumen am frühen Nachmittag, wenn sie zwischen zwei Besuchen nicht weiter wußte und das Kind auf dem Bauch betrachtete wie ein kaputtes Ding oder ein falsches Geschenk zu Weihnachten. Damit Rosa merkte, daß er schon auf dem Wege war und eine gute Laune vor sich her trug, hatte Heinrich wieder zu steppen angefangen, steppte pfeifend oder summend durch den Krankenhausflur, machte die Türe auf wie ein Clown, küßte sie auf die Wange oder die Stirn und nahm das kaputte Ding, das sich um Himmels willen nicht infizieren oder sonstwie zu Tode bringen durfte, auf den Arm und redete flüsternd zu ihm hin: Ich weiß, es ist schwer, aber du mußt, und wenn es nur Rosa zuliebe ist, die daran zerbricht, wenn du es dir anders überlegst, darum bitte ich dich. Sogar auf seinen Fahrten im Lieferwagen oder abends, wenn er nicht bei Anna war oder bei Gerda oder im Schwimmbad An der Schillerwiese und ganz für sich alleine eine Mahlzeit bereitete oder ein paar Wiener in ein heißes Wasser warf, redete er mit seiner Tochter, der zweiten, mißratenen, und versprach sich und ihr einen feinen Sommer.

Er hatte Anna und Gerda nie etwas gesagt von Rosas Schwangerschaft, aber als ihm nach ein paar Tagen zu Hause in der leeren Wohnung die Decke auf den Kopf fiel, hatte er es ihnen gesagt, nur damit da jemand war, mit dem er seine kleinen aufmunternden Ansprachen an Susanna erörtern konnte, oder weil er das erste Mal in seinem Leben nicht weiter wußte, und Rosa in ihrem häßlichen Zweibettzimmer wartete bei jedem Besuch darauf, daß er's konnte. Anna hatte gesagt: Wie schrecklich, komm, wir fahren ein wenig in der Gegend herum, oder zwischen meine Beine leg dich, heute bin ich dran, ich tröste dich, aber Heinrich hatte keine Lust gehabt, mit Anna in der Gegend herumzufahren oder zwischen ihren Beinen zu liegen, er nahm sie auch gar nicht richtig ernst. Gerda hatte gesagt: Ja, das ist schlimm, aber einen Rat weiß ich auch nicht, ich bin befremdet und vielleicht gekränkt, am meisten wundert's mich selbst. Heinrich hatte nicht verstanden, warum Gerda sich gekränkt fühlte, wenn er sein krankes Kind nicht aus dem Kopf bekam, aber wahrscheinlich war sie ja insgeheim der Ansicht, daß Heinrich verantwortlich war, wenn Rosa ein krankes Kind auf die Welt brachte, und malte sich aus, wie das sein würde, wenn sie alle paar Wochen einen kranken Mann zu sich ließ und dieser Kranke seine Krankheit in sie hineingab und an etwas dachte, worin sie nicht vorkam.

Es tut mir leid, hatte Gerda gesagt, ich glaube, ich kann das nicht, und Heinrich hatte gesagt: In Ordnung, aber verstanden hatte er nur die Hälfte. Er ging auch nie wieder hin zu ihr, und auch bei Anna war er im Verlauf des Juni nur noch aus Höflichkeit oder wenn er wußte, er mußte gleich weiter, ein Bett nach Lappersdorf liefern oder nach Harting, aber Anna nahm's nicht weiter schlimm und vermißte ihn nicht.

Schlimm war, daß Rosa auch nach einer Woche wie versteinert da lag und das kleine Ding erst nicht stillen wollte und in den Nächten aus dem Zimmer verbannte, während die klugen Ärzte auf einmal von irgendwelchen Infektionen redeten, und daß es nicht gut aussah für Hampels Tochter, am besten nehme man sie doch mit nach Haus. Sie können nichts mehr tun, sagte Rosa, aber mit nach Hause will ich sie nicht nehmen, da bleibe ich schon lieber hier und frage, und wenn sie eines Morgen eine betretene Miene aufsetzen und mit der Sprache nicht herausrücken, weiß ich, es ist vorbei.

Heinrich hörte vorsichtshalber gar nicht hin, wenn die Ärzte davon redeten, daß sie für einen solchen Fall leider keinen Rat wußten und die Leute mit ihren mißratenen Kindern lieber fortschickten, und wahrscheinlich war es ja wirklich das Beste, wenn sie alle zusammen nach Hause gingen und die Hoffnung nicht aufgaben, am Ende erholte sich das kleine Ding ja, und man konnte es in ein paar Wochen operieren, oder es lebte weiter mit seinem großen Pflaster.

Ende der zweiten Woche hatte er Rosa endlich so weit, und das war an einem Montag Mitte Juni, daß auch sie nach Hause wollte, da hatte er gerade Bella entdeckt, das heißt, er hatte ein Auge auf sie geworfen und fand sie interessant und sehenswert, im berühmten Schwimmbad An der Schillerwiese war's, allein vom Ansehen machte sie ihm gute Laune.

Zu Eva hatten sie nur gesagt: Du hast eine kleine Schwester, aber sie ist nicht gesund, also sei schön vorsichtig und lieb und freundlich, sie braucht es. Eva hatte gar nicht kommen wollen, die neue Schwester begutachten, sie war viel lieber bei Rosas Mutter, denn bei Rosas Mutter in Lappersdorf durfte sie alle paar Tage zusehen, wie die Oma einer Henne den Kopf abhackte, und obwohl die Henne noch am Morgen ein schönes braunes Ei gelegt hatte, war sie ein paar Stunden später gerupft und zerlegt und schwamm mit ein bißchen Sellerie und Lauch und Möhren in Omas größtem Suppentopf. Morgen, hatte Eva am Telefon gesagt, als Heinrich ihr von der Heimkehr der kaputten Schwester berichtete, und da war sie erst morgen gekommen und sagte zur Begrüßung: Hallo, Schwester, die Oma hat ein Huhn geschlachtet, bleibst du noch lange?

Rosa immerhin schien es keine Sekunde bereut zu haben, daß sie nach Hause gekommen war und unter den argwöhnischen Blicken der fast dreijährigen Eva in der Küche saß und so tat, als müßte sie weder hoffen noch verzweifeln an ihrer Susanna, die in den Nächten oft schrie und die Brust nicht wollte oder zu den unmöglichsten Zeiten, sie kannte das vom ersten Mal. Bis in die erste Juliwoche hinein war Heinrich jeden Nachmittag um fünf zu Hause, schaute durchs Küchenfenster, ob sie alle da waren und am Küchentisch die langen Nachmittagsstunden gemeinsam totschlugen oder sangen oder kochten oder spielten, aber Rosa war meistens zu müde, um mit den beiden Töchtern etwas anzufangen, sie erledigte nur eben gerade das Nötigste. Schon sechs, sieben Wochen nach der Entbindung sah Rosa wieder so aus wie vor der Schwangerschaft, aber schmal und griesgrämig und bitter, und zur Begrüßung mit immer neuen Hiobsbotschaften, in denen mit minutiöser Genauigkeit aktuelle Temperatur- und Gewichtsangaben, Zahl und Konsistenz der Ausscheidungen, die Häufigkeit der Mahlzeiten, die Dauer der Schlaf- und Wachzeiten der neuen Tochter vorkamen, und an der Art, wie Heinrich darauf reagierte, schöpfte sie dann ihre Hoffnung oder ließ sie ein Stückchen weiter fahren. Manchmal fand Heinrich, Rosa übertreibe es mit ihren stündlichen Messungen und den Beobachtungen der allerwinzigsten Veränderungen zum Guten oder zum Schlechten, aber vielleicht war das ja ihre Art, sich abzufinden und zu wappnen, denn bis auf weiteres war das kleine

Ding von Woche zu Woche nur immer weniger geworden, hatte Husten und Schnupfen, erbrach die Milch von Rosas Brüsten, nahm keine andere. Heinrich hatte viel Geduld mit Rosa und der Kleinen und der ungeduldigen Eva, die nicht auf ihre Kosten kam, und manchmal wunderte er sich selbst, wie geduldig er war, blieb noch geduldig, als er merkte, lange geht es nicht mehr, verzögerte seine Rückkehr bald den einen oder anderen Abend, trank hinten im Lager ein erstes Schnäpschen und auf dem Nachhauseweg ein zweites, ging an den Nachmittagen ins Schwimmbad zu Bella, flüchtete, wandte sich ab, nahm sein altes Leben wieder auf. Auch jetzt konnte es noch vorkommen, daß er die kleine Susanna am frühen Abend auf den Arm nahm und flüsternd zwischen Küche und Wohn- und Schlafzimmer herumtrug, und da machte er ihr Mut, schickte sie weg, gab ihr die Freiheit: Nein, du mußt nicht, auch Rosa zuliebe nicht, die womöglich daran zerbricht, wir behalten dich in guter Erinnerung.

Anfangs erschrak Heinrich darüber, wie er mit seiner Tochter sprach und ihr wie einer ganz Großen die Entscheidung ließ und sie nicht länger drängte und tadelte, daß sie nicht wollte und nichts aus sich werden ließ; er fand, sie hatten kein Recht dazu. Wir können sie nicht zwingen, sagte Heinrich, und Rosa wußte, daß er recht hatte, nickte, hörte nicht hin, fand ihn klug und weise und grausam; sie brauchte noch. Ende Juli war's, und Heinrich ging schon alle paar Tage ins Freibad zu Bella, aber gesprochen hatte er sie noch immer nicht; er hatte Zeit. Zu Anna am Telefon sagte er: Nein, ich bin nicht böse, es ist ja doch nur ein Mißverständnis, wir können einander nicht zwingen, und im ersten Moment meinte Anna, er rede von sich und ihr und der Zukunft, aber er redete von seiner Tochter oder von beidem.

Aber sie lebt noch, sagte Anna.

Ja, sie lebt noch; ich glaube fast, ihr gefällt's.

Das hat sie von dir, sagte Anna. Sie könnte etwas lernen von dir, sagte sie.

Ja, und in drei Wochen werde ich sechsundzwanzig, und wahrscheinlich wird sie bis dahin nicht mehr sein.

An seinem fünfundzwanzigsten Geburtstag im August 1956 hatten er und Rosa einen ganzen Tag im Bett verbracht, und an seinem vierundzwanzigsten Geburtstag im August 1955 war er frühmorgens wie immer in die Firma gefahren, und als er gerade dabeigewesen war, die Liste mit den anstehenden Lieferungen durchzusehen, hatte ihn der Chef nach hinten ins Büro gerufen und eine Rede über Heinrich gehalten, wie Heinrich in seinem Leben noch keine Rede gehört hatte. Also, Hampel, ich muß schon sagen, Ihre Methode mit unseren Kundinnen, ich möchte ja gar nicht wissen, wie Sie das alles anstellen, aber seit Sie bei uns in der Firma sind, hat sich der Umsatz glatt verdoppelt. Ich habe es einmal ausgerechnet: Matratzen plus 72 Prozent, Bettgestelle plus 57, Bettwäsche aus Baumwolle plus 112, Bettwäsche aus Seide plus 143, Daunen aller Art plus 36, da wäre noch etwas zu holen. Er müsse Heinrich ja wohl nicht sagen, daß er etwas gut habe beim alten Betten-Franz, hatte der Chef gesagt und ihm einen braunen Umschlag mit fünfhundert Mark in die Hand gedrückt, das nur fürs erste. Ob er einen Wunsch habe, hatte der Chef gefragt, und Heinrich, dem's die Sprache verschlagen hatte: Ja, nein, und vielen Dank auch, aber unter Umständen sei es ja nützlich, wenn er in Zukunft ab und zu im Laden stehe, denn da habe man doch von vornherein mehr Möglichkeiten mit den Kundinnen, und liefern könne man schließlich auch nach 18 Uhr, nur für den Fall des Falles, daß es ein Erfolg wird; der Chef war begeistert. Hampel, Hampel, Ideen haben Sie, hatte der Chef gesagt, aber wenn es nun einmal dem Umsatz nützt, nützt es auch mir und Ihnen und unseren Familien, und wie das alles geht, muß meine Frau nicht wissen, und hoffentlich auch nicht Ihre.

Noch Tage später hatte sich Heinrich gefreut, daß der Chef von einer *Methode* gesprochen hatte, denn das wäre ihm selbst nicht eingefallen, daß seine Erfolge bei der Firma *Betten-Franz* Ausdruck einer Methode waren, und weil der Chef noch nie etwas davon gehört hatte, nannte er sie da also die *Methode Hampel.* Rosa hatte er natürlich nicht sagen können, daß er die fünfhundert Mark im Umschlag vor allem der Methode Hampel verdankte, aber Rosa fragte auch gar nicht und nahm das Geld wie etwas ihr Zustehendes, ja beinahe wie ein persönliches Geschenk an sie.

Dachte Heinrich in den nächsten Wochen an das Gespräch im Büro des Chefs, so fiel ihm ein, daß er sich gar nicht erinnerte, wann und wo und unter welchen Umständen es zum ersten Mal zu einem Zwischenfall gekommen war, und wann und wo und unter welchen Umständen er zum ersten Mal als Geschäftsmann an diese an und für sich nicht unangenehmen Zwischenfälle herangegangen war. Er war nie wählerisch gewesen bei seinen Fahrten, seinen Besuchen, aber seit er wußte, er hatte ein Methode, achtete er darauf, mit welchen Manövern genau er erfolgreich war, führte komplizierte Listen mit Namen, Worten, Gesten, und dokumentierte alles in seinem Notizbuch. Manchmal dachte er: Es gibt überhaupt nur zehn oder zwanzig oder hundert verschiedene Frauen, und entsprechend gibt es höchstens zehn oder zwanzig oder hundert Mittel und Wege, sich mit ihnen zu beschäftigen, oder er dachte im Gegenteil: Es gibt keine Wiederholung, das hundertste Mal ist so schwierig wie das erste. Und so gab es Wochen und Monate, in denen alle paar Tage etwas war, und es gab Wochen und Monate, in denen so gut wie gar nichts war, und dann ließ er die Sache auf sich beruhen und besann sich, feilte hier an einem Blick und dort an einer Andeutung, dachte an die junge Witwe aus Hagen, die er nach wochenlanger Arbeit zu einem Kuß überredet hatte, die heisere Lotte, wie sie ihn eines Nachmittags im hochgeschlitzten Cocktailkleid empfing, Corinna mit ihren Buttermilchküssen, die Säuferin Pauline, die nervöse Monika mit ihrem Tick, bei jeder Gelegenheit in ein riesengroßes Gelächter auszubrechen, und wenn er sich dann in ihr bewegte, wurde sie ganz leise und wimmerte und grunzte, daß man sie nicht kannte. Er ging dann oft noch etwas trinken, wenn er das letzte Bett und die letzte Matratze geliefert hatte, oder er wusch sich heimlich in den Toiletten irgendwelcher Gaststätten, und das war, weil er immer so ein bißchen roch nach diesen Frauen, von denen nicht leicht zu sagen war, ob nur sie so rochen oder alle anderen auch.

Das Mädchen starb an einem Donnerstag morgens gegen halb vier, und Rosa war es, die es bemerkte und halb im Schlaf noch in das hölzerne Bettchen griff und sich wunderte und die kalte Haut befühlte und wußte und verstummte. Später konnte Heinrich nicht mehr sagen, warum auch er gleich erwacht war und an Rosas Gesicht erkannte, daß etwas Schreckliches geschehen war, womöglich hatte sie ja geseufzt oder geflüstert und daß es nicht wahr sein möchte, nur da hoffte sie vergebens. Ganz kalt war das Ding geworden, seit es ihnen mitten in der Nacht gestorben war, und Rosa sagte nur das eine: Bring sie fort, ich mag sie so nicht sehen. Und Heinrich: Bist du sicher? Ja, ich bin sicher. Ich weiß nicht, sagte Heinrich und legte seinen Kopf über das tote Mädchen, schüttelte es und blies ihm ein paarmal vergeblich über Mund und Nase, schüttelte es ein zweites Mal und legte es zurück in die Wiege; noch glaubte er's nicht. Zog sich an, wickelte das kalte Ding in Decken, hielt es Rosa noch einmal hin zum Abschied und fuhr mit dem toten Kind zwei lange ratlose Stunden quer durch die Stadt.

Dann allmählich gewöhnte er sich daran; dann redeten sie, und während er immer weiterredete, sah er von Zeit zu Zeit neben sich auf dem Beifahrersitz das Bündel, das nicht hatte leben wollen, aber immer wenn er gerade hinsah, hatte es die Augen zugemacht und träumte die erstbesten Träume. In Ordnung, sagte Heinrich, als er fertig war und der toten Susanna zum Abschied etwas von sich erzählt hatte, von seinen Reisen nach Rußland und Südafrika, den ersten Jahren in Jena, als er selbst ein Kind gewesen war, den ersten Jahren mit Rosa, und was er bloß der großen Eva sagen sollte, wenn er zurückkam ohne die neue Schwester, die war nur für ein paar Tage auf Besuch und hatte auf ihrem Rücken ein großes Pflaster.

Zwei ganze Stunden hatte es gedauert, bis Heinrich alles mit ihr besprochen hatte, und nach zwei Stunden brachte er sie zurück auf die Kinderstation, von wo sie herkam. Sechs Uhr morgens war's, als Heinrich mit der toten Susanna in den Decken vor der großen Tür stand und klingelte und wartete und die entsetzten Blicke der Schwester über sich ergehen ließ, aber dann hatten sie doch Mitleid und führten ihn zu einem Arzt. Gegen Morgen, hatte Heinrich gesagt und gesehen, wie der Arzt den Kopf dazu schüttelte und Heinrich die Hand gab und das Kind abhörte oder beim Abhören den Kopf schüttelte und Heinrich die Hand gab und sagte: Leider, und nun müssen wir erst mal die Papiere fertig machen für das tote Kind, das darf er hierlassen, wir kümmern uns.

Rosa saß noch immer, wie sie gesessen hatte, als er aufbrach, und obwohl ihn die zurückliegenden Stunden so etwas wie getröstet hatten, konnte er dieser Versteinerten von seinem Getröstetsein vorläufig nichts sagen, legte nur seine Hand auf ihre Schulter, wartete. Ob Eva schon wach sei? Ja, Eva sei in ihrem Zimmer spielen, und wo um Himmels willen er bloß die Decken gelassen habe, die hatte er in der Aufregung vergessen.

Dann warteten sie. Schrieben Briefe, nahmen das Telefon ab, hörten oder lasen Sätze, in denen von einer Gnade die Rede war oder einer Erlösung, aber Rosa las und hörte nur die Hälfte, hatte seltsame Ideen, träumte von einem großen Fieber oder unaufschiebbaren Reisen, wollte das tote Kind verbrennen, eine Beerdigung ohne alle Gäste, und danach ging sie freiwillig ins Irrenhaus, da konnte er sie alle paar Wochen besuchen.

Heinrich sagte ihr jeden Tag: Komm, wir überstehen das, und irgendwann war sein sechsundzwanzigster Geburtstag, und am Tag nach seinem sechsundzwanzigsten Geburtstag mußten sie zur Beerdigung. An die hundert Leute waren gekommen, es war ein heißer Tag, und natürlich überstanden sie es, am späten Nachmittag im Gasthaus *Zum Roten Hahn* konnte er schon wieder lachen. Komm, das ist nicht böse von uns, wenn wir ein paar Stunden später über einen Witz lachen, hatte Heinrich gesagt, aber Rosa hatte gar nicht gemerkt, daß Heinrich über einen Witz des Onkels aus Köln hatte lachen müssen, und das war fast schlimmer, als wenn sie ihn beschimpfte. Heinrich sagte: Schau, deine Mutter ist da, die Geschwister, die Schwägerinnen, meine Brüder, alle wollen bleiben und helfen und machen, daß die Zeit vergeht, und dann fuhren sie doch alle eines Tages nach Hause, und alles war so unerträglich wie zuvor. Rede doch, sagte Heinrich am Ende der dritten Woche, da Susanna ihnen gestorben war, aber Rosa hatte nur Schweigen für ihn, und aus diesem Schweigen hörte er immer den einen Satz:

Du bist erleichtert über ihren Tod, mich bringt er um, und dafür hasse ich dich, das war es, was sie ihm eigentlich sagte, und auch am Ende der dritten Woche sagte sie's, da war er bei seiner Bella sozusagen schon zu Haus. Ja, das habe ich geahnt, sagte Bella und tröstete ihn, wollte die Sache nicht überstürzen, schickte ihn bald nach Haus. Zu Rosa aber sagte er eines Nachts (nur einmal sagte oder vielmehr flüsterte er's): Nun komm und laß mich zu dir, wir machen ein neues Mädchen, Susanna soll es heißen oder Rosa wie du. Und da war er froh, daß er's nur geflüstert hatte, so wie er überhaupt in Rosas Nähe nur noch flüsterte, denn nun konnte sie sagen: War da etwas? Oder sie dachte: Ja, ich höre, du bist süß, aber solange ich traurig bin, kann ich dich nicht ertragen, in ein paar Wochen wieder, ich hoffe, dann ist's dir auch recht.

Genau drei Monate und neun Tage trauerte Rosa um das Kind mit dem großen Pflaster auf dem Rücken, das ihnen nach genau drei Monaten und neun Tagen gestorben war, und als die Zeit der Trauer vorüber war, sagte sie in Heinrichs Worten: Nun komm, laß uns ein neues feines Mädchen machen, nun bin ich bereit und wieder die alte, deine Rosa. Aber Heinrich, der schon nicht mehr mit ihr rechnete, nahm ihre Hände von sich fort und ihren Mund und sagte: Ich kann nicht, leider. Also, doch. Ja, Bella heißt sie mit Namen, ich wollte es dir eigentlich nicht sagen. So wenig ernst, so ernst ist es dir? hatte Rosa gefragt, und Heinrich hatte gesagt: Ich weiß nicht, kann sein.

Und dann hatte Rosa gebettelt und ihn angefleht, nur ein einziges Mal noch, Heinrich, ich habe mich geirrt, keine Vorwürfe mehr, und es war alles sehr scheußlich, und Rosa brauchte bis zum frühen Morgen, bis sie begriff. Sie wäre nicht zimperlich gewesen, wenn es wieder nur eine seiner

Schlampen oder vielmehr Kundinnen gewesen wäre, aber das sah sie an seinem Gesichtsausdruck, daß es diesmal keine seiner Schlampen war, denn bei denen wusch er sich immer die Hände vor dem Nach-Hause-Gehen oder trank am Bahnhof einen Obstler oder einen Gin, aber nach dieser Bella wusch er sich die Hände nicht und legte sich zu Rosa, als wäre nichts.

Sie hatte schlimme Dinge gesagt zu ihm in den vergangenen Monaten, aber wenn sie sich daran zu erinnern versuchte, war nur immer die Verzweiflung über das kranke Mädchen, und der Grund für das kranke Mädchen waren Heinrichs Schnäpse und seine Affären, mit denen er seinen Samen und die Frucht und das Kind verdarb, und jetzt war er auch noch erleichtert, daß es ihnen gestorben war und ganz kalt und häßlich und krumm wurde und aus dem Haus mußte, dafür sorgte sie. Anfangs hatte Heinrich gedacht: Ich muß ihr Zeit lassen, sie hat nicht geredet mit dem toten Kind, das vor allem verzeiht sie sich nicht, an ihre Vorwürfe glaubt sie selbst nicht. Er hatte sich medizinische Fachbücher besorgt und nachgelesen, ob darin von einer Schuld die Rede war, aber aus medizinischer Sicht (soviel verstand er) war's noch nicht mal ein Unglück, nur eine Laune der Natur, eine statistische Notwendigkeit, bei einem Neugeborenen von ein paar Tausend wollte sich der Rücken eben einfach nicht schließen, aber der er's sagte, war nicht Rosa, sondern Bella, da kannten sie sich den zweiten Monat.

Er hatte sie nicht unbedingt wiedersehen wollen nach dem ersten Nachmittag, als sie ihn vom Schwimmbad mit zu sich nach Hause nahm und er sich in ihrem Badezimmer sein Teil wusch und nackt und glücklich durch ihr Zimmer spazierte und unter das weiße Laken schlüpfte, aber Bella war von Anfang an willig und empfänglich und mochte die Art, wie er sich über sie beugte und wartete und auf ihre

Wünsche Rücksicht nahm und auf seine, und also ging er da gerne hin, also lud sie ihn wieder ein.

Ungefähr zwei Monate waren sie nur mit sich und ihren Körpern und allen möglichen Variationen beschäftigt, und dann gab es bald die ersten Stunden, in denen Zeit für Fragen war, und was genau Heinrich machte, daß ihm die Kundinnen die Ware aus den Händen rissen, und ob man die Männer, die Frauen immer auf dieselbe Weise liebt oder immer auf eine andere, das vor allem interessierte Bella, die es mochte, wenn er ihr ohne große Worte die Röcke Blusen Kleider Hosen aufknöpfte und die es noch viel mehr mochte, wenn er erst ein bißchen über alles redete, und was er gleich nachher gerne tun würde mit ihr, aber die Augen mach zu und hör nicht auf mich, und wenn ich's dir sage, schau mich an und sag, ob dir alles recht ist, und wie es weitergeht und wie lange es dauert, damit es schön ist. Ja, alles ist schön, oder fast alles ist schön, sagte Bella dann, dein Schwanz ist müde, soll er schlafen, mit meinen Küssen decke ich ihn zu, denn das habe ich gelernt bei dir, oder vor hundert Jahren habe ich's gelernt, was weiß ich.

Manchmal war er eifersüchtig, wenn sie so redete oder wenn er merkte, sie hatte Erfahrung mit Männern, oder wenn sie ihm ins Ohr flüsterte: Das und nur das habe ich immer am liebsten gemocht, und nun denk dir etwas aus für mich, und sag's in den schlimmen Worten, das erste Mal war zum Verrücktwerden schön, mein kleiner Mösenschlecker, mein Hengst, mein Maulwurf, Herr und Gebieter, ich wasche mich drei Tage nicht danach, und am Abend, wenn du fort bist, lege ich den Kopf in meinen Schoß und träum nur von dir.

Das war Anfang Oktober, daß Bella so mit ihm zu reden begann und machte, daß er nur noch für diese Nachmittage lebte, und wie er sich verausgabte an den Nachmittagen mit

Bella und seine Arbeit als Bettenverkäufer mehr schlecht als recht erledigte und den Kundinnen nicht gerecht wurde; er hatte einfach keine Lust mehr auf die. Der alte Betten-Franz sagte: Ihnen ist ein Kind gestorben, machen Sie nur das Allernötigste, es kommen auch wieder andere Tage, Hampel, zur Not kann ich für ein paar Wochen einen Aushilfsfahrer einstellen. Aber Heinrich wollte nicht, daß ein Aushilfsfahrer seine Touren übernahm, und Rosa wollte nicht, daß er sich kümmerte, und so zwang und überredete er sich, ließ sich aus alter Gewohnheit auf das eine oder andere ein, war lustlos und routiniert, nicht immer schien es sie zu stören. Einmal sagte eine: Du bist mir ein schöner Liebhaber, so träge und abwesend, meinst du, ich merke das nicht? Und eine andere sagte: Komm, das macht keinen Spaß, schlaf dich mal richtig aus und komm in paar Tagen wieder oder laß es bleiben, um die paar Laken und Bezüge werden wir uns nicht streiten.

Du bist ein bißchen aus der Puste, mein Lieber, sagte bald auch Bella, und es gefällt mir, daß ich der Grund dafür bin, aber in meinem Sinne ist es auf die Dauer nicht.

Ich kannte mich gar nicht vor dir, sagte Heinrich.

Ja, ich weiß.

Das hatte Heinrich schon öfter gesagt, daß er sich gar nicht kannte bis zu diesem oder jedem Vorfall, zum Beispiel im Spätherbst vierundfünfzig, als ihm seine erste Tochter geboren wurde und der alte Betten-Franz ihn zum Fahrer beförderte, hatte er das geglaubt, und noch ein Mal ein paar Jahre zuvor nach seiner Rückkehr aus Afrika, da war er einundzwanzig.

Die kleine Eva war gerade ein paar Tage alt gewesen, als der alte Betten-Franz die erste Filiale aufmachte und den jungen Heinrich aus dem Lager holte und mit seinen neuesten Beschlüssen bekannt machte, auf einen funkelnagelneuen Kastenwagen zeigte und sagte oder vielmehr verfügte: Die Zeit der Bewährung ist vorüber, Hampel, du kannst gleich einsteigen, eine Probefahrt machen, und ab morgen früh arbeitest du als Fahrer, für einfache Lagerarbeiten bist du mir doch zu schade.

Ja, gerne, hatte Heinrich gesagt und war in den Kastenwagen mit den schönen goldenen Schriftzügen auf blauem Grund gestiegen, hatte eine Runde um den Stock gedreht und noch eine zweite, und weder er noch der alte Betten-Franz noch Rosa, der er am Abend berichtete, hatten eine Ahnung, was noch alles werden sollte aus den Fahrten, den Haken oder vielmehr Vorteil erkannten alle erst später.

Eine Ahnung hatte Heinrich noch in der ersten Woche, aber da wollte er gar nichts wissen davon, wunderte sich und hatte allmählich Ideen und was es genau bedeutete, Tag für Tag mit einem funkelnagelneuen Kastenwagen quer durch die ganze Stadt zu fahren und über die Stadt hinaus im Umkreis von fünfzig Kilometern irgendwelchen Hausfrauen ein Bett oder eine neue Matratze zu liefern. Manchmal vergaßen sie auch, daß ihnen ein Bett oder ein Matratze geliefert werden sollte, und kehrten mit hochrotem Kopf von ihren Einkäufen zurück, entschuldigten sich wortreich, boten etwas zu trinken an, waren verlegen und hübsch und verletzlich, waren dankbar, daß er ihnen verzieh, kamen auf dumme Gedanken.

So fing es an. Das heißt mit einer Katja oder Senta fing es an, die war die erste, bei der er merkte, jetzt kommt sie auf dumme Gedanken und hat einen Blick dazu, daß er selbst gleich auf dumme Gedanken kommt und sie ansehen muß und eine Bemerkung machen zu den roten oder gelben Punkten auf ihrem Kleid, mit einem wie Heinrich hatte sie nämlich gar nicht gerechnet. Machst du das immer, hatte sie ihn gefragt, als Heinrich ein bißchen an ihr knöpfte und zupfte und drückte, nur, um zu sehen, ob ihr das auch recht war, wenn er ein bißchen an ihr knöpfte zupfte drückte, ja, das war es. Sie war noch ein ziemlich junges Ding, wie sie da vor ihm stand und nach drüben zu dem neuen Bett schielte und errötete, und das mochte er an ihr, daß sie errötete und mit ihren roten Bäckchen ein paar unbeholfene Fragen hauchte, und später stand sie verlegen in ihrer Einbauküche und fragte, wann er wieder käme.

Und so wurde ein Geschäft daraus. Der alte Betten-Franz, der als erster den erhöhten Umsatz bemerkte, meinte bei Gelegenheit, was das denn zu bedeuten habe, daß sich da neuerdings die Frauen nach einem einfachen Fahrer erkundigen und kurze schriftliche Nachrichten oder Telefonnummern an der Kasse hinterlassen wegen einer verlorenen Brieftasche oder eines Ringes, und da wußte Heinrich schon: Der Chef machte sich einen Reim darauf und hatte nichts dagegen.

Nie war er beruflich zufriedener als in den ersten Wochen, in denen ihm so vieles gelang und alles und jedes noch ganz neu war und jeder noch so kleine Triumph eine Überraschung. Fragte Rosa nach seinen Tagen (aber sie fragte nicht lange), antwortete er: Wie immer. Nichts Besonderes eigentlich. Man fährt doch ziemlich viel in der Gegend herum. Aber wenn er gekonnt hätte, hätte er seiner Rosa ganz andere Dinge erzählt und wie wohl ihm seine Erfolge taten und welches Geld sie einbrachten, und nicht nur einmal dachte er, daß sie eigentlich stolz auf ihn sein müßte, und wie glücklich ihn das machte, wenn sie endlich einmal stolz auf ihn wäre, aber die erste, der er's in allen Einzelheiten erzählte, war Bella, die hatte bei ihm nicht viel zu verlieren: ihr Glück.

Bella hatte nie etwas dagegen gehabt, daß Heinrich der Geschäfte wegen zu anderen Frauen ging und eine schwere Arbeit bei den Frauen tat (so verstand sie es), sie wollte nur immer in allen Einzelheiten wissen, wie es war, und dann mußte sich Heinrich ausziehen und auf ihr schmales Bett legen, erzählen und sich ausruhen, und also erfand sie im Verlauf der Zeit verschiedene Mittel, mit denen sie Heinrich nach getaner Arbeit wieder zu Kräften verhalf, legte kalte und warme Tücher auf sein müdes Teil, bestrich es mit selbstgemischten Salben und Tinkturen aus Honig, Kognak, Salbei, Kümmel und Eukalyptus, rührte ihn oft tagelang nicht an.

Sie mochte es nicht, daß die anderen Spuren hinterließen, aber sie war neugierig, versuchte an seinen Gerüchen zu erraten, wer und wie es gewesen war, stellte Mutmaßungen über das Alter, die Maße, das Aussehen der Brüste, Münder, Schenkel an, wie eng sie waren oder wie weit, ob sie Kinder auf die Welt gebracht hatten, welche Gesichter sie machten, welche Männer sie kannten, welche Frauen: nach alldem fragte sie und rührte nebenbei geheime Fette und Essenzen, als Apothekenhelferin kannte sie sich in solchen Dingen ja aus.

Für Heinrich war es auch nach dem ersten Winter und dem ersten Frühjahr noch immer ein Wunder, daß er sie kannte und nicht satt wurde, und manchmal lagen sie einen ganzen langen verregneten Nachmittag wie Bruder und Schwester auf dem gefleckten Laken und warteten, daß ihnen die Zeit verging oder die Lustlosigkeit. Nicht immer blieb Heinrich so lange, oder sie ließen es absichtlich darauf ankommen, und dann nahm er sie ein-, zweimal wie ein Fremder halb im Gehen neben der Wohnungstür und nannte sie flüsternd bei ihrem zweiten Namen: Nitribitt, du herrlich böse kluge Hure, einen schönen festen Hintern hast du, meine geliebte Nitribitt, so schön und schamlos ist im ganzen Land keine zweite.

Rosa hatte in den ersten Monaten nur ein einziges Mal etwas über Bella gesagt, und das war im Herbst kurz nach dieser Nitribitt-Geschichte gewesen, da war es ihr einmal herausgerutscht: Wie diese verdorbene Person verrecken soll sie, deine Bella; das Messer, das Seil, den Revolver würde ich schon besorgen. Danach hatte sie nie wieder etwas zu Heinrichs Bella gesagt; sie hielt sich bereit. Ich warte einfach, sagte Rosa zu sich und ihren Freundinnen und in einem Brief an Heinrichs Vater andeutungsweise der Verwandtschaft und eines Morgens im März auch Heinrich. Ich warte, sagte sie, und Heinrich war es nicht recht, daß sie wartete und sich etwas ausrechnete gegen ihn und seine Bella, die darüber lachte, von ihrer Nebenbuhlerin Nitribitt genannt zu werden, so reich und schamlos und gefährlich konnte sie ihr Leben nicht finden.

Dann war Paul für ein paar Tage in die Stadt und wollte Rat wegen seiner geplanten Afrikareise, und weil Heinrich auf seine Bella-Nachmittage nicht verzichten wollte, trafen sie sich auf eine Stunde zu dritt in einem Café in der Altstadt und hatten sich nicht viel zu sagen. Später mußte Bella darüber lachen, daß ihr Paul vom ersten Moment an wie blöde immerzu auf den Busen gestarrt hatte und mit seinen Blikken von ihrem Busen zum Mund und wieder zurück zum Busen gewandert war und sie nicht mochte deshalb und einsilbig und mürrisch bei einem zweiten und dritten Whisky unangenehme Fragen stellte. Er hatte ausweichende Antworten aus Johannesburg bekommen, also wollte er wissen, was da gewesen war im Sommer dreiundfünfzig auf dem Gut oder der Plantage des Onkels und seiner jung verheirateten Nichte Stella, die Heinrich ja wohl hoffentlich nicht angerührt habe in seiner Frechheit, oder hatte er. Unsinn, sagte Heinrich, und: Es ist besser, wir reden gar nicht darüber, sagte er, aber du, fahr du nur, der Onkel mit seinen riesigen Spargelfeldern und den hundertfünfzig Negersklaven ist ein reicher Mann, sogar im *Time-Magazine* stand's vor Jahren geschrieben, und so wird er für einen armen Neffen aus Deutschland wohl ein Zimmer haben, du mußt ja meinen Namen dort nicht erwähnen. Also, ich beneide Sie, hatte Bella gesagt, und Paul hatte gesagt: Mein Gott, beneiden, ich bin jetzt fünfundzwanzig, und in meinem Leben ist noch nicht besonders viel passiert.

Ich darf nicht immer an meinen Fingernägeln kauen, wenn wir ausgehen, sag mir das, meinte Bella, als Heinrich sie mit dem Wagen nach Hause brachte, und jetzt komm und laß mich an die schönen Augen deines Bruders denken, ja, so, so ist es fein, dein Bruder könnte noch lernen von uns, ach, wenn er wüßte, was er alles lernen könnte von uns, und jetzt, in diesem Augenblick bin ich die Bella, die ich sein möchte, und jetzt, in diesem Augenblick habe ich ihn schon vergessen.

Über ein Jahr war seit Susannas Tod vergangen, aber angefaßt hatte er Rosa noch immer nicht, und sie redeten auch nicht miteinander, aber an den Nachmittagen, wenn die kleine Eva schlief, oder am frühen Abend fand er sie noch immer schön rund und warm und appetitlich. Er merkte, sie hielt sich noch immer bereit für ihn, aber weil sie kein Ende sah mit dem Bereithalten, schloß sie sich jetzt öfter im Badezimmer ein und unterzog sich vor dem Spiegel komplizierten Prüfungen, gab sich regelmäßig Noten für die Festigkeit ihrer Brüste und den Umfang ihrer Schenkel, verwendete teure Gesichtswasser und Masken, Öle, Puder, schminkte und parfümierte sich und war's zufrieden, wenn ihr beim Einkaufen jemand mit einem Blick über die Lippen fuhr oder über den neuen karierten Rock, oder wenn an Silvester auf der Party ihrer Freundin Marie ein junger Schnösel ihr auf den Hintern klopfte, von so etwas lebte sie ein paar Wochen.

Zu Beginn des neuen Jahres hatte sie ein paar Briefe in der Wohnung herumliegen lassen, und nun wußte Heinrich nicht, war es der junge Schnösel von Silvester oder eine Einkaufsbekanntschaft oder wer weiß wer, aber gewesen war da etwas, die Sätze, die da geschrieben standen, klangen, als ob da einer schon Rechte erworben hätte an ihr und ihrem Körper, ihren Gedanken, aber wenn sie das glücklich machte: meinetwegen. Über Ostern fuhren sie dann noch einmal gemeinsam für ein paar Tage zum Vater, und außer den beiden Schwestern waren alle da. Paul hatte nun doch für Anfang Mai ein Flugticket nach Johannesburg, Theodor prahlte mit der neuesten Gehaltserhöhung und der von Ilse eingerichteten Wohnung, aber Heinrich lächelte nur dazu und nannte seinen großen Bruder im stillen einen Spießer, der in seinem Leben keine drei Frauen gehabt hatte und in der ganzen Stadt kein vernünftiges Restaurant und natürlich keine Bar kannte, aber wie ein großer Politiker über sowjetische Berlin-Ultimaten und das neue Gesetz zum Prämiensparen redete oder die Entenschwanzfrisur und das Amigeheul der Herren Presley oder Haley, die er nicht mochte und die nicht zu mögen ihm leichter fiel als die Sache mit der toten Prostituierten, darüber schwieg er, das heißt, wahrscheinlich hatte er ja nur Angst, er holt sich etwas bei diesem Mädchen, der zu Tode gekommenen Hure, bloß weil er ihren Namen im Mund führt: Rosemarie.

Heinrich versuchte immer so schnell wie möglich herauszukommen aus solchen Lagebesprechungen und Weltspaziergängen, und daß ja alles immer nur schlimmer und gleichzeitig besser wurde, und meistens hielt er sich dann an den Vater, dem zur aktuellen Weltpolitik auch nicht viel einfiel, und fragte: Und? Polierst du dir deine Schuhe immer noch mit Zigarrenasche? Oder er sagte: Komm, wir gehen zum Fluß und schauen den Schiffen zu, aber über deine und meine Ehe und daß die Stiefmutter bei jedem unserer Besuche die teuren Weine und die neuen Kartoffeln unter dem Bett versteckt, werden wir höflich schweigen.

Der Vater hatte heiter und zufrieden gewirkt an den paar Tagen, aber im Verlauf des Sommers verdüsterte sich seine Stimmung, und in den Briefen aus Wiesbaden stand auf einmal geschrieben (die geizige Gertrud, die zweite Frau, schrieb es): Seit einiger Zeit ist Dein Vater wieder bei Dr. Hahn in Behandlung wegen seiner Schlaflosigkeit, und nun hat er Euren Vater ins Krankenhaus genommen und wird ihn mal gründlich behandeln, damit er wieder in Ordnung kommt (12. August 1960). Er soll außer uns keinen Besuch haben, damit er sich auch erholen kann; mit weiteren vierzehn Tagen Krankenhaus müssen wir rechnen (27. August 1960). Jetzt, am Freitag, kommt er bestimmt, und das muß er ja auch, feiert doch Sibylle in genau zehn Tagen Hochzeit, da wird er schließlich gebraucht (9. September 1960).

Rosa hatte sich erst geweigert, mit auf die Hochzeit zu kommen und für den Vater und die Stiefmutter und die ganze Bande die glücklich-zufriedene Ehefrau zu spielen, aber am Ende hatte sie sich überreden lassen (Bella wäre gerne gefahren) und zertanzte bis zum frühen Morgen ein Paar weiße Stöckelschuhe, war ein bißchen betrunken und glücklich, daß ihr gegen Mitternacht einer ihrer Verehrer bis vor die Damentoilette hinterherlief, und weil er so nett war und so schöne lange Wimpern hatte, durfte er sie dort im Keller vor der Damentoilette zweimal küssen.

Auf dieser Hochzeit (morgens gegen halb drei im Suff) kam es Heinrich erstmals in den Sinn, sich selbständig zu machen, und ein paar Wochen später hatte Bella die Idee, da nannte er die Sache noch immer phantastisch.

Soweit bin ich noch nicht, sagte Heinrich.

Oh doch, soweit bist du, sagte Bella. Oder meinst du nicht, deine Bella wüßte nicht, wann etwas soweit ist bei dir und wann du noch ein bißchen brauchst? Also bitte.

Manchmal schämte sich Heinrich, wie wenig Rosa in seinen Überlegungen überhaupt noch vorkam, und manchmal fragte er sich, was wohl aus ihm geworden wäre, wenn Bella nicht gewesen wäre (oder Rosa), oder wenn die Russen nicht gewesen wären und dieser Hitler, denn mit Hitler hatte doch alles angefangen, und weil damit alles anfing, mußten die Hampels im Oktober 46 zur Wiedergutmachung in die Sowjetunion und im Januar 51 zur Strafe in den Ulbricht-Staat. Oder hatte doch erst alles im Westen begonnen? Damals, als er bei Nacht und Nebel über die Grenze ging und ohne Fahrkarte in den nächsten Zug stieg, und in diesem Zug lernte er den Bundestagsabgeordneten Dr. Alois Sinnhuber kennen, und der Bundestagsabgeordnete Dr. Sinnhuber, der für die CSU im Ersten Deutschen Bundestag saß, fand den jungen Heinrich auf Anhieb sympathisch, empfahl ihn auch gleich weiter an den alten Betten-Franz in Regensburg, und da war Bella, und mit keiner anderen machte er nun neuerdings seine Pläne. Ja, was wäre wenn, sagte sie, wenn Heinrich wieder einmal das Was-wäre-wenn-und-wie-alles-anfing-Spiel mit ihr spielte, aber sie mochte das Spiel nicht, sie nahm das Leben lieber, wie es kam.

Im Sommer 1951 war das gewesen, daß ihm der Bundestagsabgeordnete Sinnhuber eine schriftliche Empfehlung für Regensburg schickte, und danach war die Sache mit Südafrika, und als sie vorbei war, ging er aufgrund der Empfehlung nach Regensburg, und Rosa war schwanger und mußte mit. Das war noch in Landshut gewesen, daß er sie schwängerte im Februar 54, da hatte Rosa schon über ein Jahr nichts von ihm gehört. Sie hatte viel an ihn denken müssen, und wie das war, als sie zum ersten Mal auf sein geliehenes Fahrrad stieg und über die Brücke fuhr, aber dann hatte sie gemerkt, sie geht vor die Hunde, wenn sie Tag für Tag an diesen Heinrich denkt, und der Schuft schickt ihr in zwölf Monaten noch nicht mal eine Postkarte.

Sie hatte nicht die geringste Ahnung, daß er schon wieder im Lande war, als er an einem Samstag ohne jede Vorwarnung vor ihrer Tür stand, aber noch in den ersten Sekunden ihres Überraschtseins merkte sie, sie würde ihm verzeihen unter bestimmten Bedingungen, und also erfüllte er ihre kleinen mädchenhaften Bedingungen, gab ein paar ungefähre Erklärungen, klapperte mit den Zähnen vor Kälte und wärmte und schwängerte sie auf einem Haufen Birkenholz hinten im Schuppen, in dem ihre Mutter zentnerweise die Äpfel und die Kartoffeln lagerte und hoffte, daß sie ihr nicht erfroren.

Und was wird nun aus dir und uns, fragte Rosa, und Heinrich, der mit Rosa noch gar nicht rechnete, sagte: Keine Ahnung, vielleicht gehe ich nach Regensburg oder weiter in den Westen Richtung Aachen, als Ungelernter findest du ja immer Arbeit, aber eine, die dir schmeckt, ist selten. Ach so, hatte Rosa gesagt und noch einmal auf ihn gewartet, und als er sich endlich blicken ließ, hatte er eine Stelle als Lagerarbeiter in diesem verdammten Regensburg, denn das war das erste, was sie von ihm hörte: Ich gehe nach Regensburg, das Bett und ein Waschbecken habe ich hinten im Lager, und tausendmal schöner als hier ist es allemal. Das kränkt mich, wenn du so redest, hatte Rosa damals nur gesagt, und Heinrich hatte erwidert: Ja, tut mir leid, aber ich muß sehen, wo ich bleibe, und eines Nachmittags im April stand sie vor der Tür seiner Eltern und teilte mit, daß sie seit sieben Tagen überfällig war; da mußten sie einander also heiraten.

Die Hochzeit am Standesamt fand an einem Dienstag im Mai statt und dauerte keine halbe Stunde. Rosas älterer Bruder Karl und Marie, die Freundin, machten ihnen die Trauzeugen, und danach gingen sie alle in den *Ratskeller* zum Spargelessen, und fertig waren sie. Und? Bist du nun zufrieden? fragte Heinrich, und Rosa antwortete: Ja, aber am Wochenende stellst du mich endlich deinem Vater vor als deine rechtmäßige Frau. Gestatten, Hampel, Rosa Hampel, hatte Rosa zum Vater gesagt und die kurze Pause wohl bemerkt, und in dieser kurzen Pause (es war sehr seltsam) mochte Heinrich sie von Herzen, und weil der Vater sah, Heinrich mochte sie wirklich von Herzen, war das einzige, was er sagte: In Ordnung und willkommen in der Familie. Wir kennen uns ja vom Sehen.

Meinst du, er ist einverstanden mit mir, fragte Rosa später, als sie schon jedes zweite Wochenende nach Regensburg fuhr und in einem Hotelzimmer die Ehe kennenlernte, und Heinrich sagte: Aber ja, sei still, er ist selber auf Freiersfüßen, und ich habe ihn dazu überredet, warum sollte er mir böse sein. Auf Freiersfüßen, sagte Rosa und fror ein bißchen unter den dünnen Decken der Pension *Erika*, und Heinrich sagte: Ja, über ein katholisches Eheanbahnungsinstitut, aber soweit ich weiß, ist noch nichts Rechtes dabeigewesen.

Rosa fand das ziemlich früh, nur ein Jahr nach dem Tod der geliebten Frau eine Anzeige aufgeben und sich nach einer anderen umsehen, aber aus Angst, Heinrich zu mißfallen, sagte sie lieber nichts, so wie sie auch lieber nichts sagte, als er eines Abends die Idee hatte, jetzt, in diesem billigen Zimmer der Pension *Erika* müßten sie es miteinander machen und das bereits gezeugte Kind noch einmal zeugen, er sei ja gar nicht bei der Sache gewesen damals hinten beim Schuppen, und deshalb machten sie es jetzt noch einmal, ein bißchen seltsam war's, aber es wurde einem schön warm dabei, na denn.

Ab Ende Juli ging alles sehr schnell. Die erste gemeinsame Wohnung wurde gefunden und eingerichtet, Heinrich war fast rund um die Uhr beschäftigt, und Anfang August packte sie endlich ihre Sachen und reiste mit ihren paar Sachen in die neue Heimat. Sie hatte keine große Erfahrung mit Männern, und das hatte ihm immer gefallen, daß sie keine große Erfahrung mit Männern hatte, aber kochen konnte sie gut, und weil sie gerne kochte und hie und da ein bißchen rundlich war, hatte er sie genommen, und das war das große Wunder, daß er sie genommen hatte, also würde es schon irgendwie werden.

Noch ein Jahr vor der Geschäftseröffnung hätte Heinrich nicht im Ernst daran geglaubt, daß es wirklich etwas werden könnte damit, und weil Bella ihn noch immer zögern sah, gab es bald den ersten Streit. Angefangen hatte es in der Silvesternacht, als Bella und Heinrich mit einer Flasche *Söhnlein Brillant* auf der Steinernen Brücke das Feuerwerk bestaunten und sich ein gutes neues Jahr wünschten. Für Bella war es keine Frage gewesen, daß es das Jahr des großen Aufbruchs werden würde, und so redete sie zwischen ein paar schnellen Küssen wie selbstverständlich von der neuen Firma, und was für ein Fest zur Eröffnung das gebe, und Heinrich sagte: Ja, ja, mal sehen, und als sie dann immer noch nicht aufhörte: Ich glaube, du träumst, ich habe nicht die geringsten Rücklagen, also woher das Geld nehmen für die Ware, das Lager, die Zinsen bei der Bank.

Sie hatten keine Erfahrung mit größeren Auseinandersetzungen, und so gaben sie beide fürs erste klein bei und gingen zu Bella, denn im dritten Jahr, daß sie sich kannten, gingen sie mindestens jede zweite Nacht zu ihr.

Danach redete nur noch Heinrich von der eigenen Firma, aber so, daß man gleich merkte, er glaubte es nicht. Du willst ja gar nicht, sagte Bella eines Abends im Februar, und eines Abends im März wurde sie richtig böse und setzte ihren Heinrich kurzerhand vor die Tür, wollte in den kommenden Wochen seine Briefe nicht lesen und ihn an der Tür nicht empfangen, und wenn er sie zur vertrauten Stunde zu Hause anrief, war immer besetzt, oder sie ging nicht ans Telefon, auf diese Weise hoffte sie ihn zu erziehen. Anfangs dachte er: Sie macht das nur zum Spaß, sie kann doch nicht ernsthaft annehmen, daß man ohne Kapital und mit einer Familie im Rücken so mir nichts dir nichts eine Firma aus dem Boden stampft, aber dann war die Sache mit den Briefen, die sie nicht las, und seinen vergeblichen Versuchen am Telefon oder am Nachmittag, wenn sie aus der Apotheke zurück war, und so nahm er's am Ende persönlich, Rosa empfing ihn auch sofort mit offenen Armen, und nach sechs Wochen Funkstille zeugte er seinen ersten Sohn. Rosa war es dann auch, die gleich eine Idee hatte wegen des Geldes, sie war sich nicht zu schade und genoß die gemeinsamen Tage in vollen Zügen. Hatte nicht der Onkel aus Köln Geld wie Heu und eine gelähmte Frau im Rollstuhl und zwei Häuser auf den Namen dieser Kranken, mit der er sich langweilte? Ja, der Onkel. Warum auch nicht.

Und wieder glaubte Heinrich nicht dran, aber dann trafen im Mai schlechte Nachrichten aus Wiesbaden ein, in einem Brief der geizigen Gertrud stand's geschrieben, sogar der Onkel aus Köln werde kommen und den schlaflosen Bruder im Universitätsklinikum Mainz besuchen und ihm gut zureden, daß er jeden Tag seine Tabletten schluckt und sich bessert und wohl fühlt zur Entlastung seiner Umgebung. Einige

Nächte nicht schlafen kann einen verrückt machen, schrieb die Stiefmutter, zum Glück kennt Ihr beide so einen Zustand nicht, Ihr schlaft wie die Murmeltiere. Und wieder vergingen ein paar Tage, und in der letzten Maiwoche in Wiesbaden redeten sie zum ersten Mal, der Onkel war auf Anhieb begeistert.

Sie waren beide erschrocken gewesen über den Zustand des Vaters, der wie aufgezogen auf dem Krankenhausflur hin und her lief und von den Tugenden seiner Gertrud schwärmte und von dem neuen *NSU*, den er ihr nächste Woche bestellen würde, aber beim Schoppen in einer Weinstube waren sie bald beim Geschäftlichen, tauschten vergangene und zukünftige Bilanzen, wurden sich einig, erbaten Bedenkzeit. Heinrich, weil er allmählich selbst daran glaubte, malte dem Onkel die Lage in den rosigsten Farben, gab sich bescheiden und zurückhaltend, aber ehrgeizig und selbstbewußt, wenn der Onkel den Geldgeber nicht machen wolle, er habe Verständnis, bitte, der Onkel möge sich gründlich prüfen und erkundigen, was die Bank sagt und die gelähmte Tante; so verblieben sie.

Noch am Tage seiner Rückkehr ging er mit den neuen Nachrichten zu Bella, und das war ja schon etwas, daß sie ihm die Tür nicht gleich vor der Nase zuschlug und ihn eine Weile anhörte und den Kopf wog: Ja, nicht schlecht, ich wußte, du würdest einen Weg finden, aber daß es so leicht geht, wer hätte das gedacht. Es war nicht alles sofort wieder so, wie es gewesen war, aber auch mit Rosa war es nicht sofort wieder so gewesen, wie es gewesen war, und als es wieder so war, kam Bella und setzte sich an ihre Stelle. Als sie hörte, Rosa sei wieder schwanger, wollte sie es nicht glauben, aber dann glaubte sie es und nannte es einen hohen Preis. Heinrich freute sich Rosa zuliebe, denn sie hatte Angst und rechnete fest mit einem Jungen, den nannte sie Konrad, der kühne Rat: denn Rosa hatte ihn gegeben.

Noch zweimal trafen sich der Onkel und Heinrich im Verlauf des Sommers in Wiesbaden, um über die geplante Firma zu sprechen und den Vater in der Klinik zu besuchen und nach ihren gemeinsamen Besuchen in der Klinik im Kasino die näheren Einzelheiten zu bereden. Das erste Mal, Mitte Juni, sagte der Onkel: Die Bank ist einverstanden, aber wegen des Personals und der Räume habe ich noch Zweifel, und beim zweiten Mal drei Wochen später: Also abgemacht, aber paß auf, die Sache darf nicht schiefgehen, die beiden Häuser mit den neuen Hypotheken darf ich nicht aufs Spiel setzen. Es wird schon schiefgehen, hatte Heinrich gesagt und den Onkel das erste und das zweite Mal zum Essen eingeladen, damit er auch sah, wie ernst es Heinrich mit der gemeinsamen Firma geworden war, und denen er's verdankte, waren seine beiden Frauen, die rief er abends vom Hotel aus nacheinander an und berichtete. Na, prima, sagte Rosa, die hoffte, daß es wenigstens mit den Kundinnen ein Ende haben würde, und auch Bella fand alles prima und hoffte wer weiß was, vielleicht wollte sie sich mit diesem Heinrich ja etwas beweisen.

Ende September fing die Suche nach geeigneten Geschäftsräumen an, und Ende September war es auch, daß Heinrich zu seinem Chef ging; er fand, das war er ihm schuldig. Ja, leider, sagte der alte Betten-Franz und zählte die Wochen, die ihm der Verkäufer Hampel noch blieb. Drei Monate, dachte Heinrich und hatte keine rechte Lust mehr in den letzten drei Monaten, aber gerade deshalb wagte er sich mit Erfolg an die schwierigsten Fälle. Die Frau eines stadtbekannten Zigarettenhändlers kaufte vier Garnituren in nur zwei Wochen, und mit einer Boutiquenbesitzerin, die ihm eigentlich viel zu mager war mit ihren bald fünfzig Jahren, ging er ins Kino und schaute sich einen schrecklich spannenden Film aus Amerika an, in dem ein junges Mädchen in der Dusche mit dem Messer erstochen wurde, und als die Boutiquenbesitzerin danach den Abend nicht allein verbringen wollte, sagte er ja und amen und fand ihre knochige leise Art alles in allem doch ziemlich interessant. Anna traf er eines Tages in Begleitung auf der Straße, aber obwohl er ganz freundlich war und winkte und auf Abstand blieb, gab sie sich wie eine Fremde abweisend und kühl, womöglich trug sie da ja die eine oder andere schöne Erinnerung mit sich herum, oder ihr Liebhaber war sehr eifersüchtig und konnte sich an ihre Erinnerungen nicht gewöhnen.

Du redest im Schlaf, sagte Rosa jetzt öfter, aber anders als früher kommen keine Namen von Frauen vor, nur Kreditsummen und Hypothekenraten und Quadratmeterzahlen, soviel wie ihr rechnet, kann ja wohl gar nichts daneben gehen. Alles in Ordnung mit dir, fragte Heinrich dann, und Rosa sagte: Ja, alles in Ordnung auch bei dir? Ja, mach dir keine Sorgen.

Nur über Paul machte sich Heinrich Sorgen, denn wenn er dessen erste Briefe richtig verstand, so hatte der Bruder in Südafrika weder Arbeit noch Kontakte zum Onkel und lebte für sündhaft teures Geld in einem heruntergekommenen Apartmenthotel, in dem fast jeden Abend irgendwelche *bottle-parties* mit allerlei leichtsinnigen Mädchen stattfanden, und der gute Paul war natürlich noch leichtsinniger als jedes leichtsinnige Mädchen, trank sich dort unten regelmäßig um Sinn und Verstand, oder er ging mit einem Mädchen aufs Zimmer und tobte sich da aus.

Ja, ich bin glücklich, schrieb Paul in seinem dritten Brief vom Oktober 1960, Rheina ist ihr Name, sie arbeitet als Fremdsprachenkorrespondentin bei einer Bank in Johannesburg, und ihr Vater ist ein hohes Tier in Kapstadt, aber weil ich ein Deutscher bin, kann sie mich als Jüdin leider nicht heiraten. Tante Felice habe ich nur in den ersten Tagen gesehen, die schöne Stella überhaupt nicht, man war sehr förmlich, auch der Onkel, es ist nicht schwer zu erraten, warum. Ich kann mir schon denken, was damals hier vorgefallen ist, mein Lieber, aber was soll's, ich bin nicht angewiesen auf die Verwandtschaft, meine kleine Rheina ist wirklich sehr nett und hat fast jeden Abend Zeit.

Das schreibt er schön, daß er sich schon vorstellen kann, was damals geschehen ist, sagte Bella, auch deine Bella kann es sich vorstellen, willst du's mir sagen?

Es war nicht so, wie du denkst.

Und? Wer ist es gewesen?

Na ja, die Tante. Sie fühlte sich etwas vernachlässigt, aber in ihrem Bibliothekszimmer standen die Bücher bis unter die Decke, und meistens las sie mir etwas vor und kümmerte sich nicht um mich. Wir schrieben uns Briefe, wenn du es genau wissen willst, ihr Mann hatte etwas dagegen, so flog ich aus dem Land.

Das war Afrika.

Ja, das war Afrika, es ist sehr schön dort, vielleicht nehme ich dich ja eines Tages mit.

5

Im siebzehnten Jahr des neuen Staates befanden die Genossen im Zentralkomitee, daß es an der Zeit sei, den Mitgliedern und Freunden der Sozialdemokratie in Westdeutschland wohl abgewogene Briefe über die Zukunft des geteilten Landes zu schreiben, und auch Heinrich schrieb jetzt hie und da Briefe, aber die Genossin Gisela, die sie las und belächelte und sofort zerriß, hatte für ihn und die Genossen im ZK nur spöttische Bemerkungen. Die deutsche Arbeiterklasse wird sich durch schöne Worte nicht herumkriegen lassen, hatte sie gesagt, und auch ich werde mich durch deine schönen Worte nicht herumkriegen lassen, und wenn ich einmal nicht nach Hause will eine Nacht, gehe ich zu meinem Wladimir und weiß, er ist ein grober Kerl, aber zärtlich und zuverlässig wie ein Bruder, damit du's nur weißt. Und wenn du wieder einmal in der Gegend bist und unsere Bücher unter die Leute bringst, obwohl du selbst kein einziges gelesen hast, dann denk daran: Ich habe meine Prinzipien, und das sind vor allem Bücher, die machen, daß ich meine Prinzipien habe, aber als ehemaliger Bettenhändler hast du davon natürlich keine Ahnung.

Das war die Idee von Harms gewesen, daß Heinrich für die *Volksbuchhandlung* am Holzmarkt als Außensortimenter den Umsatz erhöhte und sich ein wenig umhörte unter den Leuten in den Betrieben und auf der Straße, wenn sie in seinen Büchern blätterten und zuhörten, was er ihnen ans

Herz legte zur Stärkung der Kampfkraft der Arbeiterklasse und zur Abwehr der heimtückischen Anschläge der imperialistischen Kräfte Westdeutschlands, die den Frieden in der Welt nicht wollten und das sozialistische Deutschland erst recht nicht. Es war ihm nicht schwergefallen, Rosa und Harms und ihrer aller Auskommen zuliebe in der neuen Sprache zu reden und den Arbeitern und Genossen bei *Zeiss* und bei *Schott* oder in irgendeinem Kombinat oder einer Genossenschaft auf Kommissionsbasis den letzten Bodo Uhse oder den neuesten Stalingrad-Roman aus der Sowjetunion schmackhaft zu machen, und wenn sie dann alle zufrieden waren und an die Arbeit gingen, war noch Zeit für eine Tour nach Lobeda, ein paar aprikosenfarbene Waschbecken liefern, oder er besuchte Wladimir und seine Freunde drüben in den Kasernen in Zwätzen, die hatten Zeit im Überfluß.

Es hätte schlimmer kommen können im neuen Staat, dachte Heinrich, der wie in alten Zeiten viel unterwegs war, und seine Rosa mit den Kindern hatte wie immer nicht die geringste Ahnung, und von welchem Geld sie genau lebten und mit welchen Leuten er verkehrte, um es zu verdienen. Sie hatte sich gewöhnt daran, daß Heinrich immerzu diese Russen mit nach Hause brachte und mit Offizieren aller Dienstgrade bei ein paar Flaschen Wodka Verhandlungen in einer fremden schönen grausamen Sprache führte, und da dachte sie sich ihren Teil und staunte und fragte nicht, wenn sich im Wohnzimmer die fabrikneuen Fernsehapparate türmten und Wladimir und seine Freunde sie wegholten bei Nacht und Nebel und nach Wodka und irgendwelchen Flittchen rochen, und der sie alle um den Finger wickelte und für sich tragen ließ, hieß Heinrich und nahm seit langem von allem immer nur das Billigste. (Aber eine neue Bella war nicht dabei.)

Rosa wußte, er hatte viel Zeit vertan mit einer Gisela, und Heinrich wußte, daß diese Gisela jede zweite Nacht mit Wladimir ins Bett stieg und am Wodka aus seinem Mund nippte, aber dann dachte er, wenn er ihr nur immer Briefe schrieb, würde sie ihn eines Tages erhören. Wladimir (sein Freund), mit dem er sie geteilt hätte, sagte immer: Du mußt dir die Genossin Müller aus dem Kopf schlagen, mein lieber Geinrich, und die Genossin Müller, wenn er sie besuchte in ihrem Büro mit den berühmten bulgarischen Düften: Du trinkst zuviel, das ist es, und falsche Hoffnungen machst du dir auch.

Tatsächlich hatte es bald Beschwerden gegeben über den begabten Bodo-Uhse-Verkäufer mit seiner zweifelhaften Vergangenheit als Bettenhändler, der sich aus Übermut hie und da zu zweideutigen Bemerkungen hinreißen ließ und in den Kantinen viel zu jungen FDJ-Beinen hinterherpfiff oder in einer Wodkalaune die FDGB-Sekretärin mit einer Schönheit aus dem Westen verglich; das waren so die Vorfälle. Zwei, drei Beschwerden im Jahr hatte es gegeben, und am Ende häuften sich die Beschwerden, Heinrich übertrieb es. Auch in der *Volksbuchhandlung* kannte man ihn inzwischen nur noch mit seinen Wodkalaunen, und also hatte sich wahrscheinlich ein wichtiger Genosse beschwert, oder Heinrich hatte einem der wichtigen Genossen mit dem Lieferwagen der *Volksbuchhandlung* ein seltenes Ersatzteil für den *Trabant* geliefert, und am nächsten Morgen bekam der auf einmal ein schlechtes Gewissen und schwärzte Heinrich für seine Dienste an.

Sogar die nervöse Rita hatte an jenem verhängnisvollen Morgen im März ein seltsames Gesicht gemacht, und dann teilten sie es ihm mit ein paar dürren Worten mit und warfen ihn hinaus. Es tut uns leid, wir haben es dir im Guten und im Bösen gesagt, nur geholfen hat es leider nichts. Und ab wann? hatte Heinrich gefragt. Ja, ab sofort. Nun denn, hatte Heinrich gesagt und ging an Rita und all den anderen vorbei aus dem Laden über die Straße zum Lieferwagen und brachte die Schlüssel; keiner sagte etwas. Nur Rita sagte oder vielmehr flüsterte etwas: In einer halben Stunde vorne am Zeitungsladen, flüsterte sie und war auf einmal ganz schnell und mutig und entschlossen, denn das war ja nun sozusagen ihr Glück, daß sie ihn von heute auf morgen vor die Tür setzten, lange genug gewartet hatte sie.

Und so geschah es, daß er eine Weile mit der dünnen Rita ging und sie abholte und zu ihr nach Hause kam in eine kalte Wohnung, die hatte nicht mal ein Bad. Wir müssen leise sein, mein Sohn schläft nebenan, soll ich Kohlen holen und heizen? Aber Heinrich wollte nicht, daß sie Kohlen holen ging und heizte, denn unter ihren Decken war es schön warm, und sie redete nicht viel, und weil sie nicht viel redete, war sie ihm gerade recht.

Weißt du noch an Silvester? Du hast mich nicht mal angesehen, sagte die spindeldürre Rita.

Ja, aber nun ist alles anders, und nun komm und deck dich zu, es ist wirklich kalt, nur zum Glück nicht überall.

Heinrich hatte erst gar nicht hingehen wollen zu der Silvesterfeier, auf der auch Rita war und all die anderen Kollegen aus der *Volksbuchhandlung* und wer weiß noch wer, aber Harms hatte ihn dringend gebeten, hinzugehen, so eine Silvesterfeier unter Kollegen aus der Buchbranche sei doch eine interessante Angelegenheit, zumindest aus Sicht der Behörden, und so hatte sich Heinrich überreden lassen und einen ganzen Abend lang unter den schmachtenden Blicken der hageren Rita langweilige Gespräche über neue Buchtitel und neue Preise geführt, und ob der *Bitterfelder Weg* nun eine Etappe war oder der direkte Weg zur proletarischen Weltliteratur. In seinen Berichten hatte Heinrich immer Mühe mit solchen Einzelheiten, und ob es nun der Genosse Grab aus Leipzig oder der Schnösel Hanke mit seinen unveröffentlichten Gedichten gewesen war, der den Bitterfelder Weg als puren Stalinismus bezeichnet hatte, und ob das nun ein Lob war oder ein versteckter Angriff; sollte der neugierige Harms doch sehen, wie er sich einen Reim drauf machte, alles in allem waren solche Äußerungen ja eher selten.

Rita, von der er sich beobachten ließ und die er beim Beobachten beobachtete, als wäre sie eine, die in Frage kam, redete die halbe Nacht mit einer jungen Frau aus Leipzig, der vor kurzem der Mann vom Gerüst gefallen war drüben in den Neubauvierteln, sie war noch ganz blaß vor Schreck und erinnerte ihn aus der Ferne an Anna, aber weil sie immer bei Rita stand, erhaschte er nur hie und da einen dunklen Blick. Sogar in seinem Neujahrsbericht an Harms erwähnte Heinrich die junge Leipzigerin mit ihrem zu Tode gestürzten Ehemann, und daß sie gar nicht zurück nach Hause wollte und seit Tagen frühmorgens auf der Baustelle ihres Mannes stand und nickte und sagte: Ja, gut, ich weiß, wir verlieren einen unserer Besten, aber hell und freundlich und optimistisch werden unsere Städte, nichts ist umsonst, der Aufbau des Sozialismus ist mühsam, er wird unser letzter Toter nicht sein, wir werden darüber hinwegkommen, soviel ist sicher.

Heinrich schrieb seine Berichte immer auf dem Papier mit den feinen blauen Linien, auf dem er auch seine Briefe an die Genossin Müller schrieb. Es hatte überall Holzfasern und war von minderer Qualität, aber gerade das schätzte Heinrich daran, und daß er etwas ganz Alltägliches wie einen Brief an Theodor zu schreiben schien, wenn er in der Mittagspause in einem Café den vierzehntägigen Bericht für Harms verfaßte und sich etwas ausdachte, an dem die

Behörden etwas hatten oder seine Gisela, denn manchmal schrieb er gleichzeitig an Harms und Gisela und schrieb: Guten Morgen, meine süße freche Schwester, das steht Dir, wenn Du rot wirst und mit Deinen grauen Augen meine Briefe verschlingst. Wär's schon Abend, würde ich Dich ganz behutsam zudecken, oder Deinen schönen roten Mund würde ich küssen, aber leider ist es Nachmittag, und so bin ich vorsichtig und fleißig. Oder er schrieb: Bericht vom 17. Januar (nachmittags). In der *Volksbuchhandlung* gibt es zahlreiche Gespräche über die Abberufung des Ministers für Kultur. Buchhändler Garbe sieht einen Zusammenhang mit der Biermann-Kampagne im *Neuen Deutschland*, Rita F. singt ein paar seiner Lieder. Es gibt in der ganzen Stadt keine schwarzen Strümpfe für sie (Größe 34), und nach Italien müßte man einmal reisen oder nach Frankreich. Ein Mädchen in FDJ-Uniform sagt: Mein Großvater im Westen ist gestorben, er war ein übler Ausbeuter, aber dafür kommt ihn jetzt keiner beerdigen. Die Leute sind stolz auf ihr Land, nur die 888 000 neuen Wohnungen werden leider nicht reichen, und nach der neuesten *Beatles*-Platte sucht man in der ganzen Stadt vergebens.

Das mochte Heinrich am liebsten: diese Stimmungsberichte, und daß er den Leuten zuhörte und sie nicht abhielt oder ermunterte, keine Namen nannte (oder nur ausnahmsweise), alles und jeden für wichtig nahm, und das wirklich Gefährliche nur als Andeutung. Er schrieb nicht: A. oder F. machten die oder die staatsfeindliche Bemerkung oder einen Witz über die Partei oder die Sowjetunion, denn solche Leute kannte er gar nicht, die in seinem Beisein staatsfeindliche Bemerkungen gemacht hätten oder zweifelhafte Witze erzählten, und die es taten (Freunde von Wladimir), schienen ihm dazu berechtigt und lagen nicht im Zuständigkeitsbereich von Harms Behörde.

Heinrich hätte Harms auch im vierten Jahr ihrer Bekanntschaft nicht seinen Freund genannt, aber Harms hatte es immer gut gemeint, und weil er es noch immer gut mit ihm meinte, ließ er Heinrich in seinen Berichten alles schreiben, machte ihn glauben, wie wichtig es für die zuständigen Organe war, daß einer noch die kleinsten Kleinigkeiten bemerkte, und wenn dann ein Hinweis draus wurde, nun gut, und wenn nicht, war es ein Einblick in die geheimen Wünsche und Sehnsüchte der Arbeiterklasse, für deren Erfüllung man etwas tun konnte als Partei oder eben leider nicht.

Die zarte feine ängstliche Rita war in seinen Berichten nur am Rande vorgekommen, denn alles, was er von der zarten ängstlichen Rita bis zu jenem verhängnisvollen Nachmittag im März wußte, schien ihm nicht sehr bedeutsam, zum Beispiel Biermann-Lieder pfiff sie ja wirklich nur das eine Mal. Drei, vier Wochen vor seiner Entlassung hatte er sie einmal zum Essen eingeladen, aber ein Biermann-Lied hatte sie auch da nicht gepfiffen, denn sie war schüchtern und vorsichtig und fahrig (wie es ihre Art war) und brachte in zweieinhalb Stunden kaum ein Wort heraus. Ich mache mir manchmal Sorgen um Sie, Herr Hampel, ich weiß nicht warum, sagte sie, und Heinrich wußte auch nicht warum und sprühte und unterhielt sie, er fand, das Schweigen kleidete sie.

Wollten die Wiesbadener in den ersten Jahren wissen, wie es ihnen ging, antwortete Heinrich: Wir überholen Euch noch. Die deutsche Bourgeoisie hat über hundert Jahre für den Aufbau des Kapitalismus gebraucht, wir sind gerade einmal zwei Jahrzehnte dabei, es besser zu machen, und von der Butter, die wir weniger haben, bekommen wir wenigstens keine Arteriosklerose, oder wie Ulbricht es gesagt hat auf dem VI. Parteitag der *Sozialistischen Einheitspartei Deutschlands* vom 15. bis 21. Januar 1963: Es ist nur gut, daß ich nicht soviel Butter esse, weil ich nicht nur die Adenauer-Regierung, sondern auch noch manch andere Regierung in Westdeutschland überleben möchte, das waren seine Worte. Und das alles nur, damit Ihr Euch keine Sorgen macht und wißt, daß wir leider nicht alles haben, aber was immer wir haben, haben wir uns schwer erarbeitet.

Bei Rosa klang es immer anders, sie hatte lange Listen mit Wünschen, die ihr nie ausgingen, und damit die Listen nicht zu lang wurden und die gesegnete Verwandtschaft im Westen die Paketsendungen nicht einstellte, übertrieb sie manchmal die Lage, nannte sie kritisch, wo sie nur schwierig war, erfand für sich und die Kinder und Heinrich Bedürfnisse, wie sie auch drüben niemand sich so leicht erfüllte, führte Klage. Ein bis zwei Pakete im Vierteljahr war das mindeste, was dabei heraussprang, der feine Bohnenkaffee, die Schokolade für die Kinder, ein Spielzeug für den kleinen Walter und für Eva und Konrad zwei karierte Wintermäntel. Nur einen Schwarz-Weiß-Fernseher hatten Theodor und Paul und die Eltern zu schicken sich geweigert, wir müssen selbst sehen, wie wir über die Runden kommen, auch haben wir ja nicht von heute auf morgen das Land verlassen und triumphieren und klagen, also seht, wie Ihr zurechtkommt, außer ein paar Feinstrumpfhosen von Zeit zu Zeit solltet Ihr nicht zu viel erwarten, und wenn Heinrich immer schön arbeitet, kommt der Fernseher eines Tages wie von selbst.

Die Sache mit den Fernsehern, die sich im Wohnzimmer stapelten und ein paar hundert Mark einbrachten, wenn alles gutging und alle Beteiligten den Mund hielten, war Heinrichs bislang größter Coup gewesen, im vierten Sommer nach dem Grenzübertritt war's, er hatte kein gutes Gefühl dabei, aber das war ja das Interessante an solchen

Nebengeschäften, daß man kein gutes Gefühl hatte und sich darüber hinwegsetzte und etwas riskierte, als wäre man ein Geschäftsmann wie früher. Hätte ihn Gisela nicht in die Bar am westlichen Stadtrand geschleppt, wäre womöglich überhaupt nie etwas geworden aus diesen Geschäften, oder wenn Wladimir den Schmuck nicht versilbert hätte, denn mit diesem ersten Wladimirgeschäft hatte alles angefangen, und mit der Zeit ergaben sich natürlich Kontakte, und wie sich herausstellte, waren es fast immer die richtigen, denn am Ende hatte ja auch hier im Osten fast jeder etwas zu verkaufen, oder er war auf der Suche nach etwas, und Heinrich oder Wladimir konnten's mit Glück beschaffen. Ja, wirklich? taten die dann erstaunt und saßen beim zehnten Wodka, und Heinrich sagte: Ja, wirklich, und soundso viel wird es kosten, leicht wird es nicht, aber in Erfurt oder Gera muß es noch einen Bestand geben, bitte, in zehn Tagen sehen wir uns wieder, bis dahin erledigen wir das.

Meistens war es auch wirklich keine große Sache, ein seltenes Werkzeug oder ein Haushaltsgerät oder ein paar tausend Nägel, Schrauben, Dübel und anderen Baustellenbedarf zu besorgen, das heißt, mit der Zeit war es keine große Sache, denn dann kannte man aus fast allen Branchen die richtigen Leute und wußte, wie man die richtigen Leute fast aller Branchen dazu brachte, unter der Hand das eine oder andere zu verkaufen. Das war dann immer die große Stunde von Wladimir, denn Wladimir hatte die *Mädchen*, und wenn erst mal Wladimirs Mädchen im Spiel waren, konnte ihnen so leicht keiner etwas abschlagen, und so konnte es geschehen, daß man für eine Nacht zu dritt zehn fabrikneue Fernsehapparate zum Einkaufspreis bekam, und wie man die wieder los wurde und mehr als gut daran verdiente, war nun wirklich keine Frage.

Heinrich konnte sich nicht vorstellen, daß Gisela wußte, welche Geschäfte genau sie da oben in ihrer Bar *Kosmonaut* mit den höchsten Kaderleuten unter Dach und Fach brachten, aber eine Ahnung mußte sie doch wenigstens haben, denn als sie mit Wladimir einmal zu Besuch war und im Kinderzimmer die Staubsauger stehen sah, machte sie so eine Andeutung, und ob Heinrich sich nun als Staubsaugervertreter in der DDR einen Namen machen wolle, na ja, nicht ganz.

Das war im Sommer 1965, daß Gisela und Wladimir zu einem mehrgängigen russischen Menü in die Hermann-Stapff-Straße 13 kamen und die erste und zweite Flasche Wodka nicht ablehnten und auch nicht die dritte. Auf die deutsch-sowjetische Freundschaft, sagte Heinrich, der es nicht gerne sah, wenn Wladimir und Gisela den ganzen Abend das jung verliebte Paar gaben und bei Sakuski und Borschtsch über ihre letzte Nacht redeten oder sich vor den Augen der kleinen Eva an die Wäsche gingen, aber die kleine Eva schien es gar nicht zu merken und erzählte unverdrossen von ihren Nachmittagen bei der FDJ, und wie alt man denn sein mußte, damit man die Nachmittage bei der *Deutsch-Sowjetischen-Freundschaft* verbringen durfte wie Gisela. Willst du mitkommen am Samstag, fragte Gisela, wir machen einen Ausflug, und danach gehen wir alle schwimmen in einem großen See. Ja, gern.

Und so war es gekommen, daß sie am darauffolgenden Wochenende gemeinsam ins Grüne fuhren: Heinrich und Gisela und Rosa und die Kinder (Wladimir hatte Dienst), und Gisela und Heinrich hatten sofort so eine FKK-Laune, nur Rosa unter all den Nackten zierte sich. Heinrich war ein wenig verwundert, daß sie sich zierte, und er war enttäuscht über die nackte Gisela, denn hätte sie im hintersten Winkel ihres Herzens etwas gewollt von ihm (so dachte er), hätte sie sich doch schämen müssen wie Rosa, die nur alle paar Wochen etwas von ihm wollte und ihn kannte wie sich selbst. Er versuchte, nichts zu sehen, als Gisela vor ihm in das flache Wasser ging, aber ihre schmalen Schultern hatte er gesehen und ihr viel zu breites Becken, das würde er nun leider nicht mehr los. Ich wollte Dich nie so sehen, schrieb er ihr ein paar Tage später, und damit es wieder ist wie früher, wickle ich Dich in Gedanken immer in Handtücher und Mäntel und Kleider, ich hoffe, es ist Dir recht, denn so habe ich Dich kennengelernt, nur so halte ich Dich aus.

In den ersten Tagen nach seiner Entlassung tat Heinrich überhaupt nichts. Es hatte ihn seine Entlassung nicht wirklich überrascht, vielmehr nahm er die neue Lage wie eine willkommene Abwechslung, ging jeden zweiten Abend zu Rita, hatte gute Laune, gewöhnte sich ans Nichtstun. Nur Rosa hatte wie immer nichts erfahren, und also tat er, als wäre alles beim Alten, stand auf, nannte beim Frühstück Touren und mutmaßliche Verspätungen, machte sich auf den Weg. Als wäre er ein Fremder oder ein Heimkehrer, lief Heinrich am ersten Tag durch die Stadt, lieh sich im Paradies ein Boot aus, lief über die Paradiesbrücke die Friedrich-Engels-Straße und weiter den Holzweg hinauf bis in die Kernberge und über das Pennickental zurück nach Wöllnitz bis vor Ritas kleine Wohnung An der Diebeskrippe.

Gleich in der ersten Woche holte er sie ein paarmal ab, und da freute die sich immer, wenn er kurz vor Geschäftsschluß vor den Schaufenstern stand und sich nicht schämte, dort draußen auf und ab zu gehen: als wäre er ein Kunde. Hallo und guten Abend, das war es immer, was sie sagte, und meistens kauften sie irgendwo noch eine Kleinigkeit oder schlenderten zu ihr nach Hause, nur küssen durfte er sie der Kollegen wegen erst ein paar Straßen weiter.

Heinrich kannte das nicht, daß eine Frau um die Dreißig bei jeder Gelegenheit daran dachte, was Kollegen und Freunde und Bekannte über sie dachten, und ob das wirklich klug war, daß sie ihn mit nach Hause nahm, oder ein willkommener Anlaß für eine Verleumdung durch den Abschnittsbevollmächtigten, an dem vorbei sie in ihre Wohnung schlich und das Licht anmachte, und während sie noch im Mantel war und die Tür sperrangelweit offenstand, umfaßte Heinrich sie schon mit seinen freundlichen Händen. Sie mochte es immer nur, wenn es ganz dunkel war, und vergraben unter den Decken mochte sie es und ohne das leiseste Geräusch. Sie mochte es, wenn er ihr im letzten Moment die Hand auf den Mund legte, und sie konnte nicht anders, als auch ihm im allerletzten Moment eine Hand auf den Mund zu legen, denn mit einem Sohn von nicht ganz zehn Jahren und der großen Angst im Nacken mußte es nun einmal leise zugehen, bei den großen schönen Dingen nicht weniger als bei den kleinen häßlichen.

Heinrich hatte keine Ahnung gehabt, daß man sich derart fürchten konnte, und obwohl er sich anfangs wunderte, gewöhnte er sich bald daran und daß sie manchmal ohne jeden erkennbaren Anlaß aus dem Bett sprang und zur Tür lief und horchte und schaute, ob da jemand horchte und schaute, und dann kam sie immer zurück und war zerknirscht und erleichtert, für eine Weile ging meistens auch alles gut. Ich habe meine Gründe, sei nicht böse, sagte sie oft, und Heinrich fand, daß er keinen Grund hatte, ihr böse zu sein, denn wer nicht ängstlich war, machte leicht Fehler, und was aus den Leuten wurde, die einen Fehler machten oder zwei, also da mochte er lieber gar nicht daran denken.

Danke, sagte Rita, und Heinrich sagte: Übertreibst du nicht?

Nein, ich übertreibe nicht.

Und ausgerechnet mir vertraust du.

Er hätte ihr gerne einen Elektroofen gekauft oder eine warme Decke gegen ihren Schnupfen, aber er fürchtete, sie würde es verstehen wie eine Bezahlung, kaufte lieber ab und zu ein Schnitzel oder ein Pfund Gehacktes für den Abend und ein paar Röstkartoffeln dazu und Leipziger Allerlei aus der Dose, das waren so ihre Mahlzeiten.

Danke, ich habe schon gegessen, sagte Heinrich nach so einem Abend, und Rosa sagte: Schade, ich habe Fleischkäse mit Spiegelei, und außerdem hat dein Harms angerufen, er will dich sehen am neunundzwanzigsten, du wüßtest schon, wie üblich. Ja, wie üblich, danke, sagte Heinrich und wußte, er würde da diesmal nicht hingehen und in diesem Loch am Westbahnhof bei zugezogenen Vorhängen die Fälle und ihren Zusammenhang mit der allgemeinen Lage besprechen und so tun, als wäre nichts, und sagen: Ja, gefällt mir, alles in Ordnung, und dies und jenes habe ich noch nachzutragen, weil es in meinen Berichten nicht steht, also gut zugehört, lieber Harms, Ihren Whisky will ich mir verdienen.

Er hätte wirklich nicht gewußt, was er Harms noch sagen sollte, nun, da er fürs erste auf der Straße stand, andererseits wußte die Behörde ja sicher längst, daß er auf der Straße stand, und demnach wußten die Behörden auch von seiner Rita und daß sie immer zur Tür stürzte, wenn es gerade am schönsten war, nur wenn Heinrich sie wirklich brauchte, hatte sie eine Abendveranstaltung der DSF oder vom *Kulturbund*, sie ging auch immer schön brav hin.

Heinrich schlief dann manchmal auf ihrem Sofa, oder der Junge war da, und dem sagte er: Hallo, Junge, deine Mutter ist nicht zu Hause, oder sie hörten gemeinsam im Radio das Kinderprogramm, das waren seine Tage. Du mußt dir neue Arbeit suchen, sagte Rita, und Heinrich sagte: Vielleicht weiß Wladimir einen Rat, du kennst ihn nicht, aber einen Freund wie ihn findest du so leicht im ganzen Land nicht.

Wladimir hätte wahrscheinlich gesagt: Komm, wir gehen einen trinken, aber mach mir keine Schande, Heinrich, die Geschäfte warten, oder bist du etwa kein Mann, daß du dich verkriechst bei Rita? Oder Wladimir hätte die Genossin Müller angerufen, und noch am Telefon hätte ihm die Genossin Müller sagen müssen, was für einen Rat sie habe als Geliebte und ehemalige Vorgesetzte ihres gemeinsamen Freundes Hampel, der suche neue Arbeit. Keine drei Tage wären vergangen, und Heinrich hätte eine neue Arbeit gehabt, und nun waren schon drei Wochen vergangen, und Wladimir und Gisela hatten noch nicht mal eine Ahnung. Gisela hatte er kaum gesehen im neuen Jahr (aber versaute Briefe schrieb er ihr) und Wladimir nur einmal im Vorübergehen beim Einkaufen im *Magasin* der befreundeten Sowjetarmee in den Kasernen in Zwätzen.

Heinrich hatte seinen Augen nicht getraut, als Wladimir ihn vor Jahren zum ersten Mal durch das berühmte *Magasin* geführt hatte, und wie stolz Wladimir gewesen war, daß er Heinrich das alles zeigen durfte und Heinrich aus dem Staunen nicht herauskam, das wußte er noch. Such dir etwas aus, mein Freund, hatte Wladimir gesagt und Heinrich die Schuhe, die Mäntel, die Hosen gezeigt und in einem zweiten Raum die mit Konserven und Tüten und Flaschen bis unter die Decke gefüllten Regale. Es ist nur für uns Offiziere, sagte Wladimir und zeigte den Wodka und den schwarzen und roten Kaviar in kleinen flachen Dosen, dazu saure Gurken und Kraut in offenen Fässern, Krimsekt und Tee und Puddingpulver aus der Ukraine, aber auch Raritäten wie getrockneten Seetang, in Essig und Öl eingelegte Muscheln mit Knoblauch, die eingemachten Pfirsiche und Aprikosen aus Ungarn, die bis oben mit Süßigkeiten gefüllten Bonbonnieren, der getrocknete Fisch aus Riga, das frische Obst, das Gemüse aus dem Thüringer Wald.

Gleich beim ersten Besuch hatte es angefangen, daß Wladimir ihm kleine und große Geschenke machte, und dabei war es doch eigentlich schon ein Geschenk, daß er Heinrich durch die Köstlichkeiten aus aller Herren Länder spazieren ließ und die Verkäuferinnen ihn die Forellenmayonnaise probieren ließen oder die Zunge in Aspik, in den Geschäften gab es dergleichen ja weder zu sehen noch zu kaufen. Heinrich hatte sich immer gerne die Dosen aus Ungarn schenken lassen, denn die süßen Pfirsiche und Aprikosen schmeckten nach Reisen in ferne Länder, und mit dem trüben Saft konnte man schöne Drinks mixen, oder die Kinder tranken ihn, und Rosa machte mit den Früchten einen belegten Kuchen. Es war nicht üblich, daß ein Zivilist wie Heinrich ein und aus ging in diesem *Magasin*, aber weil Wladimir es erlaubte und die befreundeten Offiziere es erlaubten, gab es nie Ärger, wenn er da war und die frisch gemachten Piroshki nicht verschmähte oder eine Kulebjaka und später auch nicht das eine oder andere *Mädchen*.

Das mit den Mädchen hatte sich eines Tages so ergeben, Heinrich wäre von selbst nicht auf die Idee gekommen, aber Wladimir hatte ein schlechtes Gewissen wegen Gisela. Ich kann nichts dafür, sagte er, sie ist nun einmal verrückt nach mir, aber wenn du einmal mit diesem Mädchen ausgehen könntest, sie studiert seit kurzem in Ilmenau und fühlt sich einsam, also sei nett zu ihr, damit auch sie nett zu dir ist, und von Gisela herzliche Grüße, sie freut sich immer sehr über deine Briefchen, für kleine Unverschämtheiten ist sie nämlich immer zu haben.

Ein-, zweimal im Monat hatte ihn Wladimir mit einer dieser Studentinnen oder Touristinnen aus Polen oder der

ČSSR zu trösten versucht, und Heinrich hatte die eine gefallen und die andere weniger, aber denken mußte er immer an Gisela, und wie sein Freund Wladimir sie nahm, wann immer es ihm gefiel, und wenn es ihm nicht gefiel, redeten sie über Heinrich und seine Mädchen oder die Politik. Und wie ist sie nun, hatte Heinrich gefragt, als es noch ganz neu war mit seinem Freund Wladimir und der Genossin Gisela, und da bekam er etwas zu hören in der Art: Na gut, mein Freund, ich will dir sagen, wie sie ist, nur beschwere dich später nicht, denn so und nicht anders habe ich sie gefunden: erstens, zweitens, drittens.

Sie machten trotzdem weiter ihre Geschäfte, Wladimir und der geschlagene Heinrich mit seinen Briefchen und seinen Sehnsüchten, denn das eine war das eine, und das andere war etwas anderes. Sie mochten sich, so wie es aussah von Anfang an, mit Männerfreundschaften hatte Heinrich ja wenig Erfahrung. Nur Rosa hatte von Anfang an ihre liebe Mühe mit Wladimir, sie sah nur immer die bunten Orden an seiner Brust und daß er ein Offizier der siegreichen Roten Armee war, denn ein Rotarmist auf dem siegreichen Weg gen Westen hatte damals ihren Vater erschlagen, im Januar 1945 kurz vor Breslau war's, die Kameraden, die es beobachteten, sparten bei ihrer Rückkehr nicht mit grausamen Details.

Ja, so ist das Leben, sagte Heinrich, und Rosa sagte: Ja, leider, nur mögen muß ich die Mörder meines Vaters deshalb nicht.

Heinrich konnte sich noch genau an den Tag erinnern, als Gisela und Wladimir ein Paar wurden und vor Heinrich nicht länger verbargen, daß sie ein Paar geworden waren, ihre roten Bäckchen noch Stunden danach oben in der Bar *Kosmonaut*, wo sie sich wie immer trafen, redeten eine deutliche Sprache. Es war der Tag, als Otto Grotewohl starb, daß sie es ihm beichteten, und obwohl es der Tag war, an dem Otto Grotewohl starb, hatten sie ihm dort oben in der Bar *Kosmonaut* die gute, die scheußliche Nachricht überbracht, sie dürften es leider niemandem sagen, aber Heinrich, dem Freund, dürften sie es sagen, der sollte ihr plötzliches Glück bezeugen. Wir glauben es noch gar nicht, sagte die glückliche Genossin, die einmal seine Vorgesetzte gewesen war und ein Muttermal zwischen ihren Schulterblättern hatte und wer weiß wo, wir freuen uns unbeschreiblich. Habt ihr die Nachricht vom Tode Grotewohls gehört, hatte Heinrich gefragt, um zu ihrem Glück nichts sagen zu müssen, aber davon hatten sie gar nichts wissen wollen. Ach komm, sei kein Spielverderber, auch du hättest es sein können, aber nun ist es dein Freund Wladimir geworden, es lebe die deutsch-sowjetische Freundschaft: Das war Gisela.

Noch Wochen später beklagte sich Heinrich in seinen Briefen, daß sie das gesagt hatte: *Auch du hättest es sein können*, aber warum er es nicht geworden war, verschwieg sie. Ich hätte alles dafür gegeben, um an seiner Stelle zu sein, schrieb er, ich hätte Dich auf Händen getragen, oder ich wäre grob und rücksichtslos gewesen wie Wladimir, und wenn es Dein Willen gewesen wäre, auch gegen Deinen Willen. Ich hätte alle Bücher gelesen für Dich und die Reden Ulbrichts auswendig gelernt oder Lenins *Die nächsten Aufgaben der Sowjetmacht,* die in meinem Staatsbürgerkundebuch stehen, der gute Harms hat's mir einst geschenkt zu meiner Erziehung. Redet Ihr über solche Dinge, wenn Ihr's getan habt? Und in welcher Sprache redet Ihr? Kennst Du die schlimmen russischen Worte, weil Wladimir sie Dir ins Ohr flüstert, um Dich anzufeuern, wenn er grob und rücksichtslos ist, und kennt Wladimir die schlimmen deutschen? Ich hätte Dich in zwei Sprachen geliebt und mit zwei

Mündern und zwei Schwänzen und tausend Händen, und das alles verpaßt Du nun, Du Treulose, Du Freundin der Russen und der Partei, die Du Deine Prinzipien hast, ich habe nichts dagegen, so viel anders werden die Küsse einer Marxistin-Leninistin schließlich nicht schmecken.

Rosa hatte gleich gemerkt, daß er keinen guten Abend gehabt hatte dort droben in der verfluchten Bar *Kosmonaut*, und freute sich, denn wenn er dort droben einen schlechten Abend gehabt hatte, konnte nur diese Gisela der Grund sein, an die er dachte, wenn sie beieinander lagen, denn das war ja noch immer hin und wieder der Fall, daß sie beieinander lagen, nur bei ihr mußte niemand Reden auswendig lernen oder sie auf Händen tragen, das war doch alles dummes Zeug. Sie hatte einmal eine dieser Gisela-Beschwörungen im Papierkorb gefunden und gelesen, was da geschrieben stand, und am Abend roch sie immer an ihm und fand nichts und war beruhigt, daß da keine neue Bella war, nur das eine oder andere billige Flittchen von Zeit zu Zeit, damit konnte sie leben. Sie wollte nicht fragen, was vorgefallen war in jener Nacht, aber sie spürte, er nahm es als Niederlage, und weil er immer Trost brauchte nach seinen großen und kleinen Niederlagen, war sie freundlich und aufmerksam, überraschte und überzeugte ihn. Sie wollte, daß er den Namen der anderen sagte, und sie wollte, daß er es machte, als wenn er es dieser anderen gemacht hätte, und natürlich wehrte er sich zuerst, und dann staunte er über sie, die sich für eine andere ausgab und ihn lobte und ihm riet: Mach die Augen zu, ich bin es, ich habe keinen Namen als ihren.

Später schämte er sich, daß er sich hatte überreden lassen, aber Rosa sagte: Wieso, es war doch nett, oder bist du etwa nicht auf deine Kosten gekommen? Mensch, Heinrich, sagte Rosa, und Heinrich sagte: Ja, so geht es, gibt es sonst irgendwelche Neuigkeiten? Ja, Tom hat noch einmal angerufen, er bedankt sich für den Abend, du sollst nicht böse sein.

Das war am Wochenende vor seiner Niederlage gewesen, daß auf einmal dieser Tom aus dem Lager vor der Tür stand und ein paar Erinnerungen an die Zeit des Lagers mitbrachte und ein paar überraschende Neuigkeiten. Er hatte sich ziemlich verändert, trug Anzug und Krawatte und am Revers das kleine Parteiabzeichen, damit du gleich Bescheid weißt. Darf ich reinkommen? Ja, komm rein, hatte Heinrich gesagt, obwohl es erst früher Nachmittag war und er noch einmal los wollte, das waren Zeiten. Whisky? fragte Heinrich und meinte es als Anspielung, und Tom hatte sofort verstanden, was für eine Anspielung das war, und redete erst gar nicht darum herum, er habe das eine oder andere probiert, zwei Städte weiter im schönen Gotha lebe er mit Frau und Kind, bei der *Firma* seit drei Jahren.

Firma? fragte Heinrich.

Ja, dieser Harms, du erinnerst dich: Er hat mich auf die Idee gebracht. Hat er sich nie gemeldet bei dir?

Nicht, daß ich wüßte.

Die ersten Schwierigkeiten gab es nach zwei Monaten. Rosa wußte noch immer nichts, nur Rita lag ihm jetzt fast täglich in den Ohren, aber sanft und beharrlich, und was nun eigentlich werden solle mit ihr und dem wenig gesprächigen Sohn, und also schlug Heinrich eines Abends die Bettdecke zurück, zog sich an und ging ein paar alte Bekannte treffen, und das tat er nun beinahe jeden Abend, oben in der Bar *Kosmonaut* ein paar alte und neue Bekannte treffen und fragen, ob sie etwas brauchten oder hatten. Er hatte etwas den Schwung verloren in den letzten Wochen, fand lästig, was ihm früher eine willkommene Abwechslung gewesen war, war erfolgreich und weniger erfolgreich, machte Schulden bei Lieferanten und Kunden, erfand Schwierigkeiten, lernte auch im neuen Staat lavieren.

Anfang Mai schien es noch so, als könne alles gutgehen. Für ein paar Autoersatzteile war er in einem von Wladimir beschafften Transporter bis nach Leipzig gefahren und ein paar Tage später für eine Lieferung Matratzen bis fast an die tschechische Grenze, und das war überhaupt das erste Mal, daß er wie früher in Sachen Betten unterwegs war und durch die Lande fuhr und sich freute, als wäre es die Wiederkehr des alten Lebens.

Es war nicht leicht, ein erfolgreicher Händler zu sein im neuen Staat, der das Bewirtschaften hie und da auftretender Mängel nicht guthieß, und ein bißchen faul war Heinrich, und so sprachen ihn schon bald Kunden auf nicht gehaltene Versprechungen an und erkundigten sich nach einem Boiler fürs Bad und dem angezahlten Pelzmantel aus der Hinterlassenschaft einer Nachbarin, und da mußte Heinrich immer gut überlegen, welche Antwort er für die hatte, und aus alter Gewohnheit oder Bequemlichkeit glaubten sie ihm und hielten für eine Weile still. (Das alte Spiel.) Weil schon längst nicht mehr genug Geld hereinkam, griff er seine letzten Ersparnisse an, verkaufte heimlich den verbliebenen Schmuck von Rosa, und obwohl er nun manchmal dachte, es ist wie damals und wie damals wird es nicht lange gutgehen, ging es den ganzen Mai und den ganzen Juni gut, und irgendwann im Juli erriet auch Rosa die Wahrheit; da war er fast erleichtert.

Rosa hatte nicht viel gesagt, als es endlich heraus war, doch sie war gewappnet, als ein paar Tage später auf einmal Harms vor der Tür stand und sich nach ihrem Mann erkundigte, mit dem habe er am 29. einen Termin gehabt, Heinrich sei zum verabredeten Zeitpunkt nicht erschienen, und wo er denn jetzt schon wieder sei; ja, unterwegs. Rosa hätte ihn am liebsten nicht hereingelassen, aber Harms hatte erst gar keinen Zweifel daran gelassen, daß er auf ein Wort herein müsse und seiner Sorge Ausdruck verleihen, sie fand oder behauptete, für Sorge bestehe doch überhaupt kein Anlaß, Heinrich sei eine Weile krank gewesen, er möge entschuldigen, im allgemeinen sei ihr Mann sehr zuverlässig.

Darf ich hereinkommen, fragte Harms und fing gleich an. Sie müsse kein gutes Wort einlegen für ihren Heinrich, er wisse Bescheid. Ja, leider, ich weiß auch nicht, sagte Rosa, und Harms wiederholte: Ja, leider, er versteckt sich vor der Wahrheit, und mit dieser Rita hat er das große Los nicht gezogen.

Rita? fragte Rosa.

Ja, seit drei Monaten, sagte Harms und machte ihr zuliebe eine Pause, und als sie ihre Zeit gehabt hatte, tröstete er sie und versprach, ein ernstes Wort mit Heinrich zu reden wegen einer neuen Stelle, und ob es diese Rita wirklich wert war, da er doch eine wie Rosa hatte und drei Kinder, die hießen Eva, Konrad und Walter und waren wohlgeraten.

Dann warteten sie, Rosa voller Hoffnung und Heinrich voller Befürchtungen, aber obwohl sie beide hofften und fürchteten, schien Harms die Sache nicht weiter zu verfolgen, und so rechneten sie bald nicht mehr mit ihm und vergaßen, das Leben ging weiter. Heinrich vermißte die Freunde, denn Gisela machte gerade drei Wochen Urlaub in Bulgarien, und Wladimir war zu einer Schulung in Moskau, und daher war er so oft wie möglich bei Rita, aß und schlief mit der, war dankbar und anhänglich und ging nicht öfter als nötig in die Bar. Es gab Abende, da dauerte es keine halbe Stunde, bis er dort vor ungeduldigen Kunden die Flucht ergriff, und es gab Abende, da hatte er Glück und sah die halbe Nacht den russischen Offizieren und den Mädchen aus Polen oder Weimar beim Tanzen zu, aber eine wie Gisela war nicht dabei, und einer wie Wladimir war nicht dabei, nur ausgerechnet einen Tag vor dem Endspiel England-Deutschland der gute Harms.

Heinrich wäre fast das Herz stehengeblieben, als er Harms auf einmal an einem der Nachbartische sitzen und trinken und plaudern sah, und dabei winkte der auch noch ganz freundlich wie ein alter Bekannter, deutete auf das Mädchen an seinem Tisch und wie zur Erklärung auf seine Armbanduhr, redete noch eine Weile und lachte, als er an Heinrichs Tisch trat und noch immer ganz freundlich war, Rosa habe ihm geraten, es doch einmal hier zu versuchen, ob Rosa denn von seinem Besuch erzählt habe, und wie es ihm so gehe ganz ohne Arbeit, mit seinen Berichten sei er ja im Rückstand. Ja, die Berichte, sagte Heinrich, und Harms sagte: Ich glaube, ich könnte Ihnen helfen, wenn Sie nur wollen, finde ich sogar etwas in der Bettenbranche, denn in der Bettenbranche scheinen Sie nun einmal zu Hause zu sein, mit Brot und Büchern werden Sie nicht glücklich. Wäre das was? Ja, das wäre etwas, sagte Heinrich und konnte gar nicht glauben, daß es so glimpflich abging, ich bin sehr dankbar, ein Traum wäre das.

Und wer wird gewinnen morgen in Wembley? 2:1 nach Verlängerung: mein Tip.

Ja, und danach fange ich an mit den Berichten.

Erst später fiel Heinrich ein, was Harms bei einem ihrer ersten Treffen über die Dankbarkeit gesagt hatte, im Frühjahr 1964 mußte das gewesen sein, Harms hatte ein bißchen geplaudert, und daß die dankbaren Mitarbeiter immer auch die zuverlässigsten Mitarbeiter seien, oder wie er aus dem Kopf eine dieser Dienstanweisungen zitierte: Das Gefühl der Dankbarkeit erzeugt Impulse für eine fruchtbare inoffizielle Mitarbeit, so klang das in der Sprache der Herren.

Heinrich hatte sich von Anfang an nicht wohl gefühlt in der heruntergekommenen Wohnung in der Nähe des Bahnhofs, und wie er da immer durchs Treppenhaus in den zweiten Stock schlich und den Leuten nicht in die Augen sah und ihre Grüße nicht erwiderte, es war erbärmlich. Heinrich hätte am liebsten immer erst einmal gelüftet und die Vorhänge aufgezogen, aber Harms war in solchen Angelegenheiten sehr vorsichtig, mahnte Heinrich wegen der knarrenden Dielen, bot ihm einen Stuhl an, wurde dienstlich. Als ob wir Verbrecher wären, die sich verstecken, weil sie einen Mord auf dem Gewissen haben oder einen planen, hatte Heinrich bei einem der ersten Male gesagt, aber Harms hatte nur kurz und knapp erwidert: Nun gut, das ist die Art, wie der Klassenfeind die Dinge üblicherweise betrachtet, und ob ein Bürger der Deutschen Demokratischen Republik die Dinge so betrachten darf, sei doch die Frage.

Was gibt es Neues von der schönen Genossin Müller und ihrem braven Lausitzer, hatte Harms im Frühjahr 1964 gefragt, und wann es denn nun genau losgehe in der Buchhandlung, es gebe doch hoffentlich keine Schwierigkeiten, so fing er damals an. Heinrich hatte gesagt: Nein, alles in Ordnung, nur eine Lieferung Brot war neulich montags nicht vollständig und zum Teil verdorben, und da haben sie natürlich alle geschimpft auf die Bäcker und die Montage, wenn die Leute ihren Rausch nicht ausgeschlafen haben, aber zur Arbeit gehen, und keiner bläst ihnen den Marsch. Keine Hinweise über feindlich-negative Aktivitäten und Erscheinungen? Nein, keine Hinweise über feindlich-negative Aktivitäten und Erscheinungen; das war dann immer so ihr Spielchen, und sogar die Genossin mit den schönen Beinen kam in dem Spielchen vor, aber für die Genossin mit den schönen Beinen hätte Heinrich sogar gelogen.

Die Genossin war nicht gerade erfreut gewesen, als Heinrich seinen Wechsel in die *Volksbuchhandlung* ankündigte, und daß Harms ihn auf die Idee gebracht habe, doch weil es Harms gewesen war, der ihn auf die Idee gebracht hatte, ließ sie sich ihren Unmut nicht anmerken und hoffte auf baldigen Ersatz. Alles Gute, sagte sie an dem Morgen, als er zum letzten Mal den Lieferwagen belud, und als er am frühen Abend wiederkam, war sie fort und hatte nicht auf ihn gewartet. Alles Gute, sagten am nächsten Morgen die Kollegen aus der Buchhandlung, das also sei der berühmte Hampel, nun, wer sich aufs Broteausfahren verstehe, werde sich auch aufs Bücherverkaufen verstehen, für Arbeiter und Bauern sei das eine so gut ein Lebensmittel wie das andere; der Vergleich gefiel ihm.

Gisela hatte schnell Ersatz gefunden für ihn, sie saß wie immer bis spät in die Nacht im Büro, und dann besuchte er sie von Zeit zu Zeit und sah ihr zu, wie sie sich durch Rechnungen und Angebote und Lieferlisten kämpfte und stöhnte und verzweifelte, da tat er ihr immer gut. Manchmal dachte Heinrich: Sie bedauert es, daß ich nicht mehr da bin, oder sie bräuchte jemanden, und tatsächlich machte sie ja manchmal zweideutige Bemerkungen und warum er sie nie zum Essen einlade oder zu einer Bootspartie auf der Saale, so wenig also sei sie ihm wert. Gar nicht, sagte Heinrich und lud sie Ende April zu einer Bootsfahrt ein, es war das erste schöne Wochenende des Jahres, und tatsächlich überlegte sie nicht lange und lachte und strahlte, als er sie zwischen tausend Ruderbooten über den Fluß schipperte und hoffte und bangte und die allergrößte Bootsfahrt ihres und seines Lebens daraus machte, und am Abend, als sie viel zu spät zur Anlegestelle im Paradies kamen, küßte sie ihn halb im Aussteigen auf den Mund.

Da erst verliebte er sich in sie, und da erst begann es, daß er sie in seinen Briefen anbetete, aber so schön und waghalsig wie der erste gelang ihm kein zweiter, denn als er sie danach besuchte, war sie verlegen und glücklich. So darfst du mir nicht schreiben, sagte sie, und da wußte er: Er durfte, und sie würde warten auf die Briefe, wie eine Geliebte würde sie auf jeden einzelnen warten, aber eine Nacht oder eine zweite Bootsfahrt würde sie ihm nie gewähren. Sag mir, was Du anhast, schick mir ein Foto, antworte, erhöre mich, stand in seinen Briefen, und je nach Lust und Laune antwortete sie und dankte und beschimpfte und ermunterte ihn, denn wenn Du mir schreibst, bin ich eine andere, fange ich an zu glänzen. Ich lese jeden Brief nur einmal, glaub mir, schrieb sie, und dann zerreiße ich ihn in tausend Stücke, aber in Deinen Worten bade ich.

Am Tag, als Juri Gagarin in der Stadt war Anfang Oktober 1963, hatte Rosa gesagt: Na, da bin ich aber gespannt, wie sie ist, deine berühmte Gisela, und da hatte die ein dunkelblaues Kostüm mit weißer Bluse und goldenem Gürtel an und war langweilig und schmallippig und streng wie ein älteres Fräulein. Sogar der Lausitzer hatte sich eine Stunde freigenommen, um dem berühmten Kosmonauten aus der Sowjetunion einen gebührenden Empfang zu bereiten und zu winken und zu staunen, wie er mit seiner ordengeschmückten Uniform die Hände schüttelte und zwischen lauter schwarzen Wolgas den Leuten auf russisch etwas zurief, und Heinrich und Rosa und die Kinder waren gekommen, doch weil sie spät dran waren und mit dem Kinderwagen nicht durchkamen, sahen sie alles nur aus einer der hinteren Reihen. Heinrich war gleich mit dem neuen Parfüm der Genossin beschäftigt, Rosa hatte Mühe mit dem schreienden Walter, und die kleine Eva las Wladimir das rote Transparent an der Fassade des alten *Zeiss*-Gebäudes vor, nur beim Wort Republik zögerte sie kurz: Die Republik braucht alle, alle brauchen die Republik.

Und was macht ein Kosmonaut in den Ferien, wollte Eva wissen, und Gisela wußte es, denn dann gingen die Kosmonauten auf Reisen und waren stolz, daß sogar kleine Mädchen wie Eva sie kannten und fragten und davon träumten, eines Tages als Kosmonaut durchs Weltall zu fliegen, das nahm sie an. Ich möchte aber lieber Lehrerin werden, hatte Eva gesagt, und Gisela hatte gefunden, daß das auch ein schöner Beruf war: Lehrerin, und nach einer Weile war der berühmte Kosmonaut inmitten einer Kolonne schwarzer ausländischer Wagen aus der Stadt gefahren, bei einer Tasse Kaffee saßen sie anschließend noch eine Weile zusammen. Diesen Gagarin werden uns die Amerikaner nie verzeihen, sagte Gisela, und Wladimir, der nur das Wort Amerikaner verstand, schüttelte den Kopf und nannte die bemannte Raumfahrt einen Menschheitstraum, oder was sagen Sie, gute, fabelhafte Frau, liebe Rosa: Zwei Söhne und eine feine kluge Tochter habe sie Heinrich geboren und werde noch immer schöner. Danke, vielen Dank, Sie machen mich ganz verlegen, hatte Rosa gesagt und fand, für einen Russen habe Wladimir doch beinahe Manieren, oder Heinrich hatte geschummelt beim Übersetzen. Wie eine Russin, wie eine Russin, sicher hat sie russische Vorfahren, deine gute, deine fabelhafte Rosa, hatte Heinrich Wort für Wort übersetzt, im Russischen klang's ja immer ein bißchen übertrieben.

Über Gisela sagte sie später nur: Ich weiß gar nicht, was du mit deiner Gisela hast, ihr Parfüm ist schrecklich, und wie streng und abweisend sie wirkt in diesem Aufzug in Blau und Gold, also das Netteste waren noch ihre Beine, ob Heinrich ihre X-Beine schon bemerkt habe, also sein Typ sei diese Gisela doch überhaupt nicht.

Was du nicht alles weißt, hatte Heinrich geantwortet und Rosa auf den Mund geküßt, denn damals küßte er sie noch auf den Mund, wenn er nicht ganz ihrer Meinung war, und abends im Badezimmer, wenn sie nackt war, betrachtete er sie wie eine, auf die er sich freute. Langweilst du dich nicht mit mir, fragte sie dann, oder: Ich bin ein bißchen rund geworden, schau, da bin ich ganz rund und da und da. Fast wie eine Russin, sagte Rosa. Magst du mich trotzdem? Ja, immer und überall.

Im Oktober hatte ihn Rosa gleich ein paarmal hintereinander überrascht, und so waren sie immer sehr beschäftigt, konnten es nicht erwarten, bis die Kinder im Bett waren, gingen nicht an die Tür, wenn es klingelte, warteten und lauschten und lagen für ein paar Augenblicke, wie sie gelegen hatten, ja, warte, komm, es dauert nicht lang, aber jede Sekunde, die es dauert, ist kostbar und schrecklich und schön.

Heinrich wäre auch am Wahlsonntag Ende Oktober nicht an die Tür gegangen, aber Rosa hatte sich auf einmal erinnert: Um Himmels willen, die Wahlen, das ganze Haus soll gehen, spätestens gegen Mittag sollen alle schon wählen gewesen sein, komm zieh dich schnell an, und da gingen sie alle wählen. Harms war sichtlich erfreut, als sie sich ein paar Tage später im neuen Café am Holzmarkt trafen, 99,95% für die Einheitsliste, und ob sie denn nun alle zufrieden seien nach ihrem ersten Jahr, die kleine Eva mache sich da ja schon einen Namen bei den *Jungen Pionieren*. Eine halbe Stunde ging das so, und nach einer halben Stunde bestellte Harms etwas zu essen, und als sie fast fertig waren, fing er wieder mit der Politik an: Was Heinrich nun eigentlich denke über den neuen Staat, was besser werden kann, worüber er und die Leute in der Partei sich einmal den Kopf zerbrechen müßten, denn vieles wüßten sie eben leider nicht oder zu spät, man bräuchte Informationen.

Sie wollen mich anwerben für Ihre *Firma*, hatte Heinrich geantwortet, nun gut, ich sage Ihnen was, zum Beispiel über die Genossin Müller sage ich Ihnen was, ihr Vater war in Buchenwald, aber treu und redlich ist sie wie sonst nur der Lausitzer. Meine Frau sagt: Es gibt kein Knödelbrot in der Stadt und ein Stück Fleisch vom Schwein nur ohne Kruste, das vermißt sie, aber ohne Auto und Gefrierschrank könnte sie leben.

Sie machen sich lustig über mich.

Gar nicht, sagte Heinrich.

Vielleicht arbeiten Sie ja nicht in der richtigen Branche, sagte Harms und kam auf die Bücher, Heinrich könne sich ja im Buchhandel versuchen, das sei eine Branche, und da lerne er auch endlich Land und Leute besser kennen, und etwas zu berichten habe er auch.

Einverstanden, sagte Heinrich.

Gut, einverstanden, sagte Heinrich im Oktober 1966, als ihm das Wasser schon bis zum Hals stand und Rita ihn bedrängte: Hast du nun Arbeit? Versprichst du mir, daß du nun endlich bald Arbeit hast und an meinen Jungen denkst und an mich? Ja, einverstanden, sagte Heinrich und sah die Dinge sich wiederholen, denn Schulden hatte er inzwischen für drei. Er hätte gerne Harms um Rat gefragt, aber Harms hatte sich seit Wochen nicht gemeldet, und eine Telefonnummer oder Adresse, unter der er ihn hätte erreichen können, gab es nicht. Wahrscheinlich war die Sache mit der neuen Stelle doch schwieriger als vermutet, oder Harms hielt ihn absichtlich hin oder hatte Schwierigkeiten und Sorgen anderer Art, obwohl er einem Harms Schwierigkeiten und Sorgen gar nicht zutraute.

Eine Woche vor seiner Verhaftung hatte Heinrich längst den Überblick verloren, und tatsächlich gab es Tage, an denen er noch immer völlig sorglos war, und es gab Tage, da war er realistisch und rechnete und kam auf erschreckende Summen. Genau eine Woche vor seiner Verhaftung wegen grober Verschuldung nahm Heinrich seinen letzten Auftrag an, eine Lieferung rote Dachziegel und sieben Säcke Mörtel. Drei Tage Lieferzeit hatte er dem Bekannten eines Bekannten für die vorab bezahlte Summe versprochen, aber dann bekam er das Zeug nur zu völlig überhöhten Preisen und in der näheren Umgebung überhaupt nicht, mußte nach Gera und Erfurt und Plauen, hatte auch in Gera und Erfurt und Plauen keinen Erfolg und kehrte zurück zu Rita wie ein geprügelter Hund. Also wieder nichts, sagte Rita zur Begrüßung, oder sie sagte nur so vor sich hin: Das wird nichts mit uns, und endlich eines Abends: Dieser Harms war da, er sagt, du meinst es nicht böse, aber verlassen kann man sich leider nicht. Ich will es nicht, aber sein Rat war, daß wir auseinandergehen, ich soll dich fortschicken im Guten, gleich heute abend, denn von alleine gehst du nicht. Ja, sage ich zu diesem Harms, das hoffe ich, von mir aus kann er nämlich bleiben, von mir aus bis zum jüngsten Tag, und nun hinaus aus meiner Wohnung, sage ich zu dem, ich habe Sie nicht bestellt, dann war er fort.

Als ob er mich warnen müßte vor dir und deine Rosa gleich mit.

Ja, so sind sie.

Danach ging alles sehr schnell. An einem Montag im November teilte ihm Harms mit, er habe in der vereinbarten Sache leider keine Fortschritte erzielt; am darauffolgenden Mittwoch ging Rita zu Rosa, und am Donnerstagmorgen gegen sieben stand die Kriminalpolizei vor der Tür und fragte nach Heinrich Hampel, geboren am 25.8.1931 in Jena, wohnhaft daselbst mit Frau und drei Kindern, Adresse für Brief- und Paketsendungen aller Art: Hermann-Stapff-Straße 13, wir müssen Sie leider mitnehmen, es liegt eine Anzeige vor.

Rosa? sagte Heinrich und wartete, bis sie gekommen war, und dann nahmen sie ihn gleich mit und wollten der zu Tode erschrockenen Rosa nicht sagen, wohin. Heinrich, was ist, rief sie, und Eva rief: Die Männer sind in unserem Garten gewesen und haben zu unserem Fenster hochgesehen, kommst du bald wieder? Im Nachhinein sah Heinrich nur immer die zu Tode erschrockene Rosa und wie er ihr und Eva winkte, als fahre er übers Wochenende zu Freunden, und da legten sie ihm schon die Handschellen an und führten ihn vor den Augen der Kinder ab in einen bereitstehenden Wagen, nahmen ihn weg.

Anfangs begriff er's gar nicht, daß sie ihn wirklich abführten und in diesem Wagen nach Gera ins Untersuchungsgefängnis brachten, als wäre er ein Verbrecher. Sechzehntausend in nicht einmal einem Jahr, sagte der Staatsanwalt, dafür gibt es drei Jahre ohne Bewährung, und auch da begriff Heinrich noch immer nicht, und was für Zahlen das waren, sechzehntausend in nicht einmal einem Jahr: seine Schulden.

Man war noch freundlich zu ihm, die Zelle passabel, das erste Essen auch. Ich möchte Herrn Harms sprechen von der Staatssicherheit in Gera, sagte Hampel, aber er glaubte selbst nicht daran, denn für einen wie ihn machten sie ja wahrscheinlich noch nicht mal einen Anruf, oder sie taten, als kenne man einen Herrn Harms in Gera nicht, oder der war angeblich auf Reisen oder krank. Er dachte an die Kinder und wie das für sie wäre, wenn sie ihn ein paar Jahre nicht kannten, und an Rosas runde Stellen dachte er und an Rita nur die ersten Tage. Einen ganzen Abend versuchte er sich zu erinnern, was genau sie als letztes zu ihm gesagt hatte, aber es fiel ihm einfach nicht ein. Du bist spät dran, komm beeil dich, morgen ist auch noch ein Tag, hatte sie wahrscheinlich gesagt, und das tat sie, weil er ihr zum Abschied neuerdings immer ein paar unanständige Sachen ins Ohr flüsterte, aber hätte er gewußt, daß es ein richtiger Abschied wird, hätte er ihr lieber etwas Nettes gesagt, das hatte sie nämlich verdient.

Nach einem Jahr hatten alle gesagt: Das erste Jahr ist das schwerste, schwierig war euer erstes Jahr, es kann nur besser werden, wir bemühen uns, wir haben Erfahrung im Uns-Bemühen, aber genützt hat es uns bisher wenig. Es kann nur besser werden, hatte Heinrich gesagt, und Rosa hatte gesagt: Ja, es muß, und trotzdem wär's noch schlimm genug, die Kohlen-, Butter- und Fleischsorgen haben alle, aber einen dicken Bauch haben nicht alle, und anstehen und warten und immer zufrieden sein mit dem Nötigsten, das schlägt mir auf die Dauer aufs Gemüt. In der ganzen Stadt standen die Leute schon seit Monaten für jede Kleinigkeit Schlange vor den Geschäften, nur Möhren und Zwiebeln und Kartoffeln gab es und den Kohl in allen Variationen, in den Zeitungen stand dann immer geschrieben, wie man einen feinen Salat daraus machte oder ein Gemüse mit Speck und Zwiebeln und wie lange man ihn am besten dünstete bei offenem oder geschlossenem Deckel, in den Treppenhäusern und Fluren fast überall der gleiche Geruch.

Harms hatte sich regelmäßig nach ihnen erkundigt und kleine Geschenke für die Kinder geschickt und zu Rosas dreißigstem Geburtstag Anfang Januar einen Strauß Nelken, er habe leider wenig Zeit, die neue Aufgabe und die allgemeine Lage spannten leider seine allerletzten Kräfte an, aber im Februar werde er bestimmt kommen oder im März, wenn das Kind da ist, und als er sich dann endlich ankündigte und einen Termin vorschlug, war's Ende März, und Rosa hatte noch ein paar Tage.

Harms hatte sich einen Schnurrbart wachsen lassen seit dem letzten, dem ersten Mal im Gasthaus *Zur Sonne* und redete voller Begeisterung vom Parteitag im Januar. Nun gut, wir haben Fehler gemacht, hatte er gesagt, aber wahr ist auch: Die alte Sehnsucht der Menschen nach einem Leben in Frieden, Würde und sozialer Sicherheit wird Schritt um Schritt Wirklichkeit. Walter Ulbricht, *Das Programm des Sozialismus*, hatte er gesagt, da stehe es geschrieben auch zur Mahnung: Der Sozialismus, diese alte Sehnsucht des Volkes, ist für Deutschland das nationale Glück. Doch niemand kann unserem Volk die Erfüllung seiner Sehnsucht schenken. Sie will erarbeitet und erkämpft und immer wieder von neuem erarbeitet und gesichert sein.

Heinrich wäre nicht überrascht gewesen, wenn Harms ihn schon beim zweiten Mal gefragt hätte, was er ihn beim dritten oder vierten Mal fragte (Wir brauchen jeden, der guten Willens ist), aber statt dessen hatte er die ganze Zeit über das Fleisch und die Butter geredet, und daß die Leute im Westen die Autos haben, aber Fleisch und Butter verbrauchen sie weniger als bei uns. Wissen Sie noch: Unser erster Abend im Gasthaus *Zur Sonne*? fragte er, und Heinrich wußte noch ganz genau, wie sie sich den halben Abend beschnuppert hatten, mißtrauisch und hungrig war er gewesen, und der lauwarme Rotkohl zum Braten schmeckte nach Rauch und Feuer, aber er schmeckte. Ich bin nicht für den Westen, hatte Heinrich gesagt und an Theodor gedacht, aber für den Osten kann ich nur sein, wenn meine Kinder satt werden und meine Frau sich die Hacken nicht abläuft für ein Kilo Kartoffeln und 100 Gramm süße und 25 Gramm bittere Mandeln für die Weihnachtsbäckerei.

Ja, das verstehe ich, sagte Harms und schickte Rosa Pralinen zur Geburt und für den kleinen Walter (ein Mann, der stark ist) einen blauen Traktor mit Anhänger und bunten Bauklötzen als Ladung aus der Volksrepublik China. Ich hoffe, du hast nicht bezahlt dafür, war das einzige, was Rosa sagte, die war am zweiten Tage noch sehr schwach und froh und erleichtert über die schnelle Geburt, um fünf Uhr Nachmittag war's, da legte sie sich im Kreißsaal der Universitätsklinik auf die Seite und preßte das kleine Ding mit ein paar Stößen auf die Welt.

Manchmal verfluche ich dich für alles, sagte Rosa, als ihr die Milch einschoß am dritten Tag und der Kleine an ihrer Brust hing und trank und nicht wußte, daß das sein Anfang war, aber so wie sie es sagte, wußte er, für Rosa war es ein Anfang, und was im vergangenen Jahr gewesen war, war nur Geplänkel. Er sieht dir ähnlich, sagte sie. Es sieht dir ähnlich, daß er dir ähnlich sieht, laß ihn nicht verkommen, kümmere dich, bring das Geld, finde Wege für uns, aber paß auf, verbrenn dir nicht die Finger dabei, in diesem gottverdammten Staat ist es schnell passiert, daß man sich die Finger verbrennt, so glimpflich wie damals im Westen kommst du hier nicht davon.

Das ist kein Gefängnis, in dem wir hier leben.

Aber im letzten Sommer hatten wir manchmal nur Brot und die entsetzliche Margarine.

Im ersten halben Jahr hatte Heinrich noch ganz anders geredet, denn da war alles neu und fremd und erträglich, und so redeten sie viel über das Fleisch und die Milch und die Butter, die es nicht gab, und die leeren Märkte und Geschäfte, die nur am Vormittag geöffnet hatten und manchmal eine Stunde am Nachmittag. Mühsam und unbeschwert war die erste Zeit, und Rosa zählte die Wochen und nahm die strengen Rationierungen und den Mangel und die Arbeit, die man mit dem Mangel hatte, wie ein vorübergehendes Wetter. Stell dir vor, heute hat es noch nicht mal gelbe oder grüne Erbsen gegeben, fingen ihre Berichte am Abend an, und dann zählte sie alles auf, was es nicht gab: die Haferflokken für Konrad, den Reis, die Weizengraupen, die Kartoffelstärke, die ungarische Gulaschsuppe von *Ericona*, den Zimt, den Ingwer und den Majoran, das süße und das salzige Gebäck, den Kaugummi für Heinrichs lange Fahrten mit dem Lieferwagen. Ein bißchen Russischbrot und ein Paket *Pischinger Ecken* hatte sie einmal ergattert und Pfefferminzbruch für die Kinder und für Heinrich ein paar Zigarren aus Kuba, die gab es in drei Preisklassen, und die Marmelade und den Senf wegen Mangels an Gläsern nur aus großen Eimern. Das bringt uns nicht um, wenn wir keinen Kaffee mehr trinken, hatte Rosa in den ersten Wochen gesagt, aber nur ein halbes Pfund Fleisch in der Woche, damit können wir nicht leben, und daß du beim Fleischer zu hören bekommst, aber nein, Sie haben doch schon, tut mir leid, Frau Hampel, hier steht es, und natürlich darf man nicht böse sein, sondern muß ein Gesicht machen so freundlich und geduldig, als wäre man dankbar, daß man wiederkommen darf und auf einem Hocker die Stunden absitzen für ein Stück Schweinebauch fast nur mit Fett.

Und dafür haben sie nun die Mauer gebaut.

Dafür nicht, Rosa. Und: Es war deine Entscheidung, Rosa.

Ja, leider.

Anfangs sagte er ein paarmal: Du hättest nicht kommen brauchen, das alles hättest du dir erspart, wenn du nicht gekommen wärst, doch die Wochenenden unten im Paradies und die Bootsfahrten und du und ich auf unseren schmalen *heiligen* Luftmatratzen, das alles wäre dann auch nicht. Ich gönne einfach Theodor den Triumph nicht, sagte er, und daß sie sich alle Mühe geben hier im Land, wirst du nicht bestreiten.

Und also fügten und gewöhnten sie sich. Ohne die Pakete aus Wiesbaden, in denen fast immer zwei Pfund Kaffee lagen und ein paar Dosen mit Gemüse und einmal auch ein Paar Nylonstrümpfe Größe 42 für Rosa, hätten sie nicht gewußt, wie sie über die Runden hätten kommen sollen, und manchmal schauten die guten Birnstiels vorbei und brachten aus ihrem Garten Kohl oder ein Päckchen *Kathreiner im Nu*, beim Putzen ganz hinten im Küchenschrank hatte es Annemarie gefunden, und nun trank man zusammen ein Täßchen und plauderte über die schönen alten Zeiten, nur wenn sie wirklich wiederkämen mit allem Drum und Dran und dem schrecklichen Krieg und der Angst und der Sorge um die Kinder: entsetzlich.

Kuba, sagte Friedhelm, ich sag nur Kuba, und Heinrich, der sich nicht wirklich sorgte wegen der Kubasache, sagte: Der Westen wird sich hüten, wegen Kuba einen Krieg anzuzetteln, noch einmal lassen sich die Amerikaner bestimmt nicht vorführen, da bin ich mir sicher.

Er übte noch, wie gesagt. Aber diesem Harms im *Roten Hahn* stellte er allerlei unbequeme Fragen. Ja, wir haben Schwierigkeiten bei Fleisch und Wurst, hatte Harms erklärt, nur daß es insgesamt nicht genug zu essen und zu trinken gebe, bestritt er. Es hungert keiner bei uns im Land, aber die Sache geht doch übel aus, wenn sie so weitergeht und der Schlendrian nicht aufhört und die Fehler aus mangelndem Wissen und Ehrgeiz. Termine werden nicht eingehalten, Nacharbeit wird erforderlich, die Qualität stimmt nicht: das ist die bittere Wahrheit über unsere Exportindustrie. In einer unserer Zeitungen stand: Das Fleisch im Laden ist schwach, wenn das Fleisch in der Produktion schwach ist, und nicht anders ist es, und deshalb lassen Sie sich heute abend einladen, was ein Glück, daß ich jetzt in Gera bin, so bleiben Sie mir erhalten, der Anfang war vielversprechend, und daß es so bleibt, darauf stoße ich mit Ihnen an.

Die ersten drei Wochen dachte Heinrich, das dauert nur ein paar Tage, bis man ihm den Prozeß macht, aber dann geschah nichts, und keine Rosa kam und lange kein Harms, wie er es erwartet hatte, und dann stand der auf einmal eines Tages in Heinrichs Zelle und war da und redete und predigte, als wäre er ein Freund oder ein Vater. Mensch, Hampel, sagte Harms, Sie machen Sachen, das alles gefällt mir gar nicht, aber wer es besser weiß im Nachhinein und sich bemüht, dem reichen wir die Hand. Sie hätten lieber auf mich hören sollen, sagte er, und vorsichtiger hätten Sie sein sollen und mißtrauischer gegenüber den sogenannten Freunden. Ich habe es Ihnen schon damals gesagt: Man muß geduldig sein in unserem Land, wer hoch hinaus will, braucht einen langen Atem, also machen Sie etwas daraus, zwei oder drei Jahre sind eine lange Zeit, das wäre mein Rat.

Zwei oder drei Jahre, hörte Heinrich (zum zweiten Mal hörte er es) und erschrak über die tausend Tage, also das konnte doch nicht sein: tausend Tage für sechzehntausend Mark Schulden, doch Harms schien nichts weiter aufzufallen, oder er fand die Strafe gerecht oder hatte sie selbst mit ausgedacht oder befürwortet. Und nun schwiegen sie beide, und als ein jeder fertig war mit seinem Schweigen, bedankte sich Heinrich, und auch Harms bedankte sich, man werde ihn nicht vergessen, unsere Behörden haben ein gutes Gedächtnis. Ob er Heinrich eventuell einen Gefallen tun könne, fragte er, und Heinrich sagte: Ja, Rosa, schon nach ein paar Tagen durfte sie ihn besuchen. Müde und schmal sah Rosa aus, aber auch entschlossen, ohne Mitleid. Es war vor allem sie, die redete und ihn beschwor und bearbeitete, und dazu nickte er und sah sie an, merkte sich etwas, legte Vorräte an für später.

Eva läßt dich grüßen und Wladimir und Gisela, sie waren die Tage bei mir, deine Gisela wollte es gar nicht glauben.

Ich habe Arbeit bei *Zeiss* ab Montag, sagte Rosa, Friedhelm hat für mich gefragt, na ja, Lohnbuchhaltung, meine Güte, aber von etwas müssen wir ja leben.

Durchhalten müssen wir, sagte er.

Mein Gott: durchhalten, sagte Rosa.

Was soll ich sagen, sagte Heinrich und fand, sie machte es sich leicht, indem sie es ihm sehr schwermachte, immerhin hatte sie ja die Kinder und die vier Wände, in denen sie aus und ein ging, ganz wie es ihr gefiel.

Du bist verärgert, sagte er, und Rosa: Ich denke nur, was alles hätte sein können, denn im Westen wärst du billiger davongekommen. Es wäre nicht leicht geworden, aber die Freunde, die Wohnung, das gute Leben hätten wir behalten.

Nun ist es anders gekommen.

Es kommt immer anders.

Aber auf unseren Luftmatratzen war es schön. Sag, daß es schön war auf unseren Luftmatratzen.

Ja, ich sag es.

Sie faßte ihn nicht an in der halben Stunde, bevor die große Geduldsprobe begann, er hatte ja nur sie, und auch Rosa hatte nur Rosa. Er blieb mehr oder weniger derselbe im Gefängnis, aber als sie ihn abholte nach fast tausend Tagen, erkannte er sie nicht wieder.

6

Natürlich hätte auch alles ganz anders kommen können, zum Beispiel 1953 in Afrika hätte alles ganz anders kommen können, aber dann war er faul und ungeduldig und hatte kein Talent als Gärtner und Bauer, und eine seltsame Tante hatte er, die legte sich bei Vollmond in fremde Betten und war eine Schlafwandlerin. Er hatte große Pläne mit sich in diesem Afrika, in dem ein entlaufener Mönch und ein schwangeres Dienstmädchen ihr Glück machen konnten und bestimmt auch einer wie Heinrich, nur leider die Reise war lang und unbequem und dauerte ab Southampton an die drei Wochen.

Das Schiff begann sich gerade vom Ufer zu lösen, da sah er tief unten am Kai den Matrosen Jeff, wie er noch einmal winkte und ihm etwas zurief, aber zu diesem Zeitpunkt war von dort unten leider längst nichts mehr zu hören, nur das Stampfen der schweren Maschinen und der kalte Westwind und das Klatschen und Rufen der Passagiere an Deck. Na, hoffentlich findest du was, hatte Heinrich gesagt, als sie die letzte Stunde in einem verrauchten Pub am Hafen die Zeit totschlugen, und Jeff, der seit Monaten auf der Suche nach einem richtig guten Schiff war und keins fand, hatte gesagt: Na klar, mache ich, Mann, aber du sei nur immer vorsichtig mit verheirateten Frauen, um deine Stella auf dem Foto beneide ich dich.

Heinrich hatte nicht verstanden, warum einer wie Jeff seit Monaten in Southampton herumhing und von einem billigen Pub in den nächsten zog und Schulden machte und wegen seiner Schulden in immer noch billigeren Pubs die Zeit vertrödelte. Ja, gut, nächste Woche, ich verspreche es, hatte Jeff gesagt, der seit bald zwanzig Jahren immer nur auf Schiffen lebte und die Mädchen nicht kannte als aus schäbigen Bordellen, und da hatte er Heinrich eine gute Reise gewünscht, mach's gut und komm bald wieder, aber wenn du eines Tages wiederkommst, bin ich hoffentlich auf dem Weg nach Madagaskar oder liege bei einer Schönen aus Jamaika oder Bristol, das waren zum Abschied seine Worte.

Noch als das Schiff ein paar hundert Meter vom Ufer entfernt war, sah er, wie Jeff am Kai stand und winkte, bis sie endlich an Fahrt gewannen und Jeff und die bunte Menge am Kai klein und kleiner wurden, und dann drehten sie ab und fuhren hinaus aufs Meer. Fast eine Stunde stand Heinrich an der Reling und dachte in der hereinbrechenden Dämmerung diesem Vogel hinterher, und warum er seit Jahren kein Mädchen hatte und noch nicht einmal eine feste Adresse, denn vielleicht hätte er ihm ja geschrieben, wie das alles war im fernen Südafrika, und wie nun Stella genau war und der Onkel, die jung gebliebene Tante, das alles hätte er dem womöglich geschrieben.

Eine Weile sah man in der Ferne noch die Lichter der Stadt Southampton, von der er nur einen billigen Pub im Hafen kannte, und nach einem letzten Blick ging er endlich nach unten und suchte im Gedränge auf den Fluren der zweiten und dritten Klasse seine Kabine, aber es war noch niemand da, nur ein großer Koffer auf einer der beiden Pritschen, an den vielen bunten Aufklebern ließ sich die Herkunft des Besitzers leider nicht erraten.

Beim Abendessen kurz vor acht setzte sich Heinrich zu zwei Indern und einer älteren Frau aus London, und also erklärte man sich mit Händen und Füßen, woher man war und wohin man wollte, und ließ sich ein bißchen verschnaufen oder die Blicke schweifen, das war die Arbeit der ersten Stunden, Heinrich entdeckte auch gleich hie und da eine Schönheit, schaute in ein paar dunkle oder helle Augen, achtete darauf, daß die Gedanken nicht zurück zum Vater und zur toten Mutter marschierten, entspannte sich.

Vielleicht war es ja doch möglich, ganz sachlich und nüchtern über all diese Vergangenheiten nachzudenken, dachte er und trank noch ein letztes Bier an einer Bar im Zwischendeck, ehe er gegen halb zehn zurück in seine Kabine ging und den Besitzer des großen Koffers traf, einen Belgier aus der Gegend von Lüttich, der ein Vertreter für Industrienähmaschinen im südlichen Afrika war, und ein seltsames Deutsch redete der und war fürs erste nicht besonders gesprächig. Nicht unangenehm, dachte Heinrich und fand es nur seltsam, wie sich der Belgier auf einmal vor ihm auszog und mit nacktem Körper ein paar Liegestützen machte und noch immer nackt sich waschen ging und wiederkam und sich zudeckte und von Heinrich wegdrehte, als wisse er, daß der das mit seinen einundzwanzig Jahren noch nicht konnte: sich zeigen vor einem Fremden, einem Mann um die Vierzig, von dem er nur wußte, er lebte in der Nähe von Lüttich und hatte einen Körper wie ein Soldat.

Erst Stunden später, da er noch immer wach lag, freute sich Heinrich, und daß es nun endlich losging mit der Reise und dem Leben auf eigene Faust und Rechnung, und was hinter ihm lag, war lächerlich und der Rede nicht wert. Er hätte gern von Stella geträumt in der ersten Nacht, aber die, von der er träumte, hieß Rosa und saß eine Kabine weiter weinend über sieben Koffern und wollte nach Haus.

Die böse Nachricht hatte sie am frühen Abend erreicht, da waren sie alle gerade zurück von ihren täglichen Besuchen, hatten der Todkranken noch einmal die Lippen befeuchtet und auf einen ihrer selten gewordenen Momente gewartet, in denen sie wach war und ihre Kinder erkannte und ihren Mann, denn für jeden von ihnen hatte sie ein Vermächtnis oder einen Trost oder ein Rätsel. Nur für Heinrich hatte sie bis zuletzt kein Vermächtnis und keinen Trost und kein Rätsel gehabt, Mensch, Heinrich, flüsterte sie, oder es schien Heinrich nur so, als flüsterte sie's: Mensch, Heinrich, mein Sohn, was für ein Jammer, und darauf der Sohn: Ja, ich höre, Mutter, was für ein Jammer, aber was dich auffrißt und ins Grab bringt, kommt aus dir selbst.

Das war am Dienstag oder Mittwoch, daß er sie zum letzten Mal gesprochen hatte, und nun war es Freitag, der Nachbar mit dem einzigen Telefon weit und breit hatte ihnen die Nachricht überbracht. Um Himmels willen, Vater, sagte Constanze und ließ den Nachbarn, den Boten, in der Tür stehen, und da wußte auch der Vater Bescheid und lief zur Tür und dankte, verbeugte sich vor dem Nachbarn, nickte. Heinrich sagte: Nun hat sie es endlich hinter sich, und da fielen sie alle über ihn her, weil er wie immer nur an sich dachte, aber an die Lebenden, die Toten verschwendete er keinen Gedanken. Ach Kinder, sagte der Vater, und daß man ja wohl zum Abschied noch einmal hin müsse, nur wenn er sie erst mal so sieht und anfaßt und nichts bewegt sich, das weiß er, muß er zerbrechen.

Dann schickte er ein Telegramm an Theodor, dann rief er ein Taxi, dann fuhr er mit Paul und Heinrich, sich von der Toten verabschieden. Heinrich ging nicht näher als ein paar Meter an die Tote heran, aber der Vater küßte ihr ein paarmal die Hand und betrachtete sie wie eine Bekannte, während Paul nur immer den Zettel an ihrem linken Zeh studierte: geboren am 15. August 1899, gestorben am 2. Februar 1953, Elisabeth Hampel, da war sie nun schon eine andere. Komm laß uns gehen, sagte Heinrich, aber der Vater hörte nicht, und deshalb gingen Paul und er auf eine Zigarette hinaus auf den Flur und standen und wußten nicht recht, was reden.

Theodor traf erst am nächsten Morgen ein und erkannte mit einem Blick die Lage, und weil er sah, der Vater wußte in seinem Kummer noch nicht einmal die einfachsten Schritte, riß er alles an sich, fand ein paar tröstende Worte für die Schwestern, schickte Paul nach Lebensmitteln und Heinrich zu einem Bestatter zwei Straßen weiter, der hatte ein Wort für jede Lage, empfahl auch gleich einen schlichten Sarg aus dem vorderen Drittel seines Prospektes, kannte Decken und Totenhemden, die der Mutter gefallen hätten, unserer lieben Toten, Ihrer Frau und Mutter, unerforschlich und weise sind die Wege des HERRN, aber wer im Glauben lebt, ist geduldig und tapfer und weiß, die Toten sind uns nur einen Schritt voraus. Herr Hampel, über den Grabstein müssen wir die Tage noch reden, sagte zum Abschied der Bestatter, oder Sie schicken Anfang der Woche einen Sohn vorbei, da fiel die Wahl auf Heinrich. Sogar Theodor hatte ihm freie Hand für einen Stein gelassen, der ihr gerecht würde und sie überdauerte, hart und unbehauen, ohne Schliff, das war es, wie er sie dachte, aber hell, mit einem Stich ins Rötliche, eine Frau wie Granit.

Dann war das erste Wochenende zu überstehen, das große Schweigen und die Tränen hinter verschlossenen Türen oder am Mittagstisch, wenn Heinrich Dosensuppe mit Wiener Würstchen servierte, und keiner hatte Hunger. Theodor war fast zwei Tage damit beschäftigt, Traueranzeigen in alle Welt zu verschicken, während der Vater mit einem Becher Kamillentee regungslos auf dem Sofa saß und schwieg und verstummte, man wurde nicht richtig schlau aus ihm, und in welcher Not er sich genau befand, und ob das nun schon die Tage waren, in denen die Krankheit sich einnistete in seinem Kopf, oder ob das erst am Tag der Beerdigung war bei minus zwanzig Grad oder in den Wochen und Monaten danach.

So kalt war es am Tag der Beerdigung gewesen, daß alle Blumen und Gebinde sofort erfroren: die roten Rosen des Vaters, der Kranz mit den Alpenveilchen der Firma *Schott*, das bunte Gesteck der Brüder und Schwestern, die Blumengrüße aus Aachen, alles gleich erfroren. Rosa, als sie Heinrich ein paar Tage später besuchte und das Elend des Vaters sah, sagte nur: Er sucht noch immer Worte dafür, aber für dich ist es schon jetzt wie eine Befreiung. Du denkst nur immer an deine Reise, sagte sie, und wie du hier rauskommst und alles hinter dir läßt, auch mich. Unsinn, hatte Heinrich gesagt, ich bin nur froh, daß es vorbei ist, und wenn du willst, hole ich dich in ein paar Monaten nach, dann werden wir ja sehen, nur Rosa glaubte nicht recht daran, denn noch war nicht viel gewesen zwischen ihr und ihm, es kamen auch andere in Frage als Rosa, das wußte sie, und keine zwei Stunden vor der Abfahrt seines Zuges lobte er ihre weichen Stellen, als wäre es ein für allemal.

Als Heinrich am nächsten Morgen erwachte, lag der Belgier schon angezogen auf seinem Bett und las in einer amerikanischen Zeitschrift, sagte etwas vom ersten Frühstück, das Heinrich verpaßt habe, und außerdem rede er manchmal im Schlaf, ob ihm das schon eine gesagt habe? Nein, nicht, daß ich wüßte, sagte Heinrich und merkte schon, der Belgier meinte es gut mit ihm, wußte gleich einen Saal im Zwischendeck, in dem man bis zum Mittag ein Frühstück bekam, und wich auch in den nächsten Tagen kaum von seiner Seite, war immer früh auf, weckte Heinrich oder ließ ihn schlafen, wenn sie bis weit nach Mitternacht an der Bar getrunken hatten oder Heinrich mit seinen weißen Schuhen die Nächte durchtanzte und eine Woche lang eine blasse Engländerin bezirzte und sein Geld für die verschleuderte, als könnte er darin baden. Er hatte am Ende keinen wirklichen Erfolg bei der Engländerin, die war gerade neunzehn und reiste in Begleitung ihrer fast blinden Großmutter, hatte kleine spitze Brüste und wünschte sich Ende der zweiten Woche aus Langeweile unten in der ersten Klasse einen Kuß, denn die Tage und Nächte waren lang, die Abwechslungen spärlich, man lebte nur so von Mahlzeit zu Mahlzeit und wurde dick und träge und zappelig, und also tröstete sich Heinrich in den Nächten oder am späten Nachmittag bei irgendwelchen Gedanken an diese Julia oder die ferne Rosa oder Stella, die Beute seines Cousins Alfred, die hatte eine Haut so braun wie Kakao.

Er hatte nur ein unscharfes Schwarzweißfoto von ihr, da stand sie halb verdeckt hinter einem blühenden Pfirsichbaum, trug einen an den Rändern fransigen Strohhut, und ein helles geblümtes Sommerkleid trug sie und an den Füßen keine Schuhe. Noch immer war er enttäuscht, daß nicht sie ihm geschrieben hatte, aber die Tante mit ihrer schönen runden Mädchenschrift hatte ihm geschrieben: Mein armer Junge, lieber Heinrich, schrieb sie, noch kennen wir uns nicht, aber nach all den schlimmen Wochen sollst Du wissen, wie sehr wir Dich erwarten.

Heinrich konnte nicht genau sagen, wie er das fand, daß ihm die Tante mit ihrer schönen runden Mädchenschrift solche Sätze schrieb und ihn und sich die Jahre nicht merken ließ und nicht die tote Mutter. Wahrscheinlich wäre er nicht überrascht gewesen, wenn Stella ihm so geschrieben hätte, und daß sie immer fleißig an ihn dachte und sich freute, vielleicht war das dort unten ja üblich, sich derart auf Besuch aus dem fernen Europa zu freuen, oder speziell die Tante hatte so eine Art, oder Heinrich erinnerte sie an eine frühere Liebschaft, im Nachhinein waren natürlich alle klüger.

Mit seinem Belgier redete er auch nach der ersten Woche nicht viel, aber das mochte er gerade an dem, daß sie stundenlang nebeneinander in ihrer Kabine lagen und schwiegen oder an der Bar beim dritten oder vierten Drink an ihre Familien dachten und Tage und Wochen, die sie voneinander trennten, sie waren ja beide mehr oder weniger auf der Flucht. Na ja, ein paar Jahre ist es gutgegangen, sagte der Belgier, und später ging es ein paar Jahre schlecht, und eines Tages war sie fort mit einem anderen, ich hoffe, sie bereut es. So ist das Leben, sagte Heinrich dann, oder er sagte gar nichts und schaute aus den großen weiten Fenstern hinaus aufs Meer oder nach hinten, wo in einer Ecke die blasse Engländerin mit ihrer fast blinden Großmutter saß, die es nicht merkte, wenn er sich zu ihr an den Tisch setzte und ihrer Julia etwas antat, das waren so seine Tage. Hast du schon nach Hause geschrieben, fragte der Belgier, als sie am vierten Tag in Madeira anlegten, und da sah ihn Heinrich nur groß an, denn was sollte er nach einer Woche schon schreiben, als daß er am Leben war und wenig an sie dachte, nur an Rosas berühmte weiche Stellen dachte er, und wie das war, wenn sie unter seinen Händen seufzte oder ihnen etwas zeigte und auf Wege zurückführte, von denen sie abgekommen waren oder die zu entdecken sie sich wünschte.

Nur die Mutter hatte Rosa vom ersten Augenblick an nicht gemocht, denn was war das bloß für eine Hausfrau, die beim Kuchenbacken den Rest Eiweiß nie aus der Schale wischte und in den Müll warf, so eine Sünde. Ja, die Mutter, nun kennst du sie, hatte Heinrich gesagt, denn damals im Spätsommer zweiundfünfzig hatte die Sache mit Rosa gerade angefangen, und daran mußte er Ende der ersten Woche denken, da stand er nach dem Mittagessen lange an der Reling und schaute über das Wasser in Richtung Süden, wo das neue Leben war und Stella und der Onkel und die Tante, und da dachte er an all das und nahm das Foto der Mutter und zerriß es, warf es ohne Zögern ins Meer.

Anfang der zweiten Woche lud Heinrich seine Engländerin zum Tanztee ein, und als er sie am frühen Abend zurück in ihre Kabine brachte und sie beide nicht wußten, was weiter, stand auf einmal der Belgier in der Tür und sah sie an wie zwei ertappte Schüler. Sie ist noch ein Kind, sagte der Belgier, und daß er doch lieber an seine Rosa denken soll, und ob Heinrich schon mal an einen Mann gedacht hat, wie er an seine Rosa denkt, das vor allem wollte der wissen, darauf lief es hinaus. Heinrich konnte gar nicht glauben, daß der Belgier auf einmal solche Bekenntnisse von ihm verlangte, und so schüttelte er nur ungefähr den Kopf und wartete und sagte: Bitte nicht, sagte er und fand, er hätte es fester, abweisender sagen müssen, und statt dessen saß er nur da und fand die Fragen nicht schlimm und nicht das Schweigen, fühlte sich geschmeichelt.

Später schämte er sich, daß er einem Mann das alles erlaubt hatte, aber damals auf dem Bett schämte und fürchtete er sich nicht, hörte nur einfach zu und staunte und bedankte sich. Schade, sagte der Belgier, als er damit fertig war, Heinrich mit seinem seltsamen Belgierdeutsch zu loben und zu preisen, und daß sie hoffentlich gute Freunde blieben für die Dauer der Reise, das ließ er sich versprechen, und von nun an kein Wort mehr darüber, bloß beim Einschlafen oder am späten Nachmittag oben in der Bar, wenn die Stunden sich dehnen, möchte er gerne an ihn denken. (Ja, das darf er.)

Sie sind sehr freundlich zu mir, sagte Heinrich, und der Belgier sagte: Das machst du selbst, daß ich freundlich bin zu dir und nicht anders kann, und nun hör gut zu, ich habe eine Bekanntschaft für dich gemacht, oben im Speisesaal erwartet man dich schon: ein reicher Farmer aus der Nähe von Kapstadt, der in den dreißiger Jahren nach Südafrika ausgewandert ist und gerade von einer vierwöchigen Europareise zurückkehrt, der wird dir gefallen. Na ja, mal sehen, sagte Heinrich und ging dem Belgier zuliebe hinauf zu dem ehemaligen Landsmann, um die Fünfzig mochte er sein, ein geborener Wuppertaler, der seiner viel zu jungen Frau bei jeder Gelegenheit über den Mund fuhr und in einer Lautstärke von seinen Erfolgen und seinem Reichtum redete, daß man noch ein paar Tische weiter seinen Spaß hatte.

Von Heinrich war er gleich ganz angetan, und auch seine kleine Maus war von Heinrich auf Anhieb angetan, nur schwieg sie beinahe die ganze Zeit, fragte nicht viel, aber Genaues, bedauerte ihn nicht für das, was gewesen war, und hielt seine Wünsche, Träume, Pläne für berechtigt. Heinrich seinerseits wollte eigentlich nur guten Tag sagen und eine gute Reise wünschen, aber der dicke Felix aus Wuppertal nötigte ihn sofort an den Tisch, und kaum war man bei der zweiten Flasche *Cabernet Sauvignon*, stellte sich heraus, daß man sich im Grunde längst kannte: sieben, acht Jahre sei das her, da habe er Heinrichs Onkel einmal auf einer politischen Versammlung in Johannesburg getroffen, und das sei ja nun einmal bekannt, daß der Onkel es viel zu gut meine mit den Negern im allgemeinen und seinen Arbeitern im besonderen, oder ist es denn etwa ein Verbrechen, wenn man ein unartiges Kind schlägt oder einen Neger, der seine Arbeit nicht macht, darüber habe man damals gestritten. Was der Onkel dort oben im Norden anbaue? Ach ja, den Spargel. Ein verrückter Mann, der Onkel, der seine Leute nicht schlägt, man kennt ihn praktisch im ganzen Land, ich meine, unter uns Deutschen kennt man ihn, also bestell ihm bitte herzliche Grüße, auch von meiner Maus bestell ihm unbekannterweise herzliche Grüße, damals in Johannesburg hatte ich dich ja noch nicht, oder wie war das.

Das war dann so ein Moment, in dem es schien, als würde sie etwas sagen, nur dann polterte er schon wieder weiter und achtete nicht auf ihre möglichen Sätze, oder sie hatte es sich längst abgewöhnt, in seiner Anwesenheit auf eigene Sätze zu bestehen, und hob sie sich lieber auf für später. In den Tagen danach traf Heinrich sie zufällig einmal in der Bordbibliothek und ein anderes Mal frühmorgens unten bei den Toiletten, und dabei war es immer Heinrich, der sie grüßte und vor ihr stehenblieb, damit sie Zeit hatte, ihre kleinen, klugen Sätze zu sortieren, ihre freundlichen Fragen. Sie war nicht eigentlich hübsch mit ihren graublauen Augen und dem schmalen Kostüm, aber sie hörte gerne zu, beneidete ihn unverhohlen um seine Jugend und was er noch alles vor sich hatte mit seinen einundzwanzig Jahren: als hätte sie das Beste schon hinter sich.

Ich weiß nicht warum, aber glaube an dich, sagte sie dann, oder sie ließ sich erzählen, wie er in ein paar Monaten seiner Rosa ein Ticket schickt, aber zuvor würde er Tag und Nacht den frischen Spargel seines Onkels durchs Land fahren und für sündhaft teures Geld an die großen Hotels an der Küste verkaufen, und am Ende würde der Onkel sich beglückwünschen, daß er seinem Neffen das Ticket bezahlt hat, und ihn zum Teilhaber bestellen, so in etwa.

Und sonst war da gar nichts. Nur einmal für einen Augenblick war da etwas, das war schon gegen Ende der Reise, als der dicke Felix bei einem Abendessen sich Gedanken machte und seine Maus und Heinrich musterte und sagte: Ich hoffe, ihr beide habt mir auch keine Geheimnisse, ihr beide, und da errötete sie doch tatsächlich wie ein Backfisch und war glücklich und stolz, daß sie errötete, und das war alles.

Ein paar Stunden, bevor sie Kapstadt erreichten, besuchte sie ihn zum Abschied noch einmal in seiner Kabine, und auch die blasse Engländerin verabschiedete sich auf ihre Art und schrieb ihm auf englisch ein parfümiertes Briefchen, für alles weitere sei es ja nun leider zu spät. Sieh nur an, deine Engländerin, sagte der Belgier, der ihm alles übersetzte, bevor sie beide die Adressen tauschten, nur falls du einmal nach Lüttich kommst und eine Bleibe brauchst; damit ging der an Land.

Diesmal war es Heinrich, der winkte und suchte und dem Gesuchten vergeblich ein letztes Wort hinterherrief und nicht gehört wurde, und später kamen die Häfen von Port Elisabeth und East London, und am 21. April frühmorgens um halb sieben waren sie in Durban.

Noch Stunden später auf der langen Fahrt im schwarzen *Chevrolet* des Onkels konnte sich die Tante darüber amüsieren, daß der Neffe aus Deutschland fast eine halbe Stunde einer jungen Schwarzen mit Strohhut gewinkt hatte, die er irrtümlich für Stella hielt, und dabei war die schöne Stella gar nicht gekommen, aber der Onkel in karierter Weste und mit Jackett über dem Arm, man sah ihm die 700 Kilometer Landstraße gar nicht an. Ab acht Uhr morgens hatten er und die Tante gemeinsam am Kai gestanden, und es war die Tante gewesen, die den Neffen aus Deutschland als erste entdeckte, aber weil der immerzu über sie hinweg zu dieser Schwarzen winkte, sahen sie sich erst zwei Stunden später nach Erledigung der letzten Formalitäten. Du siehst müde aus, mein Junge, war das erste, was sie sagte in ihrem Sommerkleid, und der Onkel sagte: Na also, herzlich willkommen bei uns im Staat der Buren und Engländer, du wirst sehen, ein schönes Land ist das, bei uns ist ja alles immer ein halbes Jahr früher oder später, aber kalt und ungemütlich ist es eigentlich nie.

Und so fuhren sie los und immer weiter in Richtung Norden an Johannesburg vorbei durch verbranntes Land mit abgeernteten Feldern und der einen oder anderen verstreuten Ortschaft aus runden Häusern mit Dächern aus Stroh, ein träge und breit dahinfließender Fluß in der Ferne, eine erste Giraffe unter hohen Bäumen, die Zebras, die Herde Rinder, die ihren Weg kreuzte, die vier Esel, die einen Karren zogen und die staubige Piste entlangtrotteten, und das Licht und der ewige Staub und der weite Himmel über dem unendlichen Land: das waren die ersten Eindrücke.

Später mußte er für eine Weile eingeschlafen sein, denn als er davon erwachte, daß die Tante seine Schulter berührte und fragte, ob er mitkommt, eine Kleinigkeit essen, war es längst Nachmittag, die Sonne über dem Selbstbedienungsrestaurant schien mild und warm. Na, ausgeschlafen, fragte der Onkel und wollte sich auf den letzten hundert Kilometern nicht ablösen lassen, sang ein paar deutsche Lieder, damit er wach blieb und die Tante mit ihren Fragen erst gar nicht anfing, denn nun fahren wir erst mal nach Hause, lassen uns von Abraham einen kühlen Drink bringen, dann fragt euch meinetwegen aus.

Überraschend klein erschien Heinrich das Haus mit dem langen schrägen Dach über der Veranda, in dem es nur drei winzige Zimmer gab und eine Küche und Bad und WC in einem, also bitte, wir haben keine großen Ansprüche, als Farmer bist du fast immer auf den Feldern oder im Treibhaus, du wirst schon sehen. Komm, ich zeig dir dein Zimmer, sagte die Tante und führte Heinrich in eine Kammer mit Bett und Stuhl und Schrank und einem Fenster hinaus zum Hof, da sollte er wohnen, bis er etwas eigenes hatte und das nötige Geld dazu, das würde eine Weile dauern.

Genau zwischen Bad und Schlafzimmer lag die Kammer und hatte bis vor einer Nacht dem guten Abraham gehört, wenn er nach dem Mittagessen ein kurzes Nickerchen macht und sich ausruht von seinen guten Diensten, bald acht Jahre hatten sie ihn jetzt im Haus und waren's zufrieden, denn er war zuverlässig und verschwiegen und hatte mit seinen bald siebenundfünfzig Jahren keine andere Wahl. Hunger? fragte die Tante und sah ihn an, wie wenn sie wirklich schon auf ihn gewartet hätte, und Heinrich sagte: Ja, doch, sehr gerne, und erwartete irgend etwas Afrikanisches, aber dann gab es zur Feier des Tages etwas aus der Heimat. Ungefähr eine Woche hatten die Tante und Abraham jeden Abend in alten deutschen Kochbüchern geblättert und überlegt und entschieden, und also gab es zur Feier des Tages Sauerbraten mit Kartoffelklößen, das würde dem Neffen schmecken, und ja, das schmeckte ihm.

Erst beim Nachtisch fragte sie nach dem Vater und den Geschwistern, und weil der Onkel noch immer nicht richtig zuhörte, berichtete er nur das Nötigste, erwähnte Theodors berufliche Erfolge, machte einen Bogen um Rosa, seine Verlobte, zog sich bald zurück. Durch das offene Fenster lauschte er noch eine Weile auf das eine oder andere unbekannte Geräusch im Garten oder von weiter weg, den Feldern und Wiesen des Onkels, die man im Dunkeln kaum übersah, vermutlich waren es ja Zikaden, die da sangen, oder Grillen, wie er sie kannte vom Paradies in Jena, und später hörte er eine Tür, die auf oder zu ging, die tiefe Stimme des Onkels, die milde Antwort der Tante, als sie sagte (oder er träumte es): Sei freundlich, er ist ja fast noch ein Kind, der Arme, ich habe mich gefreut auf ihn, also laß ihn mir, oder ist es mit dieser Rosa etwas Ernstes?

Am Sonntag nach seinem einundzwanzigsten Geburtstag hatte Heinrich Rosa zum ersten Mal die Ehe versprochen. Komm, ich habe eine Überraschung für dich, hatte Rosa gesagt, und Heinrich hatte nicht die geringste Ahnung gehabt, aber im Schwimmbad hinter den Büschen sah sie ihn auf einmal an, sah seine Hände an und nahm eine und zeigte ihm die Stelle und wie ein Mann das macht, daß ein Mädchen von neunzehn Jahren das mag und die Augen schließt, und alles andere würde schon kommen und hatte wie alles seine Zeit. Ja, da, sagte Rosa, und nun bleib und sei lieb und achte auf mich, denn das ist mein Geschenk, nun, da du ein richtiger Mann bist, und Heinrich fand, daß das genau das richtige Geburtstagsgeschenk für einen Mann war, und wollte sie auf der Stelle heiraten. Aber was redest du denn, sagte Rosa und nahm es wie eine seiner Übertreibungen, machte die Augen zu, merkte sich hie und da eine Kleinigkeit, die ihm nicht ganz gelang, überließ sich ihm, denn was er redete, war das eine, und was seine Hände taten, etwas anderes. Bist du jetzt enttäuscht, hatte sie gefragt, als sie lange nach Einbruch der Dunkelheit nach Hause gingen und sich das Gras aus den Haaren, Kleidern zupften, aber Heinrich hatte es bestritten und nahm die leise Enttäuschung für ein Versprechen oder eine Aufforderung, denn das nächste Mal würde *er sie* dort hinter den Büschen unterweisen, und wie das war unter ihren Händen, das ahnte er und hatte nicht die geringste Ahnung: so schön.

Als er der Mutter in der Küche begegnete, dachte er: Sie muß es mir ansehen, daß ich mit Rosa hinter den Büschen war, oder sie merkt es am Geruch meiner Finger, doch der einzige, der etwas merkte und wie immer keine Ahnung hatte, war der gute Paul, der sich wunderte, warum Heinrich immerzu an seinen Fingern schnupperte, und nicht wußte, daß es der Geruch Rosas war, und für Heinrich war das an diesem Abend der kostbarste Geruch der Welt.

In diesem Sommer war die Mutter krank geworden, oder die Krankheit machte sich endlich bemerkbar, hinterließ die ersten Spuren. Schon im Juni zur Silberhochzeit bei Kaffee und Kuchen war die Mutter auf einmal aufgestanden und hatte sich mitten an ihrem letzten schönen Tag entschuldigt, und im Juli blieb ihr unten im heißen Waschhaus ein paarmal die Luft weg, so fing es an, die Leber und die Bauchspeicheldrüse, wo der Krebs saß, machten ihr schon Arbeit genug. Im August, als Heinrich von Rosa kam und roch, wie er zuvor nur einmal in Rußland gerochen hatte, war ihr sogar die fällige Zurechtweisung zuviel gewesen, und im September hatten sie den Onkel aus Südafrika zu Besuch, der fand, die Mutter brauche ein wenig Abwechslung, und was überhaupt Heinrich den lieben langen Tag so mache, und schon waren sie bei der Idee mit Afrika.

Aber was soll er denn dort unten machen als Ungelernter, sagte die Mutter, und der Onkel sagte: Ja, eben, drum, meine Neger haben auch nichts gelernt, aber Arbeit gibt es in Hülle und Fülle, die reicht für ein ganzes Leben. Nun ja, warum nicht, sagte Heinrich und wollte gleich los, Rosa alles berichten, aber da war die Mutter noch einmal die alte und nannte Rosa das unwichtigste Ding der Welt, er solle sich lieber hinsetzen und hören, was der Onkel ihm sage. Und der fing auch gleich an und erzählte, wie er anno sechsundzwanzig als Bruder des Ordens zum Heiligen Geist im Oranje-Freistaat an den Spargel glaubte und im Garten der Missionsstation in Harrismith zwischen allerlei Gebeten die ersten Pflänzchen pflanzte, nur leider seien ihm eines Tages die Frauen dazwischengekommen, und weil mir leider die

Frauen in Gestalt deiner Tante Felice dazwischengekommen sind, schreiben sie in Amerika große Artikel über mich und meine Neger und den Spargel, der mich nicht reich macht, aber auch nicht das Gegenteil, für ein Schiffsticket Southampton-Durban wird es gerade reichen: Das war sein Angebot.

Überlegt es euch, hatte der Onkel gesagt, bevor er zurück nach Afrika flog, und paßt mir auf eure Mutter auf, ihr braucht sie noch, da waren auch alle einverstanden und überlegten und hatten bald andere Sorgen, denn die Schmerzen im Gedärm der Mutter wurden schlimmer und schlimmer, und als auch eine Wallfahrt nach Freising zum Heiligen Korbinian nicht helfen wollte, brachten sie die Mutter Mitte November ins Krankenhaus zum Sterben.

Nur Heinrich hatte von der Wallfahrt nichts wissen wollen und war zu Hause geblieben, wo er von seiner Rosa träumte, und wie er ihr am Abend alles zeigen würde und wie man das macht, daß ein Mann von einundzwanzig Jahren vor Wonne die Augen schließt, und alles andere würde wie immer kommen und hatte wie alles seine Zeit. Ja, da, sagte Heinrich, als sie endlich da war, und dachte an keine Mutter und keinen Vater, achtete auf ihre Hände, die klugen, fleißigen, und Rosa war sehr ernst und wußte auf Anhieb jede Verzögerung und jede Stelle, vielleicht verschwieg sie ihm ja etwas, oder die Liebe war's, die machte sie zärtlich und weise.

Sie hatten gerade noch Zeit, die Decke über das Bett zu werfen, da stand vor Sorge bleich der Vater im Zimmer und bat, ein paar Sachen für das Krankenhaus zusammenzupacken, und die Mutter ging gekrümmt vor Schmerzen und sagte gar nichts, sah nur das Mädchen Rosa und Heinrich, und die in aller Eile zurechtgezupften Kleider und die Hitze in den Gesichtern sah sie und war nicht böse, und daran, daß sie nicht böse war und ihnen gönnte, was sie in ihrem Inneren zutiefst mißbilligte, erkannte Heinrich, daß es um sie geschehen war.

Er brachte ihr bis zuletzt die Säfte und das Obst aus fernen Ländern, und gegen Ende wurde sie still und grau und appetitlos und wollte nichts mehr hören, denn was wußten die Lebenden schon von ihrer schweren Arbeit des Sterbens, und daß man sie alle gerne in der Nähe hat, aber wenn es ernst wird, ist man lieber allein, nimmt Anlauf und bringt es hinter sich, und was immer dann kommt, ähnelt womöglich dem Paradies nicht, aber besser als diese Hölle ist es allemal.

Am nächsten Morgen gab ihm der Onkel eine kurze Einführung über die Gründe seines Erfolgs als Gärtner, und welche Pflanzen und Blumen er in seinen Treibhäusern zog, und dahinter so weit das Auge reichte die Felder, auf denen im afrikanischen Frühling der Spargel wuchs, das waren die beiden Quellen seines Reichtums, und die ihm dabei halfen und von ihm entlohnt wurden, nannte er seine schwarzen Kinder, und wenn sie ihn alle grüßten und auch den Gast an seiner Seite nicht vergaßen, kannte er sie immer beim Namen. In den Treibhäusern ziehen wir je nach Jahreszeit im Prinzip alles, was blüht und den Menschen Freude macht, sagte der Onkel, und davon leben wir, ich glaube, nicht schlecht. Beim Spargel, auf den ich seit langem meine Hoffnung setze, kommt es auf drei Dinge an: erstens einen leichten, humushaltigen Sandboden, zweitens eine gleichmäßige Wasserversorgung, drittens Geduld und noch mal Geduld. Etwa fünfzehntausend Pflanzen sind optimal, man pflanzt sie etwa zwanzig Zentimeter unter dem gewachsenen Boden, dann heißt es warten bis Ende Oktober, Anfang November, bis die Ernte beginnt. Du wirst ja sehen, was für eine mühsame Sache das ist, wenn meine Leute Schritt für

Schritt die Erdwälle abgehen und nach den kleinen Spitzen Ausschau halten, und dann stechen und holen sie den frischen Spargel ans Licht, als wär's ein gottverdammtes Niggerbaby so zart und verletzlich, und das Ganze zweimal am Tag bis Heiligabend. Wir haben nicht viel Zeit, um reich zu werden, sagte der Onkel, und über die Schwarzen: Du wirst dich mit der Zeit gewöhnen, es sind ja auch Menschen, und ob Heinrich schon einmal einen Negermenschen gesehen habe, ja, das hatte er. Im Sommer fünfundvierzig in Jena unten im Paradies hatte es den einen oder anderen gegeben, denn damals hatten die amerikanischen Sieger ihre Hand noch auf ganz Mitteldeutschland, und obwohl auch ein paar Neger dabei waren, glaubten alle, nun kämen goldene Zeiten. Ja, Irrtum, sagte der Onkel, und Heinrich nickte und nahm zur Kenntnis, daß es mindestens zwei Sorten von Negern gab, und die einen stachen im afrikanischen Frühling Spargel auf den Feldern eines entlaufenen Mönchs aus Deutschland, und die anderen befreiten das Land von Adolf Hitler und seiner Bande.

Und was denkst du, was ich hier machen soll, fragte Heinrich, und da wußte der Onkel auf Anhieb etwas, zum Beispiel die Mandel- und die Pfirsichbäume müßten geschnitten werden, dazu allerlei Hilfsarbeiten fürs erste, die Dinge, zu denen man nicht kommt: das Unkraut, das Wässern, Düngen, oder wenn eine Scheibe kaputt ist im Treibhaus oder ein Wasserschlauch, dazu die eine oder andere Reparatur im Haus oder am Wagen, ein Einkauf für deine Tante, so ungefähr stellte sich der Onkel das vor. Ja, einverstanden, sagte Heinrich und war einverstanden, weil es für den Anfang war, aber alt würde er mit all dem Kleinkram nicht werden.

Nach Hause schrieb er, daß er gut angekommen war und daß das Essen ihm schmeckte, bloß Stella habe er noch nicht gesehen, sie sei gerade auf Reisen, aber wenn sie wieder da ist, fahren wir sie besuchen, es sind ja nur fünfzig Kilometer, eine Kleinigkeit. Und so arbeitete er und war am Abend verwundert, daß er nicht müde war, wenn er den ganzen Tag in den Treibhäusern herumhing und nach irgendwelchen Kleinigkeiten Ausschau hielt und unter den Nägeln den Schmutz sich sammeln sah, bis das Händewaschen nicht mehr half.

Ungefähr zehn Tage ging das so, und am Nachmittag des zehnten Tages kam die Schwester des Onkels mit ihrem Alfred und der braunen Stella, die war schwanger im fünften Monat und hatte für den Besuch aus Deutschland noch nicht mal einen Blick. Sie mag mich nicht, dachte Heinrich und war überrascht, daß sie ihn vom ersten Augenblick an nicht mochte und ihrem Alfred bei Kaffee und Kuchen das Händchen hielt oder ihren Bauch streichelte und von der eben beendeten Reise durch den *Krügerpark* schwärmte: als wäre er gar nicht da. Ja, das waren noch Zeiten, sagte die Schwester des Onkels, Maria, die vor einem Vierteljahrhundert wegen ihres unehelichen Sprößlings Alfred aus Deutschland geflohen war, und nun hatte das Balg eine Frau so schlank wie eine Gazelle, mit Brüsten rund und erhaben wie die Hügel von Tongaland, von wo sie herkam. Na warte, dachte Heinrich und wartete, daß sie ihn bemerkte und begrüßte und eine Frage sich ausdachte, doch am Ende war es Alfred, der ihn fragte, und womit er denn nun gar nicht gerechnet habe in unserem schönen Südafrika, und da nannte Heinrich den Sauerbraten der Tante und machte die schwangere Stella lächeln: Ein Anfang war's.

Ab Anfang Mai begleitete er den Onkel ein paarmal auf seinen Fahrten zu weit entfernten Farmen irgendwelcher Freunde und Bekannter, denen der Onkel den Spargel ans

Herz legte und ob sie es nicht einmal versuchen wollten, die Pflanzen und die Erfahrung und die chemischen Mittel gegen die Hauptfeinde aller Spargelbauern, als da wären die Spargelfliege (*Platyparea poeciloptera*), der Spargelkäfer (*Crioceris duodecimpunctata*), das Spargelhähnchen (*Crioceris asparagi*), stelle er zur Verfügung.

Heinrich hörte gerne zu, wenn der Onkel die Vorteile der südafrikanischen gegenüber den europäischen Sorten pries, und daß der Spargel ein Gemüse der Kaiser und Könige gewesen sei, aber auch Zierpflanzen und Schnittgrün für Blumensträuße liefert, im Jahr ein paar zehntausend *Rand* auf einer vergleichsweise kleinen Fläche könne man ohne weiteres erwirtschaften. Bis zu einer Tagesreise weit kannte und beredete der Onkel seine potentiellen Kunden unter den Farmern der Provinzen Transvaal und Oranje-Freistaat, und so übernachteten sie hin und wieder in einem Motel, und auf dem Nachhauseweg fuhren sie auf einen Kaffee zu Stella und Alfred und Tante Maria.

Er machte auch jetzt keine rechten Fortschritte bei dieser Stella. Höflich und kurz waren ihre Antworten, zum Beispiel, wenn er sie nach ihrer Herkunft fragte und warum ihr Vater 1933 nach Südafrika ausgewandert war, wie er Stellas Mutter fand und zum Glück nicht wieder aus den Augen ließ, das waren seine Fragen. Stella ließ sich nicht anmerken, ob sie die Botschaft hörte und ob es ihr womöglich gefiel, daß er sich Mühe gab, wie auch Alfred sich Mühe gegeben hatte, das war schon eine Weile her. Es gefiel Heinrich, daß er nicht wußte, was ihr gefiel, und es gefiel ihm, daß sie noch immer ganz fremd taten, vor allem vor Alfred, der sie praktisch keine Sekunde aus den Augen ließ und seine Gründe hatte, warum er sie keine Sekunde aus den Augen ließ, das sah ja ein Blinder. Nur einmal waren er und Stella alleine, da stand sie in der Küche ihrer vor Jahren aus Deutschland geflohenen Schwiegermutter, schnitt frische Pfirsiche und Aprikosen und Äpfel, Birnen, Trauben in eine Schüssel und sagte: Du kannst mir hier den Zitronensaft auspressen, das heißt, wenn Sie Zeit und Lust haben, und da freute sich Heinrich, daß sie sich verplappert hatte und darüber hinwegging, als handele es sich um etwas Schlimmes.

Der Onkel sagte: Unsere Stella, wir haben uns auch gewöhnen müssen, und nun ist sie schwanger von unserem lieben Alfred, die Hochzeit 1949 gerade noch rechtzeitig vor den neuen Gesetzen. Sie ist nett, sagte Heinrich und tat, als habe er sich gerade einmal ihren Namen gemerkt, und eine Frage in Sachen Spargel habe er noch, und der Onkel: Nur zu, ja gerne, frag, aber paß auf, daß du auf den letzten Kilometern nicht von der Straße kommst, du fährst sehr schnell.

Immer wieder sollte Heinrich in den folgenden Tagen und Wochen darauf zurückkommen, aber damals, auf der Hinreise von ihrem zweiten oder dritten Besuch bei Stella, war er noch vorsichtig, kleidete seine Pläne in Fragen: Ob der Onkel Beziehungen zu den großen Hotels an der Küste habe und ob er Heinrich nicht einmal hinschickt, die Lage sondieren, am Ende warteten da ja vielversprechende Geschäfte, oder man schickt den Spargel bis Europa oder Übersee, warum denn nicht. Mein Gott, Ideen hast du, sagte der Onkel und wollte von alledem nichts wissen, Heinrich solle nur immer schön auf dem Teppich bleiben, noch habe sich der liebe Neffe ja nicht mal das Ticket verdient, und was er eigentlich glaube, dem Onkel gute Ratschläge erteilen zu müssen, oder nagen wir etwa am Hungertuch? Ich meine, am Hungertuch nagen doch meines Wissens ganz andere, oder hat mein Bruder, dein Vater, das große Los gezogen? Also bitte. Und erzähl um Himmels willen der Tante nichts von deinen Spinnereien, sonst kommt sie mir noch auf Gedanken. Gedanken? fragte Heinrich und konnte sich nicht vorstellen, was für Gedanken das sein mochten, denn bislang machte die Tante einen ganz vernünftigen Eindruck. Nur die viel zu langen Tage ohne den Onkel und das ferne Europa bereiteten ihr vermutlich hie und da Kummer, aber dafür hatte sie ja nun ihren Neffen, und der war ungeduldig und wollte sich und ihr und allen, die ihn kannten, etwas beweisen, vielleicht hatte sie ja den einen oder anderen Rat. Also zum Beispiel von Stella lasse er doch lieber die Finger, sagte die Tante, oder meinst du, ich merke nicht, wie du sie belauerst und vor unser aller Augen herausforderst zu wer weiß was?

Ich denke gar nicht daran, sagte Heinrich, ich denke gar nicht an die und vielleicht noch nicht mal an eine andere.

Aber das wäre schade, sagte die Tante.

Na ja, ich weiß nicht.

Ja, doch, ich weiß es. Du denkst nur immer an das große Geld, und an deine Rosa denkst du, aber was gut für dich ist, weiß ich besser.

Das war der erste Rat, den ihm die Tante gab: daß er sich wegen einer Stella lieber keinen Ärger machte, und der zweite Rat war, daß man dem Onkel keine guten Ratschläge erteilte, aber wenn der Neffe eine Idee hat, soll er sie ruhig verfolgen und sich in der Stadt ein Auto leihen, und wenn der Onkel einmal weg ist, fährt er an die Küste und erkundet die Lage. Ja, gut, das mache ich, sagte Heinrich und wartete, bis der Onkel Ende Juni für ein paar Tage nach Kapstadt fuhr und sich noch nicht mal wunderte, daß er nicht mitkam, denn für Blumen und große Messen, auf denen der Onkel Jahr für Jahr seine neuesten Züchtungen vorstellte, schien sich der Neffe aus Deutschland nicht sonderlich zu interessieren.

Ja, fahr du nur, sagte die Tante, als der Onkel eines Morgens aufbrach, Heinrich wird mir Gesellschaft leisten, oder er fährt ans Meer ein paar Tage, denn er ist noch jung und soll etwas sehen von der Welt, na meinetwegen und gute Reise. Ja, gute Reise, sagte Heinrich und blieb noch eine Nacht und sah die Tante, wie sie um drei Uhr morgens schlafend durch die Wohnung ging, aber als er sie rief beim Namen und fragte und stutzte, sah und hörte sie nicht und war in einer anderen Welt.

Heinrich erreichte nicht viel auf seiner ersten und letzten Reise durch das große weite Land, aber das Meer sah er und die Hafenstadt Durban, in der es ein paar große Hotels gab und den einen oder anderen Koch oder Manager, die wollten sich die Sache überlegen, fanden das königliche Gemüse teuer und wohlschmeckend, nannten ihre liebsten Rezepte und erinnerten sich an europäische Städte, in denen sie gelernt oder gelebt hatten, das waren noch Zeiten.

Die Tante, als er wieder zu Hause war, wollte nur wissen, ob er beim Baden gewesen war und an Stella gedacht hatte (ja), aber von Durban die Küste nach Norden Richtung Tongaland, von wo sie herkam, war er nicht gefahren. Sehr brav, sagte die Tante und berichtete (oder behauptete), daß Stella sich schon beschwert habe über Heinrich und seine Blicke und seine Art, aber nur so im Scherz habe die sich beschwert, und der Vater habe ihm geschrieben und ein Mädchen namens Rosa, die wohl ziemlich verliebt sei, warum er denn gar nichts erzähle, oder sei er sich seiner Sache nicht sicher? Ja, nein, ich weiß nicht, sagte Heinrich und ließ es wie bei diesem Belgier geschehen, daß sie ihn ausfragte und ihm die Haare aus dem Gesicht strich beim Fragen, aber anders als bei seinem Belgier war es Heinrich nicht unangenehm, daß sie ihn fragte und bedrängte und als Neffen und jungen Mann erforschte, er konnte ihr alles sagen: Wie das nun genau war damals mit seiner Rosa und den Eltern auf der Wallfahrt, konnte er ihr sagen oder wenigstens andeuten, aber so, daß sie verstand und nickte und ihre Hände auf seine Wangen legte, seinen Kopf in ihren Schoß; da schlief er.

So wurde es früher Abend, und der Onkel war noch immer nicht zurück, und als Heinrich erwachte, führte sie ihn in ihre Bügel- und Leseecke und zeigte ihm einen alten englischen Atlas von 1911, darin ging sie von Zeit zu Zeit auf lange, komplizierte Reisen und sehnte sich nach einem europäischen Regen. Heinrich war etwas verlegen, daß sie ihm das alles zeigte und ein paar alte Fotos und Briefe aus einer Schublade holte, darauf war sie noch keine Zwanzig und kannte für ein paar Monate einen Soldaten, der war so dumm und schoß sich eines Tages aus Versehen in den Bauch. So verliebt und dumm war mein Jim, sagte die Tante, daß er sich eines Tages beim Reinigen seiner Waffe erschossen hat, und dabei hätte er mir doch lieber weiter seine zarten, klugen, verwegenen Briefe schreiben sollen, denn im Schreiben zarter, kluger, verwegener Briefe war er nun mal ein Meister. Du erinnerst mich an ihn, sagte die Tante, aber das alles hörst du jetzt bitte gar nicht, nur damit der Onkel sich nicht grämt, das alles war ja lange vor seiner Zeit.

Du hättest mir gefallen, dachte oder sagte Heinrich und meinte ihr feines Haar mit den beiden Zöpfen und die Augen braun wie Haselnüsse oder vom Regen dunkle Erde, so mutig war er. Er hätte weniger an dich denken sollen, dein Jim, sagte er, und die Tante sagte, daß sie gemeinsam nach Frankreich gegangen wären, sie und Jim, aber mit der dummen Kugel im Bauch konnte es natürlich nichts werden.

Ach ja, Europa, sagte sie. Ob ich wohl noch einmal hinkomme, was meinst du?

Amerika wäre schön.

Ach ja, Amerika.

Ihr könntet es euch leisten, der Onkel und du.

Ach was, der Onkel, ich glaube, er hat mich längst vergessen.

Noch vor einem Jahr, im Februar 1952 in der Ulmenstraße, hatte Heinrich an den langen Abenden oft davon geredet, daß er nach Amerika geht, denn eines Tages hat er das Geld und setzt sich ins Flugzeug, läßt sie alle zurück und kommt erst wieder als gemachter Mann. Ich brauche da nur anzurufen bei diesem Colonel Reynolds und sagen, ich will ein Ticket, hatte Heinrich behauptet, doch dann hatte er die Telefonnummer nicht mehr gefunden, oder sein Colonel Reynolds war nicht zu erreichen, und außerdem war da auf einmal Rosa mit ihren Stellen und ihren Versprechungen, die kamen ihm gerade recht, die ließ er sich gerne etwas kosten.

Von den paar hundert Mark, die er als Hilfsarbeiter bei *Schott* verdiente, konnte er sie gerade mal ins Kino einladen oder ins neue Eiscafé am Marktplatz, und was dann noch übrigblieb nach Abzug der Kosten für Essen und Bett zu Hause, reichte gerade für ein paar Zigaretten.

Noch bevor sie zu sechst in die neue Wohnung in der Ulmenstraße eingezogen waren, hatte die Mutter eines Abends ein Blatt Papier genommen, und auf diesem Blatt Papier notierte sie vor aller Augen links die Einnahmen, als da waren: das Gehalt des Vaters und seiner Söhne Heinrich und Theodor, das Werksdarlehen über fünftausend Mark, das bißchen Geld aus dem Osten, das ihnen geblieben war, und rechts daneben die laufenden Ausgaben für Wohnung, Lebensmittel und Kleider, dazu ein neuer Schrank und ein Tisch und die Betten, die sie brauchten, weil man einen Schrank und Tisch und drei Betten auf der Flucht über die grüne Grenze leider nicht mitnehmen kann, ferner die

Kosten für die tägliche Zigarre des Vaters, das Radio, das sich alle wünschten, hoffentlich gebraucht.

Das also ist die Lage, hatte die Mutter gesagt, und alle wußten, die Lage ist nicht gemütlich, und daher mußte man eben sehen und das Geld von Heinrich und Theodor nehmen, wir brauchen jeden Pfennig. Theodor suche sich am besten etwas Eigenes, und also bleibt ein Zimmer für uns und die Mädchen, eines für Paul und Heinrich, Bad und Wohnküche: das müßte reichen. Ja, das reicht, hatte der Vater gesagt, und Heinrich am Abend: Also spätestens mit einundzwanzig im Sommer bin ich fort.

Anfang Februar waren sie in die Ulmenstraße eingezogen, und da hatte der Vater Schulden an die zehntausend und ein verlorenes Haus in der Zone, aber die Mutter, wenn er sich wieder einmal sorgte, war wie immer munter und entschieden und nannte ihn einen alten Krämer, oder willst du wirklich wieder zurück in den Osten, wo wir fast alles hatten, aber siehe um welchen Preis. Es war nicht so schlimm, wie du sagst, sagte der Vater, und die Mutter sagte: Ich habe gar nicht die Worte, so schlimm war es, und hier habe ich wenig oder gar nichts (ist das hier alles gar nichts), aber schlafen kann ich und frei atmen wie im Gebirge oder in den ersten Jahren auf der Wilhelmshöhe, als kein Krieg war, bloß die Zeiten kehren nicht wieder.

Wir müssen uns schon entscheiden, sagte sie.

Aber du hast es doch längst entschieden, sagte der Vater, und nun sind wir da und bleiben und machen das Beste draus.

Gleich in den ersten Wochen hatte der Vater an den Sonntagnachmittagen allerlei Leute von *Schott* in die Wohnküche geladen, und da redeten die bei Kaffee und Kuchen und später bei einer Zigarre über die guten alten Zeiten und warum der eine sehr früh und der andere erst so spät in den Westen gegangen war, aber bereut hatte es bislang keiner. Ein gar so schlechtes Los habe man mit dem verschlafenen Nest an der Isar nicht gezogen, nur die Sache mit dem neuen Werk sei leider noch immer nicht entschieden, denn die Stadtväter sehen in uns *Schottianern* doch mehr oder weniger Proleten, und eine Stadt der Proleten wollen die nun mal nicht sein.

Wahrscheinlich bin ich nur noch den Sommer da, sagte Heinrich, als er Rosas Namen schon wußte und sie beide sich für möglich hielten, aber wenn sie sich heimlich das eine oder andere vorstellten, kamen sie nicht weiter als bis zu einem Spaziergang das Flußufer entlang. Sie war gut zwei Jahre jünger als er und siezte ihn, als er das erste Mal sein Fahrrad zu ihr herüberschob, und das mochte er, daß sie sich siezten und taten, als wäre die Liebe so ernst und gefährlich wie im Kino. Sie sind wohl noch nicht lange in der Stadt, sagte sie, die in der Stadt geboren war und jeden Winkel darin kannte, und also erzählte er seine Geschichte und freute sich über jede Frage und daß er merkte, sie hätte für sieben Tage und Nächte Fragen an ihn gehabt, und das war ja auch das Schöne an jedem Anfang, daß einem die Fragen nie ausgingen und das Warten, Wägen, Zweifeln an jedem gesagten oder ungesagten Wort.

Ganz langsam und zweideutig und immer mit diesem Sie fing es bei ihnen an, und Heinrich mochte das, daß alles so langsam und zweideutig und höflich vonstatten ging, denn wenn man sich erst einmal duzte, war doch alles nur noch eine Frage der Zeit. Ich habe geträumt von dir, sagte Rosa, als sie das erste Mal du zu ihm sagte, und Heinrich: Ja, das kenne ich, sogar am Tag mit offenen Augen träume ich von dir, soweit ist es gekommen. Gar nicht, sagte Rosa, und wieder Heinrich: Schlimme schöne Sachen träume ich, da tat sie noch einmal schüchtern. Ich bin erst neunzehn, sagte Rosa, die erst neunzehn war und es womöglich nicht ganz ernst meinte, ließ sich auch küssen und versprach ihm etwas, aber ein paar Wochen müsse er leider schon noch warten.

In ihrem ersten und einzigen Brief Mitte Juli schrieb Rosa: Ich höre gar nichts von Dir, schreib doch mal, wir alle warten darauf, auch ich. Oder hast Du mich schon vergessen? Marie sagt, er wird zu tun haben, er kommt nicht dazu, aber das weiß ich besser, Du bist eben kein Briefeschreiber, leider. Denkst Du wenigstens an mich, so wie ich an Dich denke, wenn ich von Montag bis Samstag im Laden stehe und den Leuten Schuhe anprobiere oder mir die Beine in den Bauch stehe, da habe ich viel Zeit. An Deine Hände erinnere ich mich, den ersten schiefen Kuß, das Ziehen im Bauch, wenn ich wußte, gleich jetzt oder in ein paar Augenblicken denkt er sich etwas aus, und da und da wird es anfangen oder enden, und dann schließe ich die Augen und lasse mich täuschen wie immer, Deine Rosa.

Wie etwas sehr Fernes, Vergangenes war Heinrich ihr Brief vorgekommen, als er ihn eines Morgens in einem der hinteren Treibhäuser zwischen blühenden Hortensien gelesen oder besser: überflogen hatte, und anschließend steckte er ihn mit seinen von der Erde schmutzigen Finger in die Hosentasche, hob ihn sich auf für später, mochte ihn nie beantworten. Den ganzen August und den September hatte sich Heinrich in den Treibhäusern die Hände schmutzig gemacht und gepflanzt und gejätet, und dazu hielt er manchmal lange Reden an den Onkel und versuchte ihn zu überzeugen von seinen Plänen, in denen große Hotels am Meer vorkamen und gedünsteter Spargel in jedem zweiten Gericht auf den handgeschriebenen Speisekarten der feinen Restaurants. Na, träumst du noch immer deine Spargelträume, sagte der Onkel von Zeit zu Zeit, und die Tante sagte: Komm, ich hab einen frisch gebackenen Kuchen und einen gedeckten Kaffeetisch im Garten, die Arbeit kann warten, aber deine Tante nicht. Sei nicht zornig, sagte die Tante und tröstete ihn mit ihren Gartennachmittagen, und mit ihren Blicken tröstete sie ihn, redete auch ein-, zweimal mit dem Onkel (vergeblich), hatte endlich die Idee mit dem Eilbrief an den Bundestagsabgeordneten Sinnhuber, der ihm nie antwortete oder die Briefe nicht las, und der sie las, hielt die Einfuhr von südafrikanischem Spargel für eine Schnapsidee.

Anfang Oktober zu Beginn der Obstbaumblüte in Heinrichs erstem und letztem Frühling in Afrika, als es bis lange nach Mitternacht durchs offene Fenster duftete, fuhr der Onkel wie jedes Jahr ein paar Tage nach Johannesburg, sich in den Vorstädten einen Bus Saisonarbeiter für die bevorstehende Ernte holen, und eines Tages war er fort und blieb drei Nächte, und in der dritten Nacht legte sich die Tante zu Heinrich ins Bett und verwechselte ihn. Da erschrak Heinrich, daß die Tante im Schlaf das Lager mit ihm teilte und ihn verwechselte und ihre Hand auf sein Teil legte, als wäre er ein anderer, früherer, der Geliebte aus der Zeit, als es den Onkel noch nicht gab, das war vor tausend Jahren.

Was ist mit dir, sagte Heinrich zu der Schlafenden, die vielleicht nicht schlief oder den Schlaf nur träumte und die Hand nicht wegnahm von seinem Teil, als müsse sie's bewachen oder behüten und als wüßte sie nichts über die Sehnsucht, die sie weckte und in der Schwebe hielt zu seiner Qual. Halb fürchtete, halb wünschte sich Heinrich, daß auch sie nur wartete und lauschte, wie auch er mit angehaltenem Atem und offenen Augen im Dunklen lauschte und sich fragte, prüfte, einen Beschluß faßte und ihre Hand neben sich aufs Laken legte, und am Morgen war die Tante fort nach drüben in ihr Zimmer, wußte von nichts.

Gegen Mittag des nächsten Tages brachte der Onkel einen Bus voll schwarzer Arbeiterinnen, die sangen und freuten sich, daß die Wahl auf sie gefallen war, und über die Hütten für ihrer zehn oder zwanzig freuten sie sich und die sichere Arbeit bis Ende Dezember, die sie schon kannten oder sich vorstellten, zum Teil hatten sie vom Spargelstechen keine Ahnung. Das lernen sie schon, sagte der Onkel, der die Erfahrung schätzte, aber auch das eine oder andere schöne Gesicht, und so ging er den Abend vor Beginn der Ernte immer von Hütte zu Hütte und labte sich. Ich gönne es ihm, sagte die Tante, die tat, als wäre nichts gewesen, und auch Heinrich tat, als wäre nichts gewesen, bereute, daß er nicht mutiger gewesen war, und suchte nach einem Zeichen, daß sie ihm verzieh oder ihn ermunterte, da wurde er so leicht nicht schlau.

Nur einmal sagte er eines Morgens, er habe geträumt von Stellas Kind, und von der Tante und dem Onkel habe er geträumt, aber nur wirres Zeug. Ja, sagte die Tante und errötete, weil er nun immer ihre Hände betrachtete, als wäre sie keine Schlafwandlerin, sondern eine Art Lehrerin, denn das war es, wovon er von nun an träumte: daß sie noch einmal käme und ihn als Schlafwandlerin lehrte, was ihn keine Wachende je lehren könnte mit ihren Händen auf seinem Geschlecht, und dann würde er sie wecken und sie bitten oder erhören, je nachdem.

Am Tag nach ihrer Ankunft begannen die Schwarzen mit der Ernte, und auch Heinrich sollte nun endlich richtig arbeiten, und also nahm ihn der Onkel frühmorgens mit auf die Felder und lehrte ihn die schwierige Kunst des Spargelstechens. Du bist noch immer nicht angekommen, sagte er, und warum er ihn die ganze Zeit bei der Tante sehe: als wärst du noch immer kein Mann. Spargel ist wie Glas, sagte der Onkel, und daß man ihn sehen, fühlen, ahnen muß, denn wenn du ihn erst mal siehst, hast du nur den minderwertigen mit violett angelaufenem Kopf. Deine Tante ist eine gute Stecherin gewesen, kurz nach eurem Krieg, als das alles hier anfing und die Arbeit nie ausging, da liefen wir oft zusammen und machten ein Spiel draus, aber gewonnen hat nur immer deine Tante, merkte sich jeden Stengel, den ich übersehen hatte, legte vorsichtig das Köpfchen frei und fuhr mit ihrer Hand tief in die Erde, befreite den Stengel von allem Erdreich und schnitt ihn mit dem Messer an seiner tiefsten Stelle, zog ihn vorsichtig ans Licht. Man braucht ein paar Tage oder Wochen, bis man es kann, sagte der Onkel, meine Frauen werden dir gerne helfen, oder die Tante frag, sie weiß es noch immer am besten. Heinrich hätte sie gerne gefragt, ob sie ihm zuliebe noch einmal in die Felder ging, aber er war zu stolz oder zu schüchtern, fragte auch die Frauen des Onkels nicht und sah sich das meiste einfach ab. Keine fünf Kilo hatte er in vier Stunden gestochen, und danach war Pause, die Frauen mit ihren bunten Tüchern oder Hüten gegen die Sonne holten sich hinten bei den Treibhäusern Wasser oder aßen von ihren Früchten, den Melonen, Pfirsichen und Aprikosen: als hätten sie alle ein Leben wie im Paradies.

Du Armer, Müder, Guter, sagte die Tante, als er ihr am ersten Abend den Spargel brachte wie ein Geschenk nur für sie, das nahm sie und schälte und kochte ein Kilo oder zwei mit Schinken und jungen Kartoffeln, träufelte heiße Butter darüber und biß (wie es ihre Gewohnheit war) von jeder Stange zuerst den Kopf ab. Der erste ist immer der beste, sagte der Onkel, und die Tante sagte, man müsse eben Geduld haben, und ein offenes Auge müsse man haben, dann kommen die Dinge im Leben wie von selbst. Ja wirklich? fragte Heinrich und meinte es als Anspielung, und die

Tante sagte: Ja, wirklich, und am Ende meinte ja auch sie es als Anspielung, oder sie stellte ihn auf die Probe (nannte ihre Bedingungen), und das alles, während der Onkel Heinrichs Spargel aß und sich wunderte oder nicht wunderte, denn er war noch immer beim vergangenen Tag und der ersten großen Lieferung für den Markt in Krugersdorp: für den Anfang nicht schlecht.

Das Gefühl hatte Heinrich nun öfter, daß er und die Tante bei jeder Gelegenheit heimlich Gespräche über das Schlafwandeln und die Nächte und ihre Möglichkeiten führten, oder er bildete sich alles nur ein und grübelte umsonst einen ganzen Vormittag über einen Blick oder ein Schweigen, und wenn er sie in der Küche wie zufällig berührte und in ihrer Nähe blieb und nicht ging, nahm sie's gar nicht zur Kenntnis oder wie Tanten es zur Kenntnis nehmen, am Ende war er ihr eben noch immer ein Kind.

Ende des ersten Erntemonats war dann noch einmal Stella mit ihrem Alfred zu Besuch, und kaum war sie da, machte sie sich über Heinrich lustig, und daß er als Spargelstecher verhungern müßte, so viel Bruch und vom Licht verdorbene Stangen, wie er aus der Erde zog. Die Tante verteidigte ihn, er sei ja nicht zu Hause auf den Feldern, habe seine Hände an Drehbänken und in Glashütten geschult, habe die Hände eines Mannes, oder warum der Onkel fast nur Frauen auf die Felder lasse, denn sanft und bestimmt sei das Wesen der Frauen und nur sehr selten das der Männer.

Heinrich hätte auch gerne gespottet, zum Beispiel über seinen Cousin Alfred und wie er immerzu die Hände auf der schwangeren Stella hatte: als sei sie sein persönlicher Besitz. Wenn ihr wüßtet, dachte Heinrich und fand an diesem Nachmittag niemand so schön wie die Tante, denn die hatte ein Leben vor der Zeit mit dem Onkel und hoffentlich auch eines danach, und also stahl er sich von nun an schon am frühen Nachmittag von den Feldern und ging zu ihr.

Ende November sagte sie: Es ist nicht recht, daß du dich hinter dem Rücken des Onkels von den Feldern stiehlst, von deinen Gründen ganz zu schweigen. Schau, ich habe ganz alte Hände, die ersten dunklen Flecken kamen mit dir, der du noch jung bist und nicht merkst, wie der Onkel den Glauben an dich verliert und auf meine Weise auch ich. Ich sehe dich nicht lange bleiben bei uns, sagte die Tante, aber der Onkel wird es überleben und der junge Heinrich erst recht.

Aber ich bleibe doch, sagte Heinrich.

Ja, ein bißchen darfst du noch bleiben.

Noch Tage später auf der Heimreise hätte Heinrich nicht sagen können, wo genau sein Fehler lag, und ob er zu zögerlich gewesen war oder zu forsch, aber das wirst du lernen mit der Zeit und den ersten Mädchen, und wenn du's eines Tages weißt, bist du ein Mann. Das war Mitte Dezember gewesen, daß die Tante ihm das gesagt hatte, und Mitte Dezember schien es noch, als würde ihr Heinrich für immer bleiben und auf den Feldern den Schwarzen bei der Arbeit zusehen, und wenn er Lust hatte oder die Tante ihn nicht gebrauchen konnte, mischte er sich für ein paar Stunden unter das bunte Volk der Arbeiterinnen und grub und stach und buddelte, bis es an die zwanzig Kilo waren und manchmal auch dreißig oder vierzig.

Du lernst es noch, sagte die Tante, die seines Bleibens nicht sicher war, und keine Woche später war die Sache mit den beiden Nachmittagen, als er sich in das Schlafzimmer des Onkels und der Tante schlich und sie ansah wie eine Beute, denn da lag sie mit offenen Augen hingebreitet wie eine Vertraute, und als es genug war, schickte sie ihn fort.

Später dachte er: Der Teufel muß mich geritten haben, daß ich sie einfach liegenließ, der Teufel muß mich geritten haben, daß ich wiederkam und den Onkel nicht hörte, denn da stand der auf einmal in der Tür und fand die Tante hingebreitet wie eine Vertraute, nur den sie erwartete, war nicht der Onkel und vielleicht noch nicht mal Heinrich. Auf der Stelle hinaus, flüsterte der Onkel, und danach hörte man sie lange reden, und nach dem Abendessen bei Kaffee und Kognak eröffnete ihm die Tante, noch vor Weihnachten müsse Heinrich packen und das Haus verlassen Richtung Durban, wo schon morgen früh ein Ticket dritter Klasse nach Southampton bestellt werde, man sei nun einmal leider nicht füreinander gemacht. Schwere Enttäuschung, sagte der Onkel und sagte danach kein einziges Wort mehr, und die Tante wie zu ihrer aller Beruhigung: Man muß eben geboren sein dafür, und wer's nicht ist, kann am Ende etwas ganz anderes, nur schämen muß er sich deshalb nicht.

Ganze vier Tage blieb Heinrich nach dem Vorfall im Schlafzimmer, und dann kam die Bestätigung für das Ticket und der Abschied am Morgen des zweiundzwanzigsten, die Tante im schwarzen *Chevrolet* wartete schon mit laufendem Motor, nur damit auch alles kurz und schmerzlos blieb und sich niemand lange mühte mit den Worten. Nun denn, sagte der Onkel, und Heinrich sagte: Nun denn und alles Gute, und wieder der Onkel: Mach etwas aus dir, nicht immer ist der kürzeste Weg der beste, aber der längste auch nicht.

Und so fuhr er mit der Tante den weiten Weg zurück bis Durban, und als sie im Hafen von Durban ankamen, hatten sie noch drei Stunden, waren beide hungrig und aßen nicht und sagten zum Abschied fast dieselben Worte. Nun denn, sagte die Tante, und Heinrich sagte: Nun denn und alles Gute, und wieder die Tante: Mach etwas aus dir und schreib mir, wenn du etwas aus dir gemacht hast, oder schick eine Postkarte nur mit deinem Namen, ich warte. Heinrich hätte ihr gerne gesagt, daß er das nicht mochte, wenn sie sich alt machte vor ihm, doch dann fand er, daß man einer Tante dergleichen nicht sagen konnte, und als Neffe (nicht als ihr Betrachter) winkte er ihr noch eine Weile von der Reling herab, und wie sie sich umdrehte und zurück in ihr altes Leben spazierte, das sah er noch.

Als ob er in den vergangenen Monaten eine schwere Arbeit verrichtet hätte, verbrachte er die erste Zeit praktisch nur auf seiner Pritsche, las in einer amerikanischen Zeitschrift von den Ereignissen des 17. Juni in Ostberlin oder versuchte sich vergeblich an einem Brief an die Tante, bedauerte, daß niemand mit ihm reiste, verließ die Kabine nur zu den Mahlzeiten. Die Weihnachtstage vergingen und Silvester, und bis auf ein paar festlich gedeckte Tafeln oben in den Restaurants waren es ganz normale Tage. In Kapstadt kündigte er dem Vater in einem Telegramm die Rückkehr für Anfang Januar an, es habe gesundheitliche Probleme gegeben, leider, frohe Weihnachten und ein gutes Neues, Euer Heinrich.

Anfang Vierzig hatte Heinrich die Tante von den Fotos her geschätzt, aber dann hatte sie ihm eines Tages gesagt, ihr Vierzigster falle auf den zweiten Sonntag des Jahres 1954, den feierte sie nun ohne ihn und wartete, hoffte, daß er ihr schrieb. Liebe Tante, schrieb Heinrich und stolperte immer über das Wort Tante, probierte es ein paarmal mit ihrem Vornamen, nannte sie abwechselnd lieb und teuer und verflucht und böse, da war er schon in Southampton und saß noch einmal in dem verrauchten Pub, in dem er damals mit Jeff gesessen hatte, und schrieb ihr: Meine liebe Schlafwandlerin, ich hoffe, Du verbrennst das. Ich bin schon in Southampton, in Deinem geliebten, vermißten England. Alles Gute zum

Vierzigsten! Ob Du mir eines Tages auch so hübsch zum Vierzigsten gratulierst? Also, sei tapfer und grüße mir den Onkel, er soll nicht zornig sein, mir steht der Sinn eben eher nach Verkaufen, und nach Deinem Kuchen steht mir manchmal der Sinn, das nur als Beispiel.

Gerade mal zwanzig Mark hatte er in der Tasche, als er in Brüssel sein letztes Geld tauschte und einen Zug Richtung Süden nahm und sich noch einmal alles zurechtlegte als Begründung, irgend etwas mit dem Kreislauf, würde er sagen, und daß er noch jung war und alles vor ihm lag, und von der Tante soll ich Euch alle ganz herzlich grüßen.

7

UND ALSO KAMEN DIE LEHRJAHRE im Gefängnis in Gera und Leipzig, und Heinrich wurde ein anderer und blieb derselbe. Zu Rosa, die ihn alle sechs Wochen besuchte, sagte er nur: Ein Gefängnis ist ein Gefängnis, und zwar überall, aber man gewöhnt sich. Nur an die ewig dünne Krautsuppe gewöhnst du dich nicht und an das verfaulte Gemüse, die Scheiße in den Kübeln und das Knarren der Matratzen, wenn sich zum Einschlafen alle einen runterholen, daran gewöhnst du dich lange nicht. Viele falsche Freunde gibt es im Gefängnis, und deshalb bist du immer schön auf der Hut vor den falschen Freunden unter den Schließern oder den Häftlingen, die dir aus schlechter Laune das Gesicht zerschlagen und dich auslachen und aufpassen, daß du danach das Maul hältst und etwas erfindest zu ihrer Entlastung. Das war in Gera, daß sie mich geschlagen haben, denn in Gera war ich noch dumm und vorlaut, als wäre ich ein zahlender Gast, und das Essen schmeckt mir nicht, oder das Bettzeug oben im Zimmer ist nicht sauber wie damals in unserem Hotel in Salzburg, weißt du noch, da waren wir frisch verliebt und kannten von Salzburg nur die Stunden ab drei Uhr nachmittags, denn vorher zogen wir uns nicht an.

Ganze dreißig Minuten durfte Rosa bei ihren Besuchen bleiben, da saßen sie mit all den anderen in dem völlig überfüllten Zimmer und erzählten sich ihr Leben, oder das, was sie dem anderen glaubten zumuten zu können von diesem verkorksten Leben, berührten die Dinge nur immer so im Allgemeinen, und daß die Kinder schön brav waren und das Essen aus den Paketen so herrlich schmeckte, lobten sich für ihre Geduld und verschwiegen, daß da auf einmal ein Karl war oder ein Friedrich, der sie nicht losließ und ihre Tage und Nächte bevölkerte, oder unter den Decken, wenn es kalt war, warum sollte man sich groß damit behelligen. Sie lernten sich zu schonen mit den Wochen und Monaten, dem ersten und zweiten Jahr, da er fort war und die Kinder wuchsen und sich an ihn erinnerten wie an einen Onkel.

Zur Halbzeit Anfang April 1968 war Heinrich ein paar Tage krank und fiebrig, aber dann raffte er sich doch auf und feierte mit Karl und Lücke und dem Bayer die fünfzehn Monate, die hinter ihm lagen und noch kommen würden, hatte für alle eine große Portion Griebenschmalz und die von Rosa eingelegten Salzgurken und dazu am Nachmittag einen Becher Westkaffee, der stammte aus einem Paket von Paul oder Constanze, den Freundlichen. Sogar der *Miez* war zur Feier des Tages geblieben und feilte sich auf seiner Pritsche die Fingernägel, aber so, wie sie ihn alle kannten, war er bald fort und trieb sich bis zum Abend vor dem Lager neben der Küche herum, und wer immer bei ihm stehenblieb und ein kleines Geschenk für ihn hatte, wußte, er war ihm zu Willen und duldsam und schamlos und machte hinterher keinen Ärger.

Auf unseren Hampel, daß er es bald hinter sich hat, und auf den Miez und seine Freier, sagte Lücke, der seit einer Schlägerei im Hafen von Rostock keine Vorderzähne mehr hatte, und da tranken sie alle darauf und zählten ein jeder seine Tage, bloß so schnell wie bei diesem Hampel würde es bei keinem gehen. Der junge Karl, der auch schon mit dem Miez gesehen worden war, hatte vor Jahren ein altes Muttchen überfallen, weil er das Geld für eine Fahrkarte nach

Dresden zu seiner Liebsten nicht hatte, und Mücke saß für seine Schlägereien in irgendwelchen Gasthäusern, während beim Bayer wie immer die Frauen an allem schuld waren, denn wegen einer Frau war er anno neunundfünfzig nach Halle gegangen, und auf einmal hatte die Ringe und Ketten und Broschen aus Gold und Silber nach Hause gebracht, und weil er nicht wußte, wie das alles bezahlen, vergriff er sich ein paarmal an der Kasse der volkseigenen Metallwerkstätten in Gotha.

Lücke und der Bayer schienen sich keine Gedanken über ihre Taten zu machen, doch der schmale Karl machte sich oft Gedanken, und ob er dem Muttchen eines Tages schreibt oder einen Besuch abstattet, und ob er am Ende noch immer derselbe ist, der sie damals in der Dämmerung zu Boden gerissen hat wegen ein paar Mark, das ließ ihm keine Ruhe. Schreib ihr doch, sagte Heinrich und fand, daß man doch mehr oder weniger derselbe blieb, aber in diesen schlimmen Momenten ist man ein anderer, kennt sich selbst nicht und lernt sich auch nachträglich nie kennen. Vergiß es, sagte er und merkte, wie ihm die Sache mit dem Miez keine Ruhe ließ und daß der schmale Karl eines Nachts zum Miez unter die Decke gekrochen war, und da war der Miez gleich wach und fragte flüsternd nach seinen Wünschen. Und wie war es? hatte Heinrich gefragt, und Karl hatte gesagt: Ja, schön, fast wie bei einem Mädchen, einem engen, oder einem Mädchen ohne Erfahrung, daran mußte ich zumindest denken, und wie das also ist für ein Mädchen, ich meine, woher soll man's auch wissen.

Das war vor ein paar Tagen gewesen, daß ihm Karl die Nacht mit dem Miez gebeichtet hatte und wie er selbst ein Mädchen gewesen war, und seither dachte er immer daran, beobachtete den Miez, sobald er ein Auge auf Karl hatte, hatte selbst ein Auge auf Karl. Er hätte gelacht, wenn ihm einer gesagt hätte: Ja, doch, der Karl, du und der Karl und niemand sonst. Noch am Abend, bevor er Karl unter seine Decke ließ, hätte er laut gelacht darüber, aber dann war das alles ganz einfach, und ein bißchen wie bei Rosa war es und ein bißchen wie in Karls Geschichte, nur mit vertauschten Rollen. Ganz still und stumm und wach war Heinrich, zögerte, wie er einst bei Rosa gezögert hatte, seufzte und dachte an die Genossin.

Er hatte der Genossin ein paarmal geschrieben im ersten Jahr, aber obwohl er noch einmal den alten vertrauten Ton anschlug und sie neckte und auf seine Art vergötterte, hatte er nie Antwort bekommen, und sicher hatte sie ja recht, ihm nicht zu antworten und sich nach seinem Leben im Gefängnis zu erkundigen, denn es war eintönig und langweilig oder in den paar erlaubten Sätzen nicht zu erklären. Nur ganz selten dachte er noch an sie, aber so, wie er auch an Rosa dachte oder die eine oder andere von früher, deren Gesang er noch wußte oder ihren Geruch unter den Achseln, ihre Unterwäsche, die Begrüßung am nächsten Morgen. Danach sehnte er sich dann und wurde ganz blöd vor lauter Sehnsucht, und am Ende kamen dann diese Karlgeschichten dabei heraus, oder man stumpfte ab oder hängte sich auf wie der dicke Ludwig vor Weihnachten, da hatten sie alle zu denken und lange keinen Appetit.

Denkst du auch an mich, fragte Rosa bei ihrem zwölften Besuch Mitte März 1968, und also nickte er ihr zuliebe und erfand ein paar Träume, in denen sie vorkam, das freute sie. Sie hatten seit langem feste Regeln für ihre Nachmittage und begannen wie immer mit Heinrich, und daß er die Hoffnung nicht aufgeben soll, wir lassen einfach nicht locker. Notfalls stelle ich noch zehn Anträge auf vorzeitige Entlassung, sagte Rosa, und daß sie überlegt, ob sie einmal zu seiner Gisela geht, denn Verbindungen hat so eine ja bestimmt. Vergiß es, sagte Heinrich, und Rosa sagte: Aber unsere kleine Eva mochte sie und unseren großen dummen Heinrich auch. Eva sei übrigens sehr unglücklich gewesen in der letzten Zeit, denn es habe Ärger gegeben mit einem Lehrer, der wollte die fleißige Eva wegen ihres Vaters nicht als Kassiererin bei den *Jungen Pionieren,* aber die Klasse wollte es und wählte sie, setzte sich durch.

Und alles wegen mir, sagte Heinrich, und Rosa sagte: Ja, und wenn sie gefragt wird, was ist dein Vater von Beruf, muß sie sagen: Na ja, ein Kraftfahrer, Kraftfahrer und Hilfsarbeiter ist mein Vater, und im Moment ist er auf Montage in der Volksrepublik Jemen oder hat eine schwere Krankheit, wir alle hoffen, er wird auch bald wieder gesund. So lügt sie für dich, sagte Rosa und verschwieg, daß auch sie noch immer log und für neugierige Nachbarn die unwahrscheinlichsten Reisen erfand und die Namen aller befreundeten Staaten in Asien, Afrika und Lateinamerika kannte, da hätte der kluge Harms gestaunt.

Manchmal vermißte Heinrich diesen Harms, der von einem wie Heinrich natürlich nichts mehr wissen wollte, aber sein Kollege Opitz, der Verbindungsoffizier, wollte hie und da etwas wissen, und so redeten Heinrich und dieser Opitz manchmal in der Bibliothek über eine Schlagzeile im *Neuen Deutschland*, oder Opitz sah ihm über die Schulter und kontrollierte die Einträge auf den grauen Karteikarten. Nur aus Langeweile oder weil er an Gisela dachte oder seine Ljusja oder weil er diesem Opitz gefallen wollte, las Heinrich nun regelmäßig in den ausliegenden Zeitungen, und mit welchen Worten Walter Ulbricht genau die von Kiesinger vorgeschlagene *Verständigung über praktische Fragen im geteilten Deutschland* abgelehnt hatte, dachte an Theodor und wie sein Bruder Theodor über die von Walter Ulbricht abgelehnte *Verständigung über praktische Fragen im geteilten Deutschland* denken würde, und warum es seinem Bruder nicht zustand, daß er nur mit Verachtung an das Leben im anderen Deutschland zu denken pflegte, damit begann es. Und damit, daß er über Theodor lachte und Die da drüben dachte, wenn er vom Aufruhr der sogenannten Studenten in Westdeutschland las, aber wir in unserer Deutschen Demokratischen Republik haben die erste sozialistische Verfassung auf deutschem Boden, und Verträge über Freundschaft, Zusammenarbeit und gegenseitigen Beistand mit halb Europa haben wir und in den Gefängnissen bis unter die Decke Bücher aus allen Epochen, daß ein ganzes Leben zum Lesen nicht ausreicht, damit du's nur weißt.

Sogar Gisela würde gestaunt haben, was er nun alles las, wenn er in der Bibliothek war, und also blätterte er sich einen Nachmittag durch den *Achtzehnten Brumaire* oder die *Britische Herrschaft in Indien*, las nur so im Vorübergehen *Über die Losung der Vereinigten Staaten von Europa*, und weil ihm der Titel gefiel *Ein Schritt vorwärts, zwei Schritte zurück*. Es gefiel ihm, daß auch Gisela und Wladimir diesen Marx und diesen Lenin im Mund geführt hatten oder vor Jahren seine Ljusja, und wie sie alle gestaunt hätten über den neuen Heinrich mit seinem Marx und Lenin und den Lenkern und Denkern der deutschen Arbeiterklasse, die da hießen: Grotewohl und Pieck und Ulbricht.

Von Rosa bekam er immer nur zu hören: Du mußt studieren, wenn du draußen bist, zum Beispiel ein guter Bauingenieur könnte aus dir werden, da baust du dem Land die Straßen, Brücken und deiner runden Rosa ein Haus. Und das war, weil sie die Hoffnung noch immer nicht aufgegeben hatte, und weil sie wieder einmal lange Wunschlisten in den Westen schickte und in den Katalogen der großen Versandhäuser teure Sachen für sich und die Kinder bestellte, wer weiß mit welchem Geld.

Sie wird einen anderen haben, sagte Karl, und daß er sich manchmal wünsche, sie hätte einen anderen, verzeih.

Du sagst Sachen, sagte Heinrich und hatte ihn bis dahin noch nicht mal richtig bemerkt, und nun so was.

Das Schlimmste sage ich gar nicht, sagte Karl.

So schlimm?

Ach Heinrich, so schlimm.

Drei Wunschlisten hatte sich Rosa für die Verwandtschaft im Westen ausgedacht, und die erste war von Anfang Januar und klang noch bescheiden: 1 Nylon-Anorak für Heinrich, 1 kg rote Wolle, 1 Paar schwarze Spangenschuhe, 3 Paar Strumpfhosen in grün, rot und hellblau (Größe 37), 1 Paar braune Laufschuhe (Größe 39), siebeneinhalb Meter Gardinenstoff, 1 Beutel Plastikklammern, 1 Plastikstrick, 1 Einkaufskorb, 1 türkisches Sitzkissen, 1 kg Bettfedern, 1 Korbstuhl, das war es, was sie brauchte und wünschte, denn andernfalls gab sie die Kinder aus purer Not in ein Heim, und was in Heimen aus Kindern wurde, na ja, das wußte man, zum Beispiel sein Karl hatte da ja die längste Zeit seines Lebens in solchen Heimen verbracht.

Ich weiß, es macht Euch Mühe, schrieb Rosa Ende Februar 1968, aber es muß sein, und da hatte sie im Wünschen und Bestellen schon Erfahrung und machte auf ihrem karierten Papier zwei Spalten, und in der einen waren die Zahlen in Stück und Meter oder Gramm und in der anderen die Dinge, die es im Land nicht gab: 1 Paar weiße *Romika*-Regenstiefel (Gr. 38), 1 *Knirps*-Regenschirm mit Nylonbezug (bunt), 1 Seidenkopftuch (giftgrün), 5 Meter Küchenvorhangstoff (blau-kariert oder rot), 1 *Rowenta*-Automatic-Toaster, 1 Brotmaschine, 2 Paar Latex-Kniestrümpfe mit Zierrand, 1 Flasche-*Seborin*-Haarwasser gegen Schuppen, 1 Fläschchen *4711*, 1 Schuhputzmittel (weiß), 250 g Bohnenkaffee (Sorte egal). Wir können es uns leisten, hatte Rosa immer nur gesagt, und Heinrich erwiderte: Ja, aber womit nur, und ob die da drüben im Westen etwa eine Erbschaft gemacht hatten von einem verschollen geglaubten Onkel in Amerika, na ja, so ungefähr. Du wirst staunen, sagte Rosa, warte nur, bis du wieder zu Hause bist, und dann stellte sich Heinrich vor, wie das sein würde, und erkundigte sich noch nicht mal nach der Flasche Haarwasser gegen Schuppen, und ob da ein Mann war, der es brauchte, oder Rosa selbst oder die Kinder, was ging ihn das alles auch an.

Ist was mit Vater, fragte Heinrich und merkte, daß sie neuerdings zögerte, wenn er sich nach dem Vater erkundigte, und ob er wieder in der Klinik oder zu Hause bei der geizigen Frau die Zigarren schmauchte oder an den schlimmen Tagen die Treppen hinauf- und hinunterlief bis zur Erschöpfung, aber bis die Erschöpfung kam, war es früher Morgen. Es ist doch hoffentlich nichts mit Vater, sagte Heinrich, und Rosa sagte (nur sehr zögernd sagte sie es): Nein, warum, er ist putzmunter und verbringt wie immer den halben Tag unten am Fluß, die Schiffe zählen, und wenn die Sonne scheint, spiegelt sie sich in seinen mit Zigarrenasche polierten Schuhen.

Ich bin so froh, wenn du wieder da bist, sagte sie und hatte eine dritte Liste, die wußte sie wie alle anderen auswendig und trug sie ihm vor wie ein langes Gedicht oder ein Lied, das man am Morgen beim Waschen summte oder auf dem Weg zum Einkaufen: 2 Dosen *Nivea*-Creme, 1 Fläschchen Kölnisch Wasser, 1 Nylonmorgenrock Größe 42-44 (rosarot oder hellblau mit weißen Spitzen), 2 Nylon-Kittelschürzen (blau und grün), je 1 Paar Sommersandalen Größe 37 und 39 (weiß), 2 Paar Kniestrümpfe (einfarbig mit Rand),

1 Nyltest-Hemd (weiß), 2 Fliegen, 2 mal 3 Meter Nyltest-Stoff (hellblau und rosarot), 1,5 Meter Hosenstoff (hellgrau), 2 Meter Sakkostoff (blau), 1 Modeheft mit Schnittmustern, 2,20 Meter Kostümstoff (honigfarben), dazu Knöpfe und Futter und 3 Orlon-Pullis Größe 44 in den Farben zitronengelb, flaschengrün, kornblumenblau.

Wenn sie dann wieder gegangen war, dachte Heinrich: Eigentlich glaube ich ja nicht an den Mann mit dem Haarwasser und den beiden Fliegen zum blauen Sakko, oder ich selbst bin der Mann und werde erwartet und bin noch nicht bereit, denn das war es, was er immer dachte, wenn sie von später und dem neuen Leben draußen redete: daß er noch gar nicht fertig war mit sich und seinen Vergangenheiten und dem Karl mit seinen glühenden Blicken und einem Körper wie ein 100-Meter-Läufer oder ein Hochspringer nach dem letzten Versuch.

Kurz nach Neujahr war Karl gekommen, und weil auch Heinrich noch neu war und Lücke und dem Bayer und den anderen nicht traute, hatten sie sich zusammengetan und erzählt und berichtet, wie der Prozeß gewesen war (kurz waren die Prozesse), und welche Strafe sie hatten warum und weshalb. Vor allem Lücke hatte es ihnen übelgenommen, daß sie sich verstanden und die beiden mittleren Pritschen belegten und von Pritsche zu Pritsche über ihre Mädchen plauderten, und die anderen hörten nur immer die Namen und die Gelegenheiten: als wär das Paradies nur ein paar Tage weit oder ein paar Häuser. Halt's Maul, Hampel, oder haben wir etwa Geheimnisse, sagte Lücke dann und ließ für Heinrich bei der Essensausgabe ein Bein stehen und ein andermal einen Ellbogen, aber nach einer Zeit raufte man sich zusammen und teilte außer den Paketen vor allem die Geschichten von früher, und welche Frauen es früher gegeben hatte und welche leider nur kurz oder überhaupt nicht. Los, Hampel, wie war das mit deiner roten Bella, wenn sie sang, und von der prüden Anna wollen wir hören und von Gerda, und da erzählte Heinrich, wie es mit seiner roten Bella, der Anna und der Gerda gewesen war, und wenn sie gar nicht genug bekamen, erfand er ihnen noch ein paar dazu, und im besten Fall hatten wieder alle genug für eine Nacht und dachten sich ihren Teil beim Einschlafen, wenn die Matratzen knarrten, ach, dieses Elend, wann war's nur endlich vorbei.

Heinrichs Prozeß hatte Ende November stattgefunden, und da war er schon über ein Jahr in Untersuchungshaft und nahm die Strafe wie etwas Bekanntes, Ausgemachtes: zweieinhalb Jahre ohne Bewährung wegen *spekulativer Warenhortung* in Tateinheit mit fortgesetztem *Betrug zum Nachteil des persönlichen oder privaten Eigentums*, da kam er sogar noch billig weg. Heinrich hatte kaum Zeit, sich zu verabschieden, da brachten sie ihn schon in den Gerichtssaal, und kaum saß er ganz vorne in diesem hohen würdig-erbarmungslosen Gerichtssaal, quittierten sie ihm die berühmten tausend Tage, und daß er die Zeit nutzen möge zur Einsicht und zur Besserung, gütig und streng seien der Staat und seine gewählten Richter, das klang dann beinahe wie damals beim guten Harms.

Eine Stunde oder wenig mehr dauerte der Prozeß, und anschließend brachten sie ihn noch einmal in eine Zelle zum Übernachten, und am nächsten Morgen gegen sieben ohne Frühstück steckte man ihn in die *kleine Minna* und fuhr ihn nach Leipzig. Vier fensterlose Kabinen oder Käfige hatte die Minna, zur Linken eine glatte Sprelacart-Wand und zur Rechten eine Tür mit Spion, und die da saßen und wahrscheinlich beobachtet wurden, waren außer Heinrich zwei Diebe und Einbrecher und eine Kindsmörderin aus der

Nähe von Karl-Marx-Stadt. Heinrich sah nur kurz den weißen Container auf dem Lastwagen, der zur Tarnung und Irreführung der Passanten als Wäschetransporter ausgegeben war, ja, sogar eine Adresse mit Telefonnummer hatte man drauf gepinselt, doch die ihn für die nächsten Stunden bewohnten, hatten weder Adresse noch Telefonnummer, blieben der Menschheit hoffentlich für allezeit erspart oder hatten wie Heinrich das *alte bürgerliche Bewußtsein,* standen im Sozialismus abseits, waren fremd oder noch nicht zu Hause, *Rudimente der alten Gesellschaft*, die mit der Zeit verschwanden oder sich änderten, zum Beispiel bei diesem Hampel war ja noch nicht alles zu spät.

An die sechs Stunden dauerte die Fahrt von Gera bis Leipzig, obwohl man höchstens eineinhalb Stunden dafür brauchte, aber vermutlich wollten die nicht, daß man sich etwas ausrechnete in den Käfigen, oder die Zellen in Leipzig wurden immer erst gegen Abend frei, oder man nahm aus Furcht vor den wachsamen Augen der Bevölkerung nur immer die kleinsten Straßen und Wege, machte alle halbe Stunde eine Pause, fuhr einen weiten Umweg über Karl-Marx-Stadt oder gar Dresden, Zeit hatte einer wie Heinrich ja allemal genug.

Nach der Ankunft gingen sie alle durch die Schleuse und durch verschiedene lange Gänge, und durch die Hände der schlimmen Wärter gingen sie und hofften auf eine gute Zelle, und daß sie hoffentlich viel alleine waren oder in Gesellschaft, in der es einen Lücke gab und einen wie Karl oder den schüchternen Anselm, noch kannte er sie ja nicht mal beim Namen. Ach so, ein Neuer, ja, da drüben leg dich hin, und das Maul halt, wir wollen schlafen: So fing es an, und noch in der ersten Nacht stahl ihm jemand die kleine Blechdose für Zigaretten und den von Rosa bestickten Brotbeutel, nur danach wußte er Bescheid und war wachsam und vorsichtig und traute vor allem dem dicken Sachsen nicht, denn da war der dicke Sachse noch am Leben und scherte sich einen Dreck um einen Neuling wie Heinrich, unter seinem Kopfkissen lag schon der Strick.

Und wie heißt er, unser Neuer? fragten Mücke und der Bayer. Na, Hampel, Heinrich Hampel heiße er, und Frau und drei Kinder hat er, Rosa ist der Name seiner Liebsten, der Ehefrau, die gehe alle paar Wochen zum Staatsanwalt, also in spätestens einem halben Jahr ist er hier raus. Und da lachten die natürlich, und Heinrich wußte nicht, war es wegen seiner Rosa, die zum Staatsanwalt ging, oder wegen des Namens Hampel, oder weil er es hoffentlich bald hinter sich hatte, und wenn er es erst mal hinter sich hatte, fing er noch einmal von vorne an, aber die alten Fehler und daß er seinen Lenin nicht kannte (Giselas Lenin), das käme nicht mehr vor.

Er wollte sich auch gleich nützlich machen und die Bibliothek betreuen oder für den Bau sich melden oder die Sport- und Russischstunden am Abend, denn so kannte er das aus Gera und hatte sich einen Namen damit gemacht in Gera, und das war, bevor er seine tausend Tage bekam und wußte, in tausend Tagen spätestens ist es vorbei, und wenn er sich bemüht und einen wie Opitz gewinnt, erspart er sich womöglich ein paar Monate. Ja gut, Hampel, die Bibliothek, hatte Opitz gesagt, weil er ihn gleich in den ersten Tagen danach gefragt hatte und die Warnungen der anderen nicht beachtete, denn das war nicht gern gesehen, daß einer zu diesen Leuten ging und sich den Kopf einseifen ließ, aber Heinrich hatte schließlich Erfahrung, ich gehe da einfach hin und frage, und erkundigt er sich nach euch, sage ich, daß euch das Essen schmeckt und die Arbeit und die Zelle, also was wollt ihr. Sehr gute Führung, Hampel, ich muß schon sagen, hatte der Mann von der Staatssicherheit gesagt und von der Menschwerdung des Menschen und der Arbeit im allgemeinen und der Arbeit in der sozialistischen Gesellschaft im besonderen geredet, und Heinrich fühlte sich sehr geschmeichelt und zog schon einmal die ersten Wochen ab.

Knapp ein halbes Jahr war das her, daß Opitz Heinrich als neuen Menschen begrüßte, als ihm die Gefängnisleitung im Mai 1968 mitteilte, spätestens Ende Juli dürfe er seine Sachen packen und hinaus in die Freiheit, denn da man ihn nun ein wenig kenne und auch zukünftig so leicht nicht aus den Augen lasse, wolle man die Sache nicht länger aufschieben, man setze große Hoffnungen auf ihn, und am Ende sehen wir ja alle und freuen uns und vergessen, was gewesen ist.

Einen Tag vor Rosas dreizehntem Besuch war das, daß Heinrich von seiner bevorstehenden Entlassung erfuhr und mit der guten Nachricht zu Karl lief, aber der konnte sich auf Anhieb gar nicht freuen. Ach schade, sagte er, und daß nun alles erst recht vorbei sei, oder warum sonst Heinrich nie wieder zu ihm gekommen war und ihm aus dem Weg ging: alles vorbei. Ja, leider, sagte Heinrich, der auf seine Weise an Karl dachte und ihre eine Nacht und warum er nicht wollte, daß da etwas anfing und sich entwickelte und ihnen über den Kopf wuchs, er wußte selbst nicht genau, warum. Er machte immer einen Bogen um diese eine Nacht, aber wie um etwas sehr Kostbares, Unwiederbringliches machte er einen Bogen darum, und eines Tages sagte er: Komm, das letzte Kilo Kartoffeln hilf mir schälen, dann gehen wir nach nebenan, dann will ich dich trösten. Das ist nicht dein Ernst, sagte Karl, und Heinrich sagte: Aber ja ist es mein Ernst, und warum ich mich vor dir fürchte, ist mir selbst ein Rätsel.

Noch am nächsten Nachmittag, als er vor Rosa saß, dachte er, sie müsse es ihm anmerken, daß er bei Karl gewesen war und fast eine halbe Stunde in der Kammer die Verrichtungen der neuen Liebe probte, doch Rosa bastelte schon wieder an einer ihrer Listen und sah ihm die Umarmungen nicht an. Auch schlechte Nachrichten habe sie leider mitgebracht, Heinrich solle um Himmels willen nicht erschrecken, sie hätten ein Geschwür bei ihr gefunden so groß wie ein Tennisball, in der Gebärmutter sitzt es und darf nicht mehr lange wachsen. Das ist, weil du so lange nicht mehr bei mir gewesen bist, sagte Rosa, und Heinrich sagte: Aber ein anderer besucht dich von Zeit zu Zeit; das bestritt sie. Nur Friedrich mit seinen feinen Pianistenhänden besuche sie hie und da, und manchmal bringt er die Kinder ins Bett und hat keinen eigenen Schlafanzug dabei, aber wenn er dann bleibt und sich auszieht, ist's, als wär's ein Bruder.

Ich habe das nie verstanden: ein Mann, der sich nach Männern sehnt.

Aber es ist ganz einfach, du mußt dir nur vorstellen, du bist die Frau und wie für eine Frau ja alles fremd und besonders ist an einem Mann, den Rest kennst du.

Ich hab's schon fast vergessen.

Aber du lernst es wieder, hoffentlich bei mir.

Nicht zum ersten Mal sagte er ihr, wie sehr sie sich verändert hatte, und wenn sie dann sagte: Ja, aber zu meinem Besten, dem Kummer und den Sorgen danke ich's, da wußte er keine Antwort und hoffte auf die Rückkehr der alten Tage und daß er wie früher das Geld nach Hause brachte, und die neue Rosa blieb bei den Kindern, so wie sie es kannten von früher.

Das alles werden wir wahrscheinlich nicht vermissen, sagte er, als die letzten Minuten gekommen waren, und in diesen letzten Minuten sagte man sich bekanntlich immer die wichtigsten Sätze: Daß er sich ändert ihr zuliebe, daß er sich ihr zuliebe nicht ändern braucht, aber um seinetwillen muß er's, das war es, was er ihr immer versprach, und auch jetzt hätte er ihr's gerne noch einmal versprochen, und wie sie alle an ihn glaubten und ihn lobten bei der Arbeit, das müßtest du hören.

Schön, sagte Rosa und sagte nur das, und für einen Augenblick schien es ihm, als könne sie längst auf ihn verzichten, und wie er manchmal das Gefühl hatte, sie braucht ihn gar nicht, er könnte genausogut bleiben, eine Art Leben wär's ja am Ende auch. Unsinn, sagte Rosa, und nach einer Pause: Ich habe nur in der Zwischenzeit auch ein Leben, das ist es.

Freust du dich überhaupt?

Aber ja, wir alle freuen uns. Evi fragt immer: Habe ich jetzt einen neuen Papa oder noch immer den alten? Und meistens antworte ich ihr: Das weiß man erst, wenn er wieder zu Hause ist, aber wenn du Glück hast, ist es ein neuer und der alte auch.

Du glaubst nicht daran.

Ich habe die Hoffnung nicht aufgegeben.

Man sagt, ich arbeite für zwei hier im Gefängnis, sie wollen mich gar nicht gehen lassen.

Ja, Sprüche, sagte sie. Aber nicht Sprüche meine ich, sondern Taten. Und ist ein Gefängnis etwa ein Ort für Taten?

Nein und ja.

Rosa: Sie haben auf einen Studenten geschossen drüben in Westdeutschland.

Heinrich: Und mit solchen Revanchisten haben wir noch immer eine gemeinsame Olympiamannschaft.

So also redest du neuerdings?

Weil ich meine Lektion gelernt habe, rede ich so.

Na, da bin ich gespannt.

Noch ein halbes Jahr zuvor in Gera hätte Heinrich ganz anders geredet, denn da wartete er noch immer auf seinen

Prozeß. Über ein Jahr wartete er schon und hatte noch nicht einmal eine ungefähre Aussicht, da schickten sie eines Tages einen Rechtsanwalt mit Brille und Aktenkoffer, noch vor Weihnachten sei das Urteil gesprochen, und ob er wisse, mit was er zu rechnen hat, womöglich würde man ihm von den angekündigten tausend Tagen ja den einen oder anderen erlassen.

Sie hatten ihn alle gewarnt vor den Rechtsanwälten, die das Blaue vom Himmel herunter versprachen, und was sie für unsereinen herausschlagen, wenn es gutgeht, und in Wirklichkeit stecken sie mit den Richtern und Staatsanwälten unter einer Decke. Das steht doch längst fest, wie lange sie dich hier einsperren oder droben in Leipzig, laß dich nicht verscheißern, sie lügen alle wie gedruckt, wie ja auch wir alle wie gedruckt lügen, wenn es für uns von Vorteil ist, oder was glaubst du.

Heinrich hatte nicht viel Hoffnung wegen des bevorstehenden Prozesses, und ob er nun ein paar Wochen mehr oder weniger bekam, was hatte das schon für eine Bedeutung. Nur Rosa hatte sich Hoffnungen gemacht, denn dann wußte man endlich, wann das alles vorbei war, daß sie jede Mark zweimal umdrehte und den Kindern die Kartoffeln auf die Teller abzählte oder das Stückchen Fleisch jedes zweite Wochenende, das nannte sie ihre Hoffnung. Hoffen wir nicht zuviel, hatte Heinrich gesagt, und Rosa hatte gelacht: Aber ich hoffe ja gar nicht, nur endlich Klarheit brauche ich, und damit ich mir die Kräfte richtig einteile, denn die reichen nicht ewig.

Davon war auch auf den Zellen oft die Rede: den Mädchen und den Frauen und wie lange sie das noch aushielten, das ewige Warten auf das Urteil, die kurzen Besuche, die Fragen der Freunde und Verwandten, die Sehnsucht, die Lügen, wenn sie kamen und wieder gingen und so taten, als sei das alles ein Kinderspiel, und weil das alles ein Kinderspiel für sie war, waren sie treu und tapfer und hatten für einen anderen hoffentlich keinen Blick. Ja, Pustekuchen, sagte Georg, der sich selbst nicht traute und noch viel weniger seiner Marianne, denn die war zwanzig und hatte seit ihrem sechzehnten Geburtstag kaum etwas ausgelassen, also warum jetzt. Jeremias kannte die Mädchen überhaupt nur vom Anschauen und verteidigte jede einzelne, Oskar hatte bis zu seiner Verhaftung wegen *asozialen Verhaltens* selbst eine Geliebte gehabt, und der Schweizer (aus der sächsischen Schweiz war er) traute seiner braven Regine einfach nichts zu. Und du? sagten sie zu Heinrich, aber der wußte nie, oder er sagte: Was kümmern mich die Liebhaber meiner Rosa, wenn ich nicht da bin, es lebt eben ein jeder sein Leben, und in einem Jahr oder weniger bin ich klüger und sie auch.

Vor allem der Rote konnte nie genug bekommen von solchen Geschichten, und obwohl er die Frauen wenig kannte, wußte er bei jeder Gelegenheit einen versauten Witz über die und wie man es ihnen *besorgte*, wenn sie gar nicht wollten, da kannte er sich aus. Kaum hatten sie einen Neuen in der Zelle, fing er mit seinen Geschichten an und war neugierig und geschwätzig, und warum er nur immer die besonders *Engen* nahm und die mit den kleinen festen *Ärschen*, denn Spaß macht es nun einmal nur mit den besonders *Engen*, und an den kleinen festen *Ärschen* erkennt man sie. Einmal habe ihm eine gesagt, woran die Frauen etwas erkennen, und ob ein Mann etwas in der Hose hat oder nicht, da sehen die uns nämlich auf die Nase oder den Daumen, oder diese eine wenigstens sah auf den Daumen und zog ihre berühmten Schlüsse daraus, in drei von vier Fällen traf sie auch ziemlich genau die Wahrheit. Nicht zu lang darf der Daumen eines Mannes sein, aber kräftig und ebenmäßig, ich meine, am Ende wollte die sogar ein Kind von mir, machte bei jeder Gelegenheit Anstalten, wollte mich hereinlegen, zum Glück habe ich's gerade noch gemerkt.

Und also waren sie bei den Kindern, die einer hatte und vermißte oder nicht mochte wie der Rote, aber die allermeisten redeten doch sehr gerne über ihre Söhne Töchter Neffen Nichten, und was die alles konnten und hoffentlich noch lernten, ein jedes war ja auf seine Art ein Wunder, und wenn es am Ende mißriet, lag es am neuen Staat bestimmt nicht, und daß die Mütter in den volkseigenen Betrieben und Produktionsgenossenschaften keine Zeit hatten oder zu müde waren nach der Frühschicht oder an Sonn- und Feiertagen, wenn sie Extraschichten fuhren zur Überbietung des neuesten Plans.

Heinrich redete am liebsten von Eva und ihrer Liebe zu den Sternen Wolken Blumen Steinen, und daß sie neuerdings an alle Welt Briefe schrieb, aber er selbst schrieb ihr in all den Monaten nur ein einziges Mal. Liebe Eva, schrieb er Ende November 1967 zu ihrem dreizehnten Geburtstag, heute muß ich nicht arbeiten, so will ich Dir endlich schreiben. Mein Geschenk gebe ich Dir später, denn von dort, wo ich bin, kann man leider keine Geschenke verschicken, aber die Leute sind nett, sie lassen Dich alle grüßen. Ich hoffe, Du bist noch immer schön fleißig in der Schule, Dein Vater hat ja leider nie etwas Richtiges gelernt im Leben, nur das soll sich ändern, Du sollst nämlich stolz sein auf Deinen Vater, denk bitte an ihn, er kann es gebrauchen.

Auch an Rosa hatte Heinrich ein paarmal geschrieben, aber meistens wußte er gar nicht, was sagen, und sparte sich die Geschichten für den nächsten Besuch, oder er stolperte über die ersten Sätze, wollte und konnte nicht sagen, was er dachte, wovon er träumte, dachte und träumte nichts, fand seine Tage und Nächte der Rede nicht wert oder eine Beunruhigung für jeden da draußen, wo es Jahreszeiten gab und Feste, das Auf und Ab und die Routine eines schwierigen Lebens.

Nur einmal in der zweiten Oktoberwoche 1967 schrieb er ihr, denn in der zweiten Oktoberwoche 1967 hatte er zweimal hintereinander vom Vater geträumt, der tat auf einmal die seltsamsten Dinge und war ein Vater, wie er ihn nicht kannte. Heiter und unbeschwert war der Vater und ein bißchen betrunken, denn sie standen zusammen in der Küche in Wiesbaden und tranken Wein, und während sie gemeinsam eine Flasche *Forster Schnepfenflug* tranken, erklärte der Vater die Sache mit dem Braten, den er vor einer Stunde in den Ofen geschoben hatte, gespickt mit Kümmel und Knoblauch, und Möhren und Zwiebeln zum Schmoren dazu, und das er, der in seinem Leben noch keine Mahlzeit bereitet hatte, und nun wußte er auf einmal, wie man einen Braten spickt und daß man die Ofentür zwei Stunden nicht öffnen darf: Nur damit ich ganz sicher bin und es keine Scherereien gibt, es soll mir nachher keiner klagen. Im zweiten Traum hatte der Vater einen schlimmen Husten gehabt, und obwohl er den schlimmsten Husten seines Lebens hatte, saß er die ganze Zeit rauchend auf dem Sofa und redete, zwischen zwei Anfällen immer gerade ein paar Sätze, entschuldige, aber ich habe einen schlimmen Husten, ich hoffe, er bringt mich um.

Heinrich wurde lange nicht klug aus seinen Träumen, und weil er lange nicht klug daraus wurde, nahm er ihn als Zeichen und schrieb einen Brief nach Wiesbaden an den Vater, und ob auch alles mit rechten Dingen zugehe, der Vater fange doch auf seine alten Tage nicht mit dem Kochen an, oder bist du mir etwa schon gestorben? Seltsam, schrieb Heinrich an Rosa, ich mache mir Sorgen, und Rosa schrieb zurück: Ja, seltsam, aber zum Sorgen besteht kein Anlaß, erst kürzlich hat mir die Stiefmutter einen langen Brief geschrieben, da war von einer Krankheit nicht die Rede, im Gegenteil, die Wochen in Saffig in der Anstalt haben ihm gutgetan, das ist das letzte, was ich weiß.

In jenem Herbst 1967 hatten sie unter strenger Bewachung am Stadtrand die Straße Richtung Eisenberg neu asphaltiert, Oskar und Jeremias waren auch dabei, und alle drei hatten sie die letzten sonnigen Tage genossen, und wenn in ein paar hundert Metern Entfernung ein Mädchen auftauchte und winkte und einen Moment stehenblieb, war es, als lebten sie wieder ihr altes feines Leben. Manchmal wunderte sich Heinrich dann über den Heinrich des vergangenen Sommers, denn da wurde er sechsunddreißig und spürte, wie die Vergangenheiten sich häuften und die Frauen und die Zimmer Wohnungen Häuser, in denen etwas gewesen war, und dann zweifelte er und rechnete, ob er noch in der ersten Hälfte seines Lebens lebte oder schon in der zweiten und wann dann genau die Mitte gewesen war, denn in der Mitte eines Lebens hielten sich Vergangenes und Zukünftiges die Waage.

Solche Gedanken hatte Heinrich und staunte über sich selbst, daß er solche Gedanken hatte und nicht wieder los wurde und sogar den stillen Jeremias damit behelligte, doch für den stillen Jeremias war das alles vertane Zeit, und ob man nun alt war oder jung oder irgend etwas dazwischen, was soll's, hier im Gefängnis solltest du lieber erst gar nicht anfangen mit solchen Gedanken, denn hier im Gefängnis sind alle steinalt, und das ist ja das Prinzip, oder sagen wir besser die Lektion: daß wir uns alle steinalt fühlen und in den alten Geschichten wühlen, und haben wir endlich genug, lassen sie uns raus und sagen: Also bitte, meine Herren, meine Damen, das war's, mehr wollten wir gar nicht, und nun seht, wie ihr's euch einrichtet, wir meinen es nämlich gut mit euch, nur beim nächsten Mal können wir auch anders.

Na gut, na ja, sagte Heinrich und dachte an seine kleine Eva, die Kluge, Bedächtige, und so, wie er sie sich dachte, würde sie an Jeremias Stelle lange gar nichts sagen, oder sie würde sagen: Du hast Fragen, Papa, als wäre er das Kind.

Immer nach vorne in eine Richtung gehen, kann jeder, würde sie sagen.

Ja, das kann jeder.

Ich gehe gerne rückwärts.

Aber man stolpert leicht.

Übung macht den Meister.

Die schlechten Tage hatten Mitte Juli begonnen, als Rosa eines Tages ausblieb, denn seine Rosa hatte zwei kranke Kinder und eine Arbeit von acht bis fünf und für Besuche im fernen Gera keinen Kopf, oder sie vergaß ihn einfach, war schwimmen mit einer Freundin und lag in der Sonne, halb döste sie, halb hatte sie ein Auge auf die Kinder, da fiel es ihr plötzlich ein, da hatte sie ihn tatsächlich vergessen, da war der Termin verstrichen.

Zwei Tage später erst bekam Heinrich den Brief, in dem sie alles erklärte und im Dunkeln ließ, es waren nur ein paar hastig hingeworfene Zeilen, und dabei schrieb sie, wie wenn sie noch nicht einmal für die paar hingeworfenen Zeilen die Zeit hätte: Lieber Heinrich, schrieb sie, tut mir leid wegen Sonntag, ich wollte Dich nicht warten lassen, aber es ging nicht, die Kinder und die Arbeit wachsen mir über den Kopf, sechs Wochen sind ja auch nicht gar so lang, das nächste Mal kann ich es gewiß wieder einrichten, Deine Rosa.

Wie eine flüchtige Bekannte schrieb sie ihm das, und natürlich machte man sich da schnell Gedanken, wurde sie nicht wieder los und stellte alles in Frage, und stand in seiner Lage erst einmal alles in Frage, wurde man launisch und unvorsichtig und fing sich Schläge ein wie ein paar Tage später wegen der Suppengeschichte, und dabei war es ja bekanntlich das Allerdümmste, sich bei irgendeinem Schließer wegen der Suppe zu beschweren, am besten hielt man doch immer das Maul und nahm und aß, was kam.

Noch am selben Nachmittag des Tages, da er sich beschwerte, lehrten sie Heinrich das Fürchten, auf dem Weg zur Bibliothek war es, da standen sie und versperrten ihm dem Weg, ermahnten und beschimpften ihn, der erste Schlag ins Gesicht traf ihn mitten in einer Frage: Ob Hampel auch schön satt geworden sei, ein Häufchen Dreck sei Hampel, mit Leuten wie dir werden wir fertig, da fackeln wir nicht lang, da haben wir unsere Methoden, du Schwein, und hier und hier und hier und hier, damit du uns nicht vergißt und eine Lehre daraus ziehst, denn jeder Satz war ein Tritt in die Nieren oder ein Schlag ins Gesicht, und beim nächsten Mal schlagen wir dich tot.

Sie ließen ihn ein Weile liegen, als sie fertig waren und Heinrich seine Lektion gelernt hatte, und dann nahmen sie ihn und schleppten oder vielmehr trugen ihn zurück zu Oskar und Jeremias in die Zelle, der Bürger Hampel sei leider unglücklich gestürzt im Treppenhaus, und da wußten die alle schon, was das für ein Sturz war, und lachten Heinrich aus und schwiegen. Wir haben dich gewarnt, sagte der Professor, der seine letzten Tage bei ihnen verbrachte, und Jeremias sagte: Komm, leg dich hin, ich mach dir einen kalten Umschlag, in ein zwei Tagen ist alles vergessen, oder du gehst zum Arzt und läßt dich krankschreiben, nur so leichtsinnig würde er hoffentlich nicht sein.

Er lag viel wach in den Nächten, die dann folgten, und über seine Rosa grübelte er in den Nächten, und ob sie an ihn dachte, wenn sie bei einem anderen lag, und ob die Kinder nach ihm fragten oder nach dem anderen, denn der wohnte gerade mal eine Straße weiter und hatte Zeit und noch mal Zeit, den konnte man anfassen und schicken, ein paar letzte Dinge für den Abend zu besorgen, und der war munter und lebendig und kannte die Welt der Gefängnisse nur aus Büchern. Ich rede nicht viel von dir, hatte Rosa einmal gesagt und lebte seit Monaten wie in zwei Welten, die nicht viel voneinander wußten, ging alle sechs Wochen durch die Schleuse und wieder zurück in ihr kümmerliches Leben, und fast immer nahm sie erst von draußen ein bißchen mit und anschließend von drinnen, aber den Rest vergaß sie, ließ ihn unterwegs liegen oder fallen, deponierte ihn auf dem Weg zur Bushaltestelle am frühen Sonntagmorgen und am späten Nachmittag, wenn sie nach Hause fuhr. Sie nannte es selbst eine Arbeit, eine schwere, dieses Vergessen, aber notwendig war die Arbeit und zum Besten aller Beteiligten, zum Beispiel vom Leben des Häftlings Hampel und den Gründen, warum er seit Monaten nicht zu Hause war, konnte sie ja unmöglich reden.

Aber die Kinder, dachte Heinrich in diesen Nächten, wenn er an alles dachte und zum tausendsten Mal die Geschenke erwog, die er für Eva und Konrad und Walter bei seiner Rückkehr in der Tasche hätte, da würden die nämlich staunen und fragen und nehmen, was er ihnen von seinen Reisen in ferne fremde Länder mitgebracht hatte, und nun freut euch und spielt schön und laßt uns ein halbes Stündchen allein, nach all der langen Zeit haben Mama und Papa eine Menge zu besprechen, oder hat sich das lange Warten etwa nicht gelohnt. Das hoffte er. Sogar den Onkel würde er denen machen für eine Zeit, und bei Rosa wäre er vorsichtig und zurückhaltend, bis sie eines Tages von selbst käme und sich erinnerte und an etwas anknüpfte von früher: Na, dann wollen wir mal, mein Liebster, kannst du's noch? Ich glaube.

Im Verlaufe des Juni, als er nur noch ein paar Wochen hatte, gab es Momente, in denen er dachte: Ich werde das alles vermissen, und meinen Karl werde ich vermissen und meine von morgens bis abends geregelten Tage bei der Arbeit in der Küche oder auf der Baustelle und morgens und abends bei diesem Scheißgeruch in der Zelle, wenn Karl mir das Zeichen gibt, daß er kommt, oder mich fragt, ob er kommen darf, von mir aus jede Nacht. Manchmal dachte er: Wie einfach das alles ist mit einem Mann, oder nur mit Karl ist es so einfach, oder weil wir das alles noch lernen und probieren und uns abwechseln und fast immer einig sind, und das war das Schönste, daß sie sich immer einig waren und die Lust ihnen nicht ausging, denn heimlich und kostbar waren die Momente, in denen etwas möglich war und die anderen sie nicht beobachteten, spätestens ab Mitternacht schliefen sie alle einen tiefen Schlaf.

Sie blieben nie lange der eine beim anderen, standen rasch auf, richteten ihre Kleider, wuschen sich nicht und blieben allein unter ihren Decken zufrieden und erschöpft. Immer schnell war ihre Liebe und präzise und ohne Schnörkel, und das war es, was sie beide wollten und nicht kannten von ihren Frauen. Nur auf die mißtrauischen Blicke und Ohren der anderen mußte man achten, denn manchmal sagte einer: Schnauze, ihr Schweine, und sagte es hoffentlich nur im Schlaf, und also hielten sie inne und warteten mit angehaltenem Atem, wie und wo sie gewesen waren, und das waren auf ihre Weise die schönsten Momente, wenn sie so warteten und bei jeder noch so kleinen Bewegung seufzten und zitterten, als wäre es das erste, letzte, das allerschönste Mal, denn da waren wir schon sehr weit und bereit und fast selig und wollten nicht länger warten.

Das war ab Mitte Juni, daß sie sich fast jede Nacht besuchten und beschnupperten und bekleckerten, und auch tagsüber waren Karl und Heinrich nun oft zusammen, denn Karl hatte sich gemeldet für die Arbeit in der Küche, und also setzten sie am frühen Vormittag gemeinsam die wässrigen Suppen für den Mittag auf und schnitten faule Kartoffeln und Möhren und Sellerie und einmal die Woche das Fleisch von alten Suppenhühnern so fein und gründlich, daß sie viel Zeit zum Reden hatten und Zeit, sich hinter den großen Töpfen aneinander zu reiben und den Mund wässrig zu machen für später.

Heinrich war es anfangs nicht recht, daß er Karl nun beinahe rund um die Uhr um sich hatte und nicht wieder los wurde, aber dann nahm er's bald wie eine letzte Gelegenheit, und damit er etwas lernte über sich und Karl und den Mann im allgemeinen, im großen und ganzen kannten und mochten und bevorzugten sie ja beide dasselbe. Einmal sagte Karl: Vielleicht lasse ich's ja in Zukunft mit den Frauen und nehme mir einen wie dich, oder ich fahre dich besuchen eines Tages und stehe vor der Tür und bettle um ein letztes Mal. Aber da schimpfte Heinrich ihn und hielt eine lange Rede zur Verteidigung der Frauen, denn bei den Frauen sei doch nun einmal alles viel feiner und zarter und wohlriechender, glatt und geschmeidig seien die Frauen und weich und gefügig im Falle des Falles, von ihren Gesängen, ihren Seufzern nicht zu reden. Oder hältst du mich etwa zum besten? Na ja, ein bißchen hielt Karl ihn zum besten, aber noch Stunden später am Abend schien er gekränkt.

Und so vergaßen sie die Sache wieder, und die verbleibenden Tage zählten sie, ein jeder auf seine Art. Er würde später nie reden von diesem Karl und ihren geflüsterten Bekenntnissen, aber wenn Rosa einen sah, der ihm ähnelte, machte sie Andeutungen, und wie das alles war, und ob Heinrich wirklich und wirklich mit diesem Knaben, mit seiner Mutter habe sie ja oft geredet, ich kann es gar nicht glauben, also so war das?

Ja, so und ganz anders, man kann es nicht erzählen, sagte Heinrich, ich vergesse alles, das alles habe ich längst vergessen, rühr nicht dran, das war es, worum er sie bat.

Ich muß mich erst waschen für dich, hatte Karl gesagt.

Nein, bleib, wie du bist, laß mich nicht warten.

Wie das letzte Mal?

Ja, wie das letzte Mal, das letzte Mal war fein.

Aber du schämst dich noch immer.

Gar nicht schäme ich mich. Und nun sei still und mach, es ist ganz einfach, ich weiß, so und nicht anders ist das Leben, das wir führen, und es ist erbärmlich und sehr schön.

Noch in der ersten Zeit in Gera hätte Heinrich bestritten, daß sein Leben ein Leben war, denn damals verlegten sie ihn noch alle paar Tage in eine andere Zelle, weckten ihn mitten in der Nacht zu Verhören mit den immer gleichen Fragen, und mit welchen Leuten er genau zu tun hatte bei seinen illegalen Geschäften zum Schaden der von Feinden umzingelten Republik, in der es zum Glück allzeit wachsame Bürger gab und zum Handeln entschlossene Organe, also die Namen, eins zwei drei, wenn Sie sich etwas Gutes tun wollen, wir können auch anders. (Das Lied kannte er.)

Rosa riet ihm, er solle um Himmels willen alles zugeben und notfalls ein paar Namen erfinden, wenn die zuständigen Organe denn durchaus auf Namen bestünden, aber Rosa redete sich wie immer leicht, und außerdem war sie ja damals sehr böse auf ihn und überschüttete ihn bei jedem Besuch mit Vorwürfen wegen der Kinder, und daß sie ohne den Westen nicht aus noch ein wüßten, denn wenn der Westen nicht wäre und das ewige Gebettel um ein Paket alle paar Wochen, wären wir wegen der Schulden längst verhungert.

Ein bißchen verdiene ich ja, sagte Heinrich dann, und Rosa selbst verdiene ja ein bißchen mehr noch als ein bißchen, es kommen auch bessere Tage, wir müssen nur dran glauben, und das waren dann so die Sätze, über die sie die Fassung verlor, oder sie beschimpfte ihn und schwieg und ging zu Fuß bis zur Bahnhofsgaststätte in Gera und schrieb an Constanze, Heinrichs Schwester, sich bedanken für die letzte Lieferung: Soeben war ich bei Heinrich, ich sitze in der Bahnhofsgaststätte in Gera und hab noch eine Stunde Zeit, bis mein Bus fährt. Ich möchte Dir für Deine Zeilen sehr danken, Heinrich hat sie eben gelesen, und es hat ihn sehr erschüttert, daß du nicht voreingenommen bist. Ich kann ihm alle sechs Wochen einen Besuch abstatten, allerdings nur dreißig Minuten, und das ist sehr wenig, wenn man sich so viel zu berichten hat. Ich hoffe noch immer sehr, daß ich ihn vorfristig rausbekomme, denn fleißig ist er für drei oder vier, und so wird bestimmt noch alles werden. Ich glaube, es hat ihm von Kind an eine straffe Hand gefehlt und auch Liebe. Er redet so oft von Mutter und Vater, daß ich der Meinung bin, so ein Mensch kann einfach nicht schlecht sein. Er ist sehr braun geworden und arbeitet den ganzen Tag am Bau im Freien, und ich freue mich, daß er sich nach den ersten schweren Wochen etwas gefangen hat, denn schließlich ist er trotz allem mein Mann und der Vater meiner Kinder, die wir ihn brauchen, Deine Rosa. So oder so ähnlich klang es, wenn sie denen im Westen die Lage beschrieb, da nannte sie Heinrich ein großes Talent, das nur leider immer die falschen Freunde habe und ein Temperament gemischt aus Leichtsinn und Übermut, in den entscheidenden Momenten blind für die Wahrheit sei er, wem sage sie's, nur die Rechnung zahle leider wie immer ich.

Vier verschiedene Arbeitsplätze hatte sie in den ersten Monaten, nähte ein paar Wochen in Heimarbeit buntkarierte Mädchenkleider für einen Betrieb in Apolda, verkaufte Spielzeug in einem Laden in der Altstadt, betreute aushilfsweise Kinder in einem Kindergarten und wurde mit dem einen nicht froh und nicht mit dem anderen, denn entweder stimmte der Lohn nicht oder die Leute waren blöd, und also ging sie zu *Zeiss*, und bei *Zeiss* als Lohnrechnerin wollte sie es wenigstens versuchen. Zu Anneliese sagte sie in den ersten Monaten: Ich kann das nicht, oder nicht mehr lange kann ich das, dann muß es endlich besser werden, denn wenn es nicht bald besser wird, geht sie hier im Osten noch auf den Strich. In Leipzig auf der Messe sollte es welche geben, die sich anboten und den feinen Herren aus dem Westen die Zeit vertrieben, und manchmal ging man mit denen auf ein Zimmer und fragte nach ihren Wünschen, kassierte und sagte ja und amen, fand es schlimm oder weniger schlimm, wusch sich Hände und Mund und alles, am Ende war's ja womöglich eine Arbeit wie jede andere.

So weit war es schon gekommen mit Rosa in den ersten Monaten nach Heinrichs Verhaftung, daß sie ernsthaft darüber nachdachte, ob sie einmal nach Leipzig fährt zur Messe und sich umhört, wie man das alles genau macht, daß die Männer einen erkennen und mit aufs Zimmer nehmen für einen gerechten Lohn: so weit schon. Sie würde Heinrich nichts sagen, wenn es eines Tages soweit wäre, denn das hätte er nicht geduldet, daß sie sich seinetwegen verkaufte oder die Kinder weggab, da brachte er sich oder Rosa oder sie beide lieber um. Wehe, hatte er gesagt, und das war, als sie einmal die Sache mit dem Kinderheim erwähnte, und daß das doch für alle die beste Lösung sei eine Zeit, und da wußte sie schon, sie durfte Heinrich erst gar nicht davon reden, und von Leipzig durfte sie ihm nicht reden, und am Ende behielt sie alles schön für sich und übte und gewöhnte sich, vielleicht kam's ja ganz anders, oder sie machte es zu Hause in der Wohnung: alles möglich.

Damals fingen sie beide schon an, sich an alles zu gewöhnen, aber das wußte Rosa nicht gleich, daß sie sich gewöhnte und die Dinge in den Griff bekam, denn im vergangenen Winter hatte das Geld noch nicht mal für ein Stück Butter gereicht, und allein für Heinrichs Gläubiger brauchte sie an DDR-Mark jeden Monat ein paar hundert. Nur immer die billigste Margarine gab sie den Kindern in den ersten Monaten aufs Brot und Salz und Zucker oder einen Löffel Johannisbeermarmelade vom letzten Sommer und am Wochenende manchmal eine Messerspitze Leberwurst. Wir sind eben leider arme Leute, sagte Rosa und redete viel von Heinrichs Reisen, aber Eva glaubte ihr die Reisen bald nicht mehr und die vielen Geschenke, die der Vater ihnen brachte, wenn er zurück war: alles Lüge.

Anfangs erzählte Rosa ihm noch alles, und man merkte, sie hatte eine Freude, ihm das alles in allen Einzelheiten zu erzählen, und wie sie von Anneliese und Friedhelm manchmal ein Glas eingemachtes Kraut oder Apfelstückchen in Zimt erbettelte, das waren dann die seltenen Freuden. Noch Anfang März 1967 beim dritten Besuch sagte sie: Das darf ich dir gar nicht sagen, was ich denke, wenn ich Ende des Monats kein Geld mehr habe, denn dann denke ich: Du Schwein, und: Das alles habe ich nicht verdient, denke ich und nehme mir vor, es ist das letzte Mal, daß ich ihm von unserem Elend berichte und mich trösten lasse oder vergeblich auf ein Wort des Trostes warte, und der es uns eingebrockt hat, sitzt im Trockenen und schert sich um alles einen Dreck.

Das war Ende Januar gewesen, daß sie das gesagt hatte, und Heinrich hatte gesagt: Na, wenn du wüßtest, denn damals weckten sie ihn noch fast jede Nacht zum Verhör, aber obwohl sie ihn damals noch fast jede Nacht zum Verhör weckten, sparte er sich den Kindern zuliebe jeden Pfennig vom Munde ab, mied den kleinen Kiosk im Gefängnishof, wo sie alle einkauften, und rauchte am Tag nie mehr als drei Zigaretten, denn so hatten sie wenigstens das Geld für ein paar Pflanzen und Samen für den Garten, oder Rosa hatte etwas für ein paar neue Schuhe oder ein Sommerkleid oder ein Kostüm, das graue von 1962 sah doch schon ein bißchen sehr verschlissen aus.

Mit den Verhören bei Tag und bei Nacht war es so: Holten sie ihn des Nachts, boten sie ihm zum Aufwachen eine Tasse Kaffee an, oder sie hatten schlechte Laune und ließen den Kaffee weg und stellten sofort die Fragen, es waren immer dieselben: Hampel habe Verbindungen zu Angehörigen der sowjetischen Streitkräfte gehabt, und er habe Verbindungen zu verschiedenen Stellen der Partei gehabt, also bitte die Namen, sonst werden wir ungemütlich, und ob er sich nicht schämt, daß er seine Familie ins Unglück stürzt und einen Berg Schulden hinterläßt zum Schaden aller. Auch sei ja Hampel den Behörden schon seit langem kein Unbekannter, nur was da alles geschrieben steht über den Bürger Heinrich Hampel, will so recht zusammen nicht passen: geboren 1931 in Jena, Republikflucht im Jahre 1951, freiwillige Rückkehr in unser sozialistisches Vaterland 1962, und keine fünf Jahre später sitzt er da auf einmal in unseren Gefängnissen, oder haben wir etwas vergessen? Nein, nicht, daß ich wüßte, sagte Heinrich, und daß er damals nicht hätte gehen sollen, das ist wahr, denn dann wäre er viel weiter und nicht hier, nur ob sie ihm heute einen Strick draus drehen wollen, daß er im Jahre einundfünfzig über die grüne Grenze ist mit gerade mal zwanzig Jahren, im Westen war er noch nicht mal volljährig.

Es gibt einen Beschluß der Volkskammer, daß sie dafür von uns nicht länger belangt werden, sagten die, und Heinrich sagte, ja, vor drei, vier Jahren muß das gewesen sein, denn vor drei, vier Jahren hatten die Genossen im ZK die Geschichte in mehrere Blöcke geteilt und nannten die Zeit vor dem 13. August 1961 *Die Errichtung der Grundlagen des Sozialismus*, und die Zeit danach *Auf dem Wege zur entwickelten sozialistischen Gesellschaft*. Ihr Glück, sagten die Herren Offiziere, und das war, weil sie sich gerne wiederholten und immer neue Offiziere zu ihm kamen, und da wußten die nie, was war schon erledigt in Sachen Hampel, was behielt er noch immer als sein Geheimnis.

In den ersten Wochen hatte Heinrich beharrlich nur über seine Person Auskunft gegeben, aber dann hatten die ihre in Jahren erprobten und verfeinerten Methoden bei ihm angewandt, und also stupsten und knufften sie ihren müden Hampel bei den Verhören, oder sie schrien ihn an und steckten ihn ein paar Stunden in einen Keller, da stand er dann herum und durfte sich nicht setzen, nur, damit er sich endlich besann, dieser Hampel, meine Güte, es ging doch nur um ein paar Namen. Ganz leise und vorsichtig und fast freundschaftlich stupsten und knufften sie ihn, und Schläge nur immer mit der flachen Hand, denn das waren sie ihm schuldig, und ob ihm endlich was eingefallen sei dort unten in unseren schönen Kellern, und siehe da, in der dritten oder vierten Woche fiel ihm etwas ein, warum nicht gleich; zwei oder drei Namen nannte Heinrich, aber die Namen Wladimir und Gisela tauchten in seinen Geständnissen nicht auf.

Wie müde du immer bist, lassen sie dich denn gar nicht schlafen, sagte Rosa, als sie ihn das zweite oder dritte Mal besuchte, und Heinrich: Das hole ich alles nach, wenn ich hier raus bin, dann schlafe ich eine Woche am Stück.

Man kann das aber gar nicht nachholen.

Aber alles andere kann man nachholen.

Na ja, ich weiß nicht.

In den ersten Tagen und Wochen hatten sie Heinrich noch in Ruhe gelassen, das heißt mit den oft stundenlangen Verhören in den Nächten hatten sie ihn in Ruhe gelassen, aber am Tag, wenn er nicht damit rechnete, holten sie ihn und alle paar Nächte in eine neue Zelle mit immer anderen Gesichtern, Geschichten, den Gehässigkeiten. Man verlor lieber kein Wort darüber, was in diesen Nächten geschah, in denen hie und da ein paar Namen fielen, und daß der eine über das Essen schimpfte und der andere über den Staat, in dem solche Essen möglich waren, man konnte eben nie wissen, und ob da einer nur plauderte oder zum Lauschen und Plaudern bestellt war, die Geschichte, die ein jeder hatte, klang ja immer ähnlich. Es gab leichte und schwere Fälle, Verbrecher aus Prinzip und Verbrecher aus Gelegenheit, aber um Untreue und Diebstahl zum Nachteil gesellschaftlichen Eigentums ging es bei den meisten, und hin und wieder stand auch der eine oder andere Fall in der Zeitung und war geschrieben zur Mahnung all derer, die sich um das Mein und das Dein und Unser nicht scherten, vielen Dank.

Über all das redeten sie manchmal untereinander, das heißt, wenn sie einander ganz sicher waren, redeten sie manchmal, denn meistens war es schon gefährlich, man nannte einen der üblen Schließer einen üblen Schließer, und konnte einmal einer das Maul partout nicht halten, wußten die anderen die Strafe immer schon im voraus, und wie viele Tage Karzer es gab, wenn ein paar Leute des Abends im

Chor ein paar Lieder zum Fenster hinaussangen, und warum man es besser für sich behielt, wenn man keine Lust mehr hatte. Das hatte vor Monaten oder Jahren einmal einer vorgemacht, und daß er keine Lust mehr hat und die Rasierklingen schon sammelt für den Tag X, und am nächsten Morgen in aller Früh holten sie ihn und prügelten ihn in ihren Kellern zurück ins Leben.

Das war kurz vor Weihnachten sechsundsechzig, daß sie sich in den Zellen und auf den Fluren die Geschichte des unglücklichen Mannes mit den Rasierklingen erzählten, denn in den Weihnachtstagen hängten sich in den Zellen bekanntlich fast immer welche auf, oder sie zerschnitten sich in der ersten Dämmerung die Pulsadern und hofften, man würde sie nicht finden, das war dann immer eine ziemliche Sauerei. Heinrich hörte nie richtig hin, wenn es um solche Geschichten ging, er dachte nur oft an früher, und an die Kinder und Rosa dachte er und an Wladimir und seine Gisela, die sich immer so hübsch anfaßten in aller Öffentlichkeit, und wenn sie spätabends die Tür hinter sich zumachten, fielen sie sofort übereinander her.

Vor allem um die Weihnachtstage herum und noch einmal nach Neujahr rechnete er fast täglich mit einem Brief von seiner Gisela, und als dann noch immer kein Brief von ihr gekommen war, schloß er seltsame Verträge mit der Genossin, verzichtete ihr zuliebe auf Mahlzeiten oder die eine oder andere Zigarette, nahm es für ein schlechtes Zeichen, wenn ein Wasserhahn tropfte, und für ein gutes, wenn der Schließer am Abend das Licht nicht ausmachte, daran knüpfte er so seine Hoffnungen. Manchmal verfluchte er sie dann, oder er nannte es seine gerechte Strafe, daß sie ihn so gründlich vergaß, war auch schon wieder bei seinen Fehlern von früher, den guten und den schlechten Zeiten, und von was die nur immer abhingen, wer weiß.

Es gab Tage, da wunderte er sich, wie schnell und unwiderruflich sich das sagte: früher, und dieses Früher, das war, als er den ersten und zweiten Fehler machte, nur leider waren die sogenannten Fehler auch immer das Glück. Bella war ein Fehler, damit hat alles angefangen, dachte er dann und dachte an ihre ersten gemeinsamen Nachmittage, und auch an Rosa dachte er, denn ohne seine Fehler oder wie soll man sagen Bekanntschaften (auch Rosa war einmal eine Bekanntschaft gewesen) war er doch praktisch gar nicht vorhanden.

Das war die Arbeit der ersten Wochen, daß er herausfand, mit welchen Erinnerungen sich leben ließ und mit welchen auf keinen Fall, vor allem mit seinen Erfolgen konnte er nämlich nicht leben, aber über seine Niederlagen lachte er, und daß sein Buchhalter ihn betrogen hatte, oder daß er von einem Genossen verpfiffen worden war, also darüber lachte man doch. Er fand das unwahrscheinlich, daß ihm dergleichen noch einmal passierte, aber eine Bella oder eine Rosa oder eine Rita würden ihm hoffentlich wieder passieren, bloß leider genau daran durfte er fürs erste auf keinen Fall denken, nur hie und da ein klitzekleines bißchen durfte er daran denken, oder vor dem Einschlafen, wenn er sehr müde war, das war fürs erste sehr selten.

In der Nacht, bevor sie ihn entließen, ging er ein letztes Mal zu Karl unter die Decke, und dieses eine Mal blieben sie beide liegen und nahmen noch nicht mal groß Rücksicht auf die anderen, und als sie am nächsten Morgen erwachten, hatten sie den Abschied hinter sich. Am 25. Juli 1968 mittags gegen zwei entließen sie Heinrich, doch bevor sie ihn entließen, gab es noch ein paar gute Ratschläge vom Leiter der Anstalt, man habe den Rest der Strafe zur Bewährung ausgesetzt, und also solle sich Heinrich nur immer fleißig bewähren und genau dort weitermachen, wo er hier in der Anstalt aufgehört hat, denn nur wer arbeitet, soll essen, frei nach Lenin. Heinrich solle sich auch bitte gleich in den nächsten Tagen bei den zuständigen Behörden melden, man habe Arbeit für ihn, das Kollektiv eines Baukombinats in Jena habe sich bereit erklärt, den Gestrauchelten auf den richtigen Weg zu führen, also machen Sie etwas daraus, schlagen Sie die helfende Hand unseres sozialistischen Staates nicht aus.

Auch der Verbindungsoffizier Opitz ermahnte Heinrich und nannte den Fall Hampel ein Beispiel für die Überlegenheit des sozialistischen Rechts gegenüber dem staatsmonopolistischen Rechts- und Herrschaftssystem in Westdeutschland, er habe ja vor Jahren seine traurigen Erfahrungen damit gemacht, und nun haben Sie hier in unserem Staat Ihre Erfahrungen gemacht, der Unterschied sei ja wohl unübersehbar. Er durfte noch einmal zurück in die Zelle, sich verabschieden, und danach gaben sie ihm in der Kleiderstelle Uhr und Anzug und Wäsche, die er am Tag seiner Verhaftung getragen hatte, dazu in einem grauen Umschlag den Lohn für den angebrochenen Monat Juli, dann war er ein freier Mann.

Nie wieder, dachte er, als er wie Rosa bei ihren Besuchen alle sechs Wochen durch die Schleuse ging und das große Tor sich öffnete in einen hellen Julitag. Er mußte ein paarmal blinzeln, so hell war es, und auf einmal sah er jemanden winken, und die da winkte, war Rosa in einem ihm unbekannten Sommerkleid. Drei-, viermal blinzelte Heinrich, und dann sah er neben Rosa einen Mann, der von weitem aussah wie Harms, und dachte: Sie wird doch hoffentlich nicht diesen Harms mitgebracht haben, sah genau hin und sah, es war kein anderer als Harms, den berühmten Mantel über dem Arm und winkend wie Rosa: als wären sie die besten Freunde.

Braun bist du geworden, sagte Rosa und küßte ihn wie früher auf den Mund, und Harms sagte: Aber man erkennt ihn wieder, ganz der alte Hampel, der neue, wie ich höre, herzlich willkommen. Ja, herzlich willkommen, sagte Heinrich und lachte, und zur Feier des Tages gingen sie gemeinsam in ein Café und tranken Brause, gewöhnten sich ans Reden. Schmal bist du geworden, sagte Rosa, und ob er schon von Prag gehört habe, die Lage spitze sich täglich zu. Ja, Prag, sagte Harms, das hat sich bald ein Ende mit diesem Prag, die Konterrevolution wird nicht siegen, das haben wir bald. Ja, hoffentlich, sagte Heinrich und konnte sich an eine Pragsache in den Zeitungen nicht erinnern, und was denn die Kinder machen an einem Samstag wie diesem, am liebsten würde er doch gleich zu den Kindern. Ja, sicher, ich verstehe, sagte Harms, aber wenn Sie sich eingewöhnt haben, nehmen Sie sich ein bißchen Zeit für mich, und danach zahlten sie (Rosa zahlte) und fuhren im Dienstwagen des Oberleutnants Harms von der Staatssicherheit Gera zum Bahnhof, da wußten er und Rosa erst mal nicht weiter. Ich habe noch eine schlechte Nachricht, sagte Rosa nach einem Schweigen, und Heinrich sagte: Ja, der Vater, ich hab's mir lange gedacht.

Er hat den Gashahn aufgedreht eines Nachmittags, und damit es ganz schnell ging, legte er den Kopf in den Ofen.

Ach deshalb, sagte Heinrich.

Ja, seltsam, nicht wahr, du hast es geahnt.

Deine Listen haben dich verraten.

Ja, die Listen.

Ich muß mich erst gewöhnen daran.

Aber ja doch, gewöhnen müssen wir uns alle.

Später, im Zug nach Jena, versuchte er sich vorzustellen, wie die Kinder ihn wohl empfingen, und seine Rosa versuchte er sich vorzustellen, das erste, tausendste Mal nach fast zwei Jahren: Hörst du wie dein Herz schlägt, hörst du meins? Noch koste ich bloß von dir. Ich tauche hie und da. Darf ich dich ausziehen mit meinen Händen? Möchtest du Musik hören? Wie dunkel es geworden ist; wie lecker du bist, und wie immer zart und klug und neugierig sind deine Hände, deine Fingerspitzen wie tausend kleine bunte Küsse. Darf ich dich fragen, was du beim letzten Mal gedacht hast? Alles darfst du mich fragen. Trägst du mich? Ja, ich trage dich. Ich möchte nackt sein für dich. Ja, ich auch.

8

Die ersten Schwierigkeiten gab es im Februar, da waren sie einen Monat zurück aus Rußland und fanden die Verhältnisse verändert, daß sie manchmal das Land nicht kannten und die Sitten der neuen Herren von sowjetischen Gnaden und der Leute aus der Zeit von früher. Auch einen Monat nach ihrer Rückkehr aus Rußland trug Heinrich noch immer die Kleider, die er bei der Ankunft am Flughafen Schönefeld getragen hatte, und ging wie ein Russe in Filzstiefeln und Galoschen, und einen schweren dunklen Mantel trug er und auf dem Kopf eine braune Pelzmütze. Theodor und die Mutter waren sich längst nicht mehr sicher, ob die neu gegründete Republik mit der Hymne des Dichters das richtige Land für sie war, aber der Vater und Heinrich fanden, das könne man noch gar nicht wissen, ob es das richtige Land war, man müsse erst mal abwarten und sich gewöhnen und die Sprache lernen wie in einer Fremde, das hatten wir doch gerade erst in Rußland, und heimischer als in Rußland werden wir uns hoffentlich fühlen.

Vom Regen in die Traufe sind wir gekommen, sagte die Mutter, und der Vater sagte: Nun gehen wir erst mal arbeiten und schauen, und dann ging er mit seinen Söhnen Theodor und Heinrich arbeiten und schauen, den langen Weg hinunter zur Camsdorfer Brücke über den Marktplatz bis zum Bahnhof und rechts zum Werk kannten sie alle in- und auswendig. Nur hie und da war etwas neu oder schon wiederhergestellt wie das Dach der im Frühjahr 1945 zerbombten Stadtkirche oder das eine oder andere Haus auf dem Weg, die Brücken, Straßen, Plätze mit neuen Namen, da hingegen auf roten Transparenten die Losungen der gegenwärtigen Herrscher, die dem vorgefundenen Volk der Arbeiter und Bauern nicht trauten, aber voller Optimismus waren für alle, die sich guten Willens zeigten wie Heinrich und der Vater, denn der hatte oben auf der Wilhelmshöhe ein noch immer nicht abbezahltes Haus und wollte sich mit den neuen Gepflogenheiten arrangieren.

VEB Schott und Gen. stand jetzt über dem Werk geschrieben, und am zweiten oder dritten Tag fiel es ihnen gar nicht mehr auf, und am Anfang der fünften Woche bestellte der Parteisekretär die Herren Hampel Vater und Söhne zum Rapport, den Hilfsarbeiter Heinrich Hampel gleich vorneweg. Mitten in der Frühstückspause an einem der ersten Februartage ließen sie nach Heinrich schicken, und so saß er eine gute Stunde im Büro des zuständigen Parteisekretärs und hörte dessen Predigt, dessen Ermahnungen. Es sei ihm da manches zu Ohren gekommen, das können wir leider nicht stehenlassen, das müsse aus der Welt, der imperialistische Klassenfeind koche sein Süppchen mit solchen Bemerkungen, aber das könne Heinrich nach fünf Jahren Sowjetunion natürlich nicht wissen, und darum bitte man in solchen Fällen erst mal zum Gespräch und behalte sich alle zu treffenden Maßnahmen vor für später.

Und wie war es also in der befreundeten Sowjetunion?

Ja, schön war es.

Aber in der Mittagspause reden Sie, wie der Klassenfeind nur reden kann.

Nur wenn ich gefragt werde, erzähle ich und füge nichts hinzu und lasse nichts weg: Das nenne ich Wahrheit.

Eine schöne Wahrheit, die mir die Leute gegen die Sowjetunion aufhetzt, sagte der Parteisekretär und verlas aus einem Papier die Sätze, die man ihm hinterbracht hatte als öffentliche Bekenntnisse der Brüder Hampel: daß das ganz arme Schweine sind in Rußland, daß die Leute hungern im Rußland Stalins, daß sie einer falschen Ideologie hinterherlaufen, und was das überhaupt für ein Kommunismus sei, in dem die einen wie das Fett auf der Suppe schwimmen, und die anderen werden seit über dreißig Jahren nicht satt und leben ein Leben wie Knechte.

Das mit dem Hunger stimmt, sagte Heinrich und war ganz erstaunt, daß der andere dazu nickte, aber die den Hunger nach Rußland gebracht haben, waren die faschistische Wehrmacht und die Hitlerbarbarei, oder ob Heinrich glaubt, der Hunger fällt vom Himmel wie eine Strafe Gottes oder weil die Kommunisten das Getreide nicht zu ernten verstehen. Das alles nannte er die üblichen Lügen des amerikanischen Imperialismus und seiner Freunde und Helfershelfer in London, Paris und Bonn, nur eben von einem Arbeiter bei *Schott* erwarte sich die Partei der Arbeiterklasse, daß er sich ein richtiges Bild macht von der Lage, also stellen Sie das ein, dieses Gerede, wir warnen Sie kein zweites Mal, und herzliche Grüße an die Frau Mutter und den verehrten Vater, den kennen wir von früher, der lebt nur für die Arbeit, und Arbeit haben wir hier genug.

Und damit entließ man ihn und schickte ihn zu Theodor, dem Bruder, der hatte wie immer über alles eine schnelle Meinung und machte keinen Hehl daraus, suchte beim Essen in der Kantine Streit mit irgendwelchen Überzeugten und redete sich und seinen Bruder um Kopf und Kragen. Sei bloß vorsichtig, sagte Heinrich, der noch keine Meinung hatte vom deutschen Sozialismus und im Zweifelsfall als Russe dachte, denn von den Russen hatte er das Essen und

Trinken und das Hungern und die Liebe gelernt, aber hier im Deutschland der vereinten Sozialisten war alles kalt und grau und prüde.

Auch das erste Mädchen war Heinrich prüde und langweilig vorgekommen, Dora war ihr Name, die lernte er kennen, als sich die Familie Hampel Anfang Januar von Kopf bis Fuß neu einkleidete und in einem Möbelhaus Betten und Stühle, Schränke, Tische und Kommoden kaufte, als sei ihnen kürzlich das Haus zerbombt worden droben auf der Wilhelmshöhe, wo sie alle noch nicht wieder zu Hause waren und den in Rußland viel zu billig verkauften Möbeln und Kleidern nachtrauerten, die hätten sie jetzt nämlich gebraucht. Gleich in aller Herrgottsfrühe am 3. Januar war der Vater ins Werk gefahren und hatte sich eine Bescheinigung geholt, daß sie tatsächlich brauchten, was auf der langen Liste der Mutter stand, und dann fuhren sie alle sieben mit dem Wagen des volkseigenen Betriebes *Schott und Gen.* zu den besten Adressen und kauften, wo üblicherweise nur die Genossen kauften, mit dreimal sieben Handtüchern und ein paar Waschlappen fing es an: die Mutter immer vorneweg mit der Liste, der Vater wägend und nickend an ihrer Seite, die Kinder trugen's dann nach und nach zusammen auf einen großen Haufen mit Anzügen und Kleidern und Stoffen für die Vorhänge, Tisch- und Tagesdecken, dazu allerlei Geschirr und Besteck und Geräte zum Kochen Putzen Waschen für die Mutter, die auch nach Stunden keinen Blick hatte für ihre Umgebung, und daß das ein Laden war für hohe Funktionäre mit Reiseberechtigung, die fuhren in Kürze als Delegation nach China, Kuba oder in die Sowjetunion und wunderten sich nicht schlecht über Leute wie die Hampels.

Eine halbe Stunde ging das so, daß sich alle wunderten über die Hampels und ihre Einkäufe, und schließlich hatte einer der Angestellten genug und verständigte die Volkspolizei, man habe da eine Familie mit sieben Kindern, die kauft uns den halben Laden leer, nur wie Parteileute sehen die nicht aus. Na, das haben wir gleich, sagten die Herren von der Volkspolizei und brüllten nach den Papieren, und warum man hier Berge Textilien kaufe ohne Genehmigung, das wäre ja noch schöner, da ging die Sache los. Nun reicht's mir aber, sagte Theodor, und der Vater sagte: Immer mit der Ruhe, und wieder Theodor: Die Sache sei so und so, und wieso man hier mir nichts dir nichts die Polizei am Hals hat, oder wer von den Herrschaften hat sich da nun stark gemacht und behauptet, daß wir Schmuggler sind oder irgendwelche Schieber, da wollte es natürlich niemand gewesen sein. Na prima, sagte Theodor, so ein Land ist das also, und die beiden Volkspolizisten: Alles halb so schlimm, Herr Hampel, ein Mißverständnis, beruhigen Sie sich, wir haben unsere Gründe, und auf Ihre Familie treffen unsere Gründe nicht zu.

Zweieinhalb Stunden hatte die Mutter Posten für Posten von der langen Liste gestrichen, bevor sie ein paar Straßen weiter in ein neues Möbelhaus fuhren, und in diesem neuen Möbelhaus verliebte sich Heinrich in sein erstes deutsches Mädchen, die war eine Bettenverkäuferin und liebte auf der großen weiten Welt niemanden so sehr wie den weisen Führer und Retter der sowjetischen Völker, Josef Wissarionowitsch Stalin. Sogar ihr Tagebuch hatte sie Stalin gewidmet, und also begann sie jeden Abend nach Geschäftsschluß ihre Einträge mit Ort und Datum, und welches Wetter sie gerade hatten im schönen Jena, und schrieb unter dem Datum 3. Januar 1951: Lieber Josef, heute hatten wir komische Leute hier, kauften auf einen Schlag sechs Betten für die ganze Familie, die kommt gerade aus Moskau nach fünf Jahren und besteht aus Vater, Mutter, zwei Töchtern und drei

Söhnen. Wie ein Russe sah der eine aus, und schöne blaue Augen hatte er und eine Stimme ich weiß nicht wie, und wie gern würde ich ihn nun fragen, wie das alles war in den fünf Jahren Moskau, und ob er auch im Bolschoi gewesen ist oder bei Lenin auf dem Roten Platz. Ich denke gar nicht viel an ihn, aber Fragen für zwei Nachmittage hätte ich, da könnten wir gemeinsam russisch reden, das war es, was sie über ihre erste Begegnung schrieb.

Heinrich hätte sie wahrscheinlich noch nicht mal bemerkt, aber dann hatte sie jemand bei ihrem Namen gerufen, der gefiel ihm, und das Mädchen zu diesem Namen gefiel ihm und ihr Lachen, als der Vater sagte: Wir möchten gerne sechs Betten, ein doppeltes und fünf einzelne. Sechs auf einmal? fragte sie und hatte eine ganz spitze Nase zu ihrer dunklen Stimme, und der Vater sagte wie immer: Rußland, und ließ sich von ihr beraten. Heinrich dachte gleich: Sie ist nett, dachte er, und was für einen schönen Beruf sie hat, das wäre doch etwas: Betten verkaufen, und dazu plaudert man ein bißchen und hat keine große Arbeit, und deshalb hörte er auch genau zu, wie sie das alles machte, zur Zeit habe man da die neuen Modelle mit gespannten Gummiseilen, auf denen es sich sehr schön liegt, und für die Kinder die hölzernen mit Kunststoffrahmen, man dürfe sich auch zur Probe gerne einmal drauflegen.

Nicht einmal richtige Betten wie vor dem Krieg gibt es also, mäkelte Theodor und dachte, sie hört es nicht, aber dann drehte sie sich mit einem Ruck um und belehrte ihn: Sogar der Genosse Stalin schlafe in einem solchen Bett, da sei's dem jungen Herrn vielleicht gerade recht, aber ganz freundlich sagte sie's und wie im Besitz der Wahrheit, also, die würde sich Heinrich ansehen die Tage, oder wenn er den Mut dazu hatte oder der Zufall es wollte, warum nicht morgen.

Gleich am nächsten Tag in der Mittagspause war Heinrich vom Werk über den Westbahnhof in die Altstadt zu Dora in die Bettenabteilung gelaufen und hatte nach ihr gefragt, aber dann war sie leider gerade nicht da, und ein paar Tage später hieß es, das Fräulein Dora habe sich krankgemeldet, und eine Adresse gebe man Fremden nicht heraus.

Der ganze Januar verging und der halbe Februar, und dann gab es die ersten Verhöre und die ersten Sorgen, die machten, daß er sich nicht mehr genau erinnerte, oder er hatte nur immer eine Einzelheit: die spitze Nase, das helle, nach hinten gebundene Haar, das viel zu dunkle Lachen für ein Mädchen ihres Alters, oder sollte er sagen: eine Frau? Oft lag er abends im Zimmer mit Paul und mußte daran denken, daß es *ihr* Bett war, in dem er lag und schlief und vor dem Einschlafen seine Gedanken zu ihr hinschickte und hoffte, sie würde es merken und zurückdenken und sich ein bißchen sehnen, daß er sie holte abends lange nach Einbruch der Dunkelheit, wenn die Geschäfte schlossen und sie nach Hause ging zu ihrem Stalin in den Büchern oder den Zeilen, die sie ihm schrieb.

Damals war auch die Mutter noch zufrieden, wie es gekommen war und daß sie alle heil und gesund aus Rußland nach Hause gebracht hatte (auch Heinrich) und daß das Haus noch stand und die Mieter aus dem ersten Stock endlich heraus waren: alles wie früher. Nur über den Berg fluchte sie und daß der Mann ihr nie half und selten die Kinder, denn die gingen wie Theodor und Heinrich arbeiten und kehrten vor dem Abend nicht zurück oder hatten wie Constanze und Paul ihre Kindersorgen und fanden sich mit den Lehrplänen der neuen Obrigkeit nur schwer zurecht. Einmal die Woche gab es immer was, denn entweder konnten die kein Englisch oder verbreiteten wie ihre Brüder falsche Ansichten über die große Sowjetunion, von wo sie herkamen und die Schlangen für Mehl und Zucker zweimal im Jahr kannten, und darum schrieben sie und ließen die neuen Lehrer in ihren Aufsätzen wissen, so und so lebt ein Arbeiter in der Sowjetunion, und wie er in den Vereinigten Staaten lebt, können wir nicht wissen, schlechter als im Paradies der Arbeiter und Bauern kann's ja kaum sein.

Aber Kinder, sagte der Vater, wenn er am Abend wie immer nichts wissen wollte und warum nun genau die beiden Nachbarskinder im Gefängnis saßen und so schnell nicht wieder herauskamen wegen ein paar Stinkbomben gegen die feierliche Umwandlung der Werke *Schott* und *Zeiss* in volkseigene Betriebe, oder haben sich die neuen Herren etwa davon beeindrucken lassen? Diese Schweine mit ihrem verdammten Stalin und ihrem dreimal verdammten Ulbricht, sagte Theodor dann, und weil Theodor es sagte und Dora es nicht gerne gehört hätte, schimpfte ihn Heinrich einen Miesmacher, und warum er nicht gleich nach drüben in den Westen geht, da begrüßen sie einen wie dich mit offenen Armen. Wehe, sagte der Vater, und die Mutter sagte: Aber alleine gehst du mir auf keinen Fall, und das war im März 1951, daß sie zum ersten Mal über den Westen sprach, nur Heinrich (wegen Dora) und der Vater (weil er das Haus hatte) nahmen sie nicht ernst.

Und dabei war Heinrich noch nicht mal sicher, ob er diese Dora überhaupt wiedererkennen würde, sah sie an einem Dienstag nach Geschäftsschluß aus der Tür des neuen Möbelhauses gehen und winkte und zögerte, lächelte, na, was er denn will. Ob etwas mit den Betten nicht stimmt? Und warum er gar nicht mehr wie ein Russe aussieht, denn als Russen habe sie ihn in Erinnerung, wollen wir hoffen, in guter. Ob er sie einladen darf? Ja, auf einen Kaffee darf er sie einladen. Aber alles ganz genau erzählen muß er ihr dann, denn wer aus dem Lande Stalins kommt, muß nun einmal erzählen, in zwei, drei Jahren möchte sie ja auch mal hin, das nannte sie ihren Traum.

Und so fing er an beim Anfang und wurde so schnell nicht fertig, und als er endlich fertig war, hatte sie noch immer Fragen und fragte Heinrich nach den russischen Mädchen, und ob er einmal auf einer der großen Maikundgebungen gewesen ist oder einer Parade zum Jahrestag der Großen Sozialistischen Oktoberrevolution. Er hätte lieber über ihr Leben als Bettenverkäuferin gesprochen oder über ihr Leben als Tochter des zweiten Kreissekretärs Helmbrecht, geboren am 22. Oktober 1931, im selben Jahr wie Heinrich, und achtzehn Jahre später, am Tag der Staatsgründung der Deutschen Demokratischen Republik, feierte sie auf den Straßen ihres geliebten Jena die Volljährigkeit und sang zum *Festtag des Sieges* ihr Lied: *Ein Lied, wie es noch nie gesungen, Musik, wie sie noch nie erklang. Wir gehen alle eng umschlungen. Und keinem ist mehr angst und bang. Ein Licht, ein Licht hat uns durchdrungen, wie Licht noch nie das Herz durchdrang. Und Fahnen wehen hoch geschwungen und blühen rot den Zug entlang.*

Johannes R. Becher, ich kann es auswendig, sagte Dora, und Heinrich: Kenne ich gar nicht. Aber ob er sie die Tage wiedersehen darf? Na, meinetwegen, sehr gern.

Er hatte lange keinen Plan mit Dora, aber dafür hatte Dora von Anfang an Pläne und schickte ihm ein- bis zweimal die Woche ein Gedicht oder eine Rede von diesem Becher, und wenn sie sich wieder trafen, mußte er sagen, wie er das alles fand, zum Beispiel die *Hymne auf die UdSSR* und das *Lied von der blauen Fahne*, das ihr am besten gefiel, denn das wußte sie aus eigener Erfahrung, wie das war, wenn die *Freie Deutsche Jugend* marschierte unter den deutschen Himmeln im schönen Mai, wie es geschrieben stand: *Aus dem*

Blauen strahlt die Sonne, und sie leuchtet, Deutschland, dir. »Links!« und »Links!« singt die Kolonne, Freie Deutsche Jugend wir. Laßt uns neu die Heimat bauen! Laßt uns fest zusammenstehn! Blaue Fahnen hoch im Blauen werden über Deutschland wehn.

Kann man es schöner sagen? sagte die vor Begeisterung ganz heisere Dora, und Heinrich fand, daß man es schöner nicht sagen konnte, und dabei war doch noch überhaupt nichts gewesen mit dieser kleinen Person in ihrem blauen Hemd, noch nicht mal ein Kuß. Ich kann's mir vorstellen, sagte Heinrich, weil er sie mochte (nur weil er sie mochte, sagte er's), und meine Dora immer vorneweg mit der großen blauen Fahne und den ersten Sommersprossen im Gesicht, das ist es, was ich sehe: als wär ich selbst dabei. Ja, das wäre schön, das nächste Mal, wenn du dabei bist, flüsterte sie und meinte die vielen Abende, an denen sie bei ihren FDJ-Treffen die bevorstehende Volksbefragung gegen Remilitarisierung vorbereiten half, aber wenn sie dann müde nach Hause kam, war sie in Gedanken immer sofort bei Heinrich, und was für schöne Augen der hatte und einen Mund zum Küssen so fein und appetitlich, daß sie sich schämte. Sogar das Tagebuchschreiben vergaß sie jetzt manchmal und schrieb, wie beschäftigt sie sei, aber wenn die Sache vorbei ist, denke ich auch wieder an Dich und berichte Dir wie immer in allen Einzelheiten, ach Josef.

Anfang April an einem Sonntag stellte Heinrich sie der Mutter vor, doch der Mutter fiel zu Dora nicht viel ein, nur über ihr ärmelloses Kleidchen rümpfte sie die Nase, und daß sie immerfort diesen Stalin im Mund führte, also das war ja direkt peinlich: als wäre der ihr Gott. Schon am frühen Vormittag hatte die Mutter einen Blechkuchen mit Apfel und Zimt und Zucker gebacken, da saßen sie gegen drei alle zusammen und beglotzten und bestaunten Heinrichs Mädchen, als käm's von einem anderen Stern. Was kümmern uns deine Mädchen, sagte Theodor, und Constanze sagte: Es ist nicht recht, daß du sie mitbringst, sogar der Vater ist dagegen, aber höflich und schwach sei der Vater, deshalb merke man's ihm nicht an. Ein feines Mädchen, sagte der Vater und nahm Dora zum Schauen mit in den Garten, und dort unter den Obstbäumen ließ sie sich von Heinrich später zum ersten Mal küssen, und das war nun also das erste Mal, daß er ein Mädchen aus Deutschland küßte, auf Anhieb war's ja fast wie bei Ljusja.

Das hast du wohl in Rußland gelernt, sagte Dora, als sie eine Pause brauchte und dem ersten langen Kuß ihres Lebens hinterherschmeckte und über seine Schultern hinweg das Fenster zur Küche im Auge behielt, und Heinrich sagte: Ja, schade, es hatte gerade so schön begonnen, komm, wir gehen ein bißchen spazieren, am Fuchsturm oben weiß ich ein Plätzchen, aber da war er ihr zu schnell. Sachte, sachte, mein lieber Heinrich, mein Russe, darüber muß ich erst mal nachdenken bis morgen oder in zehn Tagen, wenn der Erste Mai war, ich hoffe, wir sehen uns, und daß er nur immer nach den blauen Fahnen schauen soll, dann darf er sie studieren und sehen, wie schön sie ist, das hoffte sie. Kommst du mich auch mal besuchen, fragte sie, als er sie noch ein Stück begleitete und bis zu den neuen Häusern in der Maxim-Gorki-Straße brachte, das versprach er und war ganz brav und stolz und optimistisch, von den bösen Sätzen der Mutter mußte er ihr ja nicht reden.

Ein feines Mädchen hast du dir ausgesucht, sagte die Mutter und meinte Doras Vater, das hohe Tier bei der Partei, und genau diese Leute seien es doch, die anderer Leute Kinder auf Jahre in die Gefängnisse sperren zum angeblichen Wohle des Sozialismus, bloß auf diesen Sozialismus pfeife ich.

Sie ist doch noch ein Mädchen, sagte der Vater.

Aber bei Kaffee und Kuchen singt sie ihre Loblieder, als wäre sie vom *Neuen Deutschland.*

So sind die Zeiten.

Nicht überall sind die Zeiten so.

Aber ein eigenes Haus mit Garten haben wir nur hier.

Auch darauf pfeife ich.

So schlimm steht es schon um uns?

Noch schlimmer.

Und so kam der Erste Mai, und am Ersten Mai war die ganze Stadt auf den Beinen, und rote und blaue Fahnen und Transparente überall, und mittendrin Dora mit ihrem Kußmund und den ersten Sommersprossen ganz ernst und heiter. Sie sah ihn lange nicht, wie er da stand und winkte und auf sie achtete, und tatsächlich blickte sie nur einmal kurz herüber und nickte und merkte sich etwas, und am Abend zu Hause, als sie alles noch einmal erzählte, erwähnte sie ihn mit keinem Wort.

Noch Tage später mußte sie Heinrich immer wieder berichten, was für ein Gefühl das war, wenn sie alle gemeinsam sangen und beim Singen marschierten wie im Gedicht, und warum sie gar nicht da war in solchen Momenten, aber nur in solchen Momenten war sie *sie*, und nur so konnte er sie haben.

Noch in der ersten Maiwoche fuhren sie nach Eisenach, denn es waren sehr sonnige Tage, und auch danach waren sie viel unterwegs und machten lange Spaziergänge auf die umliegenden Hügel und Wiesen und Weiden, und das war, weil sie nicht wußten, wohin sie hätten gehen sollen, und weil sie noch lange nicht miteinander fertig waren, der erste Kuß im Garten war ja hoffentlich nur der Anfang.

Heinrich holte sie immer ab zum Spazierengehen, und einmal gingen sie zur Lutherkanzel und ein andermal den

Jenzig hinauf, und mit jedem Gehen und Verweilen und Schauen, Staunen machten sie ein paar neue Entdeckungen. Unten im Paradies waren sie beide noch einmal unschlüssig gewesen und hatten keinen Anfang gewußt, aber oben auf der Lutherkanzel wußten sie ihn, und dann schmeckte ihnen das, dann übten sie eine Weile, lebten von Umarmung zu Umarmung. Sie ist ganz anders als Ljusja, dachte Heinrich und zählte ihre einunddreißig Sommersprossen, wagte auch die ersten kleinen Reisen bei ihr, und das gefiel ihr, daß er in den Weinbergen bei Zwätzen die ersten kleinen Reisen bei ihr wagte, aber als es gerade richtig anfing, nahm sie seine Hände von ihrem Körper weg und lachte, weil sie das mochte: seine Hände auf ihrem schmalen dummen Körper, nur bevor er sich vergißt, muß sie ihm noch sagen: Sie hat ihre Bedingungen.

Und das wäre, fragte Heinrich und mußte sich anhören, daß man längst rede über ihn und sie bei der FDJ, und welche politische Einstellung der junge Hampel denn nun habe, da müsse er doch hie und da sicher noch etwas lernen. Ein wenig ist es auch für mich ein Spiel, sagte Dora und hatte gleich eine Idee: Molotow, Wjatscheslaw Michajlowitsch, geboren am 9. März 1890 in Kukarka, Revolutionär der ersten Stunde, Leiter der *Prawda*, Volkskommissar des Äußeren und Außenminister, nach ihm benannt ein Cocktail aus Benzin und Phosphor zur Panzernahbekämpfung im Großen Vaterländischen Krieg 1941 bis 45, das Ende kennst du.

Das lerne ich, sagte Heinrich, und deine empfindlichen Stellen hinterm Ohr lerne ich, und wo du es gern hast, daß man dich anfaßt: alles wollte er lernen. Und wann fangen wir an, fragte er, und Dora antwortete: Ja, gleich, jetzt, in diesem Augenblick, und so war es beschlossen, daß er von nun an immer etwas lernte bei ihr und noch Jahre später jede einzelne Dora-Stelle mit dem Namen irgendeines Revolutionärs der ersten und zweiten Stunde verband, und dann küßte er ihr die Füße und die Zehen und dachte an Bebel oder Rosa Luxemburg und welche Werke die Menschheit ihnen verdankte, welche Taten.

Nach den ersten Malen wurde sie etwas nachlässig mit ihren Prüfungen, oder sie fing erst an, nachdem auch er bei ihr etwas angefangen hatte, aber fürs erste war sie sehr streng und bestrafte jeden Fehler mit immer noch einer neuen Prüfung, und also wurde es manchmal sehr spät dort oben in den Hügeln und Feldern über der Stadt Jena, wo sie die Liebe übten und keinen Schritt ausließen, dafür sorgte sie. Sogar mit seinem Mund hatte er sie schon besucht, und das war oben bei den Dornburger Schlössern, daß er sie auf einer Parkbank mit seinem Mund besuchte und zwischen ihren Schenkeln sich tummelte, als wäre er dort seit Jahren zu Haus oder ein gern gesehener Gast. Sie hatten gerade über Trotzkij gesprochen, bevor er sich auf seine Rechte als Gast berief, und bis zu diesem Trotzkij und Doras erstem Taumel im Park der Dornburger Schlösser hoch über dem Saaletal hatte sie bei Heinrich noch nicht viel unternommen. Nur einmal ganz flüchtig mit ihren Händen hatte sie ihn *dort unten* berührt, da hatte sie gleich Angst bekommen und war dankbar, daß er nicht darauf bestand und sich begnügte und wartete auf ein andermal, und das war jetzt, im Park der Dornburger Schlösser hoch über dem Saaletal, er sah sie auch ganz erwartungsvoll an. Ich kann das nicht, sagte sie und wußte einen Satz aus einem Gedicht: *Wenn du und ich vereinen uns zum Wir*, den sagte sie und erschrak, daß sie auf einmal solche Sätze sagte, denn waren die erst mal in der Welt, konnte man so schnell nicht mehr zurück. Noch nicht, sagte Heinrich und nahm ihre Hand und zeigte ihr etwas, und da ging das schon und dauerte nicht lang: alles halb so schlimm. Er sieht wie ein Kind aus dabei, dachte sie und hatte schon wieder den Dichter im Kopf: *Und während sich die Schulter hebt und senkt und Leben trägt, kommt über uns ein Schweben, Glückhaftes Lächeln – oh, nur eine Rast nach schweren Mühen – nichts, nichts wird geschenkt.*

Danke, sagte der Russe Heinrich, den sie mochte, danke, danke. Nichts zu danken, ich muß eben noch lernen, sagte Dora, für die das alles das erste Mal war, und jetzt freute sie sich doch beinahe darauf, das heißt, wenn er sie sich eines Tages nahm und zur Frau machte, und weil es ja ohnedies einmal sein mußte, freute sie sich darauf und sagte wirklich immer zur Frau machen dazu. Machst du mich zur Frau? Ja, gern.

Danach war alles ganz einfach, oder es schien ihnen beiden, als sei nun alles ganz einfach. Trotzkij? fragte Heinrich dann und meinte die Parkbank oben bei den Dornburger Schlössern, und Dora sagte ohne Zögern: Ach Heinrich, ja Trotzkij, sehr gerne, obwohl es doch ein schlimmes Ende genommen hat mit diesem Trotzkij im Exil in Mexiko, ich hoffe, nicht auch bei uns. Ende Mai war's geworden, und Ende Mai wurde der Dichter Becher zu seinem sechzigsten Geburtstag Ehrenbürger der Stadt Jena, da hatten sie was zu feiern, und eine rote Rose von Heinrich gab's und als Überraschung ein Stückchen Schokolade aus Doras Mund. Ich freue mich auf dich, sagten sie jetzt oft und warteten nur noch auf den Tag, da sie die Gelegenheit hätten und ein Zimmer für ein paar Stunden, denn beim ersten Mal sollte alles ganz fein und besonders sein, und eine Decke und ein Laken mußten sein und ein altes Handtuch für das Blut, für alle Fälle hatten sie beide eins zu Haus.

In den ersten Junitagen war dann endlich eine Gelegenheit, denn Anfang Juni verkündete die Mutter, daß sie demnächst verreise, und da müßten sie alle eben sehen, wie sie sich das Essen machten oder ein Brot, denn gleich am Wochenende fahre sie mit Sibylle für ein paar Tage nach Aachen zur Mutter, die lag seit Monaten krank in einem Siechenheim nahe der Grenze, und außerdem muß ich doch einmal sehen, wie es im Westen ist, man hört ja einiges.

Und also kam der Tag, da er Dora mit auf sein Zimmer nahm und sich auf sie legte und lauschte und niemanden hörte. Nur der Vater war wie immer im Garten und jätete Unkraut, und darum mußte alles ganz schnell und leise geschehen, zumindest am Anfang, da stand sie ein bißchen zittrig und verlegen bei ihm im Zimmer und fürchtete sich. Ich schaue nur, sagte Heinrich und schlug die Bettdecke für sie zurück, und wie schön das war, daß sie sich eine Weile betrachteten und freuten und sahen, was sie bisher eher erahnt hatten (aber seine Hände sahen), zum Beispiel ihre Brüste waren doch eher mäßig.

Und was macht dein Vater, flüsterte Dora und schickte Heinrich zum wer weiß wievielten Mal zum Fenster, aber da war der noch immer zwischen seinen Beeten und zupfte und summte, und erst jetzt legte sich Heinrich zu ihr und machte alles, wie er es bei Ljusja gemacht hatte, denn bei Ljusja war es immer wie ein Spaziergang gewesen, aber bei seiner Dora war's ein einziges Unglück. Ich glaube, du paßt mir nicht, sagte Dora, und Heinrich: Das ist bestimmt, weil es das erste Mal ist, aber beim zweiten Mal wird alles sehr schön. Schade, sagte Heinrich, als er ihr auch beim zweiten Mal nicht paßte, und wollte es sich und ihr leicht machen, es ist nicht unser Tag heute, sagte er und brachte Dora zum Weinen durch sein Schade, es war doch alles ganz schrecklich kompliziert.

Sie hätte es gerne wie damals gehabt, aber das konnte sie ihm ja unmöglich sagen, daß sie es lieber wie damals haben wollte, doch dann las ihr dieser gute freundliche Heinrich den Wunsch von den Lippen ab und machte alles richtig, und sie bei ihm auch. Dein Vater ruft, flüsterte Dora, weil sie etwas gehört hatte, das wie ein Rufen klang, aber Heinrich fand, daß der Vater ruhig rufen soll, und wenn er uns überrascht und sich wundert, hat er uns eben überrascht und sich gewundert, er kann sich's ja denken, was ist, und was ist, ist schön, von einer winzigen Ausnahme abgesehen, doch wir sind ja gerade mal am Anfang, das sind wir.

Die Mutter kehrte nach vier Tagen zurück, und was sie berichtete, war kurz und beunruhigend, denn nach nur vier Tagen im Westen schien die Mutter zu allem bereit. Anfangs sagte sie: Es war sehr schön, aber was das für uns bedeutet, keine Ahnung. Doch schon ein paar Sätze und Fragen und Antworten später wußte sie sehr genau, was das alles bedeutete, denn reich war man zwar auch im Westen nicht, aber die Luft ist zum Atmen, und die Leute gehen aufrecht und haben keine Angst als vor der eigenen Vergangenheit und den Russen, nicht anders als wir. Die Mutter läßt euch alle grüßen, sagte sie, und natürlich versteht die gute Mutter vieles gar nicht mehr, aber daß wir uns alles gut überlegen müssen mit Haus und Kindern, versteht sie, allein im vergangenen Jahr waren's an die zweihunderttausend, die im Westen ihr Glück versuchen wollten, warum nicht wir.

Ich bleibe, sagte Heinrich und nannte Doras Namen, und daß er sich verändern will, aber beruflich, er möchte gerne in die Bettenbranche und verkaufen wie Dora.

Na ja, das paßt, sagte Theodor, und da wurde die Mutter sehr böse, daß er das sagte: Euch paßt hier überhaupt nichts, ohne daß ich's erlaube, und das Mädchen schlägt sich Heinrich am besten aus dem Kopf. (Ja, dachte die.)

Noch im Juli wollte Heinrich am liebsten bleiben und weiter probieren, ob er ihr nicht doch eines Tages paßte, bloß dann war auf einmal die Sache mit Theodor, denn der große gescheite Theodor konnte die Klappe nicht halten und reizte die neue Obrigkeit aufs Blut. Bis nach Aua ins Uranbergwerk drohten sie dem Bruder, und das war drei Tage vor seinem dreiundzwanzigsten Geburtstag, daß sie ihm bis nach Aua ins Uranbergwerk drohten, und drei Tage später ließ er sich bei *Schott* den Lohn auszahlen, schenkte sich selbst eine Zugfahrkarte bis zur Grenze und war weg und auf und davon in den Westen.

Da haben Sie mir einen feinen Bruder, sagte der Mann von der Partei, als sie Heinrich ein paar Tage später zu der Sache befragten, und was denn Heinrichs Meinung nun sei, und da nannte er Theodors Entschlüsse und Meinungen in aller Vorsicht nicht die seinen, er lerne noch, und wieder die: Das sei recht, aber der Bruder, der Sauhund, holt sich das Geld und haut ab, keine Träne weinen wir dem nach, im Westen stehe ihnen das Wasser schon bis zum Hals, so viele Arbeitslose und ehemalige Soldaten und Leute aus dem Osten haben die, sollen sie daran ersticken.

Die Mutter weinte zwei Tage und zwei Nächte, als ihr Ältester ohne ein Wort gegangen war, und führte mit dem Vater bis spät in den Abend Gespräche über die Zukunft, aber Heinrich dachte nur immer an seine Dora, und was er beim nächsten Mal tun würde, damit er ihr paßte und sie eine Freude hatte, und alles andere interessierte ihn nicht. Dora sagte gar nichts zur Flucht des Bruders, nur ihr Vater habe Theodor gleich ins Gefängnis gewünscht, denn dort bringt man denen schon bei, auf was es ankommt im östlichen Teil Deutschlands im Jahre sieben des kalten Friedens, und wenn sie nicht hören, sperrt man sie weg für immer, erspart sich den Ärger.

Heinrich hatte ihr die Sache mit Theodor erst gar nicht sagen wollen, und dann wußte sie es schon und war erschrocken und erleichtert, daß es nicht Heinrich war, liebte ihn auch sehr und ließ ihn noch einmal versuchen, oben im Wald am Fuchsturm war's, und es war zum Weinen. Sie erklärte es vor allem mit ihrer Jugend, oder Heinrich war einfach eine Nummer zu groß für sie, oder er paßte nur nach Rußland oder in den Westen, was mache ich nur falsch. Was mache *ich* falsch, sagte Heinrich, und Dora zumindest fand, er mache alles richtig bei ihr, das heißt bis zu diesem einen Punkt mache er doch eigentlich alles richtig bei ihr, ach, dieser Alptraum, was soll uns das alles bloß sagen.

Gar nichts soll uns das sagen.

Aber ja doch.

Und also redeten sie fast nur noch davon, und eines Tages brachte sie auf einmal ihren Cousin ins Spiel, sie und Heinrich bräuchten eine Pause, da sei ihr die Reise ins schöne Berlin gerade recht, der Cousin habe sie vor kurzem eingeladen, und in der Bettenbranche arbeite er auch.

Mit den Bettenverkäufern hast du es, sagte Heinrich und meinte es als Scherz, aber Dora war ganz ernst und sagte: Aber du bist doch gar kein Bettenverkäufer, und deine Pläne mit einem eigenen Laden kannst du vergessen, die Zeiten sind nicht danach, das wird nichts, und mit deiner Dora auch nicht.

Das war in Doras Zimmer zu Hause bei den Eltern in der Maxim-Gorki-Straße, daß sie ihm das sagte, und Heinrich sagte (noch immer im Scherz sagte er's): Aber ich muß doch noch so viel lernen von dir, und wer ihm denn nun die Revolution erklärt und ihn prüft und abfragt, er fand das nämlich immer schön, von ihr gefragt und geprüft zu werden, das fand sie auch. Also, was ist, fragte Heinrich, und Dora sagte, daß sie nun einmal nicht zusammenpassen unter Berücksichtigung des Klassenstandpunktes, der Vater habe es ihr die Tage erklärt, und was ein Proletarier ist im Unterschied zu einem Lumpenproletarier, denn der hat im Innersten seines Herzens keine Haltung und keine Manieren, mit dem geht es auf die Dauer nicht gut.

Leider, ich mochte dich, sagte Dora, und da erst begriff er, das heißt, nur hie und da ein bißchen begriff er und war bereit und ernüchtert, faßte erste Entschlüsse. Sie hatte noch ein Briefchen für ihn, das sollte er lesen, wenn er fort war und in seinem, ihrem Bett lag, dann durfte er lesen, was sie ihm geschrieben hatte. Sei nicht böse, mein kleiner Lumpenproletarier, hatte sie ihm zum Abschied geschrieben, mein Vater meint es nicht so, aber mit einer wie mir wirst Du nicht glücklich in diesem Land, und in diesem Land wirst Du wahrscheinlich nicht glücklich, also sei klug. Vermutlich bist Du schon fort, wenn ich aus Berlin zurück bin, eine Adresse für alle Fälle lege ich Dir bei, es ist ein alter Schulfreund von mir, Du kannst ihm vertrauen, noch kommen wir ja alle beinahe aus einem Land. Ich küsse Dich, hatte sie geschrieben, und darunter wie mit einer anderen Schrift: Dora H., eine Freundin Trotzkijs unter anderem, Du weißt schon.

Und so dachte Heinrich lange Zeit an Dora, wenn er an Berlin dachte, das ferne, große, zertrümmerte Berlin, von dem er leider nur eine Nacht und einen Morgen kannte, denn bei Nacht waren sie damals im Januar 1951 angekommen. Stockfinster war es bei der Landung in Berlin-Schönefeld am späten Abend gewesen, da standen die sieben Hampels in tiefster Dunkelheit allein und verlassen auf dem riesigen Flugfeld und hatten ein jeder einen Ballen Wäsche und waren enttäuscht, daß niemand kam, sie begrüßen. Der Vater wäre zur Feier des Tages am liebsten gleich in ein Hotel in der Innenstadt gegangen, aber ohne Geld und Papiere wollte man sie noch nicht mal in das große Flughafengebäude lassen, und so gab es gleich zu

Anfang eine Menge Fragen und Antworten und Rückversicherungen bei den zuständigen Stellen, und danach ließ man sie endlich rein und brachte sie in einen reich geschmückten Empfangssaal mit dicken roten Teppichen und Sesseln so groß wie Betten. Also weil Sie es sind und weil Sie eine lange Reise hinter sich haben, sagte der Pförtner, und daß normalerweise nur hohe ausländische Gäste hier sitzen dürften, da hatten sie alle erst mal zu staunen. Nur die Schuhe möchte die Familie Hampel doch bitte ausziehen der Teppiche wegen, und dann liefen sie alle eine Weile schön vorsichtig auf den dicken roten Teppichen der Partei- und Staatsführung und studierten die Gesichter der internationalen Gäste auf den gerahmten Fotos, die nur Dora namentlich gekannt hätte, auch aus welchen befreundeten Ländern sie waren und sich freuten am großen kleinen Bruderstaat, dem ersten deutschen, der war wie keiner so friedliebend und eine Heimat für alle Deutschen.

Sie hatten eine lausige Nacht in den Sesseln für die Gäste der Partei- und Staatsführung, und auch das erste Frühstück war bescheiden, aber man war sehr freundlich zu den sieben Hampels nach fünf Jahren Sowjetunion und half, wo immer man konnte. Ein sowjetischer Offizier besorgte ihnen sogar die Busfahrkarten zur Friedrichstraße, denn sie stammten ja wohl aus Moskau, dem Akzent nach zu urteilen, und siehe, dort hatten sie bis vor kurzem gelebt. Dora hätte sich sicher gefreut, daß ihr Heinrich vor einem sowjetischen Offizier so ohne weiteres als Russe durchging, und tatsächlich kam es ihm später manchmal so vor, als sei sie damals dabeigewesen, denn im russischen Sektor der zertrümmerten Stadt Berlin hatte sie seit Jahren einen Cousin in der Bettenbranche, da war sie praktisch zu Hause.

Über eine Stunde waren sie mit dem Bus einmal quer durch das ganze südliche Berlin zum Bahnhof Friedrichstraße gefahren, und da sah man natürlich gleich, daß sie noch lange nicht fertig waren mit der Arbeit des Friedens und all dem Schutt der im Kriege zusammengestürzten Häuser und Seelen und Apparate, und bei weitem nicht alles ließ sich noch einmal verwenden für die neue, bessere Zeit. Wie ausgestorben wirkte die Stadt am frühen Morgen, nur hie und da ein paar Arbeiter auf dem Weg zur Frühschicht sah man und am Bahnhof Friedrichstraße ein paar Männer und Frauen in großen dunklen Mänteln, unter denen sie ein paar amerikanische *Chesterfields* versteckten oder ein altes Familienerbstück in Gold oder ein paar Strümpfe mit Strapse: alles zu verkaufen.

Keine halbe Stunde brauchte Heinrich, bis er am Bahnhof Friedrichstraße die beiden Dosen Kaviar und eine Handvoll Papyrossis der Marke *Kasbek* verscherbelt hatte und dem Vater das Geld gab, denn erst dann konnte der Vater telefonieren und einen Wagen bestellen vom Werk, ja, seit gestern sind wir da, die Unterkunft war erbärmlich, wir freuen uns. Und wirklich schickten die vom Werk für ihre Heimkehrer sofort einen neuen *Opel Blitz* mit Verdeck und luden die sieben Hampels mit ihren schmutzigen Bündeln ein und fuhren sie nach Hause, es ging auch alles ziemlich glatt. Nur an der Grenze der Stadt Berlin gab es noch einmal Schwierigkeiten wegen der Ausweise, denn das kannten die neuen Herren Volkspolizisten nicht, daß eine ganze Familie ohne Papiere unterwegs war, aber die Russen kannten das und winkten sie einfach durch. Nie wieder, sagte die kleine Sibylle und meinte die russische Sprache und die Jahre, die sie nun für immer vergaß, und ab genau diesem Moment war auch Dora nicht mehr dabei in seinen Erinnerungen, denn seine Dora hatte leider noch etwas vor im schönen Pankow, oder im schönen Buch war's, da verkauft ein entfernter Verwandter Betten in einem Laden, und gleich nach

Geschäftsschluß gehen sie zu ihm nach Haus und haben ihre Freude, daß alles so schön paßt. Das ist nicht immer so, daß es paßt, sagt Dora und lacht und denkt ein bißchen an ihren Heinrich, aber nur ein ganz klein bißchen denkt sie an ihren Heinrich, und dann muß sie sich wieder auf den Cousin aus Pankow oder Buch besinnen, denn das ist nicht immer so, daß es paßt, aber im Falle des Falles sehr schön.

Also war es Dora gewesen, die ihn darauf gebracht hatte und über die grüne Grenze schickte, zehn Tage nach Theodor war's, Heinrich hatte lange gebraucht zum Überlegen und wie er das nun fand, daß ausgerechnet Dora ihn schickte und aus dem Land warf in den Westen, wahrscheinlich für immer.

Die Adresse, die sie ihm für alle Fälle gegeben hatte, war eine Adresse in Jena-Ost in der Nähe der Schillerkirche, und er mußte nur sagen: Dora, die Tochter des zweiten Kreissekretärs, da wußte der Bescheid und nickte, nannte eine Summe, wartete, bis Heinrich sich an die Summe gewöhnt hatte, und zeigte quer über die Straße auf einen *Opel Blitz*, wie Heinrich ihn kannte, damit würde er ihn bringen. Du kannst ruhig Dieter zu mir sagen, sagte er, und daß er Dora schon aus Sandkastenzeiten kennt, aber lange gesehen hat er sie nicht, denn Leute wie Heinrich schickt sie nicht alle Tage. Freitag würde gehen, sagte Dieter, der seine Dora schon aus Sandkastenzeiten kannte, und Heinrich sagte: Einverstanden, Freitag gegen fünf bei den Kasernen in Zwätzen, da würden sie sich treffen und machten zur Sicherheit einen auf Lieferung, ein paar Rohre oder sonst was hatte Dieter als Klempner immer dabei.

Bis zum letzten Tag hatte Heinrich überlegt, ob er dem Vater etwas sagt oder Paul oder der großen Schwester, aber dann fand er, daß er besser einfach verschwand und sich meldete, wenn alles vorbei war, und wenn es hier dann unangenehme Fragen gab, konnten die Eltern sagen, wie ahnungslos sie gewesen waren und wie gekränkt, so einen Kummer bereiten uns nämlich unsere Söhne, was sollen wir machen.

Die Mutter kochte gerade Wäsche, als er sich verabschiedete und grüßte, als wäre es nur wieder Dora, zu der er ging, aber seine Dora war noch immer im schönen Pankow und unterhielt sich über das Bett und seine Rolle im sich verschärfenden Klassenkampf, vielleicht hätte sie ihn ja sonst verabschiedet und sich beglückwünscht zu ihren beiden Männern, die fuhren an einem der letzten Wochenenden im Juli in Richtung Grenze und unterhielten sich fast nur über sie. Dora ist ein wenig seltsam, sagte Dieter, ich meine, weil sie doch eine Stalinistin ist, aber gerade als Stalinistin ist sie im Unterschied zu ihrem Vater der Ansicht, daß man die Leute ziehen lassen muß, wenn sie sich nicht wohl fühlen oder anecken oder die richtigen Sätze nicht wissen, denn so bleiben am Ende nur die Guten, und mit denen machen wir dann den neuen Staat. Ich habe mich immer hundertprozentig verlassen können auf sie und die Leute, die sie schickte, und ob Heinrich etwas gehabt habe mit ihr, wollte er wissen, na ja, ein bißchen habe er, das konnte der sich gar nicht vorstellen. Schwierig, meinte Dieter und sagte noch etwas über die Leute, die sie ihm schickte: Alles feine Menschen, die Flüchtlinge, aber auch in der Partei gebe es feine Menschen, und alle wollen wie immer nur das Beste, das ist das Verrückte.

Ich weiß gar nicht, wo wir sind, sagte Heinrich, als sie gut zwei Stunden Richtung Südwesten gefahren waren, aber der uralte Freund von Dora wußte die Strecke auswendig, in Unterlind lasse er immer das Auto stehen, der nächste Ort sei Judenbach, und wo die Juden sind, ist der kapitalistische

Westen nicht weit, das war dann auf den letzten Kilometern so sein Witz.

Und so fuhren sie nach Unterlind, und in Unterlind ließ er sich von Heinrich das Geld geben und lachte schief und führte Heinrich über Wiesen und Wälder an die Grenze. Da drüben, sehen Sie, da drüben läuft gerade der Doppelposten, sagte er, und wenn sie mit ihren Hunden gleich aus dem Blickfeld verschwunden sind, dann springen Sie über den Bach und laufen um ihr Leben. Jetzt, sagte der Dora-Freund und gab Heinrich einen Stoß in den Rücken, und viel Glück da drüben und Hals- und Beinbruch, und schon lief Heinrich und zögerte und lief und rief den Namen der kleinen Dora mit den einunddreißig Sommersprossen, und daß sie an ihn denken soll, wenn sie wieder zu Hause ist, aber nun muß der dumme verliebte Hampel laufen und laufen, als ginge es um sein Leben, und da sprang er und rannte und war im Westen.

Fast eine halbe Stunde keuchte und lauschte er nur, und als er fertig war mit Keuchen und Lauschen und den letzten vergeblichen Gedanken in Richtung Dora, schüttelte er alles ab und ging durch Wald und Wiesen Richtung Ebersdorf, da hatten sie mit Leuten wie ihm Erfahrung. Ein Paar Westschuhe hatte er an und Hemd und Krawatte und einen mit Zellstoff angereicherten Anzug, eine verschlissene Aktentasche mit Wäsche und Rasierzeug, so kamen da also seit ein paar Monaten die armen Schweine aus dem Osten an und stellten sich alles ganz einfach vor, und als müßte man sich über jeden von ihnen freuen und vor Freude gleich den Tisch decken und ihnen ein Bett für die Nacht geben, na, da hatten die sich aber getäuscht. Sogar im Pfarrhaus schickten sie Heinrich gleich weiter und wollten vor lauter Flüchtlingen nicht wissen, wo ihnen der Kopf stand, doch wenn er ein bißchen Geld hat und es auf die Bank bringt und tauscht zum Kurs von eins zu fünf, kann er einen Bauern fragen nach einem Plätzchen in der Scheune, oder einen der Knechte frag, die haben ein paar Pfennige nötig und lassen dir ihren Strohsack für eine Nacht.

Noch im Zug von Neustadt nach Coburg am nächsten Morgen stellte sich Heinrich alles ganz einfach vor, denn er hatte beim Bauern gut gefrühstückt, und die Taschen voller Geld hatte er, da mußte er nur den Mund aufmachen und sagen, er möchte zum nächsten Bahnhof, und schon nannte der Bauer seinen alten Traktor ein Taxi und brachte ihn die paar Kilometer bis Neustadt. Ach, Dora, dachte Heinrich und fand, daß sie das alles eines Tages mal sehen müßte und vergleichen, sogar die Landschaft erschien Heinrich hier auf Anhieb bunter, kräftiger, lebendiger, da hätten sie aber eine Menge zu gehen und zu plaudern. Zum Beispiel reich sahen die Leute ja auch hier nicht aus, aber sie grüßten und lachten, kannten ein paar Witze über Vertriebene oder Flüchtlinge wie Heinrich und hatten ihren Spaß daran, wenn im Zug eine Kontrolle auftauchte, denn dann wurden die immer so schön bleich, unsere Flüchtlinge, oder sie sprangen schnell auf die Toilette oder waren von der langsamen Sorte wie Heinrich, der träumte und sah nur immer hinaus in das neue fremde Deutschland des Westens und träumte wie ein Soldat von seinem Mädchen, oder vom großen Geld träumte er oder einer deftigen Mahlzeit, nur eigentlich verhungert sah der gar nicht aus.

Zwei Grenzpolizisten mit Schäferhunden waren zugestiegen, und die sahen ihn nur an, und was für einen seltsamen Anzug er da trug, bitte die Papiere. Ich habe nur einen Ostausweis, sagte Heinrich, und da führten sie ihn gleich ab und sagten bis Coburg kein Wort. Wie einen Gefangenen führten sie Heinrich in Coburg ab und brachten ihn in einem Polizeiwagen zur nahegelegenen Schule, die diente vorübergehend als Sammellager für aufgegriffene Flüchtlinge wie Heinrich, und da redete man noch ein bißchen mit ihnen, und als man für heute genug Flüchtlinge aufgegriffen hatte, hielt einer der Beamten eine kurze Ansprache und verkündete die Abschiebung in die sowjetische Zone, um vier Uhr erwarten wir die Lastwagen.

Heinrich traute im ersten Moment seinen Ohren nicht, aber dann stand er auf und erklärte: Das können Sie in meinem Fall nicht machen, ich war in Rußland fünf Jahre, also wenn Sie mich zurückschicken, dann bin ich fällig. Und das war denen nun doch ein interessantes Lied, und das hörten sie sich an und fingen an zu telefonieren und holten jemanden vom amerikanischen Geheimdienst. Also Rußland, sagte der Mann vom amerikanischen Geheimdienst, und Heinrich sagte: Fünf Jahre, und saß auf einmal im Fond eines 170er *Mercedes*, der hatte hinten keine Griffe, und eine Trennscheibe aus Glas hatte der, fast wie im Film. Einmal quer durch Coburg fuhren sie Heinrich zu dessen Verwirrung, und dabei kannte Heinrich Coburg gar nicht, und die Villa, in die sie ihn brachten, kannte er nicht, man habe extra ein Zimmer für solche Fälle, Heinrich möge sich erst mal ausruhen oder unter die Dusche steigen, in Rußland seien Duschen ja wohl eher unbekannt.

Reynolds, sagte der Offizier, zu dem er eine Stunde später geführt wurde, und der fing auch gleich an und fragte seine Fragen über Heinrichs Woher und Wohin, und auf einmal redete der in einer anderen Sprache und fragte Heinrich auf russisch nach den fünf Jahren, und wie das nun alles genau war in Rußland und den Städten Klin und Lytkarino nahe Moskau, da hatte Heinrich zu erzählen. In Klin zum Beispiel haben sie in den ersten Jahren immer Volleyball gespielt, und da war in der Nähe ein Flugplatz, auf dem standen ein paar neue *MIG 17*, und da wurde dieser Reynolds gleich hellhörig und wollte wissen, wo genau sie damals in den ersten Jahren immer die *MIG 17* gesehen hatten, und als er's auf seiner Karte nachprüfte (sogar eine genau Karte von Klin hatte der amerikanische Geheimdienst), stimmte immerhin die Richtung.

Gut anderthalb Stunden ging das so, und nach anderthalb Stunden wollten sie Heinrichs Angaben überprüfen, plauderten noch ein bißchen, da war's schon fast Abend. Sogar essen durfte Heinrich am Ende eines langes Tages mit dem Offizier Reynolds in seinem bunten Buschhemd und der alten grauen Hose, und so bekam Heinrich zum ersten Mal in seinem Leben ein Steak mit Kartoffeln und als Nachspeise Ananas aus der Dose und Erdbeeren, soviel er wollte, und das schmeckte Heinrich, daß es im Westen so zuging oder zumindest mit diesem Offizier Reynolds, das würde man ja bald sehen.

Daran könnte ich mich gewöhnen, sagte Heinrich, und der Offizier Reynolds sagte: Whisky? Und so war man endlich bei den Mädchen, und weil sich bei einem Glas Whisky so schön von den Mädchen plaudern ließ, erwähnte Heinrich seine Mädchen Ljusja und Dora, und was für Unterschiede er bemerkt hatte, welche Gemeinsamkeiten, der Offizier Reynolds schenkte auch immer schön nach. Einmal sagte er: Das glaube ich nicht, daß die russischen Mädchen so sind, und was für ein Glückspilz Heinrich sei, daß er Ljusja getroffen hat, also hier im Westen findet er das so leicht nicht wieder, und weil das so ist, haben wir hier im Westen den Whisky, und was wir sonst noch alles haben: mal sehen.

Er spuckte Heinrich ein paarmal ins Essen beim Reden, dieser Amerikaner, der ihm den ersten Whisky seines Lebens spendierte und viel von der Sache in Korea redete und gleich im nächsten Atemzug wieder von seiner süßen

Cindy in Kansas City, und alles war gleich wichtig und einfach und manchmal auch schwierig wie die Sache mit den Russen in Korea, aber nun ging man da eben hin und brachte die Sache in Ordnung, oder wie war das mit eurem Hitler und seiner Bande?

So also fing das für Heinrich an im Westen, und es fing nicht schlecht an, fand Heinrich, sogar ein Glas frische Milch stellten die einem am Morgen ans Bett, ließen einem viel Zeit zum Wachwerden und Duschen und Überlegen, ehe sie sagten: Alle richtig, Ihre Angaben, und wo er denn nun hin will mit seinen Geschichten und den neuen Fragen nach Gießen, denn um das Übergangslager Gießen kommt er leider nicht herum.

Ja, Gießen, leider, sagte Heinrich, und der Offizier Reynolds sagte: Halb so schlimm, wir rufen gleich an und bereiten sie vor, dann geht das in Gießen ruck, zuck, und damit Sie uns nicht verhungern, haben wir Ihnen etwas eingepackt, und zweihundert neue deutsche Mark haben wir für Sie und eine Fahrkarte zweiter Klasse mit einmal Umsteigen in Frankfurt am Main.

Sie brachten ihn sogar zum Bahnhof, die netten Amerikaner, die alles bedachten und alles hatten und alles leicht nahmen, see you in Kansas City, sagte Reynolds, und gab ihm im letzten Moment zwei große amerikanische Papiertüten mit Zigaretten und Kaugummi und belegten Sandwiches, und schon fuhr er und fuhr vom Westen immer weiter in Richtung Westen, rauchte und kaute und schaute, was sich da der Westen nannte, zum Beispiel in Uniformen sah man die Leute ja selten, und dicke Zeitungen lasen die, als stände auch wirklich etwas drin.

Kurz hinter Fulda ging Heinrich in den Speisewagen und beobachtete eine Weile ein junges Paar mit zwei schweren

Rucksäcken, und als er nach einer Viertelstunde noch immer nicht fertig war mit ihnen, standen die plötzlich auf und waren böse, soweit sei es also schon gekommen in unserem Deutschland, daß man sich von wildfremden Leuten mit Blicken die Frau ausziehen lassen muß, bei all dem Schmutz und Schund in den Kinos kein Wunder, hörten auch gar nicht mehr auf und nannten ihn einen Dreckskerl, und wie man einem wie Heinrich früher das Maul gestopft hätte, und eines Besseren hätte man ihn belehrt, das ging ja damals in den Lagern zack zack, und das war der Mann, der das alles sagte und sich an die Lager erinnerte und seine Frau hinter sich her zog, und der's nur halb begriff, war Heinrich.

Nicht wahr, da staunen Sie, sagte ein dicker Mann vom Nebentisch und fragte, ob er sich auf eine Minute herübersetzen darf, stellte sich auch gleich vor: Gestatten Sinnhuber, Abgeordneter auf dem Weg nach Bonn, die *Christlich-Soziale Union* ist meine Partei. Ja, Hampel, sagte Heinrich, ich komme gerade aus Coburg von den Amerikanern, vorher Sowjetunion, dann von Jena über die grüne Grenze bei Unterlind, mein Bruder Theodor ist schon da.

Sehr interessant, sagte der Bundestagsabgeordnete Sinnhuber und klärte Heinrich gleich auf: erstens die Sowjets, zweitens die Amerikaner und drittens die Deutschen. Man habe da vor kurzem eine nackte Frau im Kino gezeigt, deshalb die Aufregung, und das seien natürlich die Amerikaner, die machen, daß man bei uns auf einmal nackte Frauen im Kino zu sehen bekommt, und die Russen sind wie immer die Russen, und wir Besiegten und Besetzten und Besatzten lassen uns alles schön brav sagen und wehren uns nicht, wenn man uns im Osten das Land nimmt, und in der Mitte sitzen Ulbricht und Konsorten und im Westen der Neid und die Mißgunst, daß Sie es nicht glauben: so schlimm. Ob er ihn noch auf ein Bier einladen darf? Ja, das darf er, sogar auf ein zweites und ein drittes darf er Heinrich einladen, obwohl der die Taschen voller Geld hat, noch sei das ja alles neu und unverständlich für ihn, zum Beispiel von dem Film mit der Nackten habe er im Osten nie gehört. Eine Schande, sagte der Bundestagsabgeordnete Sinnhuber, und daß überhaupt alles und überall eine Schande sei, und vielleicht geht er ja eines Tages zum *Bund der Heimatvertriebenen und Entrechteten*, da machen sie wenigstens Politik, und für die richtigen Leute machen die da Politik, ich meine Leute wie den Herrn Hampel.

Ach Politik, sagte Heinrich und wollte schon etwas zum Whisky der Amerikaner sagen im Vergleich zum Wodka der Russen, aber anders als der Texaner Reynolds schien der Bundestagsabgeordnete Sinnhuber von solchen Themen wenig zu halten. Nur beim Thema *Schott* und dem Zug der einundvierzig Glasmacher war der Abgeordnete ganz aufmerksam, und was für eine Arbeit Heinrich sich hier im Westen vornehme, es sei ja das alles derzeit nicht gar so leicht.

Die Bettenbranche würde mich interessieren, sagte Heinrich und wollte es gar nicht glauben, daß dieser Sinnhuber gleich Rat wußte, denn der reiste ja viel herum als Abgeordneter und lernte allerlei Leute kennen und womöglich auch Bettenhändler, er werde sich gerne umhören für Heinrich, gleich jetzt, bevor sie das vierte Bier trinken, möge er sich Adresse und Telefonnummer des CSU-Abgeordneten Sinnhuber aus Bonn auf einen Zettel schreiben, ruft die Tage einmal an, und dann habe ich etwas für Sie, das wäre ja gelacht.

Noch einmal zweihundert Mark gab es, und das war schon kurz vor Frankfurt, daß dem Bundestagsabgeordneten gerade noch rechtzeitig die zweihundert Mark einfielen für den interessanten Flüchtling aus Jena, und nun fahre er weiter nach Bonn und Heinrich nach Gießen, bis die Tage.

Zwei Nächte blieb Heinrich im Lager Gießen, und danach hatte er die Papiere und fuhr zurück zu Theodor ins schöne Landshut, der war nicht gerade erfreut. Du hast mir gerade noch gefehlt, sagte Theodor und beschaffte Heinrich Arbeit bei *Schott* und eine Unterkunft bei seiner Wirtin, die hatte in der Altstadt Unter den Kolonnaden eine Schlafstelle mit vier Betten und verlangte pro Bett und Monat den Wucherpreis vom D-Mark dreißig, Mädchen und Kochen auf dem Zimmer streng verboten. Hast du ein Mädchen? fragte Heinrich und sah Theodor an, als müsse er einfach eins haben, oder seine Ilse wenigstens hatte er, die kannte er noch aus der Zeit vor Rußland und war die erste, nach der er fragte bei seiner Rückkehr, und zufällig wußte auch jemand etwas und nannte eine Adresse in Kaiserslautern, denn da war sie gelandet und lebte und wartete oder auch nicht. Ich habe andere Sorgen, sagte Theodor und fragte noch nicht mal nach Heinrichs Flucht, nur nach der Mutter fragte er, und wann sie denn nun kämen und das Haus ein Haus sein ließen, doch jetzt muß ich erst mal an die Arbeit.

Sogar an den Sonntagen sah Heinrich den Bruder oft bis spät in die Nacht über irgendwelchen Plänen für Mainz sitzen und zeichnen, denn wenn es im verschlafenen Landshut mit *Schott* und seinen Proleten nichts wurde, mußte man eben sehen, ob es in Mainz etwas wurde, und in der Zwischenzeit entwarf der Bruder schon mal die ersten Öfen und Wannen und Schmelzen und machte sich einen Namen, an dem so bald keiner mehr vorbeikam in der Branche der Glasmacher in Ost und West, der großen Sowjetunion sei Dank.

Für Heinrich hatten sie erst gar nichts Rechtes zu tun gehabt im Werk, und was er denn von Jena her kenne außer alle paar Tage die Finger sich verbrennen am noch heißen Glas und das Glas zum Kühlen ins Regal stellen und für kleine Fehler einen Blick haben, das konnte er, aber weil er nun einmal ein Hampel war, und die Firma dem Bruder Hampel eine Menge verdankte und dem Vater, wollte man eine Ausnahme machen, na gut, na also, am Montag kann er anfangen, viel zu tun haben wir ja gerade nicht. Und Heinrich genoß es, daß er erst gar nicht viel zu tun hatte und sich keine große Gedanken machen mußte über Mainz oder Landshut, und daß er niemandem Rechenschaft schuldig war, genoß er und dachte an Dora und die Betten und den Bundestagsabgeordneten Sinnhuber, der ihm in der Bettensache hoffentlich weiterhelfen würde oder notfalls in einer anderen. Noch war es zu früh, den Bundestagsabgeordneten Sinnhuber in Bonn am Telefon zu verlangen, aber für ein neues Mädchen war es noch nicht zu früh, zum Beispiel mit seinen vierhundert Mark ließ sich doch das eine oder andere machen.

Damals fing es an, daß sich Heinrich in den Sommern fast täglich in irgendwelchen Schwimmbädern herumtrieb und studierte und prüfte und übte für Bella oder die füllige Rosa, die er damals einfach nicht sah oder für wert befand, doch er war ja noch jung und am Anfang, und obwohl er viel schaute und sich freute und in Gespräche am Wasser oder hinten beim Eisstand verwickeln ließ, war er in diesem Sommer ein Zauderer und Zögerer, und das Dumme war, den Mädchen gefiel's, daß er zögerte und zauderte und sich herausredete mit seinen Eltern oder der Arbeit. Na, dann ein andermal, sagten die und waren nicht gar so frech, wie sie schienen, zum Beispiel so weit wie bei Dora oben auf den Dornburger Schlössern wäre er bei denen gar nicht gekommen. Nur an seinem zwanzigsten Geburtstag schickte er eine einmal nicht weg, die war sehr schweigsam und entgegenkommend mit ihren wasserblauen Augen, so schön hatte ihm in seinem Leben noch keine geschwiegen. Fast den ganzen Nachmittag schwieg diese Clara in seinem Beisein, trocknete sich neben ihm das Haar und schwieg, ließ sich von Heinrich eine Flasche Limonade bringen und schwieg und wunderte sich nicht und hatte wie Heinrich keine Frage, sagte danke zum Abschied am Abend und ging und kam am nächsten Tag nicht wieder, vielleicht wäre ihr ja zum Schweigen noch etwas eingefallen, oder sie war schon vergeben und hatte einen Verlobten, mit dem sie nicht zufrieden war, denn der war sehr oft auf Reisen und schmeckte beim Küssen nach Würsten aus Blut und Leber.

Später dachte Heinrich: Mit Clara wäre ich am Abend gerne ins Kino gegangen, denn im Kino am Abend zeigten sie den Film mit der nackten Selbstmörderin, und dazu hätten sie beide schweigend eine Tüte texanischer Erdnüsse gegessen und sich gewundert, was die Leute nur hatten mit dieser Nackten, man sah sie ja gerade mal ein paar Sekunden. Das mochte Heinrich am Westen, daß sie im Kino Filme zeigten, in denen für ein paar Sekunden eine Nackte zu sehen war, und vom Osten vermißte er am meisten die nackte Dora, denn die war zum Anfassen und dauerte einen halben Sommer, nur leider hatte er ihr am Ende nicht richtig gepaßt.

Anfang Oktober an einem Sonntag standen auf einmal die Mutter und die restlichen Geschwister vor der Tür, und der erste, der etwas sagte, war Paul, der hatte für Heinrich einen Brief, zwei Tage und zwei Nächte habe er ihn für Heinrich in der Unterhose versteckt, und wenn sie uns damit erwischt hätten: meine Güte. Ich glaube, sie heißt Dora, sagte Constanze, und Paul sagte: Eines Tages stand sie bei uns im Garten und fragte nach dir, was sollten wir sagen.

Na endlich, sagte Theodor, der das Thema nicht mochte, alles glatt gegangen? Ja, alles in Ordnung, sagte die Mutter, und daß der Vater zu den Schotts ist und später kommt, fürs erste habt ihr es ja hier nicht schlecht. Ja, setzt euch doch, sagte Heinrich und machte gleich den Brief auf, da hatte sie ihm also noch einmal geschrieben. Lieber Heinrich, schrieb Dora, dies ist mein wirklich letzter Brief, nur noch einmal zum Abschied schreibe ich Dir, danach kein Wort mehr, dann gehen wir unserer Wege. Berlin war nett, Du erinnerst Dich, ich mußte ja nach Berlin, damit Du es endlich begreifst und mich in Ruhe läßt, aber Bettenverkäufer sind sehr langweilig, von Trotzkij keine Spur. Aber die große Stalin-Allee war schön, und da stand ich also mutterseelenalleine in der großen Stadt Berlin in der Stalin-Allee und vermißte Dich, Du siehst, ich bin doch wirklich sehr dumm.

Ja, Dora, sagte Heinrich, weil ihn alle ganz erwartungsvoll ansahen, aber nun sollten sie alle erst mal berichten von der langen Fahrt mit dem Wagen und der Angst und der Ankunft in der stolzen Hauptstadt der Republik. Dreitausend Ostmark hatten sie für einen Fluchthelfer aus der Nachbarschaft bezahlt, und alle glaubten, es geht zu einer Hochzeit auf dem Lande bei Potsdam, die war an einem Samstag, da stiegen sie in einen alten Wagen mit Holzvergaser, bis hinter Dessau ging auch alles gut. Dann die erste Kontrolle, die peinlichen Fragen, die Bekanntschaft mit der Angst. Wo man denn das Geschenk habe für das glückliche Paar. Ja, in der Tasche. Die möchte man doch bitte aufmachen. Und ob der Herr am Steuer auch eingeladen sei. Der sei der Trauzeuge.

Und also ließ man sie fahren, den beiden Töchtern im Fond schlotterten bis hinter Treuenbrietzen die Knie. Drei Uhr morgens sei's gewesen, als sie die Hauptstadt der Deutschen Demokratischen Republik erreicht hätten, zur Begrüßung ein erstes letztes Frühstück im Ostbahnhof und weiter mit der S-Bahn über den Bahnhof Friedrichstraße gen

Westen, mein Gott. Die Mutter gleich: Nun brauche ich erst mal einen Schnaps auf den Schreck, und dabei hatte sie seit bald dreißig Jahren keinen Schnaps mehr getrunken, aber jetzt, in einer Kneipe am Bahnhof Zoologischer Garten trank sie derer gleich zwei.

Und danach das Warten und die verschiedenen Herbergen, die sie bewohnten, die Angst, daß man sie am hellichten Tag verschleppt und zurückbringt in den Osten, das war das Schlimmste. Das ewige Mißtrauen war schlimm, und daß Paul und Constanze bei einem aus Erfurt geflüchteten Dozenten im weit entfernten Dahlem wohnten und sie und der Vater und die Kleine in einer Pension in der Kurfürstenstraße, da nahmen sie nämlich Ostgeld.

Aber Berlin war toll, sagte Constanze, nun, da sie alles hinter sich hatten und als politische Flüchtlinge anerkannt waren, sogar bunte Wolle hatten die in den Schaufenstern und weiße Seife von *Lux* und Kaugummi, soviel du willst. Zusammen mit Paul hatte sie in Berlin (West) die erste Banane ihres Lebens gegessen, und in einen Farbfilm mit Peter Alexander waren sie gegangen, im berühmten *Zoo-Palast* war's, daß er ihnen das Lied sang von den Beinen der Dolores, die machen, daß die Senores nicht schlafen gehen, ach, war das schön. Und sehr kalt war Berlin und teuer, man lief doch mehr oder weniger den ganzen Tag herum und staunte, was es alles zu kaufen gab und in Flugzeugen aus Amerika oder der neuen Bundesrepublik herübergeflogen wurde, und auf dem Rückweg hatten sie dann Platz für Leute wie die Hampels, die hatten den berühmten C-Schein und durften den Sowjets in die Hände nicht fallen.

Mit einer Super-Constellation von *TWA* sind wir geflogen, sagte Paul, und das war nach endlos langen zehn Tagen gewesen, daß die Alliierten sie ausflogen von der Frontstadt Berlin ins freie Nürnberg und noch in der Wartehalle ein paar letzte Fragen an sie stellten in Gestalt eines Mister Brown vom britischen Geheimdienst, und wie das alles so war und ausging zu ihren Gunsten, kannten Heinrich wie Theodor.

Und wie nimmt es der Vater, fragte Theodor und wußte, der Vater nahm es wegen des Hauses schwer, aber mit der Zeit gewöhnte er sich und arbeitete für *Schott* in Landshut und später Mainz, denn das hatte er schon geregelt für den Vater, und daß sie den Vater in Landshut und Mainz nicht wirklich brauchten, mußte der Arme ja nicht unbedingt erfahren.

Ja, der Vater, sagte die Mutter, er hat sich wieder mal verplaudert, doch als er kam, wirkte er ganz aufgeräumt, und am späten Nachmittag fuhren sie alle fünf nach Ergolding, wo ihnen das Werk einen Landgasthof empfohlen hatte, dort konnten sie fürs erste bleiben.

Nie wieder Osten, sagte Theodor, und Heinrich: Ja, darauf trinken wir einen, die Flasche Whisky (Heinrichs erste) war noch gut zur Hälfte voll.

9

Und dann lernte Heinrich und hatte noch einmal sieben Jahre, das waren die letzten fetten, und die Republik, in der er lebte, hatte ihre fetten Jahre und feierte Verträge und Abkommen und Freundschaften, was das Zeug hielt. In Helsinki und New York und Moskau bei Krimsekt und Champagner und Wodka feierte man und träumte bis zum frühen Morgen von der entwickelten sozialistischen Gesellschaft zu Haus und in den Bruderstaaten im Osten und vielleicht schon morgen in halb Asien, Afrika und Lateinamerika, das waren dann so die Kühnheiten, und von Liebe und Respekt für Land und Leute träumte man und wollte sogar von einem wie Heinrich ein Ja und ein Amen, oder ob das etwa nichts war, daß man ihm eine Chance gegeben hatte auf den großen Baustellen des Bezirkes Gera, und sogar einen Toten hatte man ihm verziehen und die eine oder andere Schlampigkeit in seinen Berichten.

Sieben fette Jahre mit sieben Geliebten und sieben mal sieben Räuschen bis zur Bewußtlosigkeit hatte Heinrich den Herren, den Dienern, Frauen der Deutschen Demokratischen Republik abgetrotzt, und dann waren die sieben fetten Jahre vorbei, und an einem Morgen im Oktober 1975 weckte ihn Rosa mit den bekannten Worten und sagte: Aufstehen, Hampel, wir haben Termin bei Gericht, es ist halb neun, und dieses Mal gehe ich nicht nach Haus denn als Geschiedene. Ach, laß mich noch, sagte Heinrich und spürte die Gläser, die Flaschen, den Zweifel der letzten Nacht, aber Rosa war ganz zärtlich und beharrlich und hörte mit dem Reden nicht auf, als bis er aufstand und sich wappnete und wusch und anzog, als wär's eine Hochzeit, zu der sie gingen, oder die Jugendweihe ihres Jüngsten, Walter, der nannte seinen Vater nur noch den Ede und ging auf die andere Straßenseite, wenn er diesen Ede, seinen Vater, sah, oder spuckte ihm aus Verachtung vor die Füße.

Nicht einmal fünfzehn Minuten dauerte der Gerichtstermin, und da waren die Hampels nach einundzwanzig Jahren geschieden und wußten nicht recht, was sagen. Das dritte Mal schon, hatte Rosa gesagt, ich kann nicht mehr, und zählte alles auf: die sieben Frauen und die sieben Mal sieben Räusche bis zur Bewußtlosigkeit, die Lügen, das Betteln, sein Leben als Hund; wie er überall in der Wohnung den Weinbrand und den Wodka versteckte, und die Nachmittage, da ihn die Söhne betrunken und wie einen Toten so schwer aufs Sofa schleppten, der Ekel vor ihm, das Mitleid und das Ende allen Mitleids, seit er hin und wieder den Gashahn aufdrehte wie der Vater und gefunden werden wollte (Eva fand ihn), und immer wieder die Flaschen in den Bettkästen, im Spülkasten auf der Toilette oder zwischen der Wäsche, im Keller unter den Kartoffeln, seine Versprechungen, daß er endlich das Maß findet und an seine Kinder denkt als Vater, bloß die Söhne konnten sich an Heinrich als Vater kaum erinnern. Ich kann nicht mehr, sagte Rosa, und also hatten die Richter ein Einsehen, fragten die Tochter Eva, für wen sie sich entscheide, du meine Güte: entscheiden, und außerdem müsse sie leider zur Vorlesung, Dialektischer und Historischer Materialismus, Wirtschaftswissenschaften zweites Semester, mein Verlobter wartet draußen im Wagen, er will mich bringen.

Also, bis später, sagte Rosa, als alles unterschrieben war und die Eheleute Hampel nur noch die Wohnung teilten und den Namen, aber kein Bett und keine Mahlzeit, das war nicht neu. In ein, zwei Stunden bin ich zurück, sagte Heinrich und gab ihr im Hinausgehen die Hand wie einer Siegerin, und danach trank er noch ein paar und wartete in der neuen Wohnung auf Harms, den guten alten Harms, der tat ein bißchen überrascht und hatte nur Floskeln: So schnell geht das, sagte Harms und nannte einundzwanzig Jahre eine kleine Ewigkeit, und eine kleine Ewigkeit war das her, daß sie ihm den neuen, noch immer nicht ganz fertigen Staat gründeten, damals an Doras achtzehntem Geburtstag, er hatte noch immer nicht die geringsten Zweifel.

Nur mit Heinrichs Berichten hatte er in der letzten Zeit seine Mühe gehabt, denn es waren Fehler vorgekommen und falsche Anschuldigungen oder Beschwichtigungen, er scheine da hie und da etwas zu verwechseln, oder der viele Wodka bringt's ihm durcheinander, also was ist. Ja, Geld braucht er, der Hampel, und eine neue Wohnung weit weg von Rosa und den Kindern, denn die bekamen ihm nicht, und da war es besser, man ging sich eine Weile aus dem Weg und brachte einen Abstand zwischen sich und die Familie, das fand auch Rosa, die war erleichtert und vor Erleichterung sehr schön.

Komm, noch ein Mal, sagte Heinrich, als er sah, wie erleichtert, wie schön sie war, und das war doch sehr seltsam, daß er sie das fragte, und sie sah ihn an und lachte und sagte Ja und Vielleicht. Aber nur noch das eine Mal, sagte sie und zögerte und zog sich schnell aus, als wäre sie eine aus Leipzig, nur das hatte sie ihm nie gesagt, daß sie vor Jahren beinahe eine aus Leipzig geworden wäre, und so merkte er das gar nicht und fand sie wie immer liebevoll, und wachsam und egoistisch fand er sie, als hätten sie einander noch nötig.

Nie wieder, sagte Rosa, als es vorbei war und aus und vergessen, und ließ ihn noch einmal schnuppern und merkte sich, wie er da zum letzten Mal an ihr schnupperte und sich alles merkte, und danach mußte sie schnell fort in die Badewanne und singen, denn beim Singen in der Badewanne war ihr die Welt noch in Ordnung.

Der Sommer war sehr heiß gewesen mit Temperaturen bis weit über dreißig Grad Anfang August, und das war, als die neue Brücke von Lobeda nach Burgau dem Verkehr übergeben wurde und der Tiefbaumeister Heinrich Hampel von einer Reporterin zu den allgemeinen Grundlagen des sozialistischen Bauens befragt wurde, und wie viele Tonnen Stahl und Beton man brauchte für so eine Brücke, das alles wollte die haben und kannte in allen Einzelheiten den Plan und wie man ihn erfüllte und wieviel Sonderschichten nötig waren zu seiner Überbietung. Hundertvierkommazweisieben Prozent Planerfüllung, Herr Hampel, Sie können stolz sein auf sich und Ihre Brigaden, sagte die Reporterin der *Thüringischen Landeszeitung* und sah eine Weile in die Ferne bis weit hinüber nach Lobeda-West zu den neuen Hochhäusern, über die sie einmal etwas geschrieben hatte und in denen sie womöglich selbst eines Tages gerne gewohnt hätte, doch das vermutete Heinrich nur und wartete auf das nächste Lob oder die nächste Frage, aber die kam nicht: nur Schweigen. Sogar die schwarze Brille nahm sie ab vor lauter Schweigen und Sich-Wohl-Fühlen als Schweigende, und das waren so die berühmten Momente, da war er hellwach und wußte die richtigen Sätze. Vor allem am Abend hat man einen schönen Blick, sagte Heinrich und meinte es nicht als Vorschlag, aber die Reporterin von der *Thüringischen Landeszeitung* nahm es als Vorschlag, nur für ein Stündchen, Herr Hampel, bitte bitte, ich brauche eine Geschichte.

Sie hatte sich umgezogen, bevor sie mit ihm auf der neuen Brücke von Lobeda nach Burgau die Aussicht genoß und sich nicht mal Notizen machte, so schön war das, die Hitze des vergangenen Tages lag noch über der Landschaft, und dann auf einmal der Satz: Was ich noch sagen wollte, Herr Hampel, ich habe Gedanken bei der Hitze, Sie dürfen mich gerne küssen, gleich jetzt und hier und für lange, denn das habe ich mir für meine Geschichte gewünscht, ein Kuß und der Mann und seine Brücke, das wäre es.

Sie nahm die Brille ab, bevor sie ihn küßte und mit dem Küssen nicht aufhörte und sagte: Cola mit Weinbrand, die Marke weiß ich nicht, sagte sie und schickte ihn mit seinen Händen unter ihr kariertes Jackett, und das alles auf dieser Brücke inmitten all der Leute, die vorbeifuhren und glotzten und sie und ihn beneideten, wer weiß. Über meine Brücke mußt du noch etwas sagen, sagte Heinrich, als sie die Brille wieder aufsetzte und das Gesicht einer Reporterin mit dem Spezialgebiet Hoch- und Tiefbau, und also sagte sie noch etwas Nettes zu Heinrichs Brücke, und zu Heinrichs Küssen auf der Brücke sagte sie etwas sehr Nettes, einen Wagen zum Drüberfahren habe sie ja leider nicht, machte alles zu Fuß oder mit dem Bus oder im Wagen irgendwelcher Männer von den Baustellen, und wahrscheinlich waren ja längst nicht alle so nett wie dieser Heinrich mit seinem Weinbrand-Cola-Mund, er hatte da wohl ein bißchen viel gefeiert.

Dann kamen die sieben heißen Tage, und an jedem Abend der sieben heißen Tage fragte er Rosa, ob sie einmal mitkommt und auf der Brücke von Lobeda nach Burgau die Aussicht genießt, aber Rosa hatte jedesmal gesagt: Heute nicht, ich kann nicht, leider, und ob das denn nicht reicht, sie sieht sich in der Zeitung die Fotos an, die junge Reporterin scheine ja einen Narren an ihm gefressen zu haben, oder warum schreibt sie so viel.

Brücken baut man nicht alle Tage, sagte Heinrich und hoffte, sie überlegt es sich, denn dann hätte er ihr gezeigt, wo er damals die Flasche Weinbrand hatte einbetonieren lassen als Vermächtnis des Trinkers Heinrich Hampel, denn damals hatte er noch Vorsätze, und warum aus seinen Vorsätzen nie etwas geworden war, wußte sie am besten.

Wie einen Hund hatte sie ihn behandelt seit jener Nacht im Sommer 1972, als er bis zum frühen Morgen vor ihrer Tür stand und bettelte und winselte und ihr die Hände in Gedanken schon leckte, die kleinen feisten, die klugen, alles über ihn wissenden und alles Wissen über ihn verachtenden Hände Rosas, seiner Feindin, die ihn vergaß und keinen Blick mehr hatte für seine Erfolge, seine Abgründe, in die er den Weinbrand und das Cola schüttete und an den Sonntagen manchmal eine Flasche Wodka aus der Heimat Rußland, Union der Sozialistischen Sowjetrepubliken, Hauptstadt Moskau.

Damals machte er gerade die ersten illegalen Geschäfte mit bestellter Ware für die Baustellen, und auch in den Kasernen in Zwätzen ging er wieder aus und ein und war als ehemaliger Freund von Wladimir noch immer gelitten. Du und deine Russen, sagte Rosa oft, wenn er wie früher Offiziere nach Hause brachte und sich in seinem Zimmer mit denen betrank und die Erinnerungen aus dem Kopf soff wie im Frühjahr nach dem zweiten Gerichtstermin, oder das Jahr zuvor, als er seinen besten Arbeiter bei einem Unfall verlor, da trank er ganze drei Tage und wurde die Bilder nicht los vom Trinken, und nach noch einmal drei Tagen sagte Rosa: Ich wollte, *du* wärst gestorben auf dieser Bausstelle, denn du bist mir ein Graus.

Am Neujahrstag 1975 gegen Mittag in der Küche hatte sie das zum ersten Mal gesagt: Du bist mir ein Graus, da waren Constanze und Ferdinand mit den beiden Kindern gerade fort in die Stadt, sich die Beine vertreten und staunen und rätseln über den Zustand der Eheleute Hampel und ihrer Söhne Konrad und Walter, denn da war doch einiges im argen, und wie die gleich über die Koffer herfielen und nach den Geschenken fragten, nahmen und nicht dankten und sagten: Scheißkapitalisten, oder was glaubt ihr, denn die besseren Menschen haben wir hier bei uns.

Fast eine Woche war die Schwester mit ihrer Familie zu Besuch gewesen, und man hatte ganz nett geplaudert und darauf angestoßen, daß man sich von Staats wegen wieder näherrückte, man war ja da immerhin einst aus einem Land. Am ersten Abend hatte die Schwester gesagt: So und so lebt ihr also, wir hatten ja keine Ahnung, interessant, nicht übel, und das Goethe-Haus in Weimar ist nicht übel, und oben beim Fuchsturm gab es doch früher nur Wiese, oder wie war das. Na, wenn du wüßtest, sagte Rosa am zweiten Abend, und am dritten Abend Heinrich: Alles beschissen, liebe Schwester, einfach beschissen, aber um Mitternacht bei der dritten Flasche redete er auf einmal wie ein Funktionär.

Sie hatten es die Verwandtschaft aus dem Westen nicht merken lassen, daß sie kaum das Nötigste zum Essen zusammenbrachten, und wie die alten und neuen Schulden sie drückten, doch dann war das endlich vorbei mit der Schauspielerei der im Osten glücklichen Hampels, und Rosa ging zum zuständigen Staatsanwalt und wollte von heute auf morgen die Scheidung. Das ist nicht dein Ernst, sagte Heinrich, und die zuständigen Behörden sagten: Das ist nicht Ihr Ernst, Frau Hampel, drei Kinder im Alter von elf bis neunzehn, da raufen Sie sich hoffentlich zusammen, und Sie, Herr Hampel, machen Schluß mit dem Trinken, es sind schon Bessere daran zugrunde gegangen, und Schlechtere als Sie haben den Kampf gewonnen.

Also, reißen wir uns zusammen, sagte Heinrich und erinnerte sie an sein Versprechen, das er gegeben hatte, und das

Versprechen bestand aus ein paar Dutzend geknüpften Perlen, die er seiner Rosa im Westen besorgen ließ, denn er hatte noch immer etwas gut bei denen im Westen, und für Rosa war's eine Wertanlage, und damit sie ihm noch ein wenig blieb und das Bleiben nicht so schwerfiel, für ein paar Monate Geduld fand Rosa den Preis gerade hoch genug.

Kurz danach hatte sie die Idee mit der Kur zur Entwöhnung und Besserung des Gewohnheitstrinkers Heinrich Hampel, und tatsächlich fuhr er da hin und blieb und nahm es wie einen Urlaub oder ein Abenteuer, bloß nach nicht mal zehn Tagen hatte er die Nase voll und wollte nach Hause zu seiner Rosa und seinen Flaschen, klingelte und feixte und feixte und klingelte, das also wagte er, das sollte er wagen, Mensch, Hampel.

Das ist nicht dein Ernst, daß du zurückkommst, sagte Rosa, und Heinrich sagte: Ich habe mich verliebt in eine aus Polen, und eine Sehnsucht hatte ich zum Zerspringen.

Ich schäme mich so für dich, sagte Rosa und spürte die alte Bella-Wut und wie lächerlich das war, daß noch einmal die alte Bella-Wut in ihr hochstieg, denn diese Bella und Heinrich und alles, was mit ihrem Heinrich gewesen war seit Bella, hatte sie doch längst begraben: Schluß, aus, vorbei.

Beim zweiten Termin im Frühjahr 1975 war er noch einmal der Alte gewesen, küßte Rosa die Hand zur Begrüßung, rückte ihr den Stuhl zurecht, beteuerte unter Tränen, wie gut er ihr geblieben war, und das beeindruckte die Richterin, daß einer seiner Frau am Tag der Scheidung die Liebe erklärte und alle Schuld auf sich zog, und so sei ja wohl nicht alles verloren bei den Hampels, und ein weiteres halbes Jahr Bedenkzeit schlugen sie vor, die hatten ja alle keinen blassen Schimmer.

Wie beim ersten Mal versuchte er Rosa zu bestechen und fragte sie nach ihren Wünschen in Gold und Silber und was es da alles gab in den Katalogen der westlichen Versandhäuser mit einer Nummer für jeden Artikel vom Autoreifen bis zur Platinbrosche für tausendneunhundertneunzig plus Porto, also was darf es sein? Von dir gar nichts, sagte Rosa, und wenn du mich nur noch einmal anfaßt oder mir im Schlaf die Tür öffnest und mich anstarrst, rufe ich die Polizei und rede von deinen Geschäften mit dem toten Gerber, daß du's nur weißt.

Das wagst du nicht, sagte Heinrich.

Alles wage ich.

Aber es muß nicht sein.

Du machst da neuerdings Flecken auf den Laken, sagte sie und wollte, daß er ein Handtuch nimmt, das versprach er.

An dem Nachmittag, als sie den Toten fanden, hatte Heinrich gerade seine Stunde bei Vera, die wohnte gleich nebenan in einer der neuen Plattenbauten und hatte als Lehrerin der Erweiterten Oberschule alle paar Tage einen halben Nachmittag, da spielte sie mit Heinrich ihr Spielchen, oder sie holten die runde Jana dazu und spielten ihre Spielchen, das war die Nachbarin am Ende des Flurs. Noch waren es nicht die letzten Frauen, die er kannte, aber es gab Nachmittage, da bedrückte ihn, wie er da immer turnte und sich bemühte in den gestohlenen Stunden zwischen vier und fünf, und immer mußte er irgendwo bei ihr anklopfen, damit sie konnte und sagte: Aber wer ist denn da, ich bin die Tür, durch die du herein- und herausgehst, solche komischen Sachen hatte die im Kopf und nannte sich sein goldenes Fingerhütchen oder seine Garage, und nun bitte alle schön hereinspaziert, wir haben Platz.

Sie war ein bißchen umständlich im Vergleich zu Rosa, fand Heinrich, aber das war lange her, daß er zuletzt bei Rosa gewesen war, und die umständliche Dora mit ihrem

Stalin war lange her, und also mußte man eben sehen und probieren und Geduld haben mit dieser Lehrerin für Mathematik und Sport und ihren zwei verlorengegangenen Ehemännern, die sie ein bißchen umständlich fanden oder die Mittel und Wege nicht kannten, denn am Ende schlich man sich doch immer irgendwie ein, oder sie half ein wenig nach mit ihren Sätzen, oder eine Hand zwischen ihren Schenkeln half nach, und schon zog man sie sich an wie einen Strumpf oder einen Pullover, na bitte.

Der tote Gerber lag mit offenen Augen auf dem Rücken, als er eintraf und dachte: Der schläft nur, mitten auf der Baustelle legt der Gerber sich hin und macht ein Schläfchen, aber viel Blut kommt ihm aus dem Kopf, und aus dem Mund vor allem kommt es wie nach einem schlimmen Sturz. Gegen Mittag hatten sie ihn gefunden, und es war noch immer nicht klar, war es eine Unachtsamkeit, oder weil ihm dort oben auf der Mauer übel geworden war, und da fiel der gleich ein paar Meter in die Tiefe und fiel ganz unglücklich, und genau auf seinen dummen runden Fahrerkopf fiel der und war verheiratet, zwei Kinder, auf der Baustelle allein auf Heinrichs Rat.

Die Volkspolizei hatte die Frau schon benachrichtigt, und für den Anfang gab es erst mal eine Menge Fragen, und als sie fertig waren mit ihren Fragen, setzte sich Heinrich in den Wagen und fuhr nach Winzerla zur Witwe. Sie wollte ihn gar nicht hereinlassen, so böse war sie auf Heinrich und seine Rede vom großen Geld, das man sich auf den Baustellen des Bezirkes Gera verdiente oder durch zweifelhafte Geschäfte verschaffte, und nun stehe ich da mit meinen Kindern und habe Waschmaschine und Fernseher und ein Telefon, nur für wen oder was.

Keine Viertelstunde blieb er, und danach fuhr er zur Bank und wieder zurück und legte ihr zweitausend Mark auf den

Tisch, nur für den allerersten Anfang sollte es sein, und damit sie das Geld für einen anständigen Stein hat und für die Kinder und sich zum Anziehen etwas Schönes und Blumen und Kränze fürs Grab. Gut drei Wochen ging das so, daß er ihr fast täglich etwas brachte und jede freie Stunde bei ihr vertrödelte und ein und aus ging wie ein Verwandter oder der Geliebte, und dabei redete sie noch nicht mal mit ihm, der ihr immerzu etwas kaufte und schenkte und ihr die Zimmer tapezierte, damit sie sich endlich abfand, ihr im Bad die Armaturen erneuerte, ihren Kindern einen Schrank baute und der Mutter in zwei Monaten kein einziges gutes Wort entlockte, bis auch er endlich genug hatte, da hatte er endlich genug.

Sie haben sich nichts vorzuwerfen, sagte Harms, als die Ermittlungen eingestellt wurden und alle ihn beglückwünschten, als wär's ein Haupttreffer im Lotto oder ein Freibrief, daß er sie ihrem Unglück überließ. Eva, ja, Eva hieß die Witwe, und sie war die einzige, über die er nichts schrieb in diesen Wochen, Monaten, oder es war die Tochter, über die er als einzige nichts schrieb in seinen Berichten, und das war, weil sie ihm noch immer gut war nach all den Jahren, hoffentlich.

Statt dessen schrieb er: Mein Frau Rosa möchte zurück in den Westen, geboren am 3.1.1933 in Landshut (BRD), freiwillig Bürgerin der DDR seit 1962, das schrieb er, schlug auch gleich ein paar Maßnahmen vor, mit denen man sie davon abhielt, und damit sie auch niemanden auf falsche Gedanken brachte, der Unterzeichnende. Oder er schrieb: Vera N. liest ein Buch über bolschewistische Mathematik, aber sie glaubt nicht daran. Jana S. ist eifersüchtig und numeriert die gemeinsamen Nachmittage wie Parteitage, Geliebte des Bürgers Hampel: der mit dem Wodka. Es ging ihm einiges durcheinander in seinen Berichten, seinen Tagen, die sich verwischten und einer wie der andere waren und vergingen und vergessen wurden, aber die Bilder vom toten Gerber und die pralle Rosa, die frühere, wurde er nicht los, das war das Schlimmste.

Du hättest im Westen bleiben sollen, damals, nach der Beerdigung, sagte Rosa, kein Hahn hätte nach dir gekräht, also ich bestimmt nicht.

Drei Tage und zwei Nächte hatten sie ihm im Herbst 1973 genehmigt, damit er die zweite Ehefrau seines im Gas verunglückten Vaters unter die Erde brachte und mit seinen zweiundvierzig Jahren noch einmal die Wahl hatte, aber wahrscheinlich war das ja ein Witz, daß erst Harms und später Rosa (ein jeder mit anderen Hoffnungen) von einer Wahl sprachen und so taten, als müßten sie sich verabschieden und bangen, hoffen, er macht keinen Fehler im Staat seines Bruders Theodor: als wäre er da nach elfeinhalb Jahren willkommen.

Mein Bruder wird sich bedanken, sagte Heinrich und stieg in den Zug am frühen Morgen und kam am Abend an und sah, man hatte sich Mühe gegeben für den Bürger des anderen, verhaßten Deutschlands, bereitete eine Mahlzeit mit drei Gängen und Whisky und Zigarren zum Nachtisch, na immerhin. Keine vierundzwanzig Stunden vor der Beerdigung war Heinrich in den Westen gekommen und hatte nicht schlecht gestaunt über die frisch gestrichenen Häuser, die Weinberge, den Fluß im letzten Oktoberlicht, die Frauen mit ihren atemberaubend kurzen Röcken, die er sich lieber nicht merkte, doch als er dem Bruder das Bürgeler Geschirr als Geschenk überreichte, sagte er sehr selbstbewußt: Auch darauf sind wir stolz, und daß bei uns allein das Können und das Wissen zählt, denn wer nur scheint und groß auftritt, hat bei uns das Nachsehen.

Da lächelte Theodor und wollte den Streit nicht, aber Heinrich wollte ihn und hatte hier ein geringschätziges Wort für des Bruders Garten und dort eines für den neuen Kamin im Wohnzimmer, und das alles mußte man sich nun sagen lassen von einem entlassenen Sträfling aus dem Osten, diesem Scheißstaat.

Unser Staat, sagte Heinrich.

Ein Staat der Dilettanten euer Staat, sagte Theodor, überall nur Mittelmaß, und an der Spitze ein paar Verbrecher aus Überzeugung, die dafür sorgen, daß es so bleibt.

Das verbitte ich mir, sagte Heinrich, und einen schönen Kapitalismus hätten sie da im Westen, in dem ein Arbeiter nichts werden kann und erst recht kein entlassener Strafgefangener, aber bei uns machen sie aus einem wie mir einen Tiefbauingenieur: die Theorie der Brücke, Physik und Ökonomie der Baustelle, Dialektischer und Historischer Materialismus, die Praxis der Kiesgewinnung, Sprengungen und Fundationen, das alles lerne ich.

Meinen Glückwunsch, sagte Theodor und goß ihm den Whisky nach, doch da nahm ihm Heinrich schon alles übel, und wie er immer die Stirn runzelte bei jedem Satz, oder er hörte erst gar nicht richtig zu, schwieg und war spöttisch und wieder schweigsam, als müßte er sich's überlegen, ob er ihn einen Spinner nannte oder einen Gestrauchelten, ein Mann des Systems sei Heinrich oder schlimmer: ein Spitzel, oder warum rede er all das dumme Zeug, es kann uns keiner hören, wir leben in einem freien Land, bloß du merkst es nicht, und das ist genau das Schlimme bei euch Leuten aus dem Osten: Ihr macht euch euren Gulag und euer Bautzen selbst, und jeder Gedanke nur Buckelei und Phrase, verzeih.

Das sag noch einmal, sagte Heinrich und drohte, und Theodor sagte es noch einmal, und da stand der östliche Bruder auf und nannte es eine Lehre, aber wenn das alles in unsere Hände fällt, stehst du auf der Liste ganz oben, und dann holen sie dich und lehren dich und deinesgleichen das Fürchten.

So also redest du als mein Bruder.

Nur als ein Bürger meines Staates rede ich so, wir werden ja sehen, wer recht behält.

Recht, sagte Theodor.

Oder die Macht, sagte Heinrich, und das war das letzte, was sie einander sagten, und am nächsten Tag war die Beerdigung bei Sturm und Regen und mit einer klumpigen Suppe anschließend in einem Gasthof nicht weit vom Friedhof, wo auch der im Gas verunglückte und am Gas gestorbene Vater begraben lag, und so redeten sie alle noch einmal vom Vater und den beiden Frauen in seinem Leben, und für die einen waren die beiden wie Schwestern und für die anderen Feuer und Wasser. So sehen wir uns wieder, sagte Heinrich und konnte sich nicht gewöhnen, daß auch Sibylle schon über dreißig war, und an das kurze Haar von Constanze konnte er sich nicht gewöhnen, im Sommer hatte sie's noch ganz lang. Du könntest bleiben, sagte Sibylle und merkte nicht, wie sie alle erstarrten und auf Heinrichs Antwort warteten, als wär's ihr Todesurteil, doch da lachte der nur und hörte lange nicht auf damit, frag Theodor, sagte er, und daß er einen Teufel tut, gleich mit dem ersten Zug fährt er morgen zurück in den Osten, denn dort ist er zu Haus.

Mir mußt du nichts vormachen, sagte Sibylle, als sie ihn zum Zug brachte und noch ein paar Minuten Zeit war, und Heinrich sagte, wie es bei ihnen so ungefähr war, und noch einmal Sibylle: Du könntest bleiben, überleg's dir, du steigst einfach aus und rufst mich an. Na gut, sagte Heinrich und überlegte, aber die Viertelstunde in Bebra kurz vor der Weiterfahrt stieg er nur aus, um etwas für die Kinder zu kaufen und für Rosa die lang ersehnte Bluse. Sogar für einen kurzen

Anruf bei Marga blieb noch Zeit, und dann hörte er die Stimme eines Mädchens, ungefähr drei war sie und sagte mit ihrer Kinderstimme: Mama, da ist ein Mann am Telefon, aber er sagt nichts, und Marga aus der Ferne: Er wird sich verwählt haben, sag Hallo, falsch verbunden sag, leg auf.

Ein ganz klein bißchen schien sich Rosa gefreut zu haben, als er am Abend des dritten Tages wiederkam und beim Essen die Geschenke verteilte, und das war schon lange nicht mehr vorgekommen, daß er ihr willkommen war als Überbringer irgendwelcher Geschenke oder Nachrichten, nur diesmal war ja alles aus dem Westen, von wo sie herkam und nicht geblieben war: der Fehler ihres Lebens. Manchmal konnte sie auf den Tag genau sagen, wann sie den nächsten Fehler begangen hatte und wie ein jeder Fehler immer neue Fehler zur Folge gehabt hatte, und eine lange Geschichte hatten die Fehler bis weit zurück in die Tage vor Heinrich, der sie vergaß und schwängerte und wieder vergaß, so glänzend und glatt und teuer waren ihre Fehler, und am Ende fädelte man sie auf wie Perlen und ging mit seinen Fehlern geschmückt durchs Leben. Wie schön du bist, sagte Heinrich, und dafür haßte sie ihn immer und ging ihm an den Abenden in der Wohnung aus dem Weg, machte sich Vorwürfe wegen der Kinder, und wegen sich selbst machte sie sich Vorwürfe, denn in den Nächten vermißte sie manchmal den Mann, nur wenn dann einmal was war, griff sie einfach nicht zu.

Einen ganzen Abend hatte ihr zum Beispiel einmal dieser Gerber den Hof gemacht, im vorletzten Frühjahr beim Abendessen war's, denn damals drehten Gerber und Heinrich ihre ersten krummen Dinger, und zum Dank nahm Heinrich ihn mit nach Hause zu Rosa, ihrer gefüllten Rindsrouladen wegen, oder weil sie ein bißchen einsam war als

Ehefrau des Beinahe-Ingenieurs Hampel, und sie hätte wirklich nur zugreifen müssen, es war schon alles angerichtet, fix und fertig und bereit war dieser Gerber, den sie sich nicht gönnte, weil Heinrich ihn ihr gönnte und auf dem Tablett servierte, als wäre sie am Verhungern in diesen Angelegenheiten, den schnellen schönen langsamen, na, vielen Dank auch.

Er fand dich nett, sagte Heinrich und dachte an die Sache mit Jana, die ihm Gerber vor Wochen empfohlen oder vielmehr überlassen hatte als Möglichkeit oder als Geschenk zum Ausprobieren, und so hatten er und Jana sich ein paarmal getroffen und über Gerber geredet, der ihr auf die Dauer zu wild war, denn sie mochte es lieber gemütlich und sagte es ganz genau, wie sie es mochte, aber mehr so in Andeutungen sagte sie es, zum Beispiel Wasser mochte sie gern, überhaupt alles Flüssige, die dünnen klaren Suppen, die sie sich an den Abenden nach der Schicht machte, und daß man etwas trank aus ihr oder sie ausschlürfte, aber ganz langsam, langsam und mindestens so lang, wie man für das *Neue Deutschland* brauchte (kam darauf an), und das waren dann immer so die Leckerbissen in seinen Berichten an Harms und sein komisches Ministerium, für das man da seit Jahren seine Berichte schrieb, allein über Jana in den ersten Wochen ein ganzes liniertes Heft voll.

Harms meinte, er müsse das alles gar nicht wissen: diese Jana-Gewohnheiten, und ob und bei welcher Gelegenheit sie sich für ihn verflüssigte, aber daß sie sich über die neuen Planziffern negativ äußerte, war interessant, denn erst Anfang des Jahres hatte man sie als Bestarbeiterin ausgezeichnet, und von einer Bestarbeiterin möchte man sich dergleichen Reden doch eigentlich nicht wünschen.

Alles harmlos, sagte Heinrich.

Das sagen Sie immer: Alles harmlos.

Zehn Jahre sage ich's, sagte Heinrich und meinte die Urkunde und das Geld im Umschlag, das ihm Harms im Frühjahr mitgebracht hatte für zehn Jahre treue Dienste, und dazu ein paar Fragen in Sachen Hampel und Staatssicherheit, ich meine, wir reden ja gewissermaßen als Freunde.

Freunde, sagte Heinrich.

Er habe viel geschrieben in zehn Jahren, aber eine Verhaftung ist nicht herausgekommen, immer nur Ermahnungen, Maßnahmen, Bewährungsfälle. Sie seien nicht unzufrieden mit ihrem Hampel, einerseits, aber das Leben besteht nun einmal nicht nur aus Frauengeschichten.

Aber sie reden gerne.

Zum Beispiel die Beschlüsse des Achten Parteitags kommen in Ihren Berichten nicht vor. Das muß die Leute doch beschäftigen, was die Partei in ihren Beschlüssen des Achten Parteitags über das Land und seine Zukunft sagt.

Ach ja, ach das, sagte Heinrich und fühlte sich mit seinen Berichten falsch verstanden, und außerdem sei es doch eigentlich beruhigend, daß die Leute über die Beschlüsse des Achten Parteitags nicht reden, denn glücklich und zufrieden sind die Leute und nehmen das Leben, wie es ist.

Aber mit dem Trinken müssen Sie aufpassen, hatte Harms damals gesagt, und dabei hatte es damals noch gar nicht richtig angefangen, und sogar bei Rosa war vielleicht noch nicht alles verloren und den beiden Söhnen, die sagten zu ihrem Ede noch Vater: alles ziemlich lange her, das alles, sozusagen goldene Zeiten.

Am Morgen nach der Scheidung hörte er Rosa in der Küche singen, so fröhlich war sie, daß nun alles erledigt und abgeschlossen war, oder er hatte noch einmal Glück und dankte es seinem Teil, daß sie so fröhlich war, ach Hampel. Sie war auch wirklich ganz freundlich, als er da vor ihr stand und sich wunderte, nur ein bißchen kühl war sie, nicht unhöflich, also setz dich ruhig hin und hör dir alles gut an, sie hat dir etwas zu sagen, aber es wird dir nicht gefallen, im Keller war sie am Morgen bei deinen Flaschen, zweihundertachtzig Stück zwischen Kartoffeln und Marmelade und eingemachtem Kraut und Tomaten für den Winter, mein Gott, ein Meer von Flaschen, und das viele Geld, das sie gekostet haben, die vergeudeten Stunden, Tage, die Hälfte deines, unseres Lebens. Sie sagte nicht: So wenig bin ich dir also wert, so wenig beherrschst du dich. Sie sagte: Ich habe alles vorbereitet, die Liege, das Bettzeug, die Lampe, ein altes Handtuch für alle Fälle: alles für dich. Nur für ein Essen reichen meine 600 Mark nicht, und immer gut zudecken mußt du dich in den Nächten, und nun mach und sieh, wie du klarkommst, deine Rosa.

Ich habe schlechte Nachrichten von Deinem Bruder, schrieb sie noch am selben Abend an Constanze, es ist sehr traurig, aber gestern wurde er geschieden. Er wohnt seit heute im Keller, allerdings heizen wir hier ja schon, so hat er's hoffentlich schön warm. Heute morgen habe ich zweihundertachtzig leere Flaschen im Keller gefunden, und das ist nun sein Leben und immer das alte Lied. Er befindet sich seit Wochen in einem gesundheitlich schlechten Zustand und hat vor einem Monat seine Arbeit aufgegeben, und weil er nicht mehr arbeitet, türmen sich die Schulden, nur für eine neue Flasche reicht es immer, da beißt sich die Katze in den Schwanz. Ich hoffe nur, er macht es nicht eines Tages wie der Vater, er ist doch irgendwo sehr krank, bekommt auch von staatlicher Seite keine Unterstützung, denn Arbeitslose gibt es bei uns nicht. Ich hoffe, daß Ihr ihn mit Lebensmitteln versorgt, ich bitte Euch, er könnte sie gebrauchen. Habt Ihr abgelegte Sachen für Konrad und Walter? Der Winter soll sehr streng werden, und Tag und Nacht unter Decken wie Heinrich möchte man ja nicht sein, oder er wärmt sich mit diesem Teufelszeug, das erst warm macht und auf die Dauer bitterkalt, nun ist's mir fast egal.

In den ersten Tagen dachte Heinrich: Das kann sie haben, daß ich ihr hier im Keller verkomme und verrecke und vor lauter Dunkelheit den Tag und die Stunde nicht weiß, so wehleidig war er und tat sich sehr leid als Hampel ohne seine Rosa und die Kinder und die Arbeit auf den Baustellen und in den neuen Wohnungen bei den Frauen, denen er's alle paar Tage besorgte. Man kannte ihn gar nicht wieder, diesen Hampel, so matt und dumm und faul vergingen dem die kostbaren Tage. Manchmal hielt er ganz für sich allein große Ansprachen und wußte für alles Gründe, oder er las am Abend oder am Morgen, zu Mittag (alles verwischte) in seinen alten Notizbüchern, den heiligen, denn das war sein Vermächtnis, das war es, was am Ende von ihm blieb: daß er die Frauen hatte und sich alles merkte bei denen, manchmal nur in einem einzigen Satz hatte er sie verewigt, und wie sie lagen, und welche Künste sie beherrschten und welche sie hoffentlich noch lernten, das alles las er und fand die Stellen, kleine Gedichte, Dramen, Romane in zwei Sätzen, immer schön von hinten nach vorn.

Rosa 1975: Wo sie noch jung ist. Die Ohrläppchen altern nicht, die Kniekehlen, der Mund. Vera 1974: Ich könnte dich essen mit Haut und Haar, aber dann hätte ich dich nicht. Jana 1973: Wie bestimmte Blumen oder Wunden, die immerzu heilen. Marga 1969: Wahrscheinlich vögelt ihr hierzulande sogar anders. Rita 1967: Manchmal weinte sie vor Glück. Gisela 1965: Könnte ich dich haben, könnte ich dich vergessen. Marga 1962: Wie sie aufsteht und sich im Dunkeln die Bluse falsch zuknöpft. Senta 1961: Zieht immer das Bett ab und lüftet, weicht das fleckige Laken ein, verwischt die Spuren mit der Hand. Anna 1957: Sie blutete alle zwei

Wochen, auch deshalb fiel ihr die Liebe schwer. Bella 1956: Darf ich dir die Fußnägel schneiden? Rosa 1954: Ich hatte sie ganz vergessen. Dora 1951: Sag Josef zu mir. Ljusja 1949: Nur vor lauter Hunger liebte sie mich, legte ihren Mund auf mein Teil, wurde nicht satt.

Er war dann immer sehr gerührt von sich, wenn er das alles las, unser Hampel, oder er machte sich ins Hemd oder auf das alte Handtuch von Rosa und ging in seinen Vergangenheiten spazieren wie früher in seinen Tagen und Nächten, den dreißigtausend, die ein Leben hat, wenn es dauert, und das war doch eine ganze Menge, fand er und zählte seine Tage, die Male, die etwas gewesen war, die Male, die er daran dachte, die Nächte ohne alles, die sich häuften. Ich vermisse dich gar nicht, sagte er, so sehr vermisse ich dich gar nicht, so sehr.

Der Anfang vom Ende war gewesen, daß sie ihn eines Tages ausquartierte, ausgerechnet an seinem vierzigsten Geburtstag, denn das war ihr Geschenk, und damit er endlich begriff und ein Einsehen hatte, und von da an immer nur verschlossene Türen und der Worte gerade soviel als nötig, zum Beispiel, wenn eine Rechnung in der Post war oder die Baustelle ihn anrief oder eine Frau, dann sagte sie: Hier, eine Frau für dich, die Rechnung, ein Geld für Konrads neue Schuhe brauch ich oder für Eva, die möchte mit ihrem Freund ins Kino.

Anfangs dachte er, sie meint es nur als Mahnung, oder als Spiel meint sie's oder zu seiner Erziehung, und so nahm er das hin und bemühte sich, schenkte Rosa einen Strauß Nelken und fand in einem Laden in Lobeda ein lange gesuchtes Strickheft, erkundigte sich nach ihren Tagen, den Sorgen bei *Zeiss* oder mit den Kindern, schlug für das Wochenende Ausflüge vor, bekam die ersten Absagen, steckte sie weg, machte unaufgefordert Einkäufe und bekam noch nicht mal ein Dankeschön, wurde böse auf Rosa, weil sie die Tür nicht aufmachte, verzweifelte an der verschlossenen Tür, gewöhnte sich nicht. Einmal sah ihn Eva, wie er mitten in der Nacht um Einlaß bettelte, oder er sperrte sich ins Badezimmer und wühlte in Rosas getragener Wäsche, mußte ihr sagen, wie das für ihn war, wenn er in ihrer getragenen Wäsche wühlte und sich erinnerte, das konnte doch um Himmels willen nicht bleiben, also, hab ein Einsehen, Rosa, oder muß ich erst den Gashahn aufdrehen wie der Vater, denn anders weiß ich mir manchmal keinen Rat.

Die beiden Söhne hatten ihm eine Flasche Weinbrand geschenkt zum Vierzigsten, und eine rote Schleife hatten sie drum gebunden und einen Zettel: Unserem Ede, dem Vater, weil er's nicht lassen kann, und im ersten Moment hatte er nicht gewußt und gedacht, die Flasche werfe ich weg, sie meinen es nicht gut, nur Eva meint es gut, denn die hatte ihm die Hand gegeben, lange und fest und wie ein Mann so kräftig: Ja, Vater, was soll ich dir wünschen.

Das war noch zu der Zeit, als er zwei- oder dreimal die Woche in die Abendschule ging und von einem Leben als Ingenieur träumte, zumindest in Rosas Briefen an Paul und Constanze war von diesen Träumen die Rede, und wie schwer das alles war und welche Chancen sie ihm hier im Osten gaben, und wenn er eine Prüfung auf Anhieb nicht bestand oder versäumte, drückte man ein Auge zu und wußte, er hat drei Kinder und Frau und Verantwortung auf den großen Baustellen des Bezirkes Gera und der Stadt Jena mit ihrem neuen sechsundzwanzigstöckigen Hochhaus, modern und selbstbewußt ist unser Land, was fragen wir da nach kaputten Ehen und einer Kaderakte, in der nicht alles nach unserem Geschmack ist, denn danach fragt uns in einem Viertelhundert niemand, ob in jeder Kaderakte alles nach unserem Geschmack ist, aber die Städte und Seelen haben hoffentlich Bestand und sollen dauern bis ans Ende der Geschichte, dem kommunistischen Paradies.

Damals trank er nur immer gerade so viel, daß er sich munter und heiter und beschwingt fühlte, nahm am Morgen eine Ration und eine zweite gegen Mittag, und nur, wenn sie nach der letzten Unterrichtsstunde am Abend gemeinsam in eine Kneipe gingen, wurde es mehr, und dort redete er sich manchmal alles von der Seele und daß sie ihn nicht mehr zu sich ließ: die Tür verschlossen, die Möse, das Herz, der Mund. So ein Leben führe ich, sagte Heinrich, aber die anderen kannten Heinrichs Leben schon, oder eine Variation von Heinrichs Leben kannten sie, oder sie taten so und machten sich lustig über ihn, redeten von ehelichen Pflichten und wie man sie einklagt bei den zu ehelichen Pflichten Verpflichteten, oder zu denen nach Leipzig geh, oder eine Geliebte nimm, das waren so ihre schnellen dummen Ratschläge.

Noch Wochen später nahm er es wie eine ungerechte Strafe oder einen Schlag aus heiterem Himmel, der ihn getroffen hatte und dessen Lehre er nicht verstand, und also versuchte er sich zu erinnern, wie alles gewesen war und welche Fehler er gemacht hatte bei seiner Rosa, zum Beispiel im Frühjahr, kurz bevor Marga ihn besuchte, mußte da doch etwas gewesen sein, aber alles wie immer, alles ganz normal. Nur müde war Rosa gewesen, und das kannte er, daß sie müde war und keine Lust hatte, und manchmal war es nur ihm zuliebe, daß etwas draus wurde, nur so im Halbschlaf wurde manchmal etwas draus, und dabei schlief sie schon halb und war's zufrieden, wenn er zufrieden war, und die's ihm bescherte, war Mitte Dreißig und kannte es nicht anders, und nun von heute auf morgen hatte sie ihn und alles und jedes, das sie an ihn erinnerte, satt.

Zweimal war Marga Heinrich im Osten besuchen gekommen, und beim zweiten Mal kam sie im Mai 1971, da feierte die Partei der Arbeiterklasse gerade ihren achten Parteitag, und ihren neuen ersten Mann des Staates feierten sie, da begannen nun hoffentlich bessere Zeiten. Heinrich war wie immer auf der Baustelle in Lobeda-Ost, als sie den gelernten Dachdecker von der Saar zum Ersten Sekretär des Zentralkomitees wählten, im fernen Berlin war's am frühen Nachmittag, und seine Marga, die deutsche Kommunistin, war dabeigewesen, und einen Tag später saß sie auf einmal in der Hermann-Stapff-Straße bei Rosa in der Küche und erzählte von ihrem Leben als westliche Kommunistin, und welche Lieder sie da sangen bei den Deutschen Kommunisten im Westen, er wußte gar nicht, was sagen. Du hier, sagte Heinrich, und Marga sagte: Ja, da staunst du, mit dem Zug um drei bin ich gekommen, und nun unterhalte ich mich bei Kaffee und Kuchen über Ulbricht und Honecker und die Kinder und das Leben, ich hoffe, ich darf.

Sie hatte sich ein Zimmer im *International* genommen für eine Nacht, und Heinrich konnte es gar nicht fassen, daß sie noch einmal da war und neben ihm durch das neue Jena ging, denn das war es, was sie sich gewünscht hatte: einen Spaziergang durch das neue Jena und schauen und staunen und vor dem einhundertachtunddreißig Meter hohen Forschungshochhaus stehen, für das sie damals, im Sommer vor zwei Jahren, die halbe Altstadt weggesprengt hatten, in den ersten Julitagen war's gewesen, kurz bevor er ihr das Kind machte im Hotel *International*, noch als sie sich wusch im Badezimmer, hörte man die Detonationen.

Sie mochte ihn noch immer gut leiden, den Bettenverkäufer von damals zwischen den vielen Matratzen und der Bettwäsche aus dunklem Satin, und wie er sich immer freute über sie und jedes einzelne Haus wußte, das sie gesprengt hatten für die neue sozialistische Stadt Jena an der Saale, die auf dem Weg zur Großstadt war, der vierzehnten, und der sie mit errichten half, war um mindestens zehn Jahre gealtert und der Vater ihrer Tochter, Nora, die ihn nicht kannte.

Beim Essen im Café *Orchidee* am Platz der Kosmonauten sagte sie: Du siehst nicht glücklich aus, wenn ich dir etwas sagen soll, und so redeten sie das eine oder andere über Heinrichs Ehe und die Jahre, die vergangen waren, die Fehler, die er gemacht hatte und die sich wiederholten, aber nun lerne er da endlich und fange an zu begreifen, er habe große Hoffnungen für sich und das Land, wir werden ja sehen.

Auch wir haben große Hoffnungen, sagte Marga, eure DDR ist zum Beispiel so eine Hoffnung, und bei den Wahlen an Rhein und Ruhr im Juni einskommadrei Prozent für die DKP.

Aber die Grenze, sagte Heinrich.

Das ist der Westen, der macht, daß es die Grenze gibt, so wie sie ist und bleibt bis ans Ende aller Tage oder bis wir gewonnen haben im Kampf der Systeme, das kann noch dauern.

Ich dürfte gar nicht hier sein, genaugenommen, sagte sie.

Aber die Sehnsucht, sagte er und meinte es nicht ganz ernst mit der Sehnsucht, wahrscheinlich waren's ja doch nur Sentimentalitäten, oder weil sie niemanden sonst kannte im Arbeiter-und-Bauern-Staat, aber für das Leben und die Sorgen dort mußte sie sich als Kommunistin interessieren.

Mußt du nicht.

Aber ich kenne jemanden, der ist der Vater meiner Tochter.

Du könntest dich irren, sagte er.

Es könnte uns der Himmel auf den Kopf fallen, sagte sie, und überhaupt, was kümmert's dich.

Er hätte sie gerne zu einem Cocktail an die Hotelbar eingeladen, doch Marga wollte lieber gleich ins Bett und sich ausruhen für die lange Reise, gerade mal halb neun Uhr war's, da standen sie noch eine Weile unschlüssig herum und warteten und wußten gar nicht, worauf.

Heute lieber nicht, sagte sie.

Die Genossen, die ihre Schlafanzüge vergessen, ich weiß.

So ungefähr.

Und sonst? fragte Heinrich.

Ja, was sonst. Meinen Namen sagt sie schon, und ähnlich sieht sie dir überhaupt nicht, oder nur im Schlaf sieht sie dir ähnlich, oder wenn ich die Augen zusammenkneife, ja, doch, ein bißchen, es geht uns gut.

Fein, sagte Heinrich und wünschte sich ein Foto, wenn sie eins übrig hatte, und das freute sie, daß er sich ein Foto wünschte, denn sie hätte ihm bestimmt gefallen, die kleine Nora, die Tochter einer westdeutschen Kommunistin und eines in die DDR geflohenen Bettenhändlers, der sie nie kennenlernen würde, oder freust du dich etwa gar nicht. Ja, doch, er freue sich, sagte Heinrich, und gute Reise morgen, man kann sich ja schreiben und aneinander denken, oder was sonst.

Sie hatte wieder nur eine Karte geschrieben, aber diesmal aus dem großen Frankfurt am Main hatte sie geschrieben, da beschäftigten sich die Genossen gerade mit den Landtagswahlen Anfang November, und eine kleine Tochter hatte Marga in Frankfurt, Nora Luise hieß sie, das Leben sei nicht, wie es gewesen war, aber es ist gut, wie es ist, ich bin Dir nicht böse.

Marga? fragte Rosa und erinnerte sich an den Tag, als sie's zum ersten Mal gesagt hatte, und warum die ihm böse sein sollte nach all den Jahren, die Karte sei doch aus Frankfurt, oder war da etwa was und sie hatte es nicht mitbekommen, zum Beispiel eine Reise oder einen Besuch, denn neuerdings reisten ja sogar die Herren Brandt und Stoph durch die deutschen Lande und trafen sich in Erfurt oder Kassel zum Beschnuppern, aber nur so von Politiker zu Politiker über eine lange reich gedeckte Tafel hinweg, und wie Heinrich und seine kleinen Schlampen das machten, konnte sie sich ungefähr denken.

Er hatte ihr ein Kind gemacht, unser Herr Hampel, das fehlte noch, und nun brachte er vor Schreck beinahe kein Wort heraus und sagte: Eine Geldsache, vergiß es, und da vergaß es Rosa und redete nicht mehr davon, denn am nächsten Morgen in aller Herrgottsfrühe wollten sie alle fünf verreisen im *Wartburg* einer Kollegin, es war die erste Reise seit Jahren, und an den Mirower See fuhren sie und hatten für zwei Wochen eine kleine Gartenlaube zum Drinwohnen, mit fließend Wasser und einer Toilette im Garten nahe beim Ufer, wo ein Ruderboot lag und benutzt werden durfte, für die beiden Jungs und Heinrich war's seit Tagen unerschöpflicher Gesprächsstoff.

Sie hatten fast ununterbrochen gutes Wetter am Mirower See, und das war doch sehr schön, daß sie immer alle bis spät in den Abend draußen waren und auf ihren Bootstouren die Angel ins Wasser hielten und hie und da etwas fingen, und dann machte Heinrich ein Feuer am späten Nachmittag und grillte den Söhnen die Elritzen oder von Zeit zu Zeit eine Plötze, und wenn ihnen der Fang mißlungen war, ein Schaschlik oder ein paar Würstchen aus dem Glas. Nur Rosa schimpfte, weil es gerade mal zwei Kochplatten gab, aber ein richtiges Elternschlafzimmer mit alten verstaubten Kissen und Tagesdecken gab es und im Vorraum genügend Platz für drei blaue Luftmatratzen, darauf schliefen die Kinder wie erschöpfte junge Hunde keinen Abend vor zehn.

Richtig faul waren Heinrich und Rosa, und Heinrich dachte viel an die kleine Nora und Rosa an wer weiß was, und gegen Mitternacht, wenn die im Herrenhaus gegenüber wie fast jede Nacht übereinander herfielen, lagen sie schweigend unter den staubigen Decken und lauschten. Das machen die aber fein, sagte Heinrich dann, oder Rosa sagte: Heute ist er müde, oder die Leute haben sich beschwert, aber wie über etwas sehr Fernes und sie nicht Betreffendes redeten sie und waren guter Dinge dabei, sie konnten ja jederzeit daran anknüpfen, zum Beispiel im Winter oder wenn ein Traum ihnen Appetit machte oder eine Erinnerung, so sahen sie's.

Manchmal hätte er Rosa gerne gesagt, daß er ganz genau wußte, wie die kleine Nora aus Frankfurt aussah: nicht so schmal und zart wie ihre Mutter, die Kommunistin, aber kräftig und energisch, etwas dunkler das Haar, die Nase kurz, und viel Speck über Ärmchen und Beinchen, das Lachen, das sie wie Konfetti unter die Leute schmiß, als hätte sie genug für zwei Leben: so großzügig. Manchmal dachte er: Rosa würde auch das noch überstehen und das Kind nehmen, als wär's ihr eigenes oder eine zweite Susanna, aber da war ja nun Marga, die es hegte und pflegte und einen wie Heinrich nicht brauchte, und in zwei verschiedenen Staaten lebten sie und hatten füreinander so leicht keine passenden Wünsche.

Auch er und Rosa hatten füreinander schon lange keine passenden Wünsche mehr, und trotzdem hoffte sie noch immer auf Besserung und daß ein Mensch sich ändert, wenn er etwas lernt, denn dafür war es nun einmal nie zu spät, daß man etwas lernte im Leben und mit den richtigen Leuten zusammenkam beim Lernen, zum Beispiel in diesen Abendkursen war ja hoffentlich der eine oder andere dabei. Ich hoffe, du hast da nichts, sagte Rosa, genügend Zeit hättest du, und was weiß ich, mit wem du danach noch alles einen trinken gehst, und auf einmal ist da etwas, und schon sitzt du bei einer zu Hause auf dem Sofa, das kennt man, und daß sie jetzt erst mal in die Küche muß, das Wasser für den Kaffee aufsetzen, kennt man, und während du wartest, wechselt sie schnell die Unterwäsche, und ein paar Tropfen vom neuen Parfüm aus Bulgarien tut sie drauf, nur hinters Ohrläppchen und über die Pulsadern das Zeug verrieben, dann ist sie schon fertig und bereit, du mußt sie nur pflücken.

Du kennst dich aus, sagte Heinrich, der nur etwas ganz Kleines gehabt hatte, aber wirklich ganz ganz klitzeklein war die Sache gewesen, und der Kaffee war ihr leider ausgegangen, als er da saß und wartete und wartete, und als sie endlich kam, war's halb drei Uhr früh, er mußte bald los.

Sie hatten schöne Tage an ihrem See.

Wachte er nachts auf, trank er einen Schluck.

Seine Söhne waren ihm völlig unbekannt. Aber das neue unbekannte Mädchen hatte beim Lachen zwei Grübchen wie er.

Auch beim ersten Mal war Marga ohne jede Ankündigung gekommen, in der dritten Juliwoche 1969 war's, da begannen sie im Stadtzentrum mit den ersten Sprengungen, und die lang ersehnte Lieferung aus Wiesbaden war gerade gekommen, eine gebrauchte Waschmaschine bezahlt aus dem Erbe des Vaters, das ihm zustand. Du kannst Dir gar nicht vorstellen, wie herrlich es ist, nach sieben Jahren wieder eine richtige Waschmaschine zu besitzen, schrieb Rosa in einem ihrer berühmten Dankeschönbriefe, und Heinrich wasche ja nun immer die ganzen Sachen, ich brauche ihm nur alles zurechtzulegen, und schon macht er das, und unsere Evi gibt am Sonnabend ein Lampionfest, denn sie hat wie immer ein sehr gutes Zeugnis, nur gute Zeugnisse bringen meine vier Lieben, auch Heinrich, ganz stolz ist Eure Rosa und beinahe glücklich.

Später stellte sich heraus, Marga hatte ihn auf dem großen Abrißgelände gesucht, denn deshalb war sie gekommen im Auftrag der Partei der Deutschen Kommunisten, damit sie etwas über das neue Jena berichtete und die fünftausend Arbeiter, für die man in Lobeda-West und -Ost die neuen Wohnungen baute, und nach vielem Fragen hatte ihr einer gesagt, der Herr Hampel bereitet gerade die Zündschnüre vor, und unter der und der Adresse sei er dann und dann zu Hause.

Sie hatte ihm einen Zettel in den Briefkasten geworfen, als sie vor seiner Wohnung stand und auf eine Rosa keine Lust hatte: Hotel *International*, Zimmer 105, nur wenn Du willst, schrieb sie, Deine Marga. Und da wollte er natürlich und saß bei ihr im Zimmer 105 des Hotels *International* und staunte sie an wie damals. Also du, sagte Marga und meinte die Sprengungen, und daß das Alte hinweg muß und Platz machen für das Neue, und einer, der dabei hilft, ist Heinrich Hampel, ehemaliger Bettenhändler und angehender Tiefbauingenieur, herzlich willkommen. Ja, herzlich willkommen, sagte Heinrich, und es war ja klar, was dann kommen würde nach all den Jahren und dem guten Anfang, den sie vor Jahren gehabt hatten, so schien es. Heinrich habe Glück, es sei ein guter Zeitpunkt, sagte Marga, denn das wäre ja ein Witz: Eine westdeutsche Kommunistin und ein ehemaliger Bettenhändler im Osten machen ein Kindchen im Hotel *International*, na bitte, nein danke.

Sie sagte: Ich hatte Sehnsucht nach dir, denn du bist so herrlich altmodisch und einfach auf deine Art, und ein guter Liebhaber bist du, aber in jedes Bettengeschäft wie damals gehe ich schon lange nicht mehr, die Zeiten sind vorbei, ich meine, in meiner Wohnung gibt es zum Beispiel überhaupt keine Betten, nur alte Matratzen mit fleckigen Laken, das mußte sie erklären. Es klingt seltsam, sagte sie, aber sie lebe schon lange nicht mehr allein, sieben oder acht seien sie dort in Frankfurt in ihrer riesengroßen Wohnung und hätten für alles nur immer ein Zimmer gemeinsam: die große Wohnküche, in der wir essen und diskutieren, das Matratzenlager, auf dem wir alle schlafen und du weißt schon, und also schrieben sie alle paar Tage ein neues Flugblatt gegen den vietnamesischen Krieg, und wenn sie fertig waren, gingen sie nach nebenan und tauschten die Partner, *Mösen, Schwänze*, die Münder, hatten kein persönliches Eigentum an ihren Partnern, den Mösen und den Schwänzen der Genossinnen und Genossen: so ungefähr stellte sie ihm ihr neues luftiges Leben vor.

Sie war noch immer sehr schmal und vorsichtig mit ihren gut dreißig Jahren, aber in dieser neuen, unbekannten Sprache redete sie und war mit der Marga des Jahres 1962 nicht zu vergleichen. Die ganze Zugfahrt habe ich daran gedacht, sagte die Marga des Jahres 1969, die auch Möse und Schwanz und vögeln sagte, und daran mußte er sich erst gewöhnen, und daß sie ihn einen Kleinbürger nannte, aber das mochte sie ja gerade an ihm, daß er die neuen Worte kaum über die Lippen brachte, also das war doch sehr lustig.

Sie sagte: Ich fand das immer schön, mit dir zu vögeln, das war es, wie sie es nannte, und wollte, daß sie sich wuschen, bevor sie hier in diesem DDR-Hotel miteinander vögelten, wusch und neckte ihn, hatte ein paar flattrige Küsse für ihn und sein Teil, da waren sie schon unterwegs. Ich stelle mir gerade vor, wie du als Mädchen warst, sagte Heinrich unterwegs und verwendete zur Probe eines der neuen Worte, und das gefiel ihr, daß er sie ein Mädchen nannte, und also war sie für dieses eine Mal sein Mädchen und wurde schwanger von diesem Halunken, dem freundlichen, durchs gekippte Fenster hörte man vom Eichplatz die Detonationen.

Drei- oder viermal nannte er sie sein Mädchen an diesem Wochenende im Juli 1969, als die Amerikaner auf den Mond flogen für einen Spaziergang, und am Ende fuhr Marga wieder zurück nach Frankfurt zu ihren Genossen und den vietnamesischen Flugblättern und den Matratzen mit den fleckigen Laken, und Eva feierte ihr Lampionfest und hatte ihre Freude.

Du hättest ruhig helfen können, sagte Rosa, als er kam und sich die letzten Margastunden von der Haut wusch, nur so zur Sicherheit für Rosa, und damit das etwas wurde, wenn er seinen Bericht schrieb, gerade mal ein paar Sätze waren's, und daß sie sich eine Kommunistin nannte und für alles ein Lob hatte, aber so, wie sie sich bewegt und redet und in allem eine andere Sprache spricht, ist sie doch immer eine von drüben, die für ein paar Tage hier ist und lobt und wieder geht und weiß: Es ist ein Segen, daß sie wieder gehen kann, auch als Kommunistin.

Ich weiß nur Gutes über sie, schrieb Heinrich, immer weiß ich nur Gutes über die Leute, in so einem Land also lebe ich.

Im ersten Sommer nach seiner Entlassung, als die Sache in Prag zu Ende ging, hatten ihn die Leute vom Baukombinat fürs erste Sand und Kies und Steine fahren lassen, oder er entlud am Saalbahnhof ein paar Güterwaggons mit Löschkalk oder schweren Säcken Zement und fuhr von morgens bis abends in seinem Lastwagen quer durch die Stadt zu den großen Baustellen in Lobeda und wieder zurück. Erst Brot, dann Steine, sagte die neue Rosa, an die er sich nicht gewöhnen wollte, denn die konnte auf einmal rechnen, hielt das Geld zusammen und genehmigte ihm im Monat nicht mehr als zwei Flaschen. Das machen wir diesmal anders, sagte sie und war großzügig und sparsam, hatte auch im Bett eine eigene Vorstellung, sagte oft Nein und manchmal Ja und Vielleicht, nannte Regeln und Bedingungen, die galten oder nicht galten, ganz wie es ihr gefiel. Sagte Heinrich: Du könntest wieder mal Rindsrouladen machen, sagte sie: Ja, Samstag, einverstanden, aber das Fleisch kauf und ein Kilo Kartoffeln dazu, oder sie sagte: Ich habe keine Lust auf Rindsrouladen, die machen viel Arbeit, schließlich bin auch ich müde von der Arbeit, mach du.

So ist das Leben, sagten dann die Söhne, die fünf und sieben waren und ihn fast immer bei seinem Vornamen riefen, als wäre er ein Bekannter oder ein Gast, auf den man sich nur ungern verließ. Vieles ist ganz anders, schrieb er in einem Brief an Constanze, aber ich habe mich sehr gefreut, daß Ihr Rosa so nett unterstützt habt, ich möchte mich dafür bedanken. Nur daß unser Vater so tragisch enden mußte, hat mich sehr erschüttert, ich habe es erst vor drei Wochen erfahren, Rosa hat sich tapfer gehalten, die Kinder sind sehr groß, aber wie Fremde, ich hoffe, wir gewöhnen uns noch.

Anfangs hatte er geglaubt, er könne ganz einfach an sein altes Leben anknüpfen, und so sah er sich schon wie früher mit Gisela und Wladimir oben in der Bar *Kosmonaut* die Nächte durchfeiern, oder die kleine Rita empfing ihn und hatte vor jedem und allem Angst bis auf Heinrich, aber es stellte sich bald heraus, die ängstliche Rita war seit langem nicht mehr in der Stadt, und Gisela war sehr förmlich, erwartete ein zweites Kind von ihrem bulgarischen Ehemann und wollte von den alten Zeiten oben in der Bar *Kosmonaut* nichts wissen, und wie sie damals getanzt hatten, ja, und der gute Wladimir, na ja, der war vor knapp einem Jahr zurück in die SU.

Also bist du wieder im Lande, wie steht's, wie geht's, sagte sie und war noch einmal die Gisela, die er gekannt hatte, ja, so und so, das Übliche, er habe nicht stören wollen, und nun störe er, der Papierkram für die Lieferungen wartet leider nicht, und das Kind aus der Krippe muß sie noch holen, er wünsche auch alles Gute für das zweite. So verändert fand er die Stadt und ihre Bewohner in nicht mal drei Jahren, daß er sich freute, wenn Harms ihn rief und etwas wollte von ihm, weil er ein Detail aus Heinrichs ersten Berichten nicht verstand, und damit man miteinander im Gespräch blieb und das neue Café in der Altstadt ausprobierte bei Kaffee und Kuchen: Da war es beinahe wie früher.

Kurz vor Prag hatte Harms gesagt: Also, was soll ich sagen, wie immer, von uns aus kann alles so bleiben, und dann mußten ein paar Truppen des Warschauer Pakts schnell in die ČSSR, eine ins Wanken geratene Welt wieder in Ordnung bringen, und als die ins Wanken geratene Welt wieder in Ordnung war, nannte Harms die Lage ernst und unter Kontrolle, alle Organe seien in erhöhter Alarmbereitschaft, und neue Leute brauchten die Organe und dazu die lange bewährten wie den Kraftfahrer und Kundschafter Heinrich Hampel.

Das war Ende August, daß Harms den Kraftfahrer Heinrich Hampel einen Kundschafter nannte, und Anfang September schrieben sie in den Zeitungen über den jüngsten Beschluß des Ministerrats zur Neugestaltung der Jenaer Innenstadt, da wollte man auf einen wie Heinrich nicht verzichten, und was für hochfliegende Pläne es da auf einmal gab in der Stadt an der Saale und im Hause Hampel und Wünsche aus dem Katalog für an die zweitausend, die standen ihnen nach all den Jahren ja wohl zu.

Zwei lange feine Listen waren's, die Heinrich und seine Rosa schrieben, die lasen sie sich immer vor, und was es alles so gab beim Versandhaus *Schwab* im reichen Westen, also was brauchen wir: eine neue Waschmaschine brauchen wir, dazu einen elektrischen Boiler, den Grill, das Tonbandgerät, den Fotoapparat, Filme für fünfzig Mark, das war die Liste von Heinrich: jetzt du. Aber ich bin so lang, sagte Rosa und hatte für Eva einen roten Trägerrock mit schwarzer Bluse Größe 34, dazu ein Paar Schuhe, einen Ring und eine Kette, denn mit ihren dreizehn Jahren hatte Eva auf einmal so ihre Wünsche. Ich hätte zwei schöne Nachthemden für dich, sagte Heinrich und wollte, daß sie auch an sich dachte, und am Ende fanden sie beide das roséfarbene sehr schön, und einen Morgenmantel bestellten sie ihr und ein grünes Kostüm und ein rotes Trevirakleid Größe 42, die kamen Ende Oktober mit der Post.

Und wie geht es uns nun? fragte Rosa, als das roséfarbene Nachthemd gekommen war und Heinrich sie sein kleines Mädchen nannte, und ganz weich und samtig fühlte sich das neue Mädchen Rosa in ihrem Nachthemd an, er mußte es gar nicht sagen. Na, fein geht es uns beiden, ganz prächtig, sagte er, und Rosa sagte: Zur Feier des Tages? Ja, zur Feier des Tages.

Eines Tages im November verschwand er dann, das heißt für Rosa und die Kinder verschwand er, denn es war ihm kalt geworden unter den Decken im Heizungskeller, und vielleicht war er ja in eine andere Stadt oder gestorben oder ab nach drüben in den Westen, wer weiß. Rosa hatte ihn sogar noch ein- oder zweimal getroffen, bevor er verschwand, und da war er immer ganz freundlich und optimistisch, redete von einer Idee, die er hatte, und wie sie staunen würde, wenn er das alles erst mal in Angriff nahm, sogar nach Eva hatte er sich erkundigt und aus Höflichkeit nach seinen Söhnen.

Später stellte sich heraus, er war noch bei Gisela gewesen, bevor er für ein paar Jahre verschwand, und Gisela hatte gesagt: Komm rein, was ist, schrecklich siehst du aus, als wär dir jemand gestorben, oder als ob du auf der Flucht wärst, komm, setz dich und trink einen Schluck, erzähl. Er hatte sie ohne Umschweife um Geld gebeten, und obwohl sie wußte, daß man einem Trinker kein Geld gibt, gab sie ihm ein paar kleine und große Scheine und sogar das Kleingeld, denn das würde sie nicht umbringen, und schneller gehen würde er am Ende hoffentlich auch.

Sie sagte: Mach keine Dummheiten, Heinrich, die Sache ist es nicht wert, keine Sache ist es wert, und Heinrich sagte: Was für Dummheiten, meine Güte, mein ganzes Leben besteht aus Dummheiten, und eine bist du gewesen, und deshalb sah er sie sich noch einmal an, die schöne Gisela mit ihrem Parteiabzeichen und den bulgarischen Düften, und was für eine Langweilerin sie doch war mit ihrer SED und dem Mann und zwei Kindern in ihrer aus allen Nähten platzenden Dreiraumwohnung, und als er sie fragte, ob sie zum Abschied noch einen mit ihm trinken geht, mußte sie leider kochen, ihr Mann freue sich immer so, ja, leider, die Gewohnheit, und schönen Dank auch, man sieht sich.

Er war dann allein etwas trinken gegangen, und auch in die Bar *Kosmonaut* ging er danach ein paarmal allein, sie war ein bißchen heruntergekommen in all den Jahren, aber alles andere wie früher, sogar ein paar letzte Geschäfte schloß er dort droben noch ab und hatte das Geld für ein Zimmer im Hotel *International* wie damals, als sie noch sprengten, nur leider in der 105 wohnte schon ein Geschäftsmann aus Kassel.

Sie waren mißtrauisch gewesen, weil er kein Gepäck hatte, und daher besorgte er sich zu ihrer Beruhigung in der Stadt einen Koffer, kaufte zwei weiße Hemden, stahl in einem Geschäft in der Altstadt eine Krawatte und in einem zweiten in Lobeda ein paar Socken, denn das war die Idee, die ihm dort unten im Heizungskeller eines Morgens gekommen war, oder besser: ein Teil der Idee war das oder der Auftakt, die Bedingung, er hatte es nicht eilig.

Später hieß es, sie hätten etwas merken müssen im Hotel, und daß er an drei aufeinanderfolgenden Abenden mit einem schweren Koffer durchs Foyer zum Aufzug spazierte und alle paar Meter verschnaufte und stöhnte, so schwer war der, und was so schwer war, war ein bißchen Werkzeug von der alten Baustelle in Lobeda, oder ein ganzer Sack Zement war drin, als wollte er dort oben in seinem Zimmer etwas bauen.

Sah man ihn in diesen Tagen abends im Restaurant essen, wirkte er erschöpft und zufrieden wie nach einer schweren Arbeit, und dabei las er immer ganz gemütlich das *Neue Deutschland*, oder er beobachtete die junge Dresdnerin hinten an der Bar, oder nur so aus dem Fenster schaute er und schüttelte hin und wieder den Kopf, als müsse er sich sehr wundern, was da alles vorbeispazierte, aber seine Rosa oder die Kinder oder eine Gisela waren's nun einmal nicht.

Am Ende ging er, ohne zu bezahlen, und in den Zug nach Gera stieg er, ohne zu bezahlen, und setzte sich zu einer ins Abteil, die hatte etwas von der jungen Dora damals auf den Dornburger Schlössern, nur fünfundzwanzig Jahre älter und bitterer war die geworden und reiste mit zwei Körben Äpfeln, die kochte sie mit Wasser und Zimt zu einem schönen Kompott und hatte bis ins Frühjahr für jeden Sonntag Nachtisch. Dora, bist du's, fragte oder vielmehr flüsterte er, obwohl sie eine ganz andere war, aber die Stirn zog sie kraus wie die und redete weiter von ihren Äpfeln, und ob auch er aus Gera sei, ja, nein, aus Jena, Gera sei nur beruflich.

Wieder Verspätung, sagte die Frau aus Gera, und Heinrich sagte: Ja, ein Dilettantenstaat, wir leben in einem Dilettantenstaat, und da bekam die auf einmal Angst und wurde ganz leise, der Herr aus Jena solle doch bitte vorsichtig sein und sich überlegen, was er sagt und mit welchen Worten, oder ob er ins Gefängnis will für eine unachtsame Bemerkung wie diese, da sind ein paar Jahre schnell zusammen.

Hampel, Heinrich, sagte Heinrich, und das war schon kurz vor Gera, daß er's ihr für alle Fälle mitgab, stieg aus und ging den Rosa seit Jahren vertrauten Weg zum Untersuchungsgefängnis in der Rudolstädter Straße, klopfte oder vielmehr klingelte da, stellte sich vor und nannte für den Anfang ein paar Namen Zahlen Vorfälle, und dann mußten die da drinnen überlegen und sagten Nein und Vielleicht, fanden ihn in den Akten und lasen: dreieinhalb Jahre ohne Bewährung, der Herr Hampel, aus dem Westen war er gekommen und zeigte sich an als Betrüger, sah nicht aus wie einer, wußte es besser, na, dann also hereinspaziert, willkommen zu Haus.

10

Also, Russland. Die Jahre in der Sowjetunion, vier und ein halbes ziemlich genau, da war er zwischen fünfzehn und neunzehn, die Jahre, die blieben. Vor allem der erste Winter war schlimm, der große Hunger, mit dem sie büßten, doch dann ging das mit der Zeit, und viele schöne Sommer gab es in Rußland und das erste Mädchen Ljusja, die Liebe, die glaubt ihr mir nicht: die krummen Daumen, die sie hatte, und wie sie schielte und an einem vorbei in frühere und kommende Zeiten sah, die Seen, durch die wir schwammen, die Nachmittage im Junigras, die dramatischen Himmel über dem weiten Land, dem herrlichen, geschundenen, und immer wieder Ljusja, die Komsomolzin, die Toten Stalins und Hitlers nicht zu vergessen, die schliefen.

Noch in der ersten Woche, da sie Anfang November in tiefstem Winter angekommen waren, sagte die Mutter: Das fängt nicht übel an bei den Russen, unseren Feinden, wir hätten es schlimmer treffen können, denn wir haben drei Zimmer und Küche und Bad, und die vertrauten Betten und Möbel aus Jena haben wir, und den deutschen Kriegsgefangenen, die das alles für uns gebaut haben, danken wir's. Nur fließend Wasser gab es in den beiden von deutschen Kriegsgefangenen erbauten Blöcken nicht, aber im Hof von einem Brunnen mit Pumpe konnte man sich holen und trug's in zwei Eimern hoch in den vierten Stock und dazu im Rucksack des Vaters das Brot und die Wurst und den Käse aus dem kleinen Laden gegenüber.

Zwei Wochen ging das so, und nach zwei Wochen gab es im Kasino noch nicht mal ein Stückchen Schmierseife, und da mußten die Herren aus Deutschland eben sehen, wie sie zurechtkamen mit ihren Familien und den Lebensmittelkarten in verschiedenen Kategorien, und wer wie der Herr Hampel aus diesen oder jenen Gründen nicht arbeitete, fiel von allen Kategorien in die schlechteste. Ich erkläre es Ihnen, sagte der Kommandant des Hauses, der ein Hauptmann der Roten Armee im Ruhestand war und fließend Deutsch sprach, und fing gleich an, erstens, zweitens, drittens: Die Hitlerfaschisten haben uns 1941 das Land in Schutt und Asche gelegt; die Hitlerfaschisten haben das halbe russische Volk auf dem Gewissen; und also sollen die Hitlerfaschisten froh sein, daß sie leben, denn sie haben es nicht verdient.

Wir sind keine Faschisten, sagte der Vater, Glasmacher aus Jena sind wir und kommen mit Kind und Kegel, um zu helfen.

Helfen, sagte der Kommandant, und daß es auch die deutschen Faschisten gewesen sind, die im Jahre 41 das Glaswerk in Klin in Schutt und Asche gelegt haben, und solange wir dort in Klin nicht fertig sind mit dem Wiederaufbau, haben wir für Herrn Matthias Hampel leider keine Arbeit und folglich auch keine Marken für Spezialisten, das war die bittere Wahrheit.

Und so hungerten die Hampels, die keine Arbeit hatten und für ihre nicht getane Arbeit nicht gut verlangen konnten, daß man ihnen zu essen gab, und da mußten sie leider warten und betteln und sich den leeren Magen mit einem Schluck Wasser füllen, aber die feinen Landsleute mit ihren Gehältern und den Überweisungen an die daheim gebliebenen Familien lebten wie Gott in Frankreich und warfen das alte Brot und die schimmelige Marmelade lieber weg, als daß sie's den Hampels gaben, was saßen die mit ihren fünf Kindern auch immer nur herum und taten nichts.

Dieses verdammte Sowjetparadies, sagten die Deutschen, und der Vater und Theodor sagten: Diese verdammten Deutschen, wenn sie in der Fremde sind. Nie hatten sie die Mutter in all den Jahren fluchen gehört, aber wenn sie bei den Deutschen gewesen war, fluchte sie, oder sie schickte eines der Kinder hin, und dann stahlen die hier eine Scheibe Brot und dort ein Stück geräucherten Fisch, oder ihren mißratenen Sohn Heinrich schickte sie, der brachte fast immer etwas, und wenn es nur eine Handvoll gefrorenes Gemüse war oder ein paar verfaulte Kartoffeln oder Tomaten, die hatte er getauscht gegen ein paar Kleider oder Schuhe, oder für ein Versprechen oder eine Lüge gaben sie's ihm, die genauen Einzelheiten will ich gar nicht wissen.

Manchmal wunderte sie sich über ihren Heinrich und wie er alles ganz leicht nahm und vom ersten Tag an immerzu unterwegs war und die ersten Brocken Russisch nach Hause brachte und die Geschichten von den russischen Kindern auf der Straße, die ihn als Faschisten beschimpften und Steine nach ihm warfen, und auf einmal waren das Freunde und zeigten ihm das magere Kalb, das sie sich in ihrer winzigen Wohnung hielten, oder sie zogen bei minus zwanzig Grad und Schnee bis an die Schultern kiloweise das gefrorene Sauerkraut auf einem Schlitten in Heinrichs Straße, und das war also sein Leben in den ersten Wochen und Monaten, und abgesehen vom Hunger war es ja für einen Fünfzehnjährigen nicht schlecht.

An einem Werktag Ende Oktober waren sie gekommen, morgens früh um fünf, da standen sie plötzlich vor der Tür und wollten herein, ein sowjetischer Major mit zwei bewaffneten Soldaten und eine junge Dolmetscherin, die übersetzte ihnen einen Befehl des Marschalls Shukow, der galt ab sofort, und also müsse Herr Matthias Hampel zur Wiedergutmachung in die Große Sowjetunion, draußen vor der Tür warteten zwei Lastwagen, und ob er allein oder mit Familie fährt, soll er sich überlegen, in der Nähe von Moskau steht in der Stadt Klin ein von deutschen Faschisten zerstörtes Glaswerk, das soll er mit aufbauen, in drei bis fünf Jahren ist er spätestens zurück.

Da fahren wir aber gemeinsam, sagte die Mutter und hatte es gerade beschlossen, sie fingen auch alle gleich an und packten und entschieden, und die beiden russischen Soldaten trugen's nach draußen zu den Lastwagen: die Betten, das Bettzeug und die Matratzen, viel warme Kleider und Wäsche für die Winter, den neuen Wohnzimmerschrank, die Couch und bis auf die Kücheneinrichtung alle wichtigen Möbel, dazu von der Mutter das Nähkästchen und von Heinrich das Büchlein mit dem braunen Umschlag, *Grundtatsachen des Liebes- und Geschlechtslebens*, das war der große Traum, das Abenteuer, auf das er sich vorbereitete, und dieses Rußland war womöglich ein noch größeres, man würde sehen.

Die Mutter sagte: Mein Gott, was tun sie uns an, und später schickten sie noch einen Mann von *Schott* und ließen ihn sagen: Ja, schrecklich, wir können es gar nicht fassen, dreizehn unserer besten Leute und bei *Zeiss* an die dreihundert und im ganzen Land wer weiß wie viele noch.

Sie hatten nicht viel Zeit für den Abschied, aber es war der Vater, der sich am schwersten tat wegen des Hauses, und gegen Mittag kletterten sie in einen der beiden Militärlastwagen und fuhren zum Saalbahnhof, stiegen zu den Leuten von *Zeiss* und *Schott* in einen bereitstehenden Zug und warteten, standen auch nach zwei Stunden noch und warteten bis zum späten Abend, da hatten die Russen endlich alles verladen.

Zwei Abteile vierter Klasse mit ein paar frisch lackierten Holzbänken und viel zu kleinen Gepäcknetzen hatten die Hampels, und die Familien Berger und Hofmann mit je drei

Kindern waren mit ihnen und redeten wie die Hampels aufgeregt durcheinander, nur bei der Abfahrt gegen zehn am Abend war's eine Weile ganz still, da lauschten sie alle der Querflöte des jungen Dr. Berger, *Nun ade, du mein lieb Heimatland*, das war sein Lied.

Für den jungen Heinrich wurde es die Reise seines Lebens, fast jeder Blick aus dem Fenster ein Abenteuer, und nun schaut, wir sind schon in Leipzig, und das ist Warschau, die Hauptstadt der Polen, und der Spurwechsel in Brest-Litowsk war ein Abenteuer und das große Festessen zu Ehren der deutschen Spezialisten dort im Bahnhof von Brest-Litowsk, mit weißen Tischdecken aus Damast und Wodka und Kognak in Strömen, und die ersten Sakuski zum Kennenlernen und Lachs und Kaviar, daß die Tische sich bogen.

Nach einer fast schlaflosen ersten Nacht auf den harten Bänken hatte jeder Erwachsene eine Auswahl Bücher bekommen, einen Band mit Reden von Lenin und Stalin, ein Wörterbuch und eine illustrierte Geschichte des Großen Vaterländischen Krieges, dazu ein originalverpacktes Urlaubspaket für die Soldaten der deutschen Ostfront mit Zigaretten, Keksen, je einer Büchse Schmalz und Kondensmilch, Kaffee und Zucker, für die Familie Hampel allein siebenmal. Tag und Nacht gab es nun immer zu reden, und wie das alles wohl sein würde im Land der Russen, um Gottes willen, und der Vater rauchte seine Pfeife dazu und schnitt sich mit der Rasierklinge die Zigaretten auf, Hirse und Brei und Erbsensuppe war ihre Verpflegung und die Gulaschkanone in einem der Güterwaggons nur ein Gerücht.

Auf die deutsch-sowjetische Freundschaft, sagte der General in Brest-Litowsk, wo sie nach dem Umladen alle ihr Hab und Gut zu identifizieren hatten, und weiter bis kurz vor Moskau in drei russischen Großraumwagen, Ankunft am frühen Morgen. Wieder warteten Lastwagen, und wieder dauerte es eine Ewigkeit, bis alles verladen war, und die große Stadt Moskau, durch die sie fuhren, war eine Stadt mit tausend Lichtern, und in den Geschäften lagen die Würste und der Schinken, und also war das ja alles wohl nicht so schlimm in diesem Sowjetparadies, und dieses Kaff mitten in der Wüste war nicht so schlimm, am frühen Abend des zehnten Tages kamen sie an. Sogar eine kleine Gaststätte und der Laden hatten noch auf, zur feierlichen Ankunft der Deutschen war's, und in den Regalen noch einmal der Wodka und der Kognak und der Champagner, aber auch Bohnenkaffee und alles, was das Herz begehrte, ach Kinder.

Und nun feiern wir erst mal, sagte die Mutter, als man ihnen die Wohnung angewiesen hatte, drei große Zimmer mit Küche und Bad und einem aus Ziegeln und Lehm gebauten Ofen gegen das Frieren, alles ziemlich primitiv, aber sehr liebevoll, sogar das Holz und die Späne und das Papier zum Anzünden lagen schon bereit und ein halb aus der Schachtel gezogenes Streichholz, das würden sie nicht vergessen. Und nun trinken wir, sagte die Mutter und machte die erste Flasche Krimsekt auf, bevor sie alle in ihren deutschen Betten schliefen, nur Heinrich fummelte noch ein bißchen und träumte die Mädchen ganz ohne Gesicht.

Bitterkalt war der erste Winter in diesem Nest Lytkarino mit seinen zwei von deutschen Kriegsgefangenen erbauten Wohnblöcken aus Backstein und den umliegenden Kartoffeläckern, so weit das Auge reichte, und dem Werk im Norden und den alten russischen Holzhäusern im Süden nahe dem Markt, wo sie das Korn in Gläsern verkauften und abgehackte Schweinsfüße und Ohren und Innereien, mein Gott. An die zehn Monate dauerte der große Hunger, und der erste Winter dauerte eine Ewigkeit, und das eine Kastenbrot pro Tag, das sie als Familie hatten, dauerte ein paar Sekunden, wenn man sich nicht beherrschte und kleine Kügelchen draus drehte und sich etwas aufhob für eine Stunde am Mittag oder abends unter den dünnen Decken, wenn Heinrich die russischen Mädchen in seinem Kopf probierte und den knurrenden Magen nicht merkte, auch deshalb hob er sich von ihren kümmerlichen Mahlzeiten nie etwas auf.

Kurz vor Weihnachten verfügte der Kommandant des Hauses, die Familien Hampel und Berger legen wir zusammen, und sieben und fünf macht zwölf, vier Erwachsene und acht Kinder in ein paar Zimmern, die Russen haben schließlich auch nicht mehr, gerade mal vier Quadratmeter pro Person haben sie, und sogar unsere beiden Stalinpreisträger im zweiten Stock müssen damit auskommen und schlafen wie ihr auf Matratzen oder am Boden. Nur Heinrich durfte in der Wohnung bleiben, denn ihm machte das nichts aus: ein Leben unter den fremden Russen, mit denen man das Bad teilte, aber in den Nächten schlief man ganz für sich alleine auf der Bettcouch und dachte an die neuen russischen Worte, die ersten Sätze, Flüche, die Fragen in diesem Meer von unverständlichen Lauten, dem Singsang der Straße, der schneebedeckten Felder im ewig gleißenden Licht des Winters, das macht uns alle eines Tages noch blind.

Der Vater und der Mutter hatten sich geweigert, die Sprache der neuen Herren zu lernen, aber die Kinder mußten sie lernen und wurden ihnen fremd und fremder, wenn sie von der jungen Lehrerin die neuen Worte brachten und über den vergangenen Krieg redeten und den Sieg der ruhmreichen Sowjetunion unter ihrem Führer Josef Wissarionowitsch Stalin, der haßte die Faschisten, doch das deutsche Volk liebte er.

Die Mutter wechselte das Thema, wenn von diesem Stalin die Rede war, und der Vater schwieg und ging fast jeden Morgen über Schnee und Eis zum Glaswerk, und da stand er unter dem roten Werkstor und fragte nach den Fortschritten bei der Arbeit, und was es aus Klin für Nachrichten gab, und ob er dort einmal hinfährt und sich ein Bild macht, ja, Ende des Monats für zwei Tage dürfe er fahren über Moskau mit der Bahn, ein Hoffnungsschimmer war's.

Ende Februar fuhr der Vater, und Heinrich wäre am liebsten mitgefahren, so beneidete er den um den Tag im glitzernden Moskau mit seinen hell erleuchteten Straßen, den Schaufenstern mit Schinken und Wurst und den zu Pyramiden gestapelten Dosen Kaviar, aber der Vater behauptete, das alles seien nur Attrappen, der Schinken und die Wurst aus Gips, die Kaviardosen leer, die Waren in den Geschäften unerschwinglich, und daß das leider noch lange nichts wurde mit Klin, berichtete er, im Sommer frühestens.

Nach Moskau möchte ich auch einmal, sagte Heinrich, darauf die Mutter kurz und bündig: Ja, untersteh dich, und so zögerte er ein paar Tage, stellte sich eines Morgens an die Straße oben beim Werkstor und fuhr mit ein paar Soldaten im offenen Pritschenwagen bis Lubercie, nahm den Vorortzug nach Moskau und fror und staunte, was für eine Stadt das war, mit Delikateßläden so groß wie Kathedralen oder alte Opernhäuser, an den Decken die schweren Kronleuchter und in den Auslagen für hundert Hochzeiten Weine und Liköre und Wodka aus allen Gegenden der Sowjetunion und frischer Lachs und Kaviar, daß man's mit ein paar Lastwagen nicht hätte wegbringen können: das war sein Moskau, Maxim-Gorki-Straße, das Kaufhaus *Gum* in der Nähe, das Mausoleum mit dem toten Lenin, die berühmte Kathedrale, alles gar nicht weit.

Glänzend und freundlich und bitterkalt war Moskau, und

Heinrich in seinen geflickten Flakhelferhosen und den genagelten Schuhen bei minus zwanzig Grad konnte nicht genug bekommen von Moskau, und daß die Leute ihm den Vortritt ließen als Fremdem in den Schlangen, und wer in einem Restaurant eine heiße Tasse Tee trinken wollte, brauchte feste Schuhe, sonst ließen ihn die Türsteher nicht herein.

Dreimal fuhr Heinrich im Verlauf der Monate März und April nach Moskau, und beim zweiten Mal hatte er eine lange Liste, kaufte für die deutschen Spezialisten Tabak und Wodka und für die Familie viele bunte Kaubonbons, und beim dritten Mal wurde er mitten auf dem Roten Platz von einer Streife verhaftet, nur ein paar Stunden waren's in einer der tausend Zellen im großen Polizeigefängnis, und nach ein paar Stunden holten die ihn da raus und lehrten ihn das Trinken.

Der hohe Offizier, der ihn befragte, mußte seine Sätze ein paarmal wiederholen, bis Heinrich ihn verstand, aber daß man ihn nicht länger für einen Kriegsgefangenen hielt, verstand er und nickte, nahm eines der beiden Zahnputzgläser und trank mit diesem Offizier auf die Freundschaft und auf die Mädchen, die schöne Stadt Moskau, das Leben als Mann. Sie brachten ihn bis vor die Haustür in ihrem amerikanischen Jeep, und als er ein paar Wochen später wieder aufgegriffen wurde, begrüßte man sich schon als alte Bekannte, eigentlich dürfe einer wie Heinrich die Gegend ja überhaupt nicht verlassen, streng verboten seien seine Reisen nach Moskau, aber kurz und schön ist das Leben und der sibirische Wodka der allerfeinste.

Und also lernte Heinrich das Trinken in Rußland, dem kalten, und dann folgten Wochen und Monate, in denen es immerzu regnete und taute und wieder fror und man sich kaum auf die Straßen traute, und von heute auf morgen wurde es sehr heiß, und an einem der ersten heißen Tage traf eine Lieferung Fleisch und Fisch für die Familie Hampel ein: fünf Kilo Lachs und an die zehn gebratene Hühner, die Mutter wußte gar nicht, wohin. Ich nehme es als Zeichen, sagte die Mutter, machte die Hühner ein in Gläser und legte den Lachs zum Kühlen in die Badewanne, drei Tage von morgens bis abends Lachs in allen Variationen, und am vierten in aller Herrgottsfrühe setzte sie sich unten auf die Schwelle des Hauses und wollte von dort nicht weg, als bis man sie und ihre Kinder und den Mann und den ganzen Hausrat endlich in dieses gottverdammte Klin brachte, sie hatte die Nase voll. Der Vater sagte: Das kannst du nicht machen, sie haben unsere Wohnung noch nicht fertig und das Werk, aber die Mutter sagte: Das werden wir ja sehen, ob ich kann, ich kann, und die können, und recht hatte sie.

Und so landeten sie im Sommer 47 in Klin, Kreisstadt im Gouvernement Moskau, 8720 Einwohner nach dem Stand von 1931, so stand's im Lexikon des Vaters, an der Sestra (zur Wolga) und an der Bahn Leningrad-Moskau gelegen, liefert Textil- und Metallwaren, Torf, Ziegel, Bretter, nahebei das Tschaikowskij-Museum, war Erbsitz der Familie Romanow, Glasfabrikation. 1941 auf dem Weg nach Moskau besetzt von den Deutschen, noch im selben Jahr befreit und befriedet von der ruhmreichen Roten Armee, davon konnte das Lexikon des Jahres 1931 nichts wissen, und daß sich die Deutschen die Hemden bügeln ließen in diesem Klin, und als sie fort waren, galten alle Hemdenbügler als Verräter.

Der Direktor der Kliner Glasfabrik schlug die Hände über dem Kopf zusammen, als er die drei Lastwagen und die zwölf Deutschen auf dem Werksgelände sah, euch schickt der Himmel, aber der Himmel meint es nicht gut mit uns, denn wir haben keinen Platz für euch und Arbeit erst ab Anfang September. Nun sind wir aber da, sagte die Mutter und machte keine Anstalten, und der Direktor machte keine

Anstalten, doch wie man's nun drehte oder wendete, die Deutschen hatte er am Hals, ließ ein paar deutsche Kriegsgefangene die Stühle aus dem firmeneigenen Klubhaus tragen, und die drei Lastwagen ließ er sie entladen: Bis auf die zwölf Betten und ein paar Kleider, die Wäsche, stellten die einfach alles in den Hof.

Wir werden sehen, sagte der Direktor, und damit begannen zwei seltsame Wochen für die Familien Hampel und Berger im Klubhaus des staatlichen Glaswerks in Klin, denn das hatte das verschlafene Klin noch nicht gesehen: zwölf Männer und Frauen und Kinder aus Deutschland mit eigenem Bett und Matratze, und dabei waren das doch die Besiegten, die noch etwas gutzumachen hatten im zerstörten Land der Russen, aber für jedes Familienmitglied ein Bett zum Schlafen hatten nicht die Russen, sondern diese Glasmacher aus dem Lande Hitlers.

Keine zwei Stunden dauerte es, bis sich die Nachricht von den Deutschen und ihren Betten in der Stadt verbreitete, und schon liefen aus allen Ecken und Enden die Leute herbei und drückten sich an den Fenstern des Klubhauses die Nasen platt, ein Haufen Kinder aus der nahen und fernen Nachbarschaft, aber auch Arbeiter aus dem Werk und am nächsten Morgen ihre Frauen und Schwägerinnen, es war ein einziges Kommen und Gehen. Bis weit in den späten Abend hinein staunten und glotzten die, und wenn man sie verscheuchte, liefen sie kurz weg und lachten und kamen wieder. Das glaube ich einfach nicht, sagte Theodor und lief in den ersten Tagen immer wieder hin und schimpfte und machte Zeichen, denn sogar am Sonntag in die gegenüberliegende Kirche oder in der Woche zu den roten Markthallen im Zentrum liefen die einem nach und riefen: Faschisten, Faschisten, wie lange bleibt ihr, wie heißt eure Stadt, ach sagt, ach redet, und du mit den feinen Haaren und den

Augen so blau wie die Sestra, unser Fluß, wie heißt du, wohin gehst du arbeiten, und was für ein seltsamer Name das sei: Geinrich Gampel, aber Tanja und Natascha und Sonja seien richtige Namen, und da hatte Heinrich also sozusagen seine ersten Bekanntschaften.

Manchmal dachte er, sie stehen bestimmt die ganze Nacht am Fenster, und las in diesen Nächten heimlich in seinem braunen Büchlein über die Mädchen und ihr Blut alle vier Wochen, und wie die Frau von den Säften eines Mannes durchdrungen wird bei der Liebe, denn Blut und Säfte kamen aus einem Mann, und war das Zusammensein für beide Teile beglückend, atmete die Frau den Duft der männlichen Säfte noch eine Weile aus.

Nach einer Woche tauchte die für das Werk zuständige Ministerin auf und sagte: Ein feines Lager habt ihr mir da, bis nach Moskau reden die Leute davon, nur damit ist's nun vorbei, spätestens übermorgen oder in drei, vier Tagen ist alles fertig, und so war es. Es war eines der wenigen Steinhäuser in der Stadt, drei Aufgänge vorne und hinten und auf drei Stockwerken an die zwanzig Parteien, dritter Stock rechts die Hampels, links gegenüber die Bergers, vom Küchenfenster sah man über Gärten und Wiesen und Felder bis weit hinüber zum Fluß. Das Paradies im Paradies nannte die Mutter es, ach Kinder, wie bin ich froh, ich meine, unter den gegebenen Umständen, und nun wollen wir auch wieder tüchtig hoffen und beten, und daß der Vater bald Arbeit bekommt, ja, ab 1. August.

Anfang Juli war's, die Kinder badeten bald jeden Nachmittag unten im Fluß und schlossen die ersten Freundschaften, und so hungerten sie noch ein bißchen und ließen sich beim Schlangestehen mit Kopierstift Nummern auf die Unterarme malen, aber wenigstens in einer richtigen Stadt lebten sie, mit großem und kleinem Markt und Schule und Kirche und Apotheke und etwas außerhalb das Sommerhaus des berühmten Komponisten, in dem der Jüngste und die beiden Schwestern auf die im Herbst beginnende Schule vorbereitet wurden, ein Jude aus der Ukraine unterrichtete sie: die ganze Familie verschleppt und ermordet von den Deutschen, euren Vätern und Söhnen, den Barbaren, diesen Verbrechern, das Volk der Dichter und Denker.

Nach dem ersten Tag im Werk sagte der Vater: Mein Gott, diese Russen, da kommen wir in tausend Jahren nicht weg, das halbe Dach ist eingestürzt, und mitten im Werk, wo die große Glaswanne hin soll, ein Bombentrichter, das kann etwas werden. Theodor soll unsere ganzen Patente ins Russische übersetzen, und später die Konstruktionszeichnungen für die noch fehlenden Maschinenteile soll er machen, und für unseren Heinrich haben sie das eine oder andere Elektrische, und später die Kohlen soll er holen fürs große Feuer, und das war nun also der Anfang, der Anfang der guten Zeiten in den schlechten.

Ein paar tausend Rubel im Monat brachten der Vater und die Söhne nach Hause, und immer die besten Karten für Spezialisten hatten sie und Essen und Trinken, daß sie alle richtig satt wurden, und alle paar Tage ein Stück Fleisch zum Abendessen, wie kein Russe es kannte, was kümmert's uns. Nicht einmal ein Stückchen Brot hätten sie sich von den Russen schenken lassen, da wollten sie lieber verkommen, die Mutter, der Vater, die sprachen in der neuen Sprache noch immer kein Wort, nur für den Politruk aus dem zweiten Stock, wenn er plötzlich zur Kontrolle erschien, eins zur Begrüßung und zum Abschied, da waren sie ihn wenigstens bald wieder los.

Siebzehn wurde Heinrich im Sommer, der Schlaksige, der Träumer und theoretische Kenner der Frauen, er war nicht viel zu Hause, trieb sich die meiste Zeit unten am großen Fluß herum und merkte sich die Mädchen und welche schon Brüste hatte unter den dünnen Hemdchen und welche noch wartete, und das wußte er, was es bedeutete, das Warten und Sichbeobachten und Sichsehnen nach wer weiß was, die Launen, das Wünschen, Wissen und Ahnen, das war das Schlimmste.

Einmal fragte er eine, ob sie mitkommt ins Kino direkt vor ihrer Haustür, und da saß man in dieser Baracke auf einem hundert Jahre alten Stuhl in der zehnten Reihe und hatte an der Seite sein Mädchen, und ein Glas mit gesalzenen Kürbiskernen hatte man, spuckte die Schalen auf den Boden zu den tausend anderen Schalen, und heute gab's den *Panzerkreuzer Potemkim* oder eine Komödie aus dem zerbombten Deutschland, nur von der Stadt Jena war in solchen Komödien leider nie die Rede.

Manchmal wußte er nicht mal, wie sie hieß, die da neben ihm im dunklen Kino saß und an den Nüssen knabberte und manchmal an ihren Nägeln, und meistens blieb auch alles harmlos, oder ein paar feuchte Hände machten Bekanntschaft, aber nur so zum Üben machte man das, und damit man für den Anfang Bescheid wußte, denn eines Tages wurde es ernst und sehr schön und sehr wichtig, wie nur dieses eine erste tapsige Mal so schön und wichtig sein würde, das glaubte er.

Eine glänzende, bewegte Zeit begann, und der einzige, dem er sich manchmal anvertraute, war der Sohn des ukrainischen Juden Eugen Ewgenowitsch Budde, dem die ganze Familie verschleppt und ermordet worden war, aber dazu waren sie beide verdammt noch mal zu jung, als daß sie sich über den Kummer und das Leid des Eugen Ewgenowitsch Budde aus Minsk Gedanken machten und in jedem Mädchen das Mädchen aus dem Lager sahen, die Cousine aus

Minsk mit den beiden Zöpfen, den schiefen Zähnen, die in Kanada geblieben waren, und der Rest zu Asche verbrannt und zermahlen für die vereisten Wege und Straßen in Auschwitz-Birkenau.

Und was ist nun ein Jude, fragte Heinrich.

Ja, frag mich.

Also, Mädchen mit Zöpfen mag er, der Jude, und solche mit großen Busen, ich hoffe, wir geraten uns nicht in die Quere.

Es müßte reichen für zwei.

Oder wir teilen sie uns.

Oder wir schlagen uns drum.

Am Silvestermorgen 1947 sagte der Vater: Das wird nun also das Jahr der Entscheidung für unser armes Deutschland, und das wußte er, weil er jeden Abend das Radio anschaltete und sich von der *BBC London* die Lage erklären ließ, und auch für Heinrich sollte es das Jahr der Entscheidung werden, was wollen wir wetten. Wollen wir wetten? hatte der junge Budde Anfang Januar gefragt, und Heinrich: Na, gut, also wetten wir, unser Jahr, dieses 1948, und wer am weitesten kommt, muß dem anderen helfen und bringt für jeden Erfolg einen Beweis. Jeden Freitagabend bei den Markthallen in der zweiten Straße beim Ausschank wollten sie sich berichten, aber wirklich nur das Wichtige, alles, was das erste Mal war, und nicht nur wünschen durfte man sich's (oder man fürchtete sich), zum Beispiel so ganz ohne Kleider und ganz nackt und verlegen, wie sollte man sich's nur denken.

In der ersten Wochen war rein gar nichts. Jewgeni sagte immer nur: Die Sache läuft, ich habe da eine in Arbeit, und so sagte auch Heinrich: Ja, in Arbeit ist die Sache, warte noch ein paar Tage, dann weiß ich mehr. Ja, wenn Sommer wäre, dann wäre die Sache leichter, sagte er und verschwieg, wie er eines Nachts zur Schwester gegangen war, und die Sache mit den beiden Bergertöchtern verschwieg er, und alles andere war doch mehr oder weniger bedeutungslos, oder die verstanden ihn alle nicht, oder er machte sich nichts aus denen, hatte nur immer die Wette im Kopf, lag wahrscheinlich schon hoffnungslos zurück.

Nach einer Weile beruhigte ihn das, daß er die Wette nicht gewinnen würde, denn nun konnte er besser sehen, was war und was nicht, sah ein paar dunkle Augen in der Schlange für Mehl und Zucker, machte die ersten Scherze und Bemerkungen über ein Kleid oder einen Mund, merkte sich Türen, die man öffnete oder wieder schloß, ging einmal die Woche ins Kino, lud sie ein und hatte die Freiheit, wartete ab und erzählte Jewgeni die ersten Küsse wie Märchen so lang und kompliziert und voller Wiederholungen, denn die waren am schönsten.

Larissa hieß eine der ersten, die ihn wollte und küßte und den halben Film verpaßte für seine Küsse, die nicht endeten und auf die Dauer ein bißchen langweilig waren, und am Ende brachte er sie nach Haus, und draußen vor der Tür nur zum Üben machte man's noch einmal oder später die Tage. Manchmal sagte eine: Es darf uns aber niemand sehen, denn mein Vater und meine Mutter sagen, du bist ein Deutscher und bringst uns Unglück, und da wußte Heinrich immer gleich, ob sie aus Neugier kamen oder wegen Heinrich, oder weil er die Karten bezahlte und mitten auf der Straße zwei Tänzchen steppte, denn als Stepptänzer aus Deutschland, dem geschlagenen, kannten sie ihn fast alle. Du bist gar nicht so, sagte Tatjana, und ihre Freundin Swetlana, die mit den blonden Zöpfen, sagte: Mein Vater war in Leningrad 1941, der ganze Himmel voll weißer Ballons, und drunten die Hungernden aßen das Fleisch der Toten.

Nein danke, sagte sie.

Du mußt ja nicht, sagte Heinrich und vermißte sie ein paar Tage, kaute an ihren Sätzen, den Blicken, die ihm galten und immer haarscharf vorbei ins Nichts gingen, unten am Fluß, wo Budde seine üppige Sonja wie im Triumphzug an ihnen vorbeiführte, oder auf dem Platz vor dem Ausschank, da liefen sie sich alle regelmäßig über den Weg. Tatjana, die Kluge, sagte: Ich glaube, du bist ganz anders, du paßt in die großen Städte, in unser Moskau, Leningrad oder nach Kiew paßt du, oder weiter im Osten unser Nowosibirsk oder Swerdlowsk oder Tscheljabinsk wäre etwas für dich, denn da kam sie her, von hinter den großen Bergen, und war gelandet in diesem Nest wie er. Mein Vater war in Berlin, sagte sie, doch das sagten viele, daß ihre Väter in Berlin gewesen waren, und manche waren womöglich geblieben, zeigten den Amerikanern die Zähne in der Hauptstadt des zukünftigen Sowjetstaats, davon träumten sie, und Marx und Engels hatten davon geträumt: für unseren Heinrich die neue Heimat.

Das Frühjahr 1948 kam, und bei Heinrich war noch immer nichts, aber bei seinem Bruder Theodor war etwas, die Mutter kostete es die ersten schlaflosen Nächte. Sie ging noch immer kaum aus dem Haus, kochte zweimal die Woche einen Topf Suppe für die deutschen Kriegsgefangenen, die im Werk des Vaters vor Hunger umfielen und die falschen Karten hatten und kein Recht und keinen Vertrag wie die Hampels, die hatten höchstens noch drei Jahre. Paul und die Schwestern gingen wie immer fleißig in die Schule, sagten auswendig Gedichte und die Zahlen von Schlachten und Parteitagen, den Siegen der Großen Sowjetunion und ihrem Triumph im schlimmsten Jahr 1941, unserem Stalin sei Dank.

Im Sommer sagte der Vater: Nun zähle ich die Tage. Unter tausend, ich sag's euch, nun zähle ich die Tage.

Aber ich möchte gar nicht, sagte Heinrich, und Paul sagte es, und Theodor widersprach nicht, aber die Mutter raufte sich die Haare und verbrachte wie früher halbe Nachmittage im verdunkelten Zimmer, und vor Sehnsucht das Herz tat ihr weh, nur in der Apotheke hatten sie nichts, was half.

Anfang Mai 1948 hatte ihn die Mutter zum ersten Mal in die Apotheke am Platz geschickt, und da waren die alle sehr freundlich und wußten auf Anhieb keinen Rat, aber dies und jenes möge die Mutter probieren, und ab und zu laufen und an die frische Luft gehen soll sie, das war der Rat des alten Apothekers. Seine Ljusja war erst im letzten Moment gekommen, huschte ein paarmal vorbei und schaute und glänzte, aber nur so im Vorübergehen oder weil die erste Januarsonne sie blendete oder die Aussicht auf den nahen Abend.

Sie hatte sozusagen ein paar Fehler, diese Ljusja, die Große, die an manchen Tagen schielte und nach Penicillin roch und von ferne ein bißchen nach Kampfer, und viele kleine Schrammen und Kratzer und Narben hatte Ljusja in ihrem Ljusjagesicht und zwei nach innen gekrümmte Daumen, und wie zart und energisch sie alles anfaßte mit ihren gekrümmten Daumen, ach Ljusja, deine Daumen.

Der erste Satz, den sie sagte: Ja, der junge Herr Hampel, das freut mich, und also schien sie ihn zu kennen, oder eine Freundin kannte ihn, und mit ihren wasserblauen Augen sagte sie etwas und schielte und sagte mit ihren schielenden Augen: Ja, bade du nur, dich kenne ich, von dir lasse ich mich fragen, und nun geh nach Hause und probier die Tropfen, und wenn sie nicht helfen, komm wieder, oder auf jeden Fall komm, nur über die Schwelle stolpere mir nicht, denn was gehst du auch rückwärts und schaust und stolperst, es ist ja bloß der Anfang, aber der Anfang ist's gewiß.

Die Mutter sagte: Heinrich, die Tropfen sind ein Dreck, hol neue, oder es zerreißt mir das Herz, nicht mal Tropfen haben sie für uns Deutsche in diesem verdammten Rußland, aber mein Mann und meine Söhne arbeiten ein jeder für zwei. Drei- oder viermal bis Ende Mai sagte sie's und machte, daß sie sich nicht vergaßen, er und seine Ljusja, und auch ohne Anlaß ging Heinrich sie nun besuchen und erfand sich und ihr die Gründe, oder vor einem der beiden Schaufenster stand er und sah sie drinnen im weißen Kittel die Salben mischen und schreiben, rechnen, warten, bis sie ihn sah und winkte und wußte, hoffte, er bleibt ihr. Sogar Jewgeni mit seiner blassen Sonja zeigte er sie, und dann wogen die den Kopf und sagten: Na ja, ich weiß nicht, und Budde für sich allein sagte: Also für mich nicht, für mich persönlich wäre sie nichts, es ist ja gar nichts dran an ihr, und all die Schrammen, Furchen, Narben, die sie hat, ich weiß nicht.

Noch im Juli gab sie ihm auf einmal kleine Zettel, und auf diese Zettel schrieb sie: Was ist? Oder sie schrieb: Von mir aus gerne, ja und noch einmal ja, und das machte, daß er sich ein paar Tage nicht zu ihr traute, so schwierig fand er das, und was er ihr am besten antwortete, und was das genau für ein Ja war, ins Kino wollte sie ja wahrscheinlich nicht.

Sie wohnte in einem grünen Holzhaus auf halbem Weg zum Tschaikowskij-Museum, war gerade achtzehn und hatte einen Vater, der war Chirurg in Moskau und seit dem Tod der Frau vor ein paar Jahren nur selten zu Hause, und deshalb lebte sie die längste Zeit des Jahres allein, legte ab Ende August frühmorgens ein paar Holzscheite in den alten Ofen, trank eine Tasse Tee zum Frühstück und hatte sehr lange Tage in der Apotheke.

Komm wieder, sagte sie und gab ihm die Hand, als er sie im Herbst zum ersten Mal nach Hause brachte, und da hatte er lange Angst, er macht etwas falsch bei ihr, oder sie könnte sich langweilen bei seinen Geschichten, den ersten

Küssen, unten am Fluß bei den großen Weiden war's, sie mochte es nämlich gerne im Freien, liebte endlos lange Spaziergänge, oder mit den alten Skiern wollte sie los und ganz weit und bis zur Erschöpfung laufen, und anschließend war sie vor Müdigkeit ganz stumm und geschmeidig, machte ein Feuer in der Küche ihres grünes Holzhauses, und nun leg die Arme um deine müde Ljusja, mach weiter, fürchte dich nicht, ich freue mich, ja, da war es gestern schön, da bleib, da lerne mich kennen, aber ganz vorsichtig sei und gründlich, wir haben Zeit.

Sie sammelte das ganze Jahr irgendwelche Steine, und Kastanien und Eicheln und verlassene Schneckenhäuser sammelte sie und wanderte mit ihren Händen durch die tausend Taschen seiner alten Hose, hinterließ ihm hier eine Muschel vom Schwarzen Meer und dort eine vertrocknete Blume aus dem Park des Museums, und ihre Hände mit den krummen Daumen hinterließen die ersten Spuren und waren wie kleine zappelige Tiere, kamen hoffentlich bald wieder. Sie kannten jeden Zentimeter Haut unter ihren Kleidern, und die Wirkungen ihrer Hände auf die Haut unter ihren Kleidern kannten sie und redeten kein Wort, wenn sie sich aneinander rieben und warteten und wußten: eines Tages, hier in ihrem grünen Häuschen eines Tages, und wie ein Wunder würde es sein und wie ein großes Fest, ich lade dich ein, ich freue, ich schäme mich.

Am Tag, als die Mutter das Foto fand und in der Küche vor den Augen des Vaters und der Geschwister in tausend Stücke zerriß, kannte er sie ein halbes Jahr, und in den Mülleimer warf die Mutter das in tausend Stücke zerrissene Foto seiner Ljusja, wie sie in dicker Winterkleidung im Park des Tschaikowskij-Museums stand und kein Lächeln herausbrachte für Budde mit seiner Kamera, kurz vor Weihnachten

1948 war's gewesen und für Heinrich eine Überraschung, aber die Mutter hatte große Angst, und daß die Söhne ihr nicht blieben, war ihre Angst, denn nur wegen dieser Mädchen wollten die eines Tages nicht zurück und blieben und nannten's die große Liebe, mein Gott, es waren doch nur noch zwei Winter und ein Sommer, wenn die Russen die Wahrheit sagten und die Arbeit im Werk immer schön voranging, spätestens im Herbst 1950 waren sie hoffentlich zu Hause.

Das ist nicht recht, daß sie mein Bild zerreißt, sagte Ljusja, aber deine Mutter ist sie, Mütter machen sich Gedanken, und du bleibst mir nicht, sag ihr, ich weiß es besser, denn du bleibst mir nicht, ich schicke dich fort, ich jage dich aus dem Haus.

Und wenn doch? sagte Heinrich, und Budde sagte: Deine Sorgen möchte ich haben, bei mir ist es nämlich schon passiert, was zögerst du, es ist ganz leicht und das Aufheben vielleicht nicht wert, und hier an meinem Finger habe ich ihr Blut, damit du's mir glaubst, denn unsere Wette hast du leider verloren.

Ja, sagte Heinrich, und Ljusja sagte: Ja, bald, mein Liebster, wir sind noch nicht fertig, auch erwarte ich meinen Vater für ein paar Tage, und danach kommt der Frühling, und im Mai, wenn es ein Jahr her ist mit uns, feiern wir es als großes Fest.

Einverstanden, sagte Heinrich und wurde mit jedem Tag mutiger bei seiner Ljusja, der ersten Geliebten aus der russischen Kleinstadt Klin, oder ihre kribbeligen Hände in seinen Taschen ermutigten ihn, der Nelkenduft unter ihren Achseln, das Moos, die sanften Hügel unter den Fingerspitzen, die Bekanntschaft mit ihren Säften, der Duft, die Flekken, die blieben, die Sehnsucht, und manchmal gingen sie zu weit und mußten den langen schönen Weg zurück, und ganz große Augen machte sie dazu und verteidigte ihr Fest und die Vorfreude, denn so war es beschlossen, nur so und nicht anders sollte es sein.

Sie hatte alle Fenster geöffnet im Mai, als der Tag des Festes gekommen war, hatte einen Topf Suppe auf dem Herd für später und begrüßte ihn wie nach langer Trennung so förmlich und vorsichtig, und nun leg ab und fühl dich wie zu Haus, nimm ein Glas Tee, ich bin da. Sie hatte eine Schüssel mit warmem Wasser vorbereitet, zog sich aus und wusch sich, tat ein paar Tropfen Melissenöl hinein und wusch sich, als wär sie seine Schwester, half ihm aus den Kleidern und zeigte sich, führte ihn ein bißchen herum bei sich, tauchte ihn in Melisse, biß die Zähne zusammen für alle Fälle, kannte sich aus. Bist du noch da, sagte er und erinnerte sich an die offenen Fenster und lachte, und ja, Ljusja war noch da und staunte und war zufrieden und wußte, sie würden sich noch gewöhnen, und wie eine neue Sprache lernte man das und konnte fürs erste nur ein paar Brocken, und deshalb fragten sie sich nicht und brauchten voneinander keinen Trost.

Zu Budde sagte er Tage später, als sie sich bei den Markthallen trafen: Ja, du wirst es nicht glauben, nun sind wir ein Paar, und ganze Bäume könnte ich ausreißen, nur sein Freund Budde wollte es gar nicht hören, denn seine Sonja lag da schon seit ein paar Wochen bei einem anderen.

Die Mutter hatte natürlich alles gleich erraten, an der Melisse und den Gerüchen Ljusjas hatte sie's erraten und nannte Heinrich ein Kind, und das Mädchen, sie will nicht sagen, was für eine das war, am liebsten das Haus würde sie ihm verbieten und dem Mädchen sowieso, deiner Ljusja.

Ich werde achtzehn im Sommer, dann gehe ich, sagte Heinrich, spätestens an meinem achtzehnten Geburtstag gehe ich und nehme das Bett mit, damit du's nur weißt. Und da wurde sie bleich und fühlte den großen Zorn und die Ohnmacht, und sehr alt war sie geworden in den russischen Jahren mit dem Hunger und der Sorge um die Söhne mit ihren liderlichen Mädchen, und dabei wurde sie gerade fünfzig im August, ein paar Tage vor Heinrichs Achtzehntem war's, als sie erwachte und sich freute und stutzte, weil da gar nichts war: keine Blume und kein Geschenk und kein Wort, kein Glückwunsch. So vergessen also war sie schon, daß sie ihren Fünfzigsten vergaßen, aber noch glaubte sie es nicht, und all den Undank und die Sorglosigkeit, und wie nur immer alle nahmen und sie aussaugten, die Söhne, die Töchter, der Mann, der immer pünktliche, gewissenhafte, der sie kaum kannte, wie konnte er ihr das antun.

Nur Heinrich hatte wie jedes Jahr an den Geburtstag der Mutter gedacht, aber dann war die Sache mit Ljusja, und wie die Mutter noch nicht mal einen Begriff hatte für das Luder, diese Schlampe, die Beischläferin ihres Sohnes, des mißratenen, ihres Sorgenkindes, und deshalb hielt er den ganzen Tag still und freute sich über die Vergeßlichkeit des Vaters und der Geschwister, die taten, als wär's nur ein gewöhnlicher Werktag mit den immer gleichen Wegen ins Werk oder zur Schule oder dem illegalen Markt in Richtung Bahnhof, wo es alle paar Wochen frische Kalbsköpfe mit gräßlich großen Augen gab, aber eine schöne Suppe konnte man damit kochen ohne die gräßlich großen Augen, die schneiden Sie mir bitte weg, da, mit meinen Fingern zeige ich darauf, und da packte ihr der Fleischer doch tatsächlich diese gräßlich großen Augen ein, und was für eine große Feinschmeckerin sie sei, denn vom Kalbskopf die Augen seien nun einmal das Allerfeinste.

Ich wünsche mir nur dich zum Geburtstag, sagte Heinrich, und Ljusja sagte: Ja, mich bekommst du, aber staunen wirst du über deine Ljusja, denn ich habe mir etwas ausgedacht, und wenn wir erst mal das Bett haben, bleibst du über Nacht, das wäre mein Traum. Du sollst dich nicht streiten wegen mir, sagte sie und träumte von seinem Bett und der ersten gemeinsamen Nacht, denn dann hatten sie sich jeden Abend und konnten sich langsam aneinander gewöhnen, und nie wären sie satt oder lieblos, nur immer das Fest und im Schlaf der Atem ihres Jungen aus Deutschland und seine kalten kratzigen Füße an den Füßen, die Haut an seiner Haut. Ich könnte bleiben, den sowjetischen Paß beantragen, sagte Heinrich, ach, Heinrich.

Am Morgen seines achtzehnten Geburtstages war es der Vater, der ihm gratulierte, er scheine da ja neuerdings etwas vergeßlich zu sein, aber wenigstens meinem Sohn will ich gratulieren, mit achtzehn sei er ja nun nicht gerade erwachsen, nur hier in Rußland vor dem Gesetz bist du erwachsen, nun gut.

Ich gehe, sagte Heinrich und sah die Mutter, den Vater, erbleichen, und den Kopf schüttelten sie und sagten: Das wage.

Aber ja wage er das, und auch sein Bett nehme er mit, das auch.

Geh, sagte die Mutter, und trete mir nicht mehr unter die Augen, aber das Bett bleibt hier, denn es gehört dem Vater und ist für eine wie deine Ljusja nicht gemacht.

Wir werden ja sehen, sagte Heinrich und ging und schlief bei Ljusja auf dem alten Strohsack, und am dritten Tag erschien er mit der Miliz und einem Papier auf russisch, das befahl den Eltern Hampel die Herausgabe einer Schlafstelle an ihren leiblichen Sohn Heinrich, nach den Gesetzen der Sowjetunion volljährig seit dem 27. August 1949 und demnach befugt und berechtigt, und notfalls unter Zwang.

Und so geschah es, daß der Sohn der Mutter das Bett von zwei sowjetischen Milizionären am hellichten Tag aus dem

Haus tragen ließ, und ein Stückchen Heimat, die letzte Liebe trugen sie ihr aus dem Haus, die Scham und die Rücksicht, die nicht mehr war, die alte Bande.

Natürlich lachten die beiden Milizionäre, als sie ihnen das Bett nach Hause zu Ljusja brachten, mitten in dem großen kleinen Zimmer mit den geöffneten Fenstern stellten sie's auf und bekamen ein Glas Wodka als Dank und gingen und ließen das Paar allein. Nun mach mich weich, ich bin's, die deine, ich warte, sagte Ljusja, und das war eine schöne Sprache, in der sie da redete, als wär's seit ihren Kindertagen, in der sie sich bewegte und tanzte und vor gar nichts fürchtete, also wirklich vor gar nichts.

Sie versteckte gerne verschiedene Gegenstände bei sich, die mußte er suchen und finden und fand sie: die bunten Glasmurmeln da und da, die kleine Salzgurke in ihrem Mund, das mit dem Messer geschnittene Stück Karamel zwischen ihren Brüsten. Sie wickelte gebeizten Lachs und geräucherten Schinken um sein Teil, trank Weinbrand und Wodka aus seinem Mund, wusch ihm Haare und Füße, wußte für jeden Tag ein Wunder.

Das war das Glück, der Maßstab. Das blieb.

Einmal im September rückte sie ihn sich zurecht und sagte: Nun bist du ein Russe, mein Mann bist du, damit du's nur weißt, aber da und da mußt du an deine Ljusja noch denken, da und da weiß ich noch etwas, du wirst es lernen.

Ich bin ganz stark.

Ganz schwach bin ich bei dir.

Und wie war das früher, vor unserer Zeit?

Ja, das zeige ich dir.

Und also zeigte sie ihm das. Dann konnte er sehen. Dann wollte er bleiben und die sowjetische Staatsbürgerschaft beantragen, ach Heinrich.

Drei Jahre waren in Rußland vergangen, und mit seiner Ljusja war's gerade mal der Anfang, und wie am Rande der Zeiten lebten sie und wurden einander nicht müde, fuhren ein paarmal nach Moskau ins Ballett oder Anfang November zur großen Parade, nahmen am Abend den letzten ungeheizten Zug und froren und waren von dem großen Getöse und den Fahnen und Waffen ganz stumm. Wollte er ihr eine Freude machen, kaufte er ihr auf dem Markt der Illegalen ein paar neue Strümpfe, oder die viel zu teuren tschechischen Schuhe kaufte er oder für den Borschtsch am Abend einen Kopf Weißkraut und Rote Bete und ein bißchen Fleisch, die saure Sahne. Aber das mußt du gar nicht, sagte sie dann und überraschte ihn mit einem neuen Rezept und zur Gründung der Deutschen Demokratischen Republik Anfang Oktober mit der neuesten Ausgabe der *Prawda* und einem Band mit sowjetischen Liebesgeschichten: Damit du dein Land nicht vergißt und deine Ljusja eines Tages nicht von heute auf morgen.

Sie sagte: Ulbricht, ich freu mich so für dich. Und Heinrich fragte: Welcher Ulbricht, keine Ahnung, und das mochte sie an ihm, daß er einfach fragte: Welcher Ulbricht, wußte auch noch ein paar andere Dinge, die sie mochte an ihm: seinen festen, runden Hintern, die dicken Waden mochte sie, das Türmchen, wenn es sich reckte, die trockene Hitze da, das erste feine Tröpfchen, das helle, weiche Wasser aus seinem Mund. Wie er sie anfaßte, wie er sie kannte, bedeckte, die Wege wußte, ihr die Freiheit ließ. Sein Schlaf der Gerechten. Der Moskauer Akzent, mit dem er sprach, die kleinen Fehler, die ihn verrieten.

Sie aß gern mit ihm, zeigte sich oft an seiner Seite, und wie er immer alles prüfte und in der Hand wog, bevor er's kaufte, und die Namen aller Zutaten wußte, als wäre er einer von hier. Man redete über sie und den Jungen aus Deutschland, auch das mochte sie, oder wenn er im Petroleumlicht seinen Saft auf ihrem Bauch verschüttete, damit's kein Kindchen wurde, das Kindchen, das Kindchen.

Er dachte nie: eine Russin. Seine Ljusja, so nannte er sie.

Er wußte nicht viel von ihr; fast alles wußte er. Die ersten Jahre der Kindheit, die zweihundert Tage Winter jedes Jahr, ihr ferner Vater, die Mutter mit den beiden Daumen, den krummen, die war ihr eines Tages einfach verschwunden, und unten an der Biegung des Flusses fand man sie nach einer Woche ertrunken, das Wasser war noch nicht mal besonders tief. Sie erzählte nicht gerne von ihren Vergangenheiten, und als ob sie ihr noch immer böse wäre, erzählte sie, aber das Leben ging doch weiter und wurde alle paar Jahre ein anderes, denn nah war das große, mächtige Moskau, die Verhaftungen der dreißiger Jahre, der Krieg gegen das verbündete Deutschland, der pickelige Nachbarjunge und seine in Schneebällen versteckten Geständnisse, der Hunger, der große, die stillen Tage in der Apotheke, bis eines Tages Heinrich sie zum Leuchten brachte, so sprang sie mit ein paar Sätzen durch ihre Zeit.

Sie zählte die Stunden mit ihrem Heinrich.

Kurz vor Weihnachten blieb er ein paar Nächte fort, da übte sie schon ein bißchen, denn es hatte einen Unfall gegeben, ein plötzliches Leck in der großen Glaswanne, da brauchten sie jeden Mann. Nur kurz so genickt hatten Theodor und der Vater, aber am Morgen des dritten Tages, als der Schaden behoben war, gaben sie sich die Hand und waren müde und stolz und milde, denn eine Familie waren sie und stammten aus der schönen Stadt an der Saale zwischen den vielen Hügeln, da wollten sie alle dereinst auch wieder zurück.

Der Mutter zuliebe, sagte Theodor, denk einfach an die Mutter, sie grämt sich, du weißt ja gar nicht, wie sehr.

Ausgerechnet, sagte Heinrich und schüttelte den Kopf über die Mutter und den Bruder, das Lieblingskind, das Geschenk Gottes, oder soll er sie allen Ernstes besuchen und bei Kaffee und Kuchen über das geteilte Land reden, und ob der dritte Weltkrieg nah ist oder der Friede, aber mit meiner Ljusja redet am Ende keiner ein Wort.

Deine Ljusja gehört nicht zur Familie.

Zu meinem Leben gehört sie.

Du hast kein Herz, Bruder. Wie immer.

Ich bin nur glücklich hier in eurem Gefängnis Klin. Oder worauf kommt es an.

Du hast dein erstes Mädchen, das ist es.

Nadja oder so ähnlich heißt die deine.

Das ist etwas anderes.

Wahrscheinlich wenn du auf ihr liegst, ist es etwas anders, sagte Heinrich und wollte grob sein, und Theodor wurde unwillig und sagte, darüber rede er nicht.

Er sagte: Wie vom Regen in die Traufe wird es sein. Deutsche Demokratische Republik, so nennen sie's.

So haben sie's genannt. Na und?

Schlimmer als hier wird es nicht sein, sagte Heinrich, und wenn es besser wird, um so besser.

(Aber am Ende blieb er ja und bekam Kinder mit seiner Ljusja, wurde ein Russe.)

Das bricht der Mutter das Herz, sagte Theodor.

Dann kann ich's nicht ändern.

Ende Februar, mitten in ihrem zweiten Winter, kam Ljusjas Vater und staunte nur. An einem Sonntag gegen zehn stand er in der Tür und sah das Bett, und seine Tochter und diesen Jungen sah er und staunte. Abgearbeitet und müde sah der Vater in seinem zerknitterten Anzug aus, und ein bißchen betrunken war er und neugierig, vor allem das Bett schien ihn zu beschäftigen, und seine Tochter in diesem Bett und der junge Mann im Schlafanzug, sie waren da wohl noch gar nicht richtig wach. In Ordnung, sagte er und machte erst mal Feuer, und einen frischen Tee im Samowar machte er und ließ den beiden die Zeit zum Waschen, und vom ersten Schreck sollten sie sich erholen, was war das aber auch für ein Schreck.

Heinrich, sagte Ljusja, und der Vater sagte: Ja, fein, Heinrich, und nun läßt uns dein Heinrich ein halbes Stündchen allein und macht einen Spaziergang, dein Vater hat dir nämlich etwas zu sagen, und wenn er fertig ist, gibst du aus dem Fenster ein Zeichen. Genau eine halbe Stunde dauerte es, bis ihm Ljusja das Zeichen gab, und danach war sie sozusagen verlegen und sehr jung und schüchtern, wie er sie nicht kannte. Ganz stumm saß sie, als der Vater redete und nur von ihr redete, und wie sie gewesen war als Kind und als Mädchen, sah lange aus wie ein Junge und schlug sich wie ein Junge, schlief im Sommer gern draußen auf den Feldern, war anhänglich und empfindlich, du glaubst es nicht, und immer auf eigene Faust lebte sie, bis heute, bis zu diesem Heinrich, der da nun also auf sie achtete, dafür meinen Dank. Die Menschen sind dazu gemacht, daß einer bei ihnen sei, sagte er, er selbst habe es wohl schon verlernt, arbeite oft bis spät in die Nacht, steht am Morgen früh auf, schneidet den Soldaten die Köpfe auf und zählt die Splitter, die Narben, die alten Wunden der Kämpfer, seiner Patienten, und nachts kann er nicht schlafen wegen ihrer Geschichten. Geschichten aus dem Krieg, sagte der Vater, die Niederlagen von 1941, unsere Beharrlichkeit, der Preis für unsere Beharrlichkeit, die Siege als Last. Für ein paar Jahre bleibe oft alles ruhig und ungefährlich, aber dann auf einmal marschieren die Splitter durch Blut und Gewebe und in die Organe oder in den Kopf, da kennt er jeden Zentimeter, ein Spezialist des

Gehirns, der er ist, Jahrgang 1905, die Revolution erwacht, das Parteibuch seit 1924, der Tod Lenins im Januar, für uns war's die große Katastrophe.

Ich muß zum Zug, sagte endlich Ljusjas Vater, Heinrich solle nur immer schön achten auf seine Ljusja, vor allem nicht schlagen soll er sie, aber Vater, ach, Vater. Wir bringen dich, sagte Ljusja und war schon eine andere, jetzt, in dieser Stunde auf dem Weg zum Bahnhof, oder die Tage danach, als sie noch einmal alles überdachte und wog und prüfte, da war sie schon nicht mehr sein Mädchen. Vielleicht ist es besser, du ziehst in die Stadt, wenn alles vorbei ist, hatte der Vater zum Abschied gesagt, und Heinrich hatte es persönlich genommen, also, er bleibe, jetzt, in diesem Augenblick habe er's beschlossen, er bleibe, und wie böse ihr Vater da geworden war, und als sei's ein Verrat an der Heimat, und arbeiten müsse einer in Heinrichs Alter, und nur fürs eigene Land könne man richtig arbeiten, da werde er ja sehen.

Der letzte Frühling kam und ging, und Ljusja war wieder dieselbe und pflanzte im Garten Salat und Gemüse und Kartoffeln für den Winter, oft still war sie und in der Liebe langsam und forschend und stockend, wie wenn sie nicht wüßte, wie es weiterging, oder als müsse sie sich wappnen. Als es genau ein Jahr mit ihnen ging, im Mai 1950, sagte sie: Nun also wiederholt sich alles, schenkte ihm ein Notizbuch für später, damit du auch alles noch weißt, ein kleines graues Büchlein mit an die hundert Blatt im Oktavformat, denn deine Ljusja ist ja nur eine, und nun schau, was ich dir hineingeschrieben habe: Ljusja Stepanowitsch, 23. Mai 1949 bis Herbst 1950, mein erstes Mädchen, das sich nie schämte und glücklich war, zwei krumme Daumen hatte sie, mit denen hielt sie immer alles schön fest.

Wir haben noch eine Menge vor bis Herbst, sagte Ljusja.

Er hatte zum Beispiel nie getanzt mit ihr.

Dann gehen wir tanzen.

Ein Essen mit deinen Freunden fehlt, der erste Streit.

Dann streiten wir. Wer es leichter hat.

Der geht, hat es leichter. Bleiben ist schwer.

Weil ich weiß, ich bleibe, gehe ich, sagte Ljusja, und noch glaubte sie selbst nicht daran, oder sie schützte sich vor dem, oder es war nur für ein paar Monate, und dann kehrte sie zurück und hatte als Bleibende die Dinge, die langsam alternden Dinge, die Orte, das, was man nicht los wurde: die Erinnerungen.

An einem Samstag im August stand auf einmal Paul vor der Tür und hatte die neuesten Nachrichten, wollte nicht herein, aber hatte die neuesten Nachrichten, denn die Familie Berger durfte nach Hause und packte schon, verkaufte Möbel und Hausrat und freute sich, was für eine Freude. Erst auf deutsch und später auf russisch sagte er's, und Ljusja nickte und ging zurück ins Haus, denn nun war es also bald zu Ende, oder was glaubst du. Paul sagte: Nein, nur die Bergers fahren, die Arbeit im Werk haben sie beendet, aber fahren dürfen nur die Bergers, schwarz auf weiß in einem Schreiben aus Moskau steht's geschrieben, nur für die Hampels ist aus Moskau leider noch keine Post gekommen.

Heinrich sagte: Wir haben es doch noch gar nicht schriftlich, doch Ljusja schüttelte den Kopf: Aber Wir sagst du, und ob es nun im September soweit ist oder im Januar, wo ist der Unterschied.

Sie gab sich und ihm drei Tage, so eilig hatte sie es und wollte gleich am Montag zum Vater, hatte es Heinrich gesagt mit Montag, und noch einmal alle Zeit der Welt hatte sie, also paß auf: Hier unten am Fluß fanden sie die Mutter, hier unter den Bäumen habe ich geschlafen, und hier am

Markt gab es den Kwas oder die frische Milch aus dem kleinen Tankwagen, die Bonbons für ein paar Kopeken oder das Eis in den windigen Sommern, wenn es welches gab, das war das Leben deiner Ljusja. Siehst du, es ist gar nicht schwer, sagte sie am Samstag, und am Sonntag hatten sie nur noch ein paar Stunden, und dein kleines Büchlein vergiß nicht, und von meinem Mund mußt du dich verabschieden, alles gar nicht so schwer, und am Montag geh arbeiten, den Schlüssel lege ich ins Fenster, dann bin ich fort.

Sie hatten dann doch nicht mehr alles besprochen in der letzten Nacht, aber wo er den Schlüssel fand, hatten sie besprochen, und als sie fort war, blieb er noch ein paar Tage und lebte, als wäre sie da und lebendig, oder in den Dingen lebte sie, den Düften, die sie ihm hinterließ und die verflogen, und bald redeten auch das Bett und das Zimmer nicht mehr zu ihm, da ging er nach Haus.

Noch Jahre später sagte Constanze: Ich habe gleich gewußt, daß du es bist, denn das konnte nur Heinrich, rechtzeitig zum Essen am Sonntag nach Hause kommen ohne ein Wort der Ankündigung, und statt dessen tanzt er wie Fred Astaire vier Treppen hinauf bis in unsere Wohnung fast unters Dach und ist da, sagt Hallo, hier bin ich, ich hoffe, ich habe mich nicht verspätet, es ist spät geworden, aber der Geruch der Klöße und vom Kraut und vom Braten zieht durchs ganze Haus.

Wie ein Russe siehst du aus, sagte Constanze, oder Sibylle sagte es, und wie ein richtiger Mann sehe er aus, zum Fürchten.

Als ob er nie weg gewesen wäre.

Der Vater sagte: Willkommen, und die Mutter sagte fürs erste gar nichts, stellte einen zusätzlichen Teller auf den Tisch, und nun wollen wir beten, und einen guten Appetit dem Vater und allen Kindern, denn nun sind wir wieder eine

Familie, und wo Heinrich schläft anstatt wie früher in seinem Bett, das müssen wir sehen.

Als ob es keine Ljusja gegeben hätte.

Nur Paul fragte nach ihr, und wo sie denn nun sei, seine Ljusja, die Besitzerin seines Bettes, oder ob er's noch holt eines Tages mit einem Lastwagen aus dem Werk, ich glaube nicht. Du hast sie wohl sehr gerne gehabt, sagte er und war so alt wie Heinrich an dem Tag, als er zum ersten Mal in die Apotheke gegangen war, aber Paul holte ihn einfach nicht ein und blieb der kleine dumme Paul, der er immer gewesen war, stellte seine kleinen dummen Fragen, hatte keine Ahnung.

Heinrich hatte nun Abende und Nächte, wie er sie seit langem nicht mehr kannte, wie in diesen Träumen, in denen man noch einmal in die Schule muß und weiß, man ist zu alt und zu dumm für die Geometrie oder die lateinische Grammatik und das Sprechen in fremden vergessenen Sprachen, und nun sollten sie einem noch einmal das Leben sein und die Angst und die Freude, wenn sie verging. Wie auf dem Sprung und sehr ungeduldig lebte Heinrich die Tage, dachte an Ljusja und vertrieb sie, wurde sie nicht los und sah sie fast jeden Tag an irgendeiner Ecke, und manchmal stand sie da und lächelte, ja schau, ich habe ein paar Tage frei und Sehnsucht, deine Ljusja.

Jeden Abend bei seiner Rückkehr sagte der Vater: Noch immer nichts aus Moskau? Und dann war noch immer nichts gekommen aus Moskau, und die Bergers waren längst zu Hause und schrieben Briefe, wann sie denn kämen, die ganze Stadt sei zu ihrer Begrüßung am Bahnhof gewesen, also beeilt Euch.

Ich habe es so satt, Matthias, sagte die Mutter und trug auch im fünften Winter das graue Kostüm aus den goldenen Jenaer Zeiten, und den alten Glencheckmantel trug sie und hatte alles so satt, wollte den fünften endlosen Winter nicht ertragen, den Himmel, das Licht, das Leben ohne Sprache, die Fremde, die sie empfand und nicht loswurde, die Sorge um Kinder und Mann, das Haus in der hügeligen Heimat, das Leben, das sie verpaßte und das nicht stattfand, nur immer alles auf Abruf und vorübergehend wie die Hände des Mannes, der sie nicht mehr wollte, aber als sie empfänglich war und ihm fünf gesunde und noch einmal fünf mißratene Kinder austrug, wollte er bei jeder Gelegenheit.

Sie sagte nicht: Nun habe ich genug gebüßt. Sie sagte: Aber wenn wir wieder in meinem geliebten Jena sind, kaufst du mir ein Kleid in Farbe.

Das Schreiben erreichte sie Ende der ersten Adventswoche, und auch Ljusja kehrte etwa um diese Zeit zurück und saß, als wäre nichts gewesen, in ihrer Apotheke, und wie damals aus dem Fenster sah sie und entdeckte ihn, und ihr feines Ljusjalächeln lächelte sie, aber so, als müsse sie überlegen, wen sie da sah und wie er hieß und woher man sich kannte, ach ja, der Junge aus Deutschland, Heinrich, da war er also noch immer im Land, ich erinnere mich, und das ist doch sehr schön, an was ich mich da erinnere, zum Beispiel seine schmutzigen Hände von der Arbeit im Werk, der Staub der Kohle bis unter die Kleider, die Haut meines schwarzen Heinrichs, der mich entdeckte.

In dem kurzen Schreiben aus Moskau stand geschrieben: Bis Ende des Jahres noch, und Anfang Januar fahren wir die Hampels nach Moskau zum Flughafen und bringen sie aus dem Land nach Haus ins östliche Deutschland, und soundso viel Gepäck dürfen sie mitnehmen und für Kinder unter sechzehn die Hälfte.

Und so ging das los mit dem Verkaufen und Feilschen über Preise und Nachlässe für die Betten und das Geschirr und fast alles, was sie besaßen, und der Werksdirektor hatte die Wahl und freute sich, daß er die Wahl hatte, und für die Hampels freute er sich, denn ein jeder gehört doch am Ende in sein eigenes Land, und zur Probe in jedes Bett legten sich der Werksdirektor und seine Gattin, und für die abgewetzte Couch das bunte Tuch aus Armenien, das würde passen. Nur einen Rest Geschirr und Tischwäsche und ein paar Töpfe hatten der Werksdirektor und seine Frau am Ende übriggelassen, und so bekamen die Nachbarn etwas und den allerletzten Rest die dicke Eisverkäuferin, die der Mutter ein Leben lang zu Dank verpflichtet war, denn aus Not hatte sie vor Jahren einmal etwas aus der Kasse genommen, und da gab es ihr die Deutsche und rettete ihr das Leben, war auch ganz verlegen wegen der alten Töpfe und der Suppenkelle, die an manchen Stellen rostete, Frau Hampel, was soll ich sagen.

Zu Weihnachten spendierte der Vater eine Flasche roten Pfefferwodka, die Flasche Krimsekt zu Silvester, die es sonst nie gab, dann folgten die Abschiede. Constanze und Sibylle gingen ein letztes Mal zur Schule und brachten von jeder Freundin ein Foto, und auch Paul brachte das eine oder andere Foto, und Theodor war blaß von seinem Abschied von Nadja, die es nicht glaubte und ihre Tränen im Wasserdampf der großen Wäscherei am Bahnhof versteckte, wer hätte das gedacht. Nun siehst du, wie das ist, sagte Heinrich und ging noch einmal die Wege, stand eine Weile vor dem grünen Holzhaus, in dem sie ihn entdeckt hatte, ging in den verschneiten Park des Tschaikowskij-Museums, ein paar vorsichtige Schritte über den meterdick gefrorenen Fluß.

Kinder, sagte die Mutter Anfang Januar und legte die Wäsche in große Laken und machte einen großen Knoten in die sieben mit Wäsche und Büchern gefüllten Laken, die trugen sich leicht auf den Schultern, das war es, was ihnen blieb, das nahmen sie mit als Anfang, stiegen endlich ein jeder mit seinem Bündel auf den großen Lastwagen und fuhren noch einmal am Markt vorbei und weiter in Richtung Glaswerk, der illegale Markt, auf dem sich die ersten Menschen tummelten, der Bahnhof, die letzten Häuser der Stadt, die schlechte Straße, auf der sie gekommen waren, und nun fuhren sie im fünften Jahr zurück und waren womöglich nicht mehr dieselben, sahen Moskau zum letzten Mal, wo die Geschäfte so groß wie Kathedralen waren oder wie alte Opernhäuser, die schweren Kronleuchter an den Decken und in den Auslagen für hundert Hochzeiten Weine und Liköre und Wodka aus allen Gegenden der Sowjetunion und frischer Lachs und Kaviar, daß man's mit ein paar Lastwagen nicht hätte wegbringen können: so viel.

Einen halben Tag ließ man die Hampels am Flughafen warten, bis sie endlich aufgerufen wurden und über eine wacklige Leiter eine amerikanische *DC-3* bestiegen, mit Schnapspralinen und Schinken als Proviant. Ein russischer General mit unzähligen Orden und Ehrenzeichen war an Bord, ein Stalinpreisträger in dunklem Anzug sowie ein Kurier Ihrer königlichen Majestät von England, an seiner linken Hand ein Postsack mit Kette, und eine russische Stewardeß war dabei, die lachte gern und zeigte beim Lachen ihre kaputten Zähne.

Irgendwo über Oder und Neiße verlor er sie. Der General sagte: Ihr werdet alle staunen über das Land, und in diesem Moment wußte er ihren Mund nicht mehr, ihre gekräuselte Stirn beim Nachdenken, das Grübchen links oder rechts, ihren Duft wußte er nicht, aber staunen würden die Deutschen, die wie Russen waren, und seine Ljusja in ihrem Klin machte gerade den Samowar heiß und dachte: Jetzt müßte er allmählich da sein, der deutsche Junge, der mir so schmeckte, na, dann viel Glück.

II

Noch mit Anfang Fünfzig nach dem ersten Mal Bautzen hatte Heinrich etwas Erwartungsvolles in seinem Blick, und als habe er ein Recht dazu, noch immer und bis zuletzt etwas für sich zu erwarten, geschlagen und hochfahrend sah er aus, der Bürger seines geschlagenen hochfahrenden Staates, für den er da neuerdings in den Nächten in fremde Wohnungen eindrang zur moralischen und psychischen Zerrüttung ihrer Besitzer, und Rosa und die Söhne stellten einen Antrag auf Entlassung aus der Staatsbürgerschaft und wollten von einem Schaden für den ehemaligen Mann und Vater nichts wissen.

Wie ein Hochstapler, ein Heiratsschwindler kurz vor der Entdeckung sah Heinrich auf den letzten Fotos aus, aber immer in Anzug und Krawatte, ein Mann in den besten Jahren, Diabetiker im fortgeschrittenen Stadium, ein Wrack mit über neunzig Kilo Lebendgewicht, als Liebhaber nicht immer der Zuverlässigste, und immer knapp bei Kasse war der und wurde die alten Schulden nicht los. Constanze hatte er einmal genau beschrieben, wie das mit den Schulden war, und angefangen hatte es wie alles im Westen, und dann hatte er im Osten nichts und machte Schulden, aber wie ein Staat für die Zukunft meiner Rosa und der drei Kinder machte ich Schulden und wurde bestraft, als wäre ich ein Krimineller, zahlte mit meinen besten Jahren in Gera, Leipzig und Bautzen, also wo ist das Verbrechen, oder wie findest Du das, wenn ein Staat seine Schulden mit nur immer neuen Schulden bezahlt, aber einen armen Schlucker wie mich stecken sie zur Besserung ins Gefängnis.

Er hatte nie Antwort bekommen auf seinen Brief, oder die zuständigen Behörden hatten ihn abgefangen und mit schwarzem Filzstift die Stellen geschwärzt, oder Constanze dachte: Das wird schon alles mit rechten Dingen zugehen im Staat DDR, oder warum schreibt er selbst: Im Westen mit den beiden Häusern des Onkels hat es angefangen, und folglich werden die schon ihre Gründe haben mit ihrem mißratenen Bruder, dem sie seit Jahren die Pakete schickte und der sich noch nicht mal richtig dafür bedankte, und nun wollten die eben sehen und taten's wie einst die Mutter, faßten ihn streng an, übertrieben womöglich hie und da, wie auch die Mutter hie und da übertrieben hatte, aber die drei Jahre Bautzen hatte er überstanden, und eine neue Frau war in sein Leben getreten, die wollte immer die neuesten Schuhe.

Emilia hieß die letzte, die er hatte, immer schön angemalt und kräftig und mit einem halben Dutzend Ringen an den Händen, geboren und aufgewachsen im alten Winzerla, da standen nun auch wie überall die hohen Häuser. Sie ging schon auf die Sechzig zu und betrachtete die Liebe wie einen späten Garten, in dem man noch das letzte Laub zusammenrechen muß, und ein paar vertrocknete Blumen muß man noch abschneiden, aber der Boden ist schon kalt und ruht und wartet auf den ersten Schnee. Komm, wir machen es uns gemütlich, sagte sie immer, wenn sie in seiner Wohnung ein kaltes Abendessen mit ihm aß und sich im Fernsehen Ost oder West die schönen leisen Tierfilme ansah oder das eine oder andere Politische. In was für einem gemütlichen Land wir aber auch leben, sagte sie oft und meinte ihre Arbeit als Kassiererin im Planetarium und die verplauderten Abende im *Klub der Volkssolidarität Magnus*

Poser oder die Tanzabende im *Klubhaus der sozialistischen Kollektive der VEB Carl Zeiss*, zu denen er sie begleitete und so eine Art hatte beim Tanzen, daß sie sich manchmal vergaß und ihre Grenzen nicht kannte, ihre Vorsätze.

Vor allem in den ersten Wochen war sie doch ein wenig erschrocken über diesen Heinrich und das bewegte Leben, das er geführt hatte, seine Hände unter der neuen Bluse, die schönen Worte, die er machte und ihr ins Ohr flüsterte, als wäre sie nicht bald sechzig, was war das aber auch für ein Kerl. Beim ersten Mal hatte sie noch gesagt: Das ist lange vorbei, bemüh dich nicht, ich mache dir keine Freude, aber danach hatten sie sich doch geeinigt, und dann setzte der sich immer auf ihren Schoß und erzählte von den krummen Daumen Ljusjas, das mochte er am liebsten. Manchmal sagte sie: Das muß aber ein feines Mädchen gewesen sein, deine Ljusja mit ihren Daumen, und dabei zupfte, drückte und knetete sie sein Teil, wie Ljusja es getan hätte oder dieser Karl in Bautzen.

Zu seinen Jahren in Bautzen (dem ersten Mal) sagte er immer: Alles ist wie überall in Bautzen, nur hundertmal schlimmer als überall ist es in Bautzen, und den Rest kann man nicht erzählen. Sie wollte ihn nie küssen davor oder danach, aber wenn er sagte: Nun ist es bald soweit, spätestens Ende des Jahres holen sie mich wieder, redete sie beruhigend auf ihn ein, nannte ihn einen Schwarzmaler, und nun sei still mein Herz, ich schlafe.

Das ganze Frühjahr hatte er befürchtet, sie kämen ihn wieder holen wegen der immer gleichen Geschäfte und der Schulden, die trotz der Geschäfte nicht weniger wurden, aber dann ging er doch jeden Morgen in den *Thüringer Hof* arbeiten, und nichts geschah, und auch dieser Priem hielt still und verdächtigte ihn nicht und tat, als habe es einen zweiten Schuldschein nie gegeben. Ende März im *Cosmetika* erwähnte Priem fast beiläufig, sie hätten bei ihm eingebrochen, die Schweine, wenn er die erwischt, und den und den sage ich dir auf Anhieb, nur ein Heinrich tauchte in seiner langen Liste nicht auf.

Es war alles ganz schnell und einfach gegangen, Priem hatte nicht mal die Tür abgeschlossen, so leichtsinnig war der und so arglos, oder es war ihm alles egal, oder weil er sich schämte, in was für einem Loch er da hauste ohne Heizung und Toilette. Heinrich fühlte sich vom ersten Augenblick an sehr unwohl in der Wohnung, und daß er da nun herumwühlte und die Wände verschmierte und mit Auftrag und Wissen der Behörden fotografierte und ein paar Dinge mitnahm und aus der großen Sammlung Platten das eine oder andere Stück zum Verscherbeln.

Das wäre also so eine Sache, bei der Sie sich bewähren könnten, hatte Harms bei ihrer letzten Besprechung gesagt, und Heinrich hatte gesagt: Ich habe Schulden bei dem, er setzt mich unter Druck, und wenn er will, bringt er mich zum zweiten Mal nach Bautzen. Na, fein, hatte Harms gesagt, wird Zeit, daß wir endlich etwas in der Hand haben gegen diesen Priem mit seinen dubiosen Verbindungen und seinen Geschäften zum Nachteil sozialistischen Eigentums, aus seiner feindlich-negativen Einstellung zum Sozialismus, zur DDR und den sozialistischen Ländern macht er ja kein Geheimnis.

Und wann? hatte Heinrich gefragt, und Harms hatte den Freitag vorgeschlagen, denn an diesem Freitag schickten die Betriebe ihre Leute geschlossen zur großen Friedensmanifestation auf dem Marktplatz, fünfzehntausend Bürger aller Klassen und Schichten gegen die Stationierung von Atomraketen in Westeuropa, da hatte Herr Hampel alle Zeit der Welt.

Ja, einverstanden, hatte Heinrich gesagt und sich alles sehr viel schwieriger vorgestellt, und nun stand er da also in dieser Wohnung und suchte und fand, warf ein paar Bücher aus den Regalen, das Papier aus den Schubladen, noch am selben Abend schrieb er den Bericht. Jena, den 19. März 1983, ich protokolliere: Am Freitagnachmittag verließ P. seine Arbeitsstätte in der Dornburger Straße (Straßenbahndepot) und ging zur Großkundgebung anläßlich des 38. Jahrestages des anglo-amerikanischen Bombenangriffs 1945 auf die Stadt Jena. Bei der anschließenden Durchsuchung seiner Wohnung in der Gartenstraße wurden folgende Gegenstände sichergestellt bzw. fotografiert:

1 Darstellung der Ereignisse im Juni 1953 (West)
2 Handzettel der *Jungen Gemeinde* Jena
1 DEFA-Color-Sonderbildband *Erotica* in Weiß und Rot
1 Reiseschreibmaschine *robotron*
23 Briefe aus Uelzen (BRD); Absender Hildegard Weber
1 Ansichtskarte aus Venedig (Italien); Absender wie oben
9 fabrikneue Radioapparate *akkord*
Bargeld BRD in Scheinen: 4 mal DM 50 (Summe 200)
Bargeld USA in Scheinen: 10 mal 5 US-Dollar (Summe 50).

P. lebt unter primitiven Bedingungen in einer Zweiraumwohnung ohne WC (ist wahrscheinlich im Hof), bevorzugt Lebensmittel aus Dosen; Biertrinker. Ein Farbfernsehgerät, ein Plattenspieler, an der Wand im Flur ein Plakat der Rockgruppe *Puhdies*, darunter auf der Tapete der Spruch: Es ist vollkommen unmöglich, wie Sie mit Staatseigentum umgehen. Lenin, *Telegramme* (1918).

Die Sache mit Lenin hatte auch Harms nicht genau verstanden, aber sicher war, Priem meinte es als Verhöhnung des Sozialismus, und die beiden Telefonnummern auf den Flugblättern gehören stadtbekannten Querulanten, bei der nächsten Gelegenheit schlagen wir los. Einen kurzen Moment lang hatte Heinrich gedacht: Und wenn der Name Emilias auf einem der beiden Flugblätter gestanden hätte, was dann, und das mochte er sich doch lieber gar nicht ausmalen, was dann gewesen wäre, aber ihren warmen faltigen Körper mochte er sich ausmalen, in Gedanken war er schon fast zu Haus.

Der gute alte Harms sagte: Zu Ihrer Frau muß ich noch etwas sagen, und da habe sie ihn aber sehr enttäuscht mit ihrem Ausreiseantrag und die Söhne Konrad und Walter: alle bereit zur Republikflucht, jetzt und in der Stunde unserer größten Triumphe, welche Enttäuschung.

Es hatte Zwischenfälle gegeben auf der Großkundgebung anläßlich des 38. Jahrestages des anglo-amerikanischen Bombenangriffs auf die Stadt Jena, kleinere Rempeleien am Rande, die hoffentlich rechtzeitige Zerstörung von Transparenten und Spruchtafeln mit parteifremden Losungen, aber Harms verlor kein einziges Wort darüber, alles unter Kontrolle. In den Zeitungen stand: Das Schicksal von Jena und Dresden, von Leningrad und Stalingrad, von Hiroshima und Nagasaki, von Coventry und Lidice, das alles darf sich nicht wiederholen, und die Leute lasen's und redeten von den Vorfällen. Verrückt, sagte Emilia und wußte ein paar Leute, die über Vorfälle geredet hatten, nannte keine Namen, die er hätte verwenden müssen, zum Glück.

Von den Ausreiseanträgen hatte er im November erfahren, da kam für eine paar Tage Eva, schlief beim Vater im Wohnzimmer auf der Couch und wollte mit der Sprache lange nicht heraus. Müde und entnervt sah seine Eva mit ihren Sommersprossen und dem kupferroten Haar aus, denn auch im siebten Jahr war ihr Haus in einem Kaff in Mecklenburg eine Baustelle, und die Ehe mit ihrem Rainer war eine

Baustelle, oder wie Eva es ausdrückte: Wir bekommen einfach das nötige Material nicht zusammen, und über die Natur des Mannes redete sie, kannte von der Neuen nicht mal den Namen.

Heinrich wäre es lieber gewesen, sie hätte erst gar nicht damit angefangen, denn ihr Unglück beschämte ihn, und daß sich alles wiederholte, beschämte ihn, und deshalb wechselte er schnell das Thema, fragte nach ihren Brüdern, der Mutter, nun ja, die gingen, gaben alles auf. Bei Konrad wisse man nicht, aber Walter hoffe auf das große Geld im Westen, und bei Rosa sei es die Sehnsucht, hatte die Nase voll nach zwanzig Jahren Osten, die gute Stelle natürlich war verloren.

Nur schlechte Nachrichten, sagte Heinrich, und Eva sagte: Ja, nur schlechte Nachrichten, und was seine Beine machen, fragte sie, der Zucker, das Leben als Kellner, die Pläne für die Hochzeit. Mal sehen, sagte Heinrich, und ob Rosa manchmal nach ihm fragt, am Telefon sei sie immer so förmlich, und wie doch alles ganz anders wäre, wenn sie endlich wieder einen Mann hätte, oder warum läßt sie keinen mehr an sich heran. Da lachte Eva, daß der Vater ihr solche Fragen stellte, und nicht einmal einen anständigen Kaffee konnte er sich machen zum gekauften Baumkuchen, und also lachte sie und aß und trank und fuhr am späten Abend zurück in ihr mecklenburgisches Kaff mit den beiden Ruinen, küßte ihn auf den Mund zum Abschied, die treue Seele, seine Älteste, die ihm hoffentlich bleiben würde, er hatte sie noch nicht mal gefragt.

Seltsam erschöpft und kleinlaut hatte ihn Emilia am Abend gefunden, und am darauffolgenden Samstag feierten sie ihren siebenundfünfzigsten Geburtstag mit viel Wein und Wodka und kalten Platten, und Sonntagabend sagte Heinrich: Ich glaube, ich muß mich hinlegen, mir ist ganz schummrig vom vielen Wein und dem Wodka und dem fetten Fleisch auf den Platten, stand auch gar nicht mehr auf und hatte da sozusagen seinen Absturz, die Ärzte nannten's Entgleisung, und bis man ihn wieder richtig einstellte, dauerte es leicht ein paar Wochen.

Es war das erste Mal gewesen, daß er Priem zu sich nach Hause nahm, nur damit er jemanden hatte, dem er seine Emilia zeigen konnte, also, die verstanden sich ja geradezu prächtig. Sogar ein paar Rosen hatte Priem ihr mitgebracht, und für Heinrich sah es fast so aus, als freue sie sich am meisten über die drei Rosen und die Schachtel Pralinen, und über die alten und neuen Zeiten unterhielten die sich, als wären sie gute Bekannte. Noch kurz nach Mitternacht dachte Heinrich: Das soll mir recht sein, daß sie sich so nett unterhalten und gemeinsam den Kopf über die Republikflüchtlinge schütteln, und wie die alles wegwerfen für das bißchen Freiheit und die Reisen ins westliche Ausland, aber das Brot und die Butter schmecken ihnen nicht besser, und ob man sich's am Ende so leicht verdient, wer weiß.

Erst lange nach Mitternacht hatte ihn Priem auf dem Weg zur Toilette wegen des Geldes angesprochen: Mach dir bloß keine Hoffnung, in Geldsachen bin ich ziemlich pingelig, sehr zuverlässig bist du gerade nicht, und obwohl da gar nichts mehr folgte, schrieb er noch in derselben Nacht einen Brief an die Schwester im Westen: Es ist mir sehr peinlich, aber könnt Ihr mir bitte mein restliches Geld an die Staatsbank Jena schicken, ich bekomme es dann in Forum-Schecks ausbezahlt und kann mir einiges kaufen.

Ein netter Kerl, dein Priem, sagte Emilia, als sie ihn ein paar Tage danach im Krankenhaus besuchte und ein bißchen Wäsche mitbrachte und die Post, und wie er sich denn nun fühle, und nein, Herr Priem habe sich nicht gemeldet, warum sollte er, ja, warum sollte er.

Das hatten sie damals auch in Leipzig gesagt: Laufen Sie uns bloß nicht weg, Herr Hampel, das gibt nur Ärger, aber nur so im Scherz hatten sie's gesagt, denn Heinrich war verurteilt zu fünf Jahren Bautzen und konnte wegen einer Gelenkverkapselung im linken Ellbogen nicht arbeiten. Gerade mal drei Monate war er in Bautzen gewesen, als sie ihn in Leipzig operierten, weil er zum Arbeiten nicht taugte, und da war das alles Pfusch, und er kam ein halbes Jahr nicht auf die Beine, aber die Kinder hatten immer geschrieben, und Eva hatte alle paar Wochen Zeit für einen Besuch.

Das nächste Mal müßt ihr euch kennenlernen, Eva und du, sagte Heinrich, und Emilia sagte: Komm du mir erst mal wieder in Ordnung, oder wie willst du mich sonst fragen, ob ich deine Frau werden will, oder war das neulich nicht die Frage?

Das war im Sommer 1982 auf ihrer ersten und letzten gemeinsamen Reise gewesen, daß er sie gefragt hatte, und Emilia hatte geantwortet: In einem halben Jahr frag mich noch einmal, ich überleg's mir, und nun machen wir erst mal Urlaub und denken nur von heute auf morgen. Sie wäre gerne ans Schwarze Meer gefahren oder in die Hohe Tatra zum Wandern, aber Heinrich hatte gesagt: Ich habe kein Geld für die Hohe Tatra oder das Schwarze Meer, aber oben im Mecklenburgischen wüßte ich ein Gartenhäuschen am Wasser, und ein Boot zum Rudern und Faulenzen auf dem stillen See wüßte ich, ich müßte nur fragen. Er sagte nicht: Mit Rosa und den Kindern war ich vor Jahren dort, ich hoffe, dich stört's nicht, erfand ihr lieber ein paar Bekannte, die er fragen mußte, an einem Montag im Juni wollten sie fahren.

Der Zug hatte fast zwei Stunden Verspätung an diesem Montag im Juni, und als er endlich einfuhr, wischte sich

Emilia die letzten Tränen ab, aber danach war sie ganz tapfer, stand geduldig in den völlig überfüllten Gängen, packte ein paar belegte Brote aus und dachte nicht länger ans Schwarze Meer oder die Hohe Tatra, ja, sogar Tee mit Milch und Zucker hatte sie mitgebracht, und so schaukelten sie im Stehen einmal fast quer durch das ganze Land, stiegen um und waren da, ach Heinrich, ich bin ja so gespannt.

Zur Begrüßung hatten ihnen die Besitzer eine Kanne Milch und eine Schale Erdbeeren hingestellt und wünschten ihnen ein paar gute Tage, und kein Feuer sollen sie bitte machen und mit dem Wasser Geduld haben, wenn es am Morgen nicht laufen will, es kommt. Herrlich, sagte Emilia, den ganzen Sommer möchte man bleiben, und Heinrich sagte: Ja, schön ist es, nur die Decken sind ein wenig staubig, und in der Küche bloß zwei Platten: alles wie damals.

Beim Abendessen in der Gaststätte hätte er ihr beinahe gesagt, daß er alles schon kannte, und was Rosa zu alledem gesagt hatte und wie sie in den Nächten nebeneinander unter den staubigen Decken lagen und sich nicht anfaßten, aber Emilia war so glücklich mit ihren Plänen, und wie sie die Nachmittage auf dem Boot vertrödeln würden, und alles nur für sie und ihn und fast wie im Paradies so lauschig und warm und duftig, da schwieg er. Sie hatten wie immer nicht gleich einen Platz bekommen und standen fast eine halbe Stunde, ehe eine der beiden Kellnerinnen sie plazierte und die Speisekarten brachte, als wären sie zwei lästige Eindringlinge, und damit Sie's gleich wissen: Das Eisbein ist aus und der Schweinenacken auch. Das war dann einer der Momente, in denen er sich noch immer nicht zu Hause fühlte in dieser DDR mit ihrem Sozialismus und den unfreundlichen Kellnern und den operativen Maßnahmen zur Festigung des Klassenstandpunktes, es war doch alles ziemlich erbärmlich. Es ist unser erster Abend, sagte Emilia, schau, wie sie uns beneiden, wir lachen sie einfach aus, und über die staubigen Decken in unserem Häuschen lachen wir, und nun sei lieb und such mir etwas Schönes aus zum Trinken, ich nehme Hering mit Bratkartoffeln. Oder willst du mich heute etwa küssen, fragte sie, denn damals ließ sie sich noch manchmal küssen, zum Beispiel an ihrem ersten Abend in Mirow, das war der schönste.

Wie immer die seltenen Male dauerte es eine Weile, bis er sich zurechtfand bei seiner Emilia, aber das hatte er gerade gerne, daß bei ihr alles ein bißchen unübersichtlich war, und die Art, wie sie sich vom Boot ins Wasser plumpsen ließ, ganz so, wie der HERR sie geschaffen hatte, weil es ihm gefiel, und damit die Welt nicht ohne die Dicken sei, oder findest du deine dicke nackte Emilia etwa nicht schön?

Wunderschön, sagte Heinrich und sah ihr zu, wie sie auch am dritten und vierten Tag vor Glück prustete, wenn sie ein paar Runden um das Boot drehte oder sich eine Weile ziehen ließ, es wurde ihr auch gar nicht kalt. Wovon träumst du, fragte sie manchmal und ließ sich gleich sagen, wovon er träumte: Wieder ganz gesund wollte er sein und einer der ersten Kellner im *International*, denn in den *Thüringer Hof* verirrten sich ja gerade mal ein paar Schauspieler, aber im *International* am Ernst-Thälmann-Ring verkehrten die Kader, hochrangige Delegationen aus den Bruderländern und Geschäftsleute aus dem Westen, die Hummer natur bestellten oder die Platte mit Meeresfrüchten und wußten, wie ein Kaviarmesser aussieht, die Schneckenzange, die Hummergabel, die wunderbaren Bestecke.

Ich glaube, du spinnst, sagte Emilia, aber das war schon an ihrem vorletzten Abend, daß sie das sagte, und die schönsten Tage seit langem seien es für sie gewesen, und vielen Dank auch, das machen wir wieder.

Findest du mich schwierig? Ich meine, du weißt schon.

Du lernst es noch, sagte er.
Es ist eben alles sehr versteckt bei mir.
Wer suchet, der findet.

Im Rückblick hatte er sich die Reise natürlich nicht leisten können, und auch die vielen Geschenke konnte er sich nicht leisten, die kleinen Aufmerksamkeiten, die er mitbrachte, wenn er sie in ihrem Zimmer in der Grete-Unrat-Straße besuchte, obwohl sie lieber zu ihm kam, denn sie hatte zum Schlafen nur eine schmale Liege und keine Küche, zum Waschen und Kochen ein Waschbecken, und das mochte sie nicht, wenn er sie vom Bett aus beobachtete, wie sie sich am Morgen wusch und anzog und wegen des lausigen Ofens fast immer fror. Manchmal klopfte er auch spätabends noch, schenkte ihr eine Flasche Waschlotion *Yvette intim*, ein Dutzend neue Lockenwickler *Jana-Spezial* oder das blaugrün gestreifte Heizkissen gegen die kalten Füße im nicht enden wollenden Winter 81/82, da kannte er sie gerade ein dreiviertel Jahr.

Als Ende März der erste Schuldschein fällig geworden war, hatte er hundert Mark in der Tasche gehabt, aber dann trafen sie sich wie immer im *Cosmetika*, und Priem hatte die beste Laune seit Jahren, seine Geschäfte liefen da nämlich gerade vorzüglich, also, wie hoch war doch gleich die Summe? Zweitausend, hatte Heinrich gesagt, und Priem, als wär's eine Lappalie: Heinrich befinde sich da offenbar gerade in einem Engpaß, und das kenne er, wie das ist: ein Engpaß, aber das Essen soll doch am Abend schmecken, und eine Freundin hat man, wenn man wie Heinrich ein Glückspilz ist, nur leider ohne Kosten gehe es bei Freundinnen ja nicht ab. Also, wie wollen wir's machen, sagte er, das Geld sei ja an und für sich nicht die Frage, wir alle haben Geld, aber leider nichts kaufen können wir uns hierzulande von dem vielen Geld, wie kann ich helfen.

Am Ende lief es darauf hinaus, daß es einen zweiten Schuldschein über fünfzehnhundert gab, und von den fünfzehnhundert nimmt er deren fünf als Anzahlung für den ersten, bleiben Verbindlichkeiten in Höhe von dreitausend. Ob er damit leben kann. Damit könne er leben, und spätestens in einem halben Jahr sehen wir uns wieder, und nun kein Wort mehr über die Geschäfte, Geschäfte macht man, aber ohne großes Tamtam macht man die Geschäfte, und schließlich waren sie da wieder bei Bautzen, ihrer Gemeinsamkeit, bei ihm persönlich sei's ja eine Weile her, aber gelernt in Bautzen hat er fürs Leben, zum Beispiel die Stehzellen, da wurden sie alle mürbe.

Meine Tochter hat mir alle paar Wochen ein Glas Schmalz mit Äpfeln und Zwiebeln geschickt, sagte Heinrich und verschwieg die Briefe an die Schwester im Westen und ihre Pakete, die sie zusammenstellte nach seinen Wünschen, und damals war das unter anderem Diabetikerzucker, Tabak und lose Filter, eine Dauerwurst, Käse in haltbarer Form, Schokolade und Bonbons für Diabetiker, aber kein einziges gutes Wort dazu, nur immer die Dinge und das Schweigen und die Verachtung aus dem guten Westen, in dem sie keinen Wert mehr auf ihn zu legen schienen, das fand er verständlich. Nur Eva hatte ihn im ersten Jahr besucht, und das erste Jahr lag er vor allem im Krankenhaus, und da erschrak sie immer, wie schnell man hinter diesen Mauern verfiel und verkam, fand, daß ihre Geschichten vom Leben draußen und daheim nicht paßten, und genau von diesen Geschichten, Erinnerungen, den Plänen für später, lebte der Vater, das war seine Freude, die Qual.

Ich habe die Toten in Bautzen nicht gezählt, sagte Priem, aber sie werden es sicher aufgeschrieben haben, die Buchhalter mit ihren Fünfjahrplänen, und links steht das Soll, das wird alle paar Jahre erhöht, und rechts stehen die toten

Seelen, das Ja und das Amen, das sie sich wünschen, die Friedhofsruhe im Land, das mindestens zur Hälfte aus Spitzeln besteht, aber wenn sie dich holen zum Werbegespräch, möchten sie sich immer nur ein bißchen unterhalten. Er sagte nicht: Du könntest auch einer sein, fast glaube ich's, daß du einer von denen bist, ich bin mir sicher, aber Heinrich sah es ihm an, daß er daran dachte, oder Priem nahm's wie ein Spiel oder war seinerseits ein Spitzel, und also schrieben sie am Abend einer über den anderen ihre Berichte, nahmen und gaben ein und dasselbe Geld und saßen zusammen in der großen gemütlichen Falle, die das Land war, dieses herrliche Land.

Erst Stunden später hatte Heinrich gemerkt: Er fürchtete sich vor Priem als Gläubiger und als Spitzel, oder wie Emilia es ausdrückte: Ich glaube, du verhedderst dich, mein lieber Heinrich, nur wenn du gar nicht redest, kann ich dir wenig helfen. Alte Sachen, sagte Heinrich und schrieb ein paar Zeilen an Constanze: Liebe Constanze, bitte schicke mein restliches Guthaben an Herrn Rainer Priem, Straße des 7. Oktober, und zwar in Dollars; Herr Priem hat mir sehr geholfen, ich schulde ihm 3000,– Mark. Ich wäre Dir sehr dankbar, wenn Du das für mich erledigen könntest, viele Grüße, Dein Bruder Heinrich.

Die Antwort hatte nicht lange auf sich warten lassen und fiel sehr unfreundlich aus, sie seien die Sache allmählich leid mit dem Bruder, seit Jahren nur immer dasselbe Lied, oder wann wird er endlich erwachsen, wann hat das alles endlich ein Ende, ja bald und eher heute als morgen.

Gut zwei Jahre war das damals her gewesen, daß sie ihn aus Bautzen entlassen hatten, und auch seine Emilia hatte er damals schon ein paar Monate, die Arbeit als Kellner im langweiligen *Thüringer Hof* nur einen Steinwurf von seiner ersten eigenen Wohnung, und ein paar Wehwehchen aus der Haftzeit hatte er, spritzte sich drei- bis viermal täglich das Insulin, hatte manchmal Mühe mit dem Stehen und Gehen, aber stand und ging und trank noch immer nur das Allernötigste oder alle paar Wochen mit Harms ein Gläschen, denn das war noch immer die Art und Weise, wie es bei ihnen anfing, oder mit einem dieser Scherze begann es, über das Leben und die Blessuren, die Schrammen, Narben, die es hinterläßt und in die Gesichter schreibt, als wären's Bücher zum Drinlesen, so eines hatte Heinrich.

Nur Harms blieb Heinrich auch nach bald zwanzig Jahren ein Rätsel, er mußte längst über die Sechzig sein, erwähnte hin und wieder Frau und Kinder und war wie sein Land müde und hart und unnachgiebig, nannte seine Arbeit wie vor über drei Jahrzehnten im zerbombten Thüringen einen Kampf und eine Aufgabe, und da hatte das Kämpfen auch bei ihm mit den Jahren seinen Preis gefordert, und bei Land und Leuten hatte es seinen Preis gefordert, die Niederlagen, aus denen man lernt und die im letzten Moment zu Siegen geworden waren, der geprobte Aufstand ausgerechnet im verschlafenen Jena, das war es, worüber er sich immer wieder wunderte.

Sogar einen Todesfall hatte es Anfang des Jahres im Untersuchungsgefängnis in Gera gegeben und zahlreiche Verhaftungen unter den Schriftstellern, und alle, die es wissen wollten, hatten davon gehört und geredet, nicht immer gezweifelt, und wie da einer eines Morgens tot in der Zelle hängt, und keiner will's gewesen sein, das waren so die Gerüchte, die Flüsterpropaganda des Imperialismus und seiner Helfershelfer, die sich in den Gefängnissen die Toten erfanden und eine Unruhe schürten unter der Bevölkerung des Bezirkes Gera und weit darüber hinaus bis Berlin.

Es sind doch nur ein paar wenige, sagte Heinrich und wußte von keinem Beispiel, in dem einer von dem angeblichen Vorfall in Gera geredet hätte. Manchmal schien es ihm nun, als müsse er Harms trösten mit seinen Berichten, und daß es eine Mehrheit und eine Minderheit gibt im Land, und die große Mehrheit setzt sich zusammen aus zweikommaeinssieben Millionen Mitgliedern der SED, dazu die Mitglieder der Blockparteien, die Gewerkschaftler, die FDJ, die *Volkssolidarität*, oder hat er etwas vergessen. Das alles sei doch eher sehr tröstlich, fand Heinrich und sagte es nur so zum Trost des alten Mannes aus dem Ministerium für Staatssicherheit, der ihm geblieben war, und vielleicht mochte der alte Mann aus dem Ministerium ihn ja, oder er fühlte sich verpflichtet oder war abergläubisch und dachte: Denn wenn mir erst mal dieser Hampel untergeht, gehen uns noch ganz andere Dinge unter hier in unserem schönen Land, das darf nicht sein.

Sie hatten noch immer ihre konspirative Wohnung in der Nähe des Westbahnhofs, in der sie sich trafen, aber manchmal gingen sie auch in den *Grünen Kranz* oder ins Café *Kosmos*, beobachteten und lauschten und schwiegen, oder über die neuesten Nachrichten von Priem redeten sie, den Verdacht, den er Heinrich gegenüber ausgesprochen hatte, die Art und Weise, wie ihn Heinrich beruhigt hatte mit einem privaten Anliegen, Kopie des Schuldscheins mit Datum 7. Oktober 81 anbei. Zweitausend Mark war die Summe, auf die sie sich geeinigt hatten, und auf eine Laufzeit von sechs Monaten hatten sie sich geeinigt, da mochte Priem auf seinen Verdächtigungen nicht länger bestehen und hatte ihn in der Hand.

Damit wäre nun ein Anfang gemacht, sagte Harms und hatte wie immer noch ein paar Fragen zu den Berichten, die Sache mit der Heiratsanzeige habe er wohl nicht mehr weiter verfolgt. Nein, die Sache mit der Heiratsanzeige habe Heinrich nicht mehr verfolgt, aber eine neue Bekanntschaft habe ich gemacht unter den Sternen im Planetarium, und da freute sich der alte Mann aus dem Ministerium für seinen Hampel nach allem, was gewesen war, da freute er sich. Ja, sagte Heinrich und wartete auf die Schlußformel, in der Rosa und die Kinder vorkamen, auch jetzt, nach all den Jahren Rosa und die Kinder, die Frage lasse ich wohl nie aus, nein, nie.

Sie kennt mich nicht, wenn ich sie grüße, hatte Heinrich gesagt, aber gesund und munter sieht sie aus, hat noch ein paar Kilo zugelegt, warum auch nicht, ich gönn's ihr, soll sie glücklich werden mit sich und dem ganzen Krempel, der von unserer Ehe geblieben ist, und von mir aus einen neuen Mann soll sie haben und einen schnellen freundlichen Tod, wenn es soweit ist, und da wollen wir uns alle spätestens gut sein und aneinander denken als ehemalige Freunde.

Im Sommer, als er fünfzig wurde, hatte er Rosa gesehen, und da war sie ihm tatsächlich sehr dick vorgekommen im Sommer 1981, und ein fremder Mann hatte seinen Arm um die dicke Rosa gelegt, direkt im Eingang zum HO-Kaufhaus *Magnet* war das gewesen, als sie ihn auf einmal entdeckte und stutzte, sich wegdrehte nach fünfeinhalb Jahren und den Schritt beschleunigte, aber wie ertappt hatte sie sich von ihm weggedreht oder als ob sie sich noch immer für alles schämte.

Der fremde Mann hatte ihn eine Weile beschäftigt, und wie das für ihn war, wenn er in sie hineinschlüpfte, und womöglich seufzte sie ja immer und dachte an ihren Heinrich, von dem sie sich auf der Straße einfach wegdrehte, oder weil sie ihn gar nicht erkannte mit seinen vielen Blessuren, also, das war doch nie und nimmer ihr Heinrich mit all den Scharten Schrammen Schrunden, aber ja war er's, aber nein, was soll's.

Damals war er an den Wochenenden viel unterwegs in den Straßen der Stadt Jena, aber sozusagen beruflich und im Auftrag des Staates war er unterwegs und schnupperte in den Tagen des Straßenbahnarbeiters Rainer P., blieb auch immer schön brav ein paar Meter zurück, wenn er ihm folgte, und bastelte fast jeden Abend an seiner Liste mit Namen von dessen Verwandten, Bekannten und Freunden, zusammengestellt und wöchentlich ergänzt von IM »Rosa« (Klarname Hampel) im Zuge der Bearbeitung des operativen Vorgangs »Depot«, Blatt 43 bis 45, darunter handschriftlich der Name Emilia N., Mitarbeiterin des *Zeiss*-Planetariums, geboren am 9. November 1925 in Jena, wohnhaft daselbst, Greta-Unrat-Straße, alleinstehend; keine Kinder.

Sie hatte Priem die Hand gegeben nach einem Gottesdienst und war wie Rosa schön rund und weich, und da war Heinrich ihr gefolgt und ließ sie nicht mehr aus den Augen, kaufte sich jeden zweiten Tag eine Eintrittskarte fürs Planetarium und lernte ihre Stimme kennen, wenn sie unter der hohen Kuppel lärmende Schulklassen begrüßte oder die neugierigen Delegationen aus aller Herren Länder, die da staunten und in tiefstem Dunkel durch die Galaxien reisten und einem der dreizehn verschiedenen Vorträge in deutscher und russischer Sprache lauschten. Heinrich kannte bald jeden einzelnen: die vier Jahreszeiten, das Sonnensystem, scheinbarer und wirklicher Lauf der Sonne, Lauf und Phasenwechsel des Mondes, Ebbe und Flut, die Natur der Planeten Kometen Meteore und Sternschnuppen, Zeiteinteilung, Kalender in alter und neuer Zeit, Orientierung nach Gestirnen, Astronomie und Astrologie, der Stern von Bethlehem, Kämpfe um das astronomische Weltbild von der Antike bis zur Gegenwart, und ihre Gesichter für verschiedene Stunden, Tage, Wochen kannte er, die Art, wie sie die Karten vom Block riß und für jeden Besucher einen Strich machte, der strenge und der freundliche Blick, wenn es hektisch wurde und längst nicht alle Einlaß fanden, nur Heinrich fand immer Einlaß, dafür sorgte sie.

Sie schon wieder? fragte sie Ende der zweiten Woche, und Ende der dritten Woche: Ob er etwa bei ihnen anfangen will, weil er sich immer und immer wieder dieselben Programme anschaut, oder war da noch etwas anderes. Na ja.

Ich hoffe, du machst mir keine Schwierigkeiten, sagte sie, als schon alles mehr oder weniger klar war zwischen ihnen, beim zweiten Glas Pfefferminztee im Café *Prag* sagte sie's und ließ ihn beim Erzählen keine Sekunde aus den Augen, denn man konnte ja nie wissen, und insbesondere bei den Männern konnte man nie wissen, also bei ihr sei das so und so.

Einen schönen Beruf hast du, sagte Heinrich und erwähnte das eine oder andere Politische, aber Emilia meinte, im Himmel gebe es keine Politik, und dem HERRN zum Wohlgefallen ist's, daß der Mensch sein Auge unter den hohen Himmeln schweifen läßt, doch zwischen einer Rakete der Imperialisten und einer Rakete der Kommunisten erkennt er keinen Unterschied.

Du bist mir sympathisch, sagte Heinrich und wußte noch nicht recht wegen der Berichte, aber an seine Schwester Constanze schrieb er: Ich habe alles, was ich brauche, nur für Emilia bekomme ich hier fast nichts. Wenn Ihr wüßtet, wie wichtig es mir ist, dieser Frau gefällig zu sein! Emilia hat mir fast die ganze Wohnung eingerichtet, nur ihr habe ich es zu verdanken, daß ich den Mut gefunden habe, weiterzumachen. Darum beachtet auch meine Bitten. Sie selbst verlangt überhaupt nichts, doch aus vielen Unterhaltungen weiß ich, wovon sie träumt. Ich bräuchte Gesichtspuder und Gesichtscreme für sie, dazu eine Jeanshose oder wahlweise ein Kostüm, ein oder zwei Herrenhemden für mich.

Emilia hatte ihm einen Rasierapparat *Golf* und eine Tube Rasiersahne *Myldeen* zum Fünfzigsten geschenkt, und Constanze schickte ihm ein schönes großes Paket mit all den gewünschten Sachen, und mindestens ein Viertel hatte er noch nicht mal bestellt. Lieber Heinrich, hatte seine Schwester Constanze geschrieben, ich wünsche Euch alles Gute, möge es etwas werden mit Euch. Viel Glück und Gesundheit wünsche ich Dir, oder wie Du es selbst vor Jahren aus Bautzen geschrieben hast: Es ist ja nicht das erste Mal, daß ich von vorne beginnen muß, zum Glück besitze ich einen gesunden Optimismus, Bautzen im Februar 1977.

Die ganzen ersten Wochen mit Emilia waren ihm wie im Flug vergangen, so glücklich war er, daß er noch einmal eine gefunden hatte, und rund und zuverlässig und gemütlich war die und verlangte vom neuen Leben nicht mehr als ein paar gemeinsame Abende vor dem Fernseher, und ein paar Salzstangen zum Knabbern und die Füße schön warm unter Decken und Kissen, und das war doch etwas anderes als Monat für Monat die immer gleichen Abende im *Thüringer Hof* und an den freien Tagen der letzte Weinbrand in einer Eckkneipe oder an den Wochenenden die erfundenen Spaziergänge bis vor die fremde Haustür: das ganze langweilige Leben der Spitzel und der von ihnen Bespitzelten, das Essen aus aufgewärmten Dosen, die sozialistischen Phrasen in den Berichten, die schlechten Träume, die man sich verdiente, der Ekel vor sich selbst.

Trostlos und öde war der Winter vor Emilia gewesen, in dem ihn noch nicht mal Eva besucht hatte, und weil ihn noch nicht mal Eva besuchte, fing er da wieder an mit seinen Geschäften, studierte am späten Abend in seinem Sessel die nackten Mädchen aus der neuesten Ausgabe des *Magazins*, las auch hie und da eine Anzeige, die in Frage kam, aber nur so aus Zeitvertreib suchte und fand er, las von den verschiedenen Jahreszeiten in Sachen Liebe und beschloß: spätsommerlich und nicht älter als Mitte Vierzig sollte sie sein, für ein paar Zeilen zahlte man ja gerade mal ein paar Mark.

Im Aprilheft war seine Anzeige erschienen: Seriöser Herr um die Fünfzig sucht lebenslustige Frau für gemeinsamen Neuanfang, und dann wartete er, rannte jeden Abend zum Briefkasten und freute sich, als zum ersten Mal etwas gekommen war, und bis Ende des Monats waren es genau dreizehn Briefe aus den unterschiedlichsten Bezirken. Fast alle hatten ein Foto von sich beigelegt und sahen ihn von diesen Fotos an, als wüßten sie nicht recht, aber lustig wollten sie für Heinrich sein und das Leben lieben, neu anfangen nach den Schlägen des verdammten herrlichen Lebens, also, wie stelle er sich das alles nun vor.

Anfangs hatte Heinrich nur einer rosahaften Witwe aus Apolda antworten wollen, aber dann machte ihn dieses Rosahafte auf einmal mißtrauisch, so daß er lieber auch noch einer Blonden aus Weimar antwortete, und einer Dame aus Dresden schrieb er und am Ende allen dreizehn. Sie sind überhaupt die erste, mit der ich auf diesem Wege zarte Bande anzuknüpfen versuche, schrieb er und nannte sich für die einen schüchtern und für die anderen einen Mann mit Erfahrung, war verwitwet oder enttäuscht von der großen Liebe, hatte drei erwachsene Töchter im Ausland oder einen Sohn aus erster Ehe bei der NVA, erfand verschiedene Berufe für die und war abwechselnd Wäschereiarbeiter, Fräser im *VEB Carl Zeiss*, Beleuchtungstechniker im Stadttheater und Maschinist im Heizkraftwerk Jena Süd, nur in allen Fällen einen ziemlich neuen *Trabant* hatte er und schrieb und schwärmte über gemeinsame Ausflüge bis an die Ostsee, denn so lernen wir uns ein bißchen kennen und merken gar nicht, wie wir uns allmählich kennen und schätzen lernen, als wär's für ein Leben.

Sieben von dreizehn Frauen antworteten, und so durfte er sich ja wohl das eine oder andere erträumen für die kommenden warmen Tage, erfand abgelegene Dörfer und Seen und Wiesen, ließ auf ihren erdachten Ausflügen manchmal den Wagen stehen, hatte einen Korb bis unter den Deckel gefüllt mit Erdbeeren und Schwarzbrot und kaltem Spargel mit Schinken, und eine große Decke träumte er sich zum Drauf-Essen-und-Trinken und wer weiß was, ich meine, eine Sehnsucht haben wir ja schließlich alle.

Sie sind mir einer, antwortete als erste die rosahafte Witwe aus Apolda und schlug ein Treffen für das erste Maiwochenende vor, während die Blonde aus Weimar um ein paar Wochen Bedenkzeit bat, aber für die viele Mühe schon einmal herzlichen Dank und den Strauß Nelken zu meinem Geburtstag, welche Überraschung. Am ersten Maiwochenende traf er die rosahafte Witwe aus Apolda, die aus ihrem Apolda ein Leben lang nicht fortgekommen war, und ausgerechnet ihr, der Rosahaften, hatte er in den ersten Minuten von Rosa erzählen müssen, nur damit sie sich auf die Schnelle ein wenig auskannte bei ihm, hatte Rosa gerühmt und verflucht, und den größten Fehler seines Lebens hatte er sie genannt, und da wurde die Witwe auf einmal ganz stumm und ärgerlich, oder wollte er etwa beichten?

Ja, schade, leider, ich sehe schon, sagte Heinrich und wußte etwas Nettes über ihr kariertes Kostüm und die Brosche, und daß sie mit ihren Jahren ein bißchen geschummelt hatte, fiel ihm plötzlich auf, also Mitte Fünfzig war sie bestimmt.

Ich war in Bautzen drei Jahre, hatte Heinrich gesagt, und da hatte sie ihn ganz überrascht angesehen, ach ja, Sie Ärmster, drei Jahre, eine lange Zeit. Es hätte mir nichts ausgemacht, hatte sie gesagt, ob er reden möchte von den drei Jahren Bautzen, doch da gab es gar nichts groß zu reden, fand Heinrich, nur sehr schmal wird man in Bautzen und im Herzen sehr bös.

Vielleicht hätte ich erzählen sollen, dachte Heinrich später, als er die Sache mit den Anzeigen aufgegeben hatte, denn das war in all den Jahren nicht vorgekommen, daß er einer die Jahre im Gefängnis erzählte und nicht nur diesem Priem im *Cosmetika* die eine oder andere Anekdote. Priem nannte Bautzen seine Erweiterte Oberschule, man wurde erwachsen und vorsichtig und klug für mindestens zwei Leben, nur dann war man eines Tages wieder heraus und stutzte und stellte fest: Die wollen das gar nicht, daß wir erwachsen werden und vorsichtig und klug für mindestens zwei Leben, denn da draußen leben fast alle wie die Kinder, und sehr streng und sehr milde sind die Partei und ihre Organe, die für alles sorgen und ein Auge auf uns haben, damit wir uns nicht verbrennen aus Versehen oder zwischen zwei parkenden Autos auf die Straße laufen, denn sie brauchen uns noch, und alle, die guten Willens sind, brauchen sie und sagen's und beschwören's bei jeder Gelegenheit und in ihren klärenden Gesprächen bis zu dreimal.

Ein Land für Kinder ist unser Land, hatte Priem an einem ihrer ersten Dienstage gesagt, und das war schon im *Cosmetika*, wo sie sich trafen und über Bautzen die Anekdoten austauschten, und das war ja merkwürdig, daß er das sagte und keine Angst hatte vor Hampel, nur weil sie beide in Bautzen gesessen hatten, und dabei war es ja das eine, ob man wie Priem bei den Politischen saß im Gelben Elend oder wie Heinrich bei den Kriminellen, den kleinen und großen Dieben, den Mördern, Totschlägern, den Unverbesserlichen mit ihren Tätowierungen und den immer gleichen

Bräuten, von denen sie träumten, für die sie sich Ersatz suchten, mit und ohne Gewalt.

Für Priem bestanden die Jahre in Bautzen immer nur aus besonderen Vorkommnissen: der ersten Vergewaltigung im schiefen Licht eines Februarmorgens, dem verlorenen Ehering in der Suppe, dem üblichen Miez und seinen Fotos von der Mutter, die sie ihm zerrissen, dem toten Fritz und Martin und Otto, den Selbstmördern, derer sie gedachten und die sie vergaßen, dem blutigen Auge, das sie einem Schließer schlugen und für das sie in den Schweinekisten bitter büßten: das war für ihn Bautzen.

Auch für Heinrich war das alles Bautzen, obwohl er immer dachte: Was weiß ich schon von Bautzen mit meinen drei Jahren, und dreimal ein halbes Jahr im Krankenhaus war ich und in den Zellen nur der Gast, oder wenn Eva oder die Söhne ihn besuchten, war er für ein paar Stunden einer aus Bautzen, die Tage konnte man zählen.

Von Jena bis Dresden im Zug sechs Stunden und dann mit Umsteigen bis Bautzen noch einmal zwei: das war der Weg der beiden Söhne, als sie sich im zweiten Jahr einmal die Ehre gaben mit einer Schachtel Pralinen für Diabetiker, die sie ihm vor Hunger und Kälte schon kurz hinter Jena wegaßen, denn so sehr haßten sie ihn, und seine Wohnung hinter den gelben Ziegeln haßten sie, das große Tor und den Stacheldraht, den frisch geharkten Streifen und die Hunde zwischen erster und zweiter Mauer, die drei Türen, die sie zu passieren hatten, da waren sie endlich beim Vater.

Die Häftlinge, die draußen die Straßen kehrten, hatten braune Sträflingskleidung mit breiten gelben Streifen auf Rücken und Ärmel getragen, aber der Vater an einem der sieben Tische im Besucherzimmer empfing sie im Bademantel, saß und stand auf und setzte sich, nahm die Geschenke von

Rosa und den Nachbarn, und die fast leere Pralinenschachtel nahm er, und fast die ganze halbe Stunde war man sehr befangen und redete nur irgendwelches Zeug über die Familie oder die Schule, an das sich später niemand erinnerte, und das war genau das Schlimme, daß sich später niemand an etwas erinnerte, nur ein wenig Zeit war vergangen, und eine lästige Pflichterfüllung der Mutter zuliebe war's, und weil es nun einmal der Vater war, der ehemalige, der dumme Mann mit der Flasche, der den Weg in die eigene Wohnung nicht wußte, der Ede.

Nur dieses eine Mal hatten sie ihn in Bautzen besucht, und auch danach wußten sie vom Vater nur, er arbeitet als Kellner in der Nähe des Westbahnhofs, und eine Wohnung hat er in der Nähe des Westbahnhofs, da kamen sie aber leider selten vorbei. Heinrich ließ ihnen über Eva immer Grüße bestellen, und daß sie doch mal vorbeischauen sollen, und einen tüchtigen Hunger bringt mit, ich lad euch auch gerne ein.

Sehr seltsam war das gewesen, als sie eines Tages gekommen waren und den Vater keines Blickes würdigten, aber der dicke Walter schnippte mit den Fingern und bestellte wie ein Herr von Welt das teuerste Essen, und Konrad war ein paar Tage auf Heimaturlaub und redete mit seiner pickeligen Freundin über die NVA. So laßt es euch schmecken, hatte Heinrich gesagt und sich zu denen an den Tisch gesetzt, das eine oder andere gefragt und gestaunt und den Kopf geschüttelt über so viel Schweigen und die Verachtung, und immer nur Ede nannte ihn der dicke Walter und rührte das Essen kaum an.

Das war aber nicht recht von deinen Söhnen, hatte Elli, die zweite Kellnerin, gesagt, und daß er sich das nicht bieten lassen darf als Vater, wo kämen wir denn da hin, das kann man ja nicht mit ausschauen. So sind sie eben, hatte

Heinrich gesagt, und Ach was, hatte er gesagt, wir müssen uns eben besser kennenlernen, dann wirst du schon sehen.

Elli hatte im Mai als Kellnerin bei ihnen angefangen, im Radio brachten sie gerade die Nachricht vom Tod des jugoslawischen Staatspräsidenten, als sie sich vorstellte, um die Mitte Dreißig mochte sie sein und stammte aus dem Norden.

Anfangs hatte es so ausgesehen, als könnte es etwas werden mit dieser Elli, doch dann mochte sie nicht, daß er bei der Arbeit lauschte und so einen bestimmten Blick hatte beim Lauschen, das fand sie merkwürdig. Du wirst doch nicht etwa, hatte sie gleich in den ersten Tagen gesagt und gemeint, daß das ja Gründe haben muß, wenn einer lauscht und so einen Blick dabei hat, als wäre er einer von der Firma, aber Heinrich hatte nur gesagt, das sei ihm noch gar nicht aufgefallen, dieses Lauschen und dieser Blick, die pure Neugier sei's, und daß er eben gut kann mit den Leuten, also was beklagst du dich.

Sie bewohnte ein Zimmer oben im ersten Stock, und manchmal durfte er sie dort oben besuchen, in den Nachmittagsstunden, wenn sie geschlossen hatten, oder manchmal spätnachts, wenn sie mit der Abrechnung fertig waren, dann plauderte sie, und warum sie leider kein Glück mit den Männern hatte, vor einem Dietmar war sie da ja sozusagen geflohen. Ich könnte deine Tochter sein, sagte sie und fand die Vorstellung lustig: der Kellner Heinrich und Elli als Vater und Tochter, und daß er ihr bitte keinen Kummer machen soll als Vater und möglicher Spitzel, denn sonst müßte sie ihn leider verachten.

Elli mochte am liebsten die Stunden zwischen elf und zwei, denn da hatten sie mehr oder weniger immer dieselben Leute, und der Mittagstisch war immer mehr oder weniger derselbe, viel Kraut und Klöße und ein Stückchen Fleisch in dunkler Soße, dafür waren sie berühmt. Abends wäre ich immer selber gerne der Gast, sagte Elli und hatte meistens gar keinen Blick für die Leute an den Abenden, nur für Heinrich hatte sie manchmal einen Blick, blieb mißtrauisch und wachsam, ließ ihn den Zweifel merken.

Sowohl über Mittag als auch in den Stunden ab sechs waren die beiden Gasträume fast immer voll, und da saßen sie dann alle beieinander und redeten über vergangene und zukünftige Reisen, oder über irgendein seit Wochen fehlendes Material in ihren Betrieben redeten sie, die Frauen, die Männer, nur selten über Politik. Meistens schnappte Heinrich auch nur hie und da etwas auf, das sich verwenden ließ, oder es wurde vorübergehend laut an einem Tisch, oder ganz leise wurde es, da hatten die meistens etwas zu verbergen. Manchmal genügte schon ein Satz oder ein Wort, damit er hellhörig wurde und sich die Leute genauer ansah, oder es war von Anfang an alles ganz harmlos, weil die Leute ganz harmlos waren, das sah man ihnen fast immer an.

Einmal hatten sie eine große Hochzeitsgesellschaft gehabt mit Gästen von jenseits der Grenze, und das war doch sehr interessant, weil man die aus dem Westen sofort erkannte an ihren Kleidern, und an ihrer Unbefangenheit erkannte man die, und daß sie keine Angst hatten, witzig waren und lachten, und vor allem ganz ahnungslos waren die und hielten einen Kellner für einen Kellner, gaben großzügige Trinkgelder, verschenkten Westzigaretten, oder auf dem Weg zur Toilette eine gemeinsam rauchen wollten die und hatten wirklich nicht die geringste Ahnung. Noch vor der Suppe hatte Heinrich beobachtet, wie die Mutter des Bräutigams ein- oder zweimal in seine Richtung deutete und wußte oder doch ahnte und für möglich hielt, aber die Leute aus dem Westen glaubten kein Wort und blieben harmlos und wohlgemut, trugen ihr Herz auf der Zunge, redeten in ihren Ansprachen von den beiden deutschen Staaten und der einen Sprache der Liebe, der allerschönsten, denn die Liebe kennt nun einmal auf der ganzen Welt keine Grenzen und überwindet im Leben alles, darauf laßt uns trinken.

Ein Relikt aus vergangenen Zeiten nannte Heinrich die Ansprachen in seinem Bericht, und daß da zwei junge DDR-Bürger auf dem Territorium der Deutschen Demokratischen Republik Hochzeit feiern, aber die alten Freunde der Eltern aus dem Westen schwadronieren in schlecht verklausulierten Formulierungen über die staatliche Einheit, also, das sei doch alles ziemlich peinlich gewesen, vor allem die beiden jungen Brautleute hätten ihm leid getan, und wie sie beide die Augen verdreht haben zu dem Gerede, kann man gar nicht beschreiben.

Eine schöne Hochzeit, sagte Elli und meinte vor allem einen stillen jungen Mann aus Augsburg, der ihr gefallen hatte, und das hatte sie ihm gezeigt, wie sehr er ihr gefallen hatte, aber als er sie endlich entdeckte, würdigte sie ihn aus Vorsicht keines Blicks.

Wie dumm ich war.

Ich würde sagen sehr klug.

Ich hätte ihm meine Adresse zustecken können.

Na, untersteh dich.

Im Nachhinein war es Heinrich so vorgekommen, als habe er selbst diese Kellneridee gehabt, und dabei war es doch wieder einmal der gute alte Harms, der sich das alles für ihn ausdachte und über die Zukunft des sozialistischen Gaststättenwesens referierte und wie das alles sehr schön zusammenpasse: die Rücksicht auf Heinrichs angeschlagene Gesundheit, die schwierige operative Lage in der Stadt Jena, die Einheit von Wirtschafts- und Sozialpolitik und der dadurch erreichte höhere Lebensstandard, der dazu führe, daß sich immer mehr Bürger in Restaurants, Cafés und Bars entspannten und ihre materiellen Bedürfnisse in gesellschaftlicher Form befriedigten, so waren die neuen Zeiten.

Warum nicht, hatte Heinrich gesagt, und Harms war ganz sicher: Sie sind genau der richtige Mann dafür, und so hatte sich Heinrich in der dritten Woche nach seiner Entlassung ein bißchen umgesehen, aß in verschiedenen Lokalen zu Mittag, trank abends ein Bier im *Thüringer Hof* und plauderte, da war man bald im Gespräch. Ich habe vor Jahren einen schlimmen Fehler gemacht, sagte Heinrich, und das gefiel den Leuten vom *Thüringer Hof*, daß da einer sich hinstellte und sagte, er hat vor Jahren einen schlimmen Fehler gemacht, aber nun soll das alles nie wieder vorkommen, von diesem Bautzen sei man doch ein für allemal kuriert. Ach so, ja Bautzen, hatte die Gaststättenleiterin gesagt und gezögert, aber nur ganz kurz hatte sie gezögert, und dann rief sie den Koch und die dicke Pauline, die damals Kellnerin war, und der Koch Edwin und die dicke Pauline waren sofort einer Meinung und sagten: Na endlich, der zweite Kellner, den wir seit Ewigkeiten nicht kriegen, soll er's versuchen, und wer im Leben keine Fehler macht, der werfe den ersten Stein. Also gut, ich bin die Hedwig, sagte die Gaststättenleiterin, und Heinrich sagte: Heinrich, und ließ sich alles erklären, die Sache mit den Bons, und wo die Gläser und das Geschirr waren, das Bier zum Zapfen, die Säfte, der Schnaps. Von mir aus kannst du gleich anfangen, sagte Hedwig, die Arbeit sei nicht leicht, wir haben uns alle gewöhnt, nur nicht trinken und nicht plaudern soll er während der Arbeit, doch eine warme Mahlzeit täglich und ein großes Bier um Mitternacht wollen wir uns gerne genehmigen.

Und so wurde ein Kellner aus Heinrich, und natürlich machte er am Anfang das eine oder andere falsch, aber immer freundlich und geduldig war er, schaute den Leuten ins Gesicht, wenn sie bestellten und nicht wußten und einen langen Fabriktag in den Knochen hatten, und immer das richtige Wort fand er, mochte am liebsten die Kinder und nach den Kindern am liebsten die müden traurigen Frauen, die für ein gutes Wort empfänglich waren und sich alles merkten.

Gleich in der zweiten Woche hatte ihn eine angesprochen, und dabei hatte er sie noch nicht mal groß beachtet, wie sie da am Tresen auf eine Gelegenheit wartete und beim Warten einen Weinbrand nach dem anderen bestellte, und am Ende blieb die einfach sitzen und fragte, ob er auf ein Wort Zeit hat, eine Privatangelegenheit, ja, gerne, sie müsse bloß leider warten.

Sie wohnte zwei Querstraßen weiter in einer Erdgeschoßwohnung und wirkte auf einmal fast nüchtern, das sei ja schnell gegangen mit der Abrechnung, und ob sie ihn bei sich zu Hause noch auf etwas einladen darf, er hat ihr nämlich gefallen als Mann und als Kellner, das müsse sie einfach loswerden. Das darf eine Frau natürlich nicht, sagte sie und sagte es ein zweites Mal, und dann gingen sie zu ihr nach Hause und hatten bei ihr zu Hause noch nicht mal Zeit für einen Namen, so einen großen Hunger hatte die und sagte es ihm auch gleich, was für einen großen Hunger sie hatte, und ein bißchen sehr betrunken war sie und mutig und wackelig mit einem Hang zu umständlichen Bekenntnissen, und was für Verzögerungen sich wiederum aus diesen Bekenntnissen ergaben, oder wenn sie sagte: Komm, sei nett zu mir, ich bin's doch auch, oder bin ich etwa nicht nett, daß ich dich hier beherberge und mir die Kleider für dich zerknittere, oder hast du keine Lust.

Am Ende hatte er noch nicht mal ihren Namen erfahren, und im Grunde war es ja auch gar nicht wichtig, aber weil es das letzte Mal war, war es im Nachhinein wichtig, und was er sich alles überlegt hätte, wenn er gewußt hätte, es ist das letzte Mal, daß ihn eine hineinläßt und sich wohl fühlt, nachdem sie ihn hineingelassen hat, das alles. Sie hatte einen trockenen Mund, als es passiert war, und das war noch nicht oft gewesen, daß es einer so schnell passierte, und er selbst war gerade kurz davor, und da feuerte sie ihn an, und sehr ungeduldig war sie, als hätte sie schon gar nicht mehr daran geglaubt.

Zwei Jahre, sagte sie und meinte die Jahre, die ihr seit dem letzten Mann vergangen waren, und Heinrich sagte: Ja, das kenne ich. Erzähl doch ein bißchen, sagte sie, aber Heinrich hatte keine rechte Lust und wollte bei der nicht bleiben. Dich sehe ich nie wieder, hatte sie gesagt, als er sich anzog ohne Licht, und da war sie sehr traurig, daß er so einfach ging und sich zu alt fühlte für diese Nächte, denn das war es, was er dachte: Ich bin zu alt, es freut mich nicht, da bleiben wir doch lieber allein.

Dreißig Jahre war die Republik im Oktober 1979 geworden, und weil sich das ganze Land in Feierstimmung befand, entließen sie aus den Gefängnissen ein paar hundert kleine Fische, und immer schön brav waren die gewesen, oder weil sie das Leben hinter Gittern einfach nicht vertrugen wie der Herr Hampel aus Jena, dem schenkten sie fast ein Drittel.

Anfang September war das gewesen, aber anders als beim ersten Mal in Leipzig war da noch nicht mal ein Harms gekommen, und keine Rosa war da und keine Kinder, die ihn empfingen und den Kopf über ihn schüttelten, na, herzlich willkommen. Er wußte noch nicht mal, wann ein Zug ging, doch im Zug nach Dresden begann er sich zu freuen, und auf die kleine Wohnung freute er sich ganz in der Nähe des *Schott*-Werks, und Eva hatte ein paar alte Möbel hineingestellt und etwas zum Essen und Trinken für die ersten Tage, den Schlüssel findest du bei Anneliese und Friedhelm.

Ach Heinrich, alles Gute, wir wünschen dir von Herzen alles Gute, hatte Anneliese bei der Schlüsselübergabe gesagt, aber die ganze Zeit in der Tür hatte sie ihn stehenlassen, als hätte er etwas Ansteckendes, und hinten im Wohnzimmer hörte er Friedhelm, der wollte ihn noch nicht mal begrüßen. Er hat sich sehr erkältet, sagte Anneliese, wir sehen uns, und hier im Kuvert ist der Schlüssel und von Eva ein Brief vielleicht in der Wohnung.

Fast wäre er an der neuen Wohnung vorbeigelaufen vor lauter Gedanken an Eva und ihren Brief zur Begrüßung, und dann schloß er da auf und sah, wie schäbig und dunkel und ungemütlich alles war, und keinen Brief gab es und im Kühlschrank nur abgepacktes Brot und ein Glas Gurken, die Dose Blutwurst, auf die er sich freute, nur was konnte er auch anderes erwarten.

In den ersten Stunden saß er im großen Sessel aus dem früheren Kinderzimmer und glotzte, machte nach einer Weile das Radio an, fand ein paar Flaschen Bier unter der Spüle, versuchte sich zu gewöhnen. Genau zwei Tage und zwei Nächte brauchte er, bis er sich gewöhnte und wieder wußte, wie eine Nacht geht und der frühe Morgen, die langen Stunden bis über Nachmittag, und am Morgen des dritten Tages machte er sich auf den Weg und besuchte die alten Orte, mußte noch einmal sehen, wo er mit Rosa gelebt hatte, und wie sie am Abend durch das Werkstor ging, mußte er sehen und sich erinnern und merken, es war vorbei. Kein Wort hatte er zu Rosa gesagt, und er war sich noch nicht mal sicher, ob sie ihn erkannte, aber noch immer wie früher seine Rosa sah sie aus und war rund und freundlich und aus der Ferne eine zum Sichsehnen.

Im ersten Brief an Constanze schrieb er: Ich hoffe, ich darf Euch noch schreiben, gestern habe ich Rosa gesehen, da kamen die Erinnerungen. Man hat mir 1 Jahr und 5 Monate und 9 Tage auf Bewährung erlassen, und am Mittwoch, den 5. September traf ich hier in Jena ein. Ich habe eine Zweiraumwohnung mit Innentoilette, Gasheizung und Kachelofen in Jena-Süd, einer Seitenstraße am Magdelstieg, bei meiner Entlassung hatte ich 271,- Mark. Die Frage ist, ob ich bei Euch noch etwas gut habe, vor allem Süßstoff und Suppen, Fertiggerichte bräuchte ich, dazu Seife, Zahnpasta und Toilettenartikel, Tabak und Zigarettenpapier, ein paar Wegwerffeuerzeuge, schwarzen Tee in der Packung, eventuell Kaffee. Von Rosa habe ich natürlich nichts mehr zu erhoffen, sie hat während meiner Haft immer mein ganzes Geld genommen, und heute gibt sie mir nicht mal die Bücher, meine Tabaksdose, das alte Barometer, das wären nun wieder einmal meine berühmten Klagen.

Sogar Harms gegenüber hatte er sich über Rosa beklagt, aber nur weil er sich wie immer nach ihr erkundigte, hatte Heinrich sich beklagt, und auf einmal stellte sich heraus, seine Rosa und Harms waren die ganzen Jahre in Verbindung und wußten voneinander das halbe Leben. Mensch, Hampel, hatte Harms zur Begrüßung gesagt, und da war es noch einmal wie früher, als der gute alte Harms das sagte: Mensch, Hampel, ein schwieriger Fall sind Sie, und wie ja noch der gutmütigste Staat an einem wie Hampel verzweifeln müsse und die Gefängnisse leider nicht leer bekommt wegen all unserer Hampels, also wir wären doch die ersten, sagte der gute alte Harms, nur dann haben wir Leute wie Sie oder mit ihren politischen Flausen einige unserer begabtesten Dichter, und was sollen wir machen: alle aus dem Land werfen?

Die Zeiten haben sich geändert, sagte Harms.

Also brauchen Sie mich nicht mehr, sagte Heinrich.
Ob wir Ihnen noch vertrauen, ist die Frage.
Und die Antwort?
Es wäre das letzte Mal, das dritte schon seit Eisenach und nach Leipzig und Bautzen.
Wie im Märchen, sagte Heinrich.
Dreißig Jahre dauert unser Märchen schon, sagte Harms.
Na, dann herzlichen Glückwunsch.

Emilia hatte er nie erzählt von ihren Treffen, denn das hätte sie nicht verstanden, warum er seit über zwanzig Jahren für ein paar lumpige Scheine alle paar Monate Berichte schrieb, und was für böse Träume er da neuerdings neben ihr träumte, hätte sie nicht verstanden, oder es geschah ihm gerade recht, denn das war der Preis.

Fast jede zweite Nacht hatte Heinrich nun Träume, und in einem der letzten war auch Emilia vorgekommen, und ganz sanft und biegsam war sie gewesen, wie er sie selten hatte. Komm, ich hab es mir überlegt, ich möchte, daß du mir ein Kindchen machst, hatte sie gesagt, und das war sehr schön, ihr ein Kindchen zu machen, aber in der Nacht, als es kommen sollte, stürmte auf einmal Priem mit zwei Volkspolizisten in die Wohnung und wollte sofort das Geld. Das Geld ist in ihrem Bauch, schrie er, da und da müßt ihr suchen, und die Kissen schneidet auf, den Zucker, das Salz und das Mehl aus den Dosen schüttet und laßt kein Ding auf dem anderen, als bis ihr's habt. Emilia aber wußte, wo das Geld war, und lachte, weil sie's nicht fanden, und weil sie's nicht fanden, nahmen sie ihn gleich mit und machten kurzen Prozeß. Also wartest du auf mich, konnte er gerade noch sagen, und Emilia sagte: Ja, wenn ich lebe, warte ich, und schon schleppten sie ihn fort und erhoben unten im Felsenkeller vor allen Gläubigern Anklage. Auch Harms war gekommen und sah auf einmal wie Priem aus, und Rosa und die Kinder waren gekommen und saßen auf schmalen Holzbänken und klatschten bei jedem Punkt der Anklage Beifall. Zu dreizehn Jahren Uranbergwerk verurteilten sie ihn und gaben ihm ein verbeultes Töpfchen und Hammer und Sichel, und dort hinten jeden Tag den großen Bottich aus Holz füllen, bis das Maß voll ist, sollte er, das nannten sie seine gerechte Strafe. Aber er ist gerade Vater von Zwillingen geworden, sagte Harms, bevor sie ihn abführten, und tatsächlich ließ der Richter die beiden Neugeborenen samt Mutter in den Saal führen, direkt an Rosa und den Kindern vorbei, und da begannen sie alle plötzlich zu lachen und zu feixen, weil es zwei Mißgeburten waren, und Heinrich erschrak, daß es zwei Mißgeburten waren, und über die glückliche Emilia erschrak er und daß sie gar nichts merkte und flüsterte: Sind sie nicht süß, unsere beiden Kleinen, ich wünsche ihnen ein langes Leben.

In diesem Moment erwachte Heinrich, und die ihn mit ihren Händen besänftigte, war Emilia und nannte ihn einen dummen Jungen, und nun red, du dummer Junge, damit du das alles loswirst, und damit es nicht wahr wird, red, oder mach dich lustig drüber, du hast die Wahl. Nur dumme Träume, sagte Heinrich und glaubte selbst nicht daran, lag noch eine Weile schlaflos neben der dicken Emilia und wußte schon, es waren geliehene Tage, und die Liebe zu Emilia war geliehen und würde ihm nicht lange gehören, denn eines Tages würden sie ihn holen und holten ihn auch, nur wegen der lumpigen Priemschulden und einer kleinen Transaktion mit ein paar gebrauchten *Wartburgs*, holten sie ihn, hatten die Nase voll vom Bürger Hampel und lehrten ihn endlich das Fürchten in ihrem Bautzen mit den gelben Klinkern und den nassen und den dunklen und den engen Zellen, machten ihn fertig.

Gleich in den ersten Tagen nach seiner Verurteilung zu noch einmal drei Jahren nahmen sie sich diesen Hampel vor, ließen ihn eine Weile nicht schlafen, wie sie Tausende vor ihm nicht hatten schlafen lassen, und das wirkte wahre Wunder, wenn man sie ein paar Tage nicht schlafen ließ oder mitten in der Nacht zu den Verhören schleppte und immer wieder von vorne anfing mit Fragen nach Beruf und Alter, und welche Leute Heinrich kannte und besser nicht gekannt hätte, die Geschäfte, die Schulden, der immer gleiche Trick, mit dem er sich durchs Leben schummelte, die immer gleichen Lügen, die Ausreden, die Versprechungen, die sie kannten aus seinen Akten, und wie er nach drei Jahren am Ende gewesen war in Bautzen das erste Mal, wußten sie aus den Akten, nur beim zweiten Mal war das Ende schon am Anfang. Wie ein Dreck sollte sich Hampel fühlen in Bautzen das zweite Mal, und mit den Zähnen klappern sollte Hampel, dem die Familie in den Westen lief, und nur die älteste Tochter blieb ihm und lebte in zweiter Ehe in einem heruntergekommenen Haus in Schwerin.

Das war noch ganz am Anfang in Bautzen das zweite Mal, daß ihm fast die ganze Familie in den Westen lief und niemand eine Träne ihm nachweinte, und so war er bald vergessen in der Stadt oder für tot erklärt, so gingen die Gerüchte. Gestorben sei er in seinem vierundfünfzigsten Jahr, und ganz durchsichtig und lächerlich und erschöpft sei er gewesen, und am Ende hätten sie ihn verbrannt und keine Angehörigen gewußt, die man hätte benachrichtigen können, so grausam konnte das Leben sein, wenn man's im Leben nicht genau nahm, denn hart und gerecht sind die Strafen unseres sozialistischen Staates, aber die sie treffen, wollen wir betrachten als unsersgleichen.

An seine Schwester Constanze schrieb er später: Das war nicht ich, dem sie in Bautzen beim zweiten Mal das Genick gebrochen haben, ein ganz anderer war's, aber ich, so wie Du mich kennst und vielleicht nicht immer gern hast, war die ganze Zeit zu Hause in meiner Wohnung und habe mich gewundert, warum Du nicht schreibst.

12

Er sah sie immer tanzen in jenen Jahren, und in irgendwelchen Sälen die Hände der Männer auf ihrem schmalen Rücken unter dem Schulterblatt sah er, und in ihren Träumen, wie sie das Fliegen lernte und beim Fliegen die neuesten Schlager pfiff, das war die Mutter. Sie war nicht mehr ganz jung mit ihren fünfundzwanzig Jahren und kannte von den Männern nur die Hände auf ihrem schmalen Rücken, oder die kleinen Zettel, die sie ihr zusteckten, und mal sagte sie: Ja, vielleicht, warum nicht, aber noch viel öfter: Nein, nein, wir beide bestimmt nicht, aber danke für die Blumen, und daß sie lieber noch wartet, denn der Richtige ist es leider noch nicht gewesen, nur wenn er eines Tages kommt, dann wird sie ihn erkennen.

Du bist zu wählerisch, sagten ihre Freundinnen, du machst dir das Leben schwer, und den Männern machst du das Leben schwer, aber die so gerne den Charleston tanzte und den Tango und den Walzer, die Mutter, sagte: Was kümmern mich die Männer, wenn sie beim Tanzen Gedanken haben, ich möchte mich amüsieren, und durch die hohen Säle fast wie in meinen Träumen möchte ich fliegen, bis er mich eines Tages holt und ernst macht, und der sie holte und ernst machte, war der Vater und kam im Karneval des Jahres 1926.

Sie merkte es daran, daß ihr plötzlich ganz warm wurde dort unten im Bauch, und das hatte es noch nicht gegeben, daß ihr dort unten warm wurde vom Anblick eines Mannes, dessen vollen Mund sie im Vorbeifliegen studierte, und wie jung er doch aussah mit seiner traurigen Pappnase, und hatte das Haar schon so licht wie ein Vierzigjähriger. Der Cousine hinter dem Sektbüffet sagte sie mit den Augen: Ja, ich glaube, das ist er, schau, da drüben sitzt er und weiß von mir, und deshalb machte sie jetzt auch immer eine Pause zwischen jedem Mann und wartete, sagte ein letztes Mal ja zu einem und wartete fast den ganzen Abend vergebens, denn er wagte es nicht. Noch Jahre später konnte sie sagen: Du Schuft, was hast du mich damals warten lassen, nur einmal tanzen wollte ich und wußte, wenn er nur einmal tanzt mit mir, werde ich seine Frau und tanze im Leben nicht mehr durch diese Säle, so ernst war mir das, Matthias, so ernst.

Er war nicht ganz zwei Jahre älter als sie und nahm es wie ein Wunder, daß sie ihn fragte und als Frau die Wahl hatte für eine Runde Charleston oder einen Tango, den ersten gemeinsamen Walzer, einen von den langsamen. Sie nickte, als er die Hand zwischen ihre Schulterblätter legte und sie anfaßte, die Hand nahm und ganz steif war als Tänzer, sie nicht richtig führte und ihr kaum ins Gesicht sah, so schüchtern und ungelenk war der und hatte mit den Frauen keine großen Erfahrungen.

Nun müssen Sie mir aber erzählen, sagte sie, als sie ihn müde getanzt hatte und zu einem Glas Sekt überredete am Büffet, und die ihn ausschenken, sind übrigens meine Cousine Lily und ihre Mutter, meine Tante, sie leben davon. Was soll ich sagen, meinte der Vater und war verlegen, weil er an ihre Schulterblätter dachte, und mitten im Winter nach Primeln duftete sie und wollte alles von ihm wissen, sogar seinen Geburtstag im Mai wollte sie wissen, die Arbeit als Schmied, die er hatte aufgeben müssen, nur warum und wieso.

Ich bin vor ein paar Jahren sehr dumm gewesen, sagte der Vater und erzählte die Geschichte, wie ihn zwei französische Soldaten im besetzten Aachen eines Abends durch die Viertel gejagt hatten, weil er trotz Ausgangssperre noch unterwegs war, wie um sein Leben einmal quer durch die Stadt sei er gerannt, und auf einmal waren die weg oder hatten keine Lust mehr, ihn zu jagen, er hatte gewonnen. Na bravo, sagte die Mutter, die es mochte, wie er redete und an sie dachte beim Reden, und an ihre Schulterblätter dachte er, streifte sie auch wie unabsichtlich mit seinen Blicken, aber ganz fein und behutsam machte er das, ganz fein und behutsam atmete er sie ein.

Ein Riß in der Lunge war der Preis, sagte der Vater, und daß ihm der Beruf des Schmieds seither verboten sei, fast eineinhalb Jahre habe er damals das Haus nicht verlassen, und nach jeder Treppe die Atemnot, das wußte er noch.

Aber damit können wir leben, sagte die Mutter und wunderte sich noch nicht mal über das Wir und ihren noch immer warmen Bauch wegen dieses Mannes, der wohnte ein paar Straßen weiter in der schönen alten Stadt Aachen, von wo sie im Leben nie weg wollte, doch mit diesem Hampel ginge sie womöglich ans Ende der Welt.

Der Vater aber sagte: Ich bin nur ein Hilfsarbeiter, seit ich kein Schmied mehr bin, und was aus mir wird, wo ich bleibe, wer weiß. Wir könnten die Tage einmal spazierengehen, sagte die Mutter, die eine Köchin im französischen Offizierskasino war und sich eine erste Mahlzeit für ihn ausdachte, nur das würde wohl noch eine Weile dauern, bis sie die erste Mahlzeit für ihn kochte und bis er endlich wußte und ja sagte zu sich und ihr, da verging noch einmal ein Jahr.

Lange, sehr lange ließ der Vater die Mutter warten und gewöhnte sich an ihr Haar, das sie mit der Brennschere zu

Locken drehte, lernte Augen und Mund, das ungestüme Mädchen, das sie war, die Frau, seine Elisabeth, sah sie fast immer nur sonntags nach dem Mittagessen oder nach der Messe im Dom oder an den Nachmittagen in Aachen Rote Erde, wenn sie irgendwo eine Portion Pommes frites aßen und sich siezten und nicht wußten, wie gelangt man vom Sie zum Du.

Das ganze Frühjahr und den halben Sommer brachten sie's nicht viel weiter als bis zu ihren Namen, beschrieben sich die Familien und die Berufe, und vom Großen Krieg redeten sie, der Mutter, die ihr eines Tages gestorben war und die sie dem Vater so leicht nicht ersetzte, das alles: die Mädchen, die er kaum kannte, die Männer mit ihren Händen auf ihrem schmalen Rücken unter dem Schulterblatt, darüber wollten sie lieber schweigen. Du hast mir gleich fürs Leben gefallen, sagte der Vater, und das war schon auf der standesamtlichen Hochzeit im Februar 1927, daß er ihr das sagte. Lange genug hat's gedauert, sagte sie, und am Morgen der kirchlichen Hochzeit im April: Manchmal fürchte ich mich vor dir, aber mit meiner Liebe reiche ich für zwei Leben.

Ich freue mich, sagte die Mutter und meinte die Nacht, von der sie noch wenig wußte, aber kommen würde die Nacht, und ein gräßliches Wunder war sie, aber vielleicht ein Wunder. Noch während des letzten Tanzes mit ihrem Vater in seiner Leutnantsuniform mußte sie daran denken, daß sie noch nicht mal wußte, wie lange das alles dauerte, wenn ein Mann zu seiner Frau ging und sie zudeckte und kennenlernte als ein Fleisch, und dann ging das auch alles wirklich sehr schnell, und wie in einem Traum so schnell und ungenau verging's und war zum Fürchten und Überleben, und ganz dunkel war's im Zimmer für eine Nacht, der ersten, an die sie sich später kaum erinnerte und sich wünschte, sie würde wenigstens schwanger von diesen unbeholfenen Umarmungen, dem hellen klaren Schmerz, den er ihr bereitete und nicht wußte, was er ihr sonst noch bereiten könnte, was sonst als den Schmerz.

Als sie am nächsten Morgen vor ihm erwachte, horchte sie erst eine Weile in sich hinein, und ob sich da schon etwas regte und breitmachte in ihr, und daß man das als Frau ja wahrscheinlich merkte, glaubte sie, aber nur ein leises Ziehen war da und die Reste des einen Schmerzes und daß sie wußte, gleich nächste Woche muß sie mit diesem Mann in die neue Wohnung nach Wuppertal, und das geliebte Aachen verläßt sie für ihn und lebt für alle Zukunft von seinem Geld.

Nur weil ihm die Arbeit als Schmied verboten war, ging der Vater im Frühjahr 1927 nach Wuppertal in einen Betrieb für technisches und medizinisches Glas, verdiente auch beinahe das Doppelte, und immer müde war er von der Arbeit und machte ihr trotz aller Müdigkeit zwei Kindchen.

In der zweiten Maiwoche 1927 war's, als im fernen Berlin die Kommunisten gegen den Stahlhelm demonstrierten, oder drei Tage später an seinem sechsundzwanzigsten Geburtstag, da trug sie ihm zuliebe das neue Nachthemd, und hie und da ein neues Wort probierte sie und wurde schwanger. Ganz still und leise sagte sie's ihm, als auch im dritten Monat das Blut ausgeblieben war, und da staunten und freuten sie sich, zählten die Tage zurück und die Wochen, Monate nach vorne, sprangen ins neue Jahr und wieder zurück ins alte, und immer dicker wurde der Bauch der Mutter, daß sie in den Nächten nicht schlief und den Vater schlafen hörte, der war seit Monaten nicht mehr gekommen. Womöglich Zwillinge, sagte der Arzt und machte ihr Glück kleiner und zugleich größer, und also waren's gleich zwei, die sie in jenem Mai empfing, nur die zwei wollten leider nicht leben und starben Ende Februar 1928 in ihren ersten Stunden. Weder der Vater noch die Mutter wollten sie noch einmal sehen, bevor man sie auf dem Friedhof in Wuppertal-Elberfeld ins Grab legte, aber die Mutter sagte: Laß uns nicht lange grämen, zwar bin ich schon Ende Zwanzig, doch wenn wir uns beeilen, werden's am Ende leicht ein halbes Dutzend, womit wollen wir anfangen.

Und so war es Theodor, mit dem sie anfingen, gezeugt im goldenen September 1928, geboren im darauffolgenden Juli, dem letzten guten Jahr der Republik, ein Geschenk Gottes nach schwerer Zeit, da wollten sie dankbar sein und vertrauen, daß das alles schon wurde mit ihnen und den Kindern, und mit dem gebeutelten Land wurde es hoffentlich, es sah ja so übel nicht aus. Gerade mal drei Wochen dauerte es, bis ihnen der erste Sohn in den Nächten schlief, und immer brav und geduldig war der erste Sohn und der Mutter eine Freude, saß und stand auf und lief und redete, da waren die Jahre in Wuppertal schon vergangen, sie mußten weiter in Richtung Osten. Leider, sagte der Vater, denn die Firma *Schott* hatte ihn und ein paar andere und Werkzeuge und Anlagen für teures Geld gekauft, und die Stadt Jena, in die sie nun mußten, lag an einem Fluß namens Saale so ziemlich in der Mitte des geschrumpften Reiches, mein Gott, so weit.

Sie mochte die Stadt vom ersten Tag an nicht. Gerade weil sie ihr gefiel, mochte sie die Stadt nicht, die Berge, Hügel, Täler, die sie umgaben, der Fluß, der sich ungefähr von Süden nach Norden hindurchschlängelte, und wo die Mitte war und die Bootsanlegestelle und später das neue Café, nannten sie's das Paradies. So sehr sehnte sie sich in der Anfangszeit nach ihrem Aachen und den Eltern, Geschwistern, den frischen Pommes frites irgendwo in Aachen Rote Erde, daß ihr manchmal vor Erschöpfung der Kopf zersprang, und die langen Nachmittage mit Theodor waren ihr nun zu viel, die Abende in der stillen bescheidenen Wohnung am Wöllnitzer Platz, in der sie dem Vater allerlei französische Mahlzeiten kochte, und immer müde war der und neugierig auf sie, er wollte ja bald jede Nacht.

Anfang Dezember sagte die Mutter an einem Samstag: Matthias, ich glaube, es ist wieder soweit, der HERR hat uns gesegnet, ich bin wieder schwanger, nur diesmal ist alles anders, als es bei Theodor war, so übel ist mir von dem neuen Kind, ich weiß nicht, wie sehr. Und da schwieg der Mann, wie er immer geschwiegen hatte, nannte das zweite Kind einen Segen, und also sei es und wachse und werde groß und stark wie Theodor, und wie sie's denn nennen, wenn es wieder ein Sohn wird, aber die Mutter wünschte sich heimlich ein Mädchen und nannte es Henriette, wenn der Vater nicht da war, oder in den Nächten, wenn sie erwachte, weil es sich bewegte. Sei still, mein kleines Mädchen, sagte sie dann, deine Mutter ist müde und will schlafen, und manchmal ein Lied zum Einschlafen sang sie ihrer Henriette, die ihr in den Nächten keine Ruhe ließ, was war das aber auch für ein Mädchen.

Dieser Brüning ist ein feiner Mann, aber der Österreicher wäre vielleicht auch recht, sagte der Vater und wußte, seine Frau nannte das Ding nur immer Henriette, nur wenn es ein Heinrich wurde, so hatte Theodor jemanden zum Spielen. Paß auf, was du dir wünschst, sagte er und meinte es als Warnung für den Tag, da es sich entscheiden mußte, und alles ganz glimpflich ging das diesmal ab mit dieser Henriette, aus der ein Heinrich geworden war, da war die Mutter enttäuscht. Sah, wie er schrie und sie ansah, und wasserblaue Augen hatte er und war blutig und voller Schmiere, spuckte die Milch und war ihr ein fremdes böses Ding, das ihr die Nächte nahm und an den Tagen alles anfaßte und erforschte, am liebsten die Betten. Wie ein Kinderspiel erschienen ihr nun die Jahre mit dem erstgeborenen Theodor, aber mit seinem Bruder Heinrich war alles Arbeit, und streng mußte man mit Heinrich sein, sonst wuchs er einem noch über den Kopf. Zu Theodor mußte sie jetzt manchmal hinlaufen und sich bedanken, daß er ihr keinen Kummer machte, aber Heinrich sperrte sie mehrere Stunden in ein Zimmer, wurde laut mit dem Einjährigen, der sich alles fünfmal sagen ließ und ihr die Zunge herausstreckte in seiner angeborenen Frechheit, und hie und da mit der Hand auf den Hintern oder in das feine Gesichtchen schlug sie ihn, da war ihm die Welt dann immer eine Weile aus den Fugen.

Kam der Vater abends nach Hause, konnte es nun geschehen, daß das Essen noch nicht fertig war, so müde und erschlagen war sie von den Nächten und den ewigen Kämpfen mit ihrem Heinrich, und da führte sie Klage beim Vater, damit er ihn bestrafte, oder sie war ganz kleinlaut und verzieh und küßte ihn und wußte nicht aus noch ein. Wie das ganze Land zerrissen fühlte sie sich und bat den Vater insgeheim um eine Pause, und wie sie nicht wollte, daß er bei ihr lag und der HERR die Gnade über sie ausschüttete, und was für eine Sünde das war, daß sie so dachte und dem Mann in Gedanken sich verweigerte und erklärte, warum sie nicht anders konnte und warum die Kinder so wurden, wie sie wurden, denn das lag ja alles an der Zeit, oder vor allem an ihr lag es, der Sehnsucht, die sie nicht loswurde und die sie zerriß, o HERR verzeih.

Ruh dich aus, sagte der Vater, das alles kommt und geht und geht vorbei, wir wollen nicht undankbar sein, denn wir haben Arbeit und Brot und zwei gesunde Kinder in schwerer Zeit, allein in unserer Stadt suchen ein paar Tausend eine Arbeit, und im ganzen Land sind's an die sechs Millionen.

Ich habe noch nicht mal Zeit für die Zeitung, sagte die Mutter und war dankbar, daß er sie an das Land erinnerte, und einen neuen Kanzler und zwei Wahlen gab es in diesem schwierigen Jahr 1932 und Streiks und Schlachten auf den Straßen der großen und kleinen Städte, blutige Sonntage mit Toten und Verletzten unter der SA und den Kommunisten, das war doch mehr oder weniger alles dasselbe Pack.

Ich weiß schon, wie das ausgeht, sagte die Mutter, als sie in der Silvesternacht auf das neue Jahr anstießen, und meinte das neue zappelige Ding in ihrem Bauch, das dritte, aber der Vater dachte, sie meint es politisch und setzte seine Hoffnung noch einmal auf den alten Hindenburg oder meinetwegen auf diesen Hitler, denn was konnte ihnen schon groß passieren, sie waren ja brave Leut, und da war der Hitler nicht böse auf die braven Leut, nur die Juden und Kommunisten mußten sich hie und da ein bißchen fürchten.

Das erste, was sie merkten von den veränderten Zeiten, waren die neuen Namen der großen Straßen und Plätze, und daß sie nun auf einmal am Adolf-Hitler-Platz wohnten und auf die Ankunft des dritten Sohnes warteten, da mußten sie sich eine Weile gewöhnen. Als ob wir schon umgezogen wären, sagte der Vater, der von einem eigenen Haus träumte für die drei Kinder und das müde Weib, seine Elisabeth, die füllig und grau geworden war unter der Herrschaft der beiden Söhne und des Mannes und sehr ernst. Allein für die Einkäufe mit den beiden Kindern brauchte sie oft zwei Stunden, und was die alles wissen wollten von ihr und fragten, und warum der kleine Paul oder die Pauline noch nicht da ist, und wie sie nun genau herauskommen eines Tages, da war ihr das unangenehm, und viel zu klein sei Theodor für solche Fragen, sei still.

Sie wurde zweiunddreißig im ersten Sommer der neuen Regierung, und wie verschollen waren ihr die Zeiten, da sie fast jedes Wochenende mit den Männern tanzte, und gar nicht mehr schmal war sie nach den drei Geburten, und auf der Straße bewachte die SA die Eingänge der jüdischen Geschäfte, in denen sie seit Jahren kaufte, aber wehe, das war nun vorbei. Die Juden haben wirklich nichts zu lachen unter unserem Herrn Hitler und seiner SA, sagte der Vater am 1. April 1933, nicht einmal meine Zigarren darf ich nun mehr bei ihnen kaufen: als nähme er es denen persönlich übel.

Noch drei Monate, sagte die Mutter und wollte von den Juden nicht sprechen, faßte sich mit den Händen an ihren Bauch, wie sie das oft tat, wenn sie im Rücken die Schmerzen fühlte und die Tage zählte, die es dauerte, sich noch einmal wunderte über das Wunder, und daß der Mann sich fürchtete vor ihr als Schwangerer, oder vor dem Bewohner ihres Leibes fürchtete er sich und rührte sie deshalb nicht mehr an.

Am meisten freute sich Heinrich auf den neuen Bruder oder die Schwester, wollte sich alle Tage unterhalten mit dem kleinen Ding und erklärte ihm die Welt, so wie er sie sah und fand. Er mochte die vielen Fahnen und Wimpel in der Stadt, und den Männern in Uniform sah er nach beim Marschieren, betrachtete auf den Straßen die glänzenden Autos der feinen Leute, sammelte Blätter und Schnecken und kleine Tiere und war empfindlich, wenn die Mutter keinen Blick hatte für seine Schätze, oder wenn die Stimme sie hob oder den Arm zum Schlagen, dann duckte er sich weg und war böse, lief in die Küche zu den Messern und zerschnitt das Obst in der Schale.

Kurz bevor Paul kam, sagte die Mutter: Nun bin ich eine Weile fort, also seid schön brav, und dann wurde es auch diesmal ein Junge, aber ganz leicht und schnell schlüpfte er ihr hinaus und machte lange die Augen nicht auf, als müsse er noch eine Weile träumen, dieser Stille, von den Söhnen hoffentlich der letzte. Das habt ihr fein gemacht, sagte der Vater, als sie wieder zu Hause war und sich im Wohnzimmer aufs Sofa legte, und daß sie nun eine richtige Familie waren, und spätestens, wenn wir zu sechst sind, kaufe ich uns ein Haus mit Garten.

Ach, Matthias, sagte die Mutter und wußte nicht, sollte sie sich fürchten oder freuen, verschnaufte ein paar Monate, erfand sich Ausreden für den Mann und die Nächte, durch die sie hindurchging wie durch eine Drohung, betete und bettelte, denn sie nicht besuchen sollte ihr Matthias oder immer an den falschen Tagen, aber ganz still und leise erbat und erbettelte sie's und wurde nicht schwanger bis zum Frühjahr vierunddreißig.

Sie verlor das Kind in der zwölften Woche, als habe es gehört, daß die Mutter den Vater verfluchte, und den dicken Bauch das halbe Leben verfluchte sie, und da fiel das Kind aus ihr heraus und machte ihr keine Arbeit, sie schälte gerade Kartoffeln fürs Mittagessen, da begann es, und durchs ganze Land schlichen die Mörder und liquidierten die großen Tiere von der SA.

Sie sagte nicht: Ich gehe vor die Hunde, wenn das so weitergeht, aber der Vater verstand sie auch so und schenkte ihr aus Liebe ein Jahr, faßte sie ein ganzes Jahr nicht an und ertrug es nur ihr zuliebe, daß sie sich ein ganzes Jahr nicht anfassen ließ, aber wieder ein bißchen fülliger und ruhiger wurde sie, sammelte Kraft für die Tochter, die sie sich wünschte, und auch das neue Reich sammelte Kraft für später, baute Straßen wie Gemälde oder Sinfonien so schön, schenkte den deutschen Arbeitern niedrige Steuern und schöne Reisen ins In- und Ausland, auch das Saargebiet war wieder deutsch, und auf das Sudetenland durften sie sich alle schon freuen.

Ein Jahr, sagte der Vater im Sommer 1935, und da nickte die Mutter und war bereit und wußte, es würde eine Tochter, und flink und anmutig und ein wenig wie sie würde sie sein, im Radio redeten sie gerade über das deutsch-britische Flottenabkommen, als sie sich ihm nach einem Jahr versprach und nur immer an dieses Mädchen dachte, die kleine Constanze, denn so sollte sie heißen.

Constanze, sagte der Vater, da haben wir sie im Frühling.

Irgendwann im März erwarte ich sie, sagte die Mutter, und da ritten die deutschen Soldaten gen Westen in jenem Frühling und nahmen und besetzten ihr geliebtes Aachen und das ganze linksrheinische Land, wie schön.

Und wie ist das nun in Aachen, seit es wieder deutsch ist, fragte die Mutter, als im Mai 1936 die Schwester zu Besuch war, doch die Schwester sah auf Anhieb keinen Unterschied, nur ein bißchen größer sei das Reich und habe den Appetit wahrscheinlich noch nicht verloren, und warum sie sich nicht endlich ein Haus kaufen mit sechs Essern, die Wohnung sei ja wohl seit langem viel zu klein.

Fast ein Jahr suchte der Vater das richtige Haus für die Familie, und an einem Sonntag in März 1937 führte er seine Elisabeth und die drei Söhne und die kleine Constanze hinauf auf die Wilhelmshöhe zum Staunen. Na, wie findest du's, fragte der Vater und zeigte auf das letzte Haus in der Straße, das heißt auf die linke Hälfte zeigte er nur, eine große Siedlung mit frisch geteerten Straßen war's, und an den Zäunen Hecken aus Liguster und hinten im Garten viel Platz für Beete und Blumen, die Schaukel für die Kinder.

Die Mutter war noch aus der Puste vom vielen Steigen und sagte: Ja, schön ist es, aber der Weg in die Stadt ist weit.

Daran gewöhnst du dich, sagte der Vater.
Und Schulden haben wir bis ans Lebensende.
Zwölftausend Reichsmark für 382 Quadratmeter, sagte der Vater und hatte schon den Kaufvertrag für fünf Zimmer mit Küche, Bad und Toilette, sehr groß wollte ihr das alles scheinen, als sie's besichtigten, doch mit den vielen Möbeln und den Gardinen an den Fenstern war's gerade mal ein Puppenhaus.
Die Kinder nahmen's wie eine Reise, als sie im Juli einzogen und die kleinen Reiche vermaßen und in Besitz nahmen, die nahen und weiten Wege vom Haus hinauf auf die Höhen, den steilen Burgweg, an den die Mutter sich nie gewöhnte, der leise Wind dort oben, der Blick über die alte feine Stadt, die sie nicht liebte, aber dem Mann zuliebe übte sie's und brachte es in all den Jahren nicht weit.
Zwei Monate waren sie in dem neuen Haus, da wurde aus Heinrich im September ein Schulkind wie Theodor, und alles besser werden sollte mit ihrem Heinrich, der die Zahlen schon wußte und bis auf das B und das D die Buchstaben, bloß dann war das leider schnell vorbei mit dem wohltuenden Einfluß der Kinder, dem Stolz auf die ersten Erfolge, und daß er seinen Namen bald schrieb oder das Hakenkreuz mit Kopierstift auf seine Unterarme malte, die harmlosen Streiche der Sechsjährigen, die sie ihm mit Schlägen vergalt, das war die erste Zeit auf dem Berg.
Der Vater mußte nun immer eine halbe Stunde früher aus dem Haus und blieb von Montag bis Samstagmittag über sechzig Stunden. Manchmal hatten sie noch nicht mal ein Wort füreinander, so endlos dehnten sich die Tage mit den Kindern und der Wäsche im großen Bottich, den Mahlzeiten mittags und abends, den schlimmen Einkäufen, die sogar in ihren Gebeten vorkamen, oder den neuen Nachbarn Anneliese und Friedhelm, die redeten nur vom zweiten großen Krieg.

HERR, mach, daß ich's ertrage, HERR, die Kinder laß in den Nächten schlafen, und meinem Heinrich, dem schlimmsten, schick den guten Willen, o HERR, müde mach mich und duldsam, und das Land und seine Führer mach duldsam und müde und verschone uns vor unseren Feinden, die uns Böses wollen, kehr sie um in ihren Herzen, sei gnädig. Amen.

Anneliese und Friedhelm waren wahrscheinlich Kommunisten oder Sozialdemokraten, daß sie ihnen gleich vom Krieg redeten, und die Partei Hitlers nannten sie abfällig die Nazis, das Unglück Deutschlands. Sie übertreiben, sagte der Vater im Herbst 1937, als sie sich für einen Abend besuchten, und im März 1938 nach dem Anschluß Österreichs: Das ist nur Getöse, was die Herren Hitler und Goebbels da veranstalten, und wenn wir das Sudetenland haben, ist im Land wieder Ruh. Ein Jude möchte ich nicht sein, sagte der Vater im Herbst 1937, und im Herbst 1938 nach den großen Bränden: Warum packen sie aber auch nicht endlich ihre Koffer und gehen ins Ausland, das begreife, wer will.

Die Kinder, sagte die Mutter und redete zur Ablenkung von den Kindern, doch Anneliese und Friedhelm hatten leider keine Kinder, und deshalb verstanden sie nicht, wie das war, wenn man sein Kind schlug, und das Kind lachte über die Schläge oder blieb unter den Hieben ganz still und stumm, als wär's ein Sturm über Wiesen und Felder, aber wenn er sich legt, steht alles wieder auf, und es hat wie immer nichts genützt. So zäh und widerborstig war Heinrich mit seinen sieben, acht Jahren, daß er sich noch nicht mal versteckte oder eine Flucht versuchte, nur die Hände über den Kopf hielt er und kauerte sich wie ein Tier auf den Boden, und da nahm er ihren Schlägen manchmal die Kraft, oder er machte sie im Gegenteil wütend und unberechenbar, und fast immer haßte sie sich für ihre Wut, und manchmal haßte sie auch das Kind: als wäre es gar nicht von ihr.

Er wird es überleben, sagte der Vater.

Aber die Hände machst du dir selbst nicht schmutzig.

Ich bin sehr stolz auf dich.

Ach, Matthias.

Das war in all den Jahren noch nicht vorgekommen, daß er sie seinen Stolz nannte und wahrnahm und schätzte und das auch sagte, und zwar mitten am hellichten Tag, als sie sich ganz häßlich fühlte, da widersprach sie. Aber schau, ganz alt bin ich geworden, sagte die Mutter und fand nur immer den Vater schön, und was für ein stattlicher Mann er war in seiner neuen Uniform und den blank geputzten Stiefeln und dem hängenden Ehrendolch, wie nur ein Bezirksleiter vom Luftschutz ihn trug, und wie stolz er immer war, ihn zu tragen, und daß die Leute ihn auf einmal ganz anders grüßten, oder bildete sie sich das alles nur ein.

Er hatte ihr nie erzählt, daß sie ihn bei *Schott* schon seit längerem bedrängten, und warum ein Mann wie er nicht in der Partei war, fragten sie ihn, lobten seinen Fleiß und seine Pünktlichkeit und daß er allen ein Vorbild sei, und wollten ihn als Vorbild gerne in der NSDAP. Ja, gut, warum nicht, eines Tages, sagte der Vater, nur für den Anfang möchte er doch lieber etwas Praktisches, er sei zum Reden nun einmal nicht geboren, und noch sei es ja eine Schlacht mit Worten, die im Lande geschlagen werde, aber für den Fall aller Fälle zum Luftschutz geht er schon heute gerne.

Sogar seine beiden Ältesten mußten ihm sagen, wie schön sie den Vater in der neuen Uniform fanden, wenn er am Abend nach der Arbeit zu einer Versammlung ging, oder am Sonntag auf ihren immer gleichen Spaziergängen zum Fuchsturm und in die Kernberge, und dann mußten die

Söhne einmal im Monat los und in Jena-Ost die Zeitschrift des Reichsluftschutzbundes austragen, das war ihnen die allergrößte Strafe. Also auch du, sagten Anneliese und Friedhelm und nahmen es als schlechtes Zeichen, und die Besetzung der restlichen Tschechei war ein schlechtes Zeichen, der Einmarsch der deutschen Wehrmacht ins Memelgebiet, der ganz üble Auftakt zu einem noch viel übleren Ende, das prophezeiten sie.

Wir werden es so und so nicht ändern, sagte die Mutter und lud die beiden ein zu ihrem Geburtstag, vier Tage vor dem großen Feldzug gegen Polen, sie hatten aber auch herrliches Wetter. An die zwanzig Leute waren gekommen und redeten bei Würstchen und Bier im Garten über nichts anderes als den bevorstehenden Krieg, und über das neue graue Kostüm der Mutter redeten sie und die neue praktische Waschmaschine, um die sie alle beneideten, die war das Geschenk des Vaters. Gerade einmal eine Woche war es da her, daß sie in der Toilette einen großen Klumpen Blut geboren hatte und wußte, das war der Vater, der es machte, daß sie alle paar Jahre einen großen Klumpen Blut gebar, nur das konnte sie ihm ja wohl nicht sagen, wenn sie sich doch freute über diesen Mann und sein Geschenk und den langen friedlichen Nachmittag im Garten, den sie alle verdienten, oder wie war das. Sie sagte nicht: Nur noch *ein* Kindchen, Matthias, das wäre, wie ich's mir wünsche. Aber sie sagte: Es ist alles so schön, ich danke dir, noch nicht mal der Krieg macht mir Angst, aber wenn es nun sein muß, werden wir auch das überstehen, und da war der Vater ihrer Meinung, kaufte ein Fläschchen Sekt für den Sieg in Polen, diesen Spaziergang, denn im Radio nannten sie's immer einen Spaziergang.

Das wurde nun seine liebste Gewohnheit, daß er sich am Abend in den großen Sessel setzte und im Radio den Meldungen über die neuesten Siege lauschte und nickte und sich freute, aber ganz still und ohne große Worte freute er sich und wollte für die Sache der Partei vor Freunden und Bekannten nicht reden. Es geht voran, sagte er, oder: Ganz Europa fällt uns in den Schoß, sagte er, und die Mutter, weil sie sah, es freute ihn, kochte für jeden Sieg ein Essen. Wir sind ja schließlich keine Barbaren, sagte die Mutter, die eine gelernte Köchin war, und kochte ihm nach dem Sieg in Polen einen Bigos Polski mit Sauerkraut und Pilzen und als Vorspeise eine dicke Graupensuppe, kannte aus Dänemark ein Rezept mit Schollenfilets und Remouladensauce, und norwegische Fischfrikadellen kannte sie und aus Holland die herrliche Erbsensuppe mit Speck und Sellerie; belgisch und fast wie aus der Heimat war die geschmorte Ochsenbacke mit Kartoffelpüree, und im Sommer 1940 zum erfolgreichen Abschluß der Westoffensive gab's einen in Kognak und rotem Burgunder gedünsteten Coq au vin. Nur mit England geht es leider nicht voran, sagte der Vater und träumte vom versprochenen Filet Wellington, falls man dann in der Stadt das Fleisch noch bekam, oder von einem Hotpot aus Schottland träumte er, doch statt dessen hatten sie erst mal jugoslawischen Kartoffel-Reis-Auflauf, und einen griechischen Hasenschmortopf mit Zwiebeln hatten sie im Frühjahr 41, die Tiere hielten sie selbst im Garten in zwei Ställen zum Schlachten.

So könnte es bleiben, sagte der Vater.

Aber es bleibt nicht so.

Vor allem du sollst mir bleiben, der Krieg geht zu Ende, dann erwarten uns goldene Zeiten.

Ein Mädchen wäre noch schön.

Na gut, ein Mädchen.

Das macht mir Angst, sagte die Mutter, als sie im Juni die Nachrichten vom Angriff auf die Sowjetunion hörten, und ganz leise sei, damit wir die Kinder nicht wecken, und noch einmal wie früher sollte es sein und war es, und der Vater zeugte Sibylle und hörte nichts, hörte den fernen Krieg in Rußland nicht und nicht den Sohn Heinrich, wie er auf einmal in der Tür stand und schaute und wieder ging, da war er gerade neun und hatte vom Vater und der Mutter nicht viel verstanden, als daß sie da flüsterten und sich umarmten und bewegten und ihn vertrieben durch dieses Flüstern, Umarmen, Sichbewegen, das war vielleicht das Merkwürdigste.

Als er zehn war, bekam er eine Uniform und besang wie sein Bruder Theodor auf dem Appellplatz im Chor die großen Siege der Jahre 39 bis 41, lernte marschieren und exerzieren und um die Fahne kämpfen, prügelte und versöhnte sich und gewann die längst gewonnenen Schlachten im Spiel seiner Kameradschaft im Stamm Jena, fuhr über Ostern und Pfingsten oder in den großen Ferien in die großen Zeltlager in Dresden oder im Riesengebirge und mochte vor allem die großen Feuer, um die sie abends alle saßen und Lieder sangen und an die Eltern nicht dachten, als wären die gar nicht auf der Welt.

Eines Tages entdeckte er die ersten Haare zwischen seinen Beinen, und weil es nun alle paar Wochen große Luftschutzübungen gab, waren sie alle viel im Keller und warteten zwischen den beiden Etagenbetten auf Entwarnung, und der einzige, der manchmal noch eine Weile blieb, war Heinrich, und an was er da alles dachte, wenn er blieb und ganz alleine auf einem der beiden oberen Betten lag und nicht wußte, warum sein Teil jetzt manchmal ganz groß wurde, und wie man das nun genau machte, daß es ganz schön wurde, darüber dachte er in diesen Stunden nach. Die Älteren sagten: Es ist ganz leicht, nur dies und das mußt du machen, und eine ziemliche Sauerei ist's wegen der Flecken, und da erinnerte sich Heinrich, wie die Mutter Theodor einmal links und rechts ins Gesicht geschlagen hatte, und nur wegen der Flecken war das gewesen, da sollte er sich das merken fürs ganze Leben.

Das war die Zeit, als die sechste Armee noch siegte im Osten auf ihrer Reise an die Wolga, in die Stadt Stalins, des Barbaren, aber dann ging es bei der deutschen Wehrmacht auf einmal nicht mehr voran, hatte die sich festgebissen oder war umzingelt, fürchtete den russischen Winter. Sogar am frühen Morgen vor der Arbeit saß der Vater nun am Radio und zog aus den spärlichen Meldungen seine vorsichtigen Schlüsse, denn dort in Stalingrad, an den Flüssen Wolga und Don, mußte sich der Krieg entscheiden. Die Mutter sagte: Laß, das macht mir Angst, was du hörst, oder sie sagte: Das Fleisch und die Butter sind schon wieder teurer, und selbst wenn wir Rußland besiegen, ein Festmahl wird es diesmal nicht geben. Nur die Sülze mit Bratkartoffeln zu Weihnachten wollte sie wie immer machen und kochte wie jedes Jahr etwas Rindfleisch und einen halben Schweinskopf und Knochen für die Gelatine, setzte schon am Vortag den großen Topf auf, und am Abend goß sie die fertige Sülze in sieben Schüsseln und stellte sie unter die Kellertreppe zum Kühlen.

Sie hörten die große Ringsendung an Weihnachten, und da war der Vater ganz ernst und ungeduldig, wenn ihm eines der Kinder dazwischenkam, und neue Hoffnung hatte der Vater, als aus allen Ecken und Enden der Welt die Stimmen der deutschen Soldaten zu hören waren und dazu die schönen deutschen Lieder, in denen so viel Trost war und Trauer und Kraft. Nun kann uns nur noch ein Wunder retten, sagte der Vater und wollte an dieses Wunder noch einmal glauben, hatte eines Abends im Januar das Zeichen mit dem Kreuz der Partei am Revers, das nannte er sein Opfer, und wie in nächster Zeit ein Ruck durch das ganze deutsche Volk gehen muß, damit die Feinde nicht triumphieren, die hatten sie im vierten Kriegsjahr beinahe auf der ganzen Welt.

Er weinte, als sie die Nachricht von der verlorenen Schlacht an der Wolga brachten, und hörte lange nicht auf und saß in seinem großen Sessel, lauschte den Märschen. Noch Jahrzehnte später erinnerte sich Heinrich daran, wie der Vater im Februar 1943 über die toten deutschen Soldaten in Stalingrad weinte, und das war, weil sie alle den Vater noch nie weinen gesehen hatten und weil es in diesen Tagen passierte, daß da etwas kam, wenn er sein Teil in die Hand nahm und an den richtigen Stellen anfaßte, und ungefähr wie flüssige Seife sah das aus und hatte einen Geruch, ich weiß nicht. Er nahm dann immer ein großes Taschentuch und legte es auf das Laken, wenn er unten im Luftschutzkeller auf einer der Matratzen seinen Händen neue Berührungen beibrachte, und alle paar Tage ging er in den Garten und wusch das Taschentuch in der großen Regentonne des Vaters aus. Du siehst aus, als hättest du schon wieder etwas ausgefressen, sagte die Mutter und wunderte sich, was er da immerzu im Keller zu schaffen hatte, aber wenn sie in der Tür stand und ihn überraschte, lag er nur da und träumte oder las etwas für die Schule, er war sich da neuerdings offenbar selbst genug.

Ende Mai 1943 fielen unten in der Stadt die ersten Bomben und hinterließen viel Feuer und Staub und Ruinen, die ersten Toten, aber oben auf der Wilhelmshöhe blieb alles ruhig und friedlich, und als die feindlichen Bomber wieder fort waren, wurde es ein schöner Sommer.

In dem Sommer, als Wanda bei ihnen anfing, wurde Heinrich zwölf und lernte sich unter den Decken allmählich kennen, und viel zu alt war diese Wanda für seine zwölf Jahre, na wenn schon. Sie stammte aus einem Dorf in der Nähe von Bürgel und machte bei den Hampels ihr Pflichtjahr, hatte ein Auge auf die Kleine und hängte die Wäsche jeden Freitag, zum Einkaufen den Berg hinauf und hinunter lief sie und schleppte und hatte vom Tragen rote Backen. Höchstens wie fünfzehn sah sie aus und war eine Bohnenstange mit zwei langen dunklen Zöpfen, wohnte in der Kammer neben Heinrich und Theodor, und nur ein Bett und eine verkratzte Kommode hatten darin Platz und der Duft nach frischem Heu, den sie verströmte, wenn sie arbeitete.

Den ganzen Sommer badete er in ihrem Heu, das machte, daß er in den Nächten ein paarmal vor der Tür zu ihrer Kammer stand, denn es war heiß, und die Kammer hatte kein Fenster und nur eine Stehlampe zum Lesen kurz vor dem Einschlafen oder zum Wechseln der Kleider. So ein dummes Mädchen war sie noch, daß sie sich bei offener Tür die Kleider auszog und schön ordentlich auf den Stuhl legte, und für Heinrich war's das erste Mal, daß er eine so sah, und die war nackt und sehr schmal mit ihrem kaum erkennbaren Busen: schön und fremd.

Gleich in einer der ersten Nächte hatte er sie gesehen, und danach war ihm, als sei er sehr krank oder böse, und obwohl er fast sicher war, daß sie nichts bemerkt hatte, wich er ihr die nächsten Tage aus, sah sie nur hin und wieder in der Küche beim Kartoffelschälen, oder hinten im Garten bei den Wäscheleinen stand sie, nannte ihn einen dummen Jungen, wenn er am Morgen die Milch verschüttete, oder seine schmutzigen Hosen tadelte sie und durfte das alles, so sehr gefiel sie ihm. Er stellte sich nie etwas vor mit ihr, aber in der letzten Woche vor den großen Ferien, als schon alle vom großen Zeltlager redeten, wäre er am liebsten geblieben, und dann würde er ja herausfinden, was das alles war, und ob es die Liebe war, die machte, daß er sie oben in ihrer Kammer heimlich einatmete und in ihren Sachen wühlte und nicht wußte, was er überhaupt suchte, was er fand. Er hätte gerne Worte für all das Neue, Seltsame gewußt, doch dann machte er einmal einen Versuch bei seinen Freunden Emil und Kurt und wußte außer ihrem Namen nicht viel zu sagen. Nach ein paar Tagen im großen Zeltlager war das, da redeten sie alle viel von den Mädchen und manchmal von ihren Pimmeln oder der Landung der Alliierten im verräterischen Italien, und da vergaß er seine Wanda eine Weile, und wie sie gar kein Nachthemd getragen hatte und ihn einen dummen Jungen nannte, das war auf einmal sehr fern.

Den ganzen Herbst war er zufrieden, wenn er sie hinter der verschlossenen Tür zu ihrer Kammer die Seiten umblättern hörte, oder an den Wochenenden, wenn er mit Paul und Constanze zu ihren Eltern aufs Land fuhr, wo es warmen Ofenkuchen gab und selbstgepreßten Apfelsaft, wie sie es alle nicht kannten. Wanda aber wurde selbst noch einmal zum Kind, wenn sie zu Hause war, konnte ein Pferd reiten, wußte, wie man die Kühe melkt, kannte das Getreide auf den Feldern, das Heu auf dem Boden, in dem die Katzen ihre Jungen warfen, und aus ihren langen schwarzen Zöpfen die Halme zupfte ihr leider keiner heraus. Manchmal dachte er: Ich bin doch fast ein Mann, warum beachtet sie mich nicht, aber kaum sah sie ihn einmal ohne genaue Absicht an, fand er ihre Blicke zum Erschrecken, verweigerte am Abend das Essen oder verließ unter einem Vorwand das Haus, kannte sich selbst nicht.

Zu Weihnachten schnitzte er ihr die fünf Buchstaben ihres Namens, fädelte sie auf ein Stück Bindfaden und legte sie ihr ohne ein Wort unters Kissen, das erste A etwas größer als das zweite, aber jeder Buchstabe nicht größer als der Nagel ihres Daumens. Das habe ich mir gedacht, daß du das warst, sagte sie, als sie Anfang Januar wieder im Haus war, aber kein Wort des Dankes oder des Tadels, daß er sie in den Nächten heimlich besuchte und vor ihrem Bett stand und das Atmen beinahe vergaß vor lauter Sie-Betrachten, und da hatte sie also immer noch gar nichts begriffen, die Böse, die Schlafende, die für einen Heinrich so schnell nicht aufwacht, aber wenn er sie eines Tages weckt, wird sie ihm sagen, was für ein dummer feiner Junge er ist, nur in ihrer Kammer soll er in den Nächten und auch am Tag nicht sein. Drei Nächte hintereinander stand Heinrich in ihrer Kammer und schaute, und in der vierten Nacht erwachte sie und sagte eine Weile gar nichts und flüsterte gerade mal einen Satz. Ich fühle mich geehrt, flüsterte sie und strich ihm mit der Hand wie eine Schwester über den Kopf, und nun hinaus, ich bin nicht blind und möchte mit einem kleinen großen Jungen wie dir die Liebe nicht lernen.

Gefällt dir meine Kette, fragte er. Und da nickte sie, aber ja gefällt sie mir, die schönste Kette der Welt ist das, doch hast du auch gehört, was ich gesagt habe? Ja, er hatte gehört.

Wie nach einer schweren, irrtümlichen Arbeit fühlte sich Heinrich in den Tagen danach, und ziemlich erleichtert war er und als gebe es zwischen ihm und ihr ein Geheimnis. Sogar in die Augen konnte er Wanda beim Essen nun wieder sehen, sah ihr in die Augen und sah, wie's auch der Mutter nicht entging, und nach ein paar Tagen hatte die genug und stellte sich ihm draußen im Windfang in den Weg, ohrfeigte ihn und sagte, für seine Blicke bei Tisch verdiene er die Ohrfeige, und für alles, was ich zum Glück nicht weiß, noch eine zweite dazu.

Wanda blieb bis Ende April 1944, und da fing das allmählich an, daß sich die schlechten Nachrichten häuften, und in der Stadt das Fleisch wurde knapp und das Gemüse, und da mußten sie eben sehen und sparen und hoffen, die brave Wanda bringt ihnen etwas mit aus ihrem Dorf, und dabei hatten die ja selbst nur das Nötigste.

Zum Abschied im Frühjahr schenkte sie ihm ein Buch, und er war der einzige, dem sie etwas schenkte mit seinen bald dreizehn Jahren und den heimlichen Wünschen, die sich an ihr erprobten und nicht weit kamen, ein braunes Büchlein mit einem langen komplizierten Titel war's, sie habe es von einem Soldaten, der ihr lieb war, gefallen Anfang März im Osten, Heeresgruppe Mitte, am Nordrand der Pripjetsümpfe, ich glaube, so hießen sie.

Für Heinrich, der noch nicht alles weiß, hatte sie auf einer Postkarte geschrieben, die er vorsichtshalber zerriß, und für das Büchlein lange einen sicheren Platz suchte er, steckte es in seinem Ranzen zwischen die Bücher oder im Schuppen des Vaters zwischen ein paar Holzscheite, las fürs erste immer nur ein paar Seiten, und auf halbem Weg zum Fuchsturm auf einer kleinen geschützten Wiese saß er und las über die Liebe und die Ehe im neuen Deutschland, die Geschlechtsorgane des Mannes, des Weibes, die Selbstbefleckung und ihre Gefahren, die bis zu rauschhafter Vergessenheit reichenden Lustempfindungen beim Austritt des Ergusses, wie der Berliner Nervenarzt das nannte, und warum die Kenntnis der körperlichen Werkzeuge des Liebeslebens nicht schadet.

Es gab nun Tage, da triumphierte er oben auf seiner Wiese über die Kameraden und seinen älteren Bruder, weil sie das alles nicht wußten, oder immer nur die Hälfte oder das Alte, Überholte wußten sie und hatten wie Theodor für eine Wanda noch nicht mal einen Blick, oder sie war ihm zu dünn oder zu verächtlich, weil sie vom Land war, aber der große Theodor war aus der Stadt, hatte gute Zeugnisse und spazierte mit dem Vater jeden Morgen zu *Schott*, als Lehrling die Maschinen putzen.

Anfang April war der Bruder zum ersten Mal mit dem Vater ins Werk gegangen, und Anfang April stellte sich auch das neue Mädchen vor. Ihre Eltern hatten unten am Saalbahnhof einen Laden, und deshalb konnte sie den Hampels ab und zu etwas besorgen, wenn die Lage wieder einmal zum Verzweifeln war, und Anfang Zwanzig war Franziska mit ihren streng nach hinten gebürsteten goldenen Haaren und der strengen Mutter viel ähnlicher als der sanften Wanda.

Sie schickt der Himmel, sagte die Mutter, wie sie es schon bei Wanda gesagt hatte, aber Franziska sagte: Die Partei schickt mich, als Mutter von fünf Kindern haben Sie einen Anspruch darauf, und vom Himmel fallen leider nur die Bomben unserer alliierten Feinde. Theodor hörte es immer gerne, wenn sie so redete und den Sieg im Westen und Osten zu einer Frage der Zeit und des Willens erklärte, aber die Mutter wurde von Woche zu Woche stummer, weil auch der Vater von Woche zu Woche stummer wurde und das Radio manchmal erst gar nicht anschaltete und ein schlechtes Gewissen hatte, wenn er's erst gar nicht anschaltete, da lief es dann oft bis spät in die Nacht.

Ende Mai erreichte sie die Nachricht, die Stadt Aachen sei das Ziel eines britischen Terrorangriffs geworden, und dann noch einmal drei Tage später die britischen Bomber über Aachen, und Schäden und Verluste unter der Bevölkerung habe es gegeben, keine Zahlen. Da zitterte die Mutter und wartete auf Post von der Familie, sieben Tage und sieben Nächte wartete sie und bekam die Nachricht an einem Tag im Juni. Wir haben alle keine Worte für das, was geschehen ist, schrieb die Mutter der Mutter, weil sie noch lebte, und die Eltern des Vaters lebten und hatten ihr Haus noch, die Schwester mit ihrem Mann Sebastian, das waren die Lebenden, aber gegen die Familie ihres in Rußland vermißten Bruders Peter erhob der HERR die Faust und zürnte und zerschmetterte Frau und Tochter, die konnten unter den Trümmern des zerbrochenen Bunkers nicht atmen.

Nur der Sohn Thomas lebt und versteht die Welt nicht, schrieb die Mutter der Mutter, und also zittern wir, die wir für heute davongekommen sind, und warten auf die nächste Bombe, essen und leben und beten, als wäre alles wie früher, aber wie wir uns täuschen.

Den ganzen Sommer warteten sie auf neue Hiobsbotschaften aus dem Westen, doch die Briefe aus Aachen klangen vorläufig beruhigend, man lebe doch eigentlich in großer Zuversicht, höre alle Tage den *Wehrmachtbericht* und rechne und beruhige sich, zum Beispiel die Normandie war ja doch weit. Sogar die Mutter ging nun manchmal ans Radio und hörte bei der Arbeit die Namen der fernen Schlachten, der Städte, die gewonnen und wieder verloren waren, und also betete sie an den Abenden für die Städte Aachen und Jena, und unsere lieben Kinder bewahr uns und gib uns die Kraft, daß wir's ertragen, wenn die Stunde der Prüfung kommt, da wollen wir sie bestehen. Sie sagte nicht: Nimm das zweite, wenn es denn sein muß, daß du eins nimmst, aber sie sagte: Auf Theodor hab ein Auge, denn er ist mir eine Freude, und die zuverlässige Constanze ist mir eine Freude, der stille Paul, die furchtsame Sibylle, von der man noch nicht weiß, und da war es immer Heinrich, der ihr übrigblieb und von dem sie nicht wußte, ob er sie verstand, wenn sie mit ihm redete in der Sprache des Tadels und der abgezählten Schläge aus Holz, weil er am Abend nicht zur verabredeten Zeit zu Hause war, oder wegen der Flecken auf seinem Laken, der Taschentücher, die er vergaß, denn so wenig fürchtete er sie, die nur immer das Fürchterlichste sich ausdachte für diesen Vierzehnjährigen, o HERR, was soll ich mit diesem Kind.

Sie wußte nicht viel von ihren Kindern, denn sie sah nur immer den Ältesten, wie er sich in der Abteilung des Vaters einen Namen machte, und die große Constanze sah sie, die half auch immer schön fleißig im Haushalt und lief mit ihrer Freundin von gegenüber bei jeder Gelegenheit zum Schleichersee, da wär sie ihr eines Tages fast ertrunken. Wir brauchen uns nicht zu beklagen, sagte der Vater und war an den Wochenenden wie immer im Garten, betete für den Führer, daß ihm hoffentlich keiner mehr nach dem Leben trachtete, zog allerlei Gemüse und Kräuter, und von den Bäumen die Äpfel und Birnen konnte man bald ernten, da erreichte sie im September die Nachricht, die Amerikaner stünden im Westen auf deutschem Boden und wandten sich gen Aachen.

Mein Gott, das ist das Ende, sagte die Mutter und meinte die Mutter, den Bruder, die Schwester und deren Kinder in Aachen Rote Erde, wo es die besten Pommes frites der Welt gab, und einen Mann namens Matthias hatte es dort gegeben, und nun mußten alle Aachener fort und stiegen in Züge Richtung Osten, dort sollten sie unterkommen bei Freunden und Verwandten und warten und hoffen, und gestern wie heute lautet unser Wahlspruch: Kein deutscher Halm soll den Feind nähren, kein deutscher Mund ihm Auskunft geben, keine deutsche Hand ihm Hilfe bieten, nichts als Tod, Vernichtung und Haß wird ihm entgegentreten, schaudernd soll er verbluten, auf jedem Meter deutschen Boden, den er uns rauben will.

Das stand in unserer Zeitung die Tage, sagte die Tante, als sie alle Ende September in Jena eintrafen und etwas zu essen wollten und ein Bett und ein Willkommen wer weiß für wie lang. Die Tante und der Onkel und der arme Thomas wohnten gegenüber bei Nachbarn, aber die Mutter und der Vater des Vaters und die Mutter der Mutter mußten in die Windbergstraße, und da wurde es doch sehr eng bei den Hampels in der Windbergstraße, es begann das große Maulen und

Sichfügen. Mittags und abends dreizehn Leute an zwei Tischen in Küche und Eßzimmer wollten satt werden, und so hatten sie alle Hände voll zu tun, legten ihre Lebensmittelmarken zusammen, aßen die immer gleichen Stampfkartoffeln mit Bohnen und ein bißchen Rindfleisch und gingen nicht eher auseinander, als bis sie im Radio die letzten Nachrichten gehört hatten, der Mann von Traudchen kannte auch eine Frequenz aus London.

Die Schlacht um Aachen, sagte das Radio Anfang Oktober 1944, und da konnten sie sich schon denken, wie die Amerikaner ihnen die Stadt kaputtmachten und einen Ring um die Stadt und ihre Verteidiger legten wie damals die Russen in Stalingrad, nach fünfzehn Tagen blutigen Ringens war's ihnen gelungen. Haus um Haus wurde gegen den von Norden, Osten, Süden angreifenden Feind verteidigt, und Mann gegen Mann und erbittert kämpfte die deutsche Wehrmacht bis zum 21. Oktober, da waren die tapferen, aber zusammengeschmolzenen Verteidiger von Aachen geschlagen.

Nun haben wir den Krieg verloren, sagte die Mutter, weil die anderen alle schwiegen zu der Nachricht, und jedem, der es hören wollte, sagte sie es in den nächsten Tagen, sogar über den Zaun hinweg der Nachbarin oder beim Einkaufen in der Schlange, wenn davon die Rede war, im Osten standen die Roten Horden schon vor Königsberg.

Aber Frau Hampel, sagte der Mann von der Gestapo, als sie die Mutter ein paar Tage später verhörten und sie wissen ließen, warum eine Mutter von fünf Kindern so nicht reden darf, denn das Volk und das Reich und der Führer sind eins und gehen so leicht nicht unter, wenn wir nur alle fest dran glauben und unsere Pflicht tun. Wir machen keine Ausnahme, sagte der Mann von der Gestapo und wußte, die Frau hatte das Goldene Kreuz für Mütter, da durfte sie sich bewähren, aber beim nächsten Mal redeten sie in einer anderen Sprache, Heil Hitler.

Heinrich fand das nicht schlimm, daß die Amerikaner den Eltern die Stadt kaputtmachten, aber daß er mit Paul und Theodor wieder ein Zimmer teilte, war schlimm, denn Paul hatte wie immer keine Ahnung und Theodor übte an den Abenden gerne Ansprachen, und viel vom eisernen Willen und vom Durchhalten redete er, und daß er den Vater und den Onkel noch einmal anzeigt wegen dieses Senders aus London, damit drohte er. Also, ein letztes Mal noch, ich warne euch, hatte Theodor eines Abends im Dezember gesagt, aber da hörte es die Mutter und sah ihn nur an, und nur von ihren Blicken wurde der Bruder ganz klein und stumm und blieb bis zum nächsten Morgen in seinem Zimmer.

Ich weiß auch nicht, was mit dem Jungen los ist, sagte die Mutter, und Anfang Januar holten sie Theodor per Gestellungsbefehl zur Wehrertüchtigung nach Jena-West, da weinte sie zwei Tage und haderte mit ihrem HERRN, daß er ihn nahm, und das Schießen an der Panzerfaust lernte Theodor, meldete sich als Freiwilliger und sah in einem Ort in Thüringen die russischen Kriegsgefangenen, wie sie in einen Hang die Stollen für eine unterirdische Fabrik schlugen und vor Hunger starben, und krank und elend waren die und würden die Produktion der neuen Bomber nicht erleben.

Theodor war nicht zu Hause, als der HERR seinen Zorn auf die Stadt Jena lenkte und im Februar 1945 aus ein paar hundert Flugzeugen eine Heerschar dunkler Engel auf Menschen und Häuser regnen ließ, und zwölfmal zwölf Menschen erschlug und verbrannte er, den Lebenden zur Strafe und zur Mahnung am hellichten Tag, und was für ein Lärm das war und mit welcher Angst sie alle in ihren Kellern saßen und beteten, wie sollte man davon reden. Was sind das nur für Menschen, sagte die Mutter, als sie alle die Schläge nicht mehr zählten, und da wollte der HERR sie nicht besänftigen und schickte einen Engel geradewegs über das Haus des Matthias Hampel und seiner Frau Elisabeth, denn siehe, so stark bin ich, daß ich euch erschrecke und verschone, wenn es mir gefällt, und mir gefällt es.

Zwei Meter neben dem Haus im Garten war die Bombe eingeschlagen, und drunten in der Stadt beklagten die Davongekommenen die Toten, bewachten die Ruinen vor Plünderern und sahen vor Zorn und Scham nicht zum Himmel, denn da kam ihr Unglück her, und aus dem fernen Amerika und allen Ecken und Winkeln der Welt kam es und wollte das deutsche Volk vernichten. Heinrich sagte: Sehen wir uns also an, was die Amerikaner mit unserer Stadt gemacht haben, und da zögerte sein Vetter Thomas, denn der kannte die Trümmer und den Schutt aus Aachen, und wie das alte Leben manchmal aus den Trümmern herausragte oder die Hand eines toten Mädchens, doch erschrick nicht, denn es ist ein Mädchen von hier. Der Vetter Thomas schrie, als er die Hand des toten Mädchens sah, aber Heinrich sagte: Es ist ein Mädchen von hier, wir finden leicht noch etwas anderes, dann war der lange Weg nicht umsonst, doch sein Vetter Thomas wollte die Schätze der Toten nicht heben und sammelte lieber die Splitter der amerikanischen Granaten.

Beinahe jeden Tag ging Heinrich nun für ein paar Stunden durch die Straßen der zerstörten Stadt Jena und suchte nach brauchbaren Gegenständen, sammelte hier ein Stück verbranntes Leder und dort ein Stück Glas oder Aluminium, fand einen alten Topf und dort ein paar alte Bücher, packte alles in seinen Rucksack, hatte ein Versteck hinter dem Schuppen des Vaters, und weiter droben auf der geschützten Wiese grub er mit Stöcken und bloßen Händen ein Loch als Lager.

Er wünschte sich die Bomben nicht, aber er wußte, so schnell würden die Amerikaner mit einer Stadt nicht fertig, und es waren viele Städte auf ihren Landkarten, und je schneller sie mit ihnen fertig wurden, desto schneller lag der deutsche Feind am Boden. Im Februar war noch einmal etwas und dann im März am ersten und zweiten, am zehnten und elften und noch einmal am fünfzehnten und sechzehnten, immer zwei Tage hintereinander, damit die deutschen Menschen sich allmählich daran gewöhnten; keine Toten. Auch Theodor war inzwischen wieder zu Hause, er hatte etwas am Knie, sollte operiert werden nach vier Wochen und hatte in seinem Kaff die zu Tode erschöpften Russen gesehen, denn davon berichtete er, und Heinrich erzählte von seinem toten Mädchen, da konnten sie nun vergleichen.

Drei Rucksäcke mit Kleinkram hatte Heinrich im März gesammelt und allein nach dem 9. April einen ganzen, unten beim völlig zerstörten Saalbahnhof war's, da sah es aus, als ob die ganze Welt zusammengestürzt sei mit noch einmal über hundert Toten, ein paar Dutzend russische Kriegsgefangene in Lumpen suchten unter schwerer Bewachung nach Blindgängern. Die Russen, sagte Heinrich, und daß ein Zug mit zerlumpten und verdreckten Gestalten durch die Stadt zieht, das waren die Juden. Papperlapapp Juden, sagte der Vater und wußte nicht recht, man hatte sie lange nicht gesehen, und er dachte, die wären alle verreist und im Ausland für immer, nun waren sie da also wieder zurück.

Die Amerikaner rückten am dreizehnten in die Stadt, und der erste aus der Familie, der sie zu Gesicht bekam, war Theodor, lag unten im Paradies und sollte noch einmal kämpfen, aber kämpfte nicht, und zwei Tage später sah auch Heinrich die Amerikaner durch die besetzte Stadt patrouillieren und im Paradies eine riesige Feldwäscherei errichten, und die ersten Schwarzen seines Lebens sah er, die wuschen und bügelten ihre Uniformen, als blieben sie für immer. Ein Riesenzelt mit eigener Stromversorgung und fahrbaren Dampfturbinen hatten die Amerikaner und machten die deutschen Menschen staunen, ließen die Kinder in der Feldbäckerei vom frisch gebackenen Maisbrot probieren, verteilten die ersten *chewing gums* in ihren tadellos gebügelten Uniformen und den geputzten Stiefeln, und immer auf irgendwelchen Jeeps und Autos saßen sie und waren sich fürs Laufen zu schade.

Eigenartige Tage und Wochen waren das, denn während der Vater im Radio noch immer täglich den neuesten Niederlagen lauschte, war draußen schon alles ganz still und friedlich und ungewiß, und in der Stadt die zusammengeworfenen Häuser lagen still und friedlich und hofften, daß einer käme und etwas mit ihnen anfinge, den Resten, die geblieben waren, den Schätzen, die sie bargen, man mußte sie nur heben. Noch im April hatte Heinrich seinen Freunden Emil und Kurt und ein paar anderen gezeigt, was er da alles sammelte in seinem Grab in der Wiese, und daß er Leute braucht, die mit ihm suchen und tauschen und verkaufen, vier Päckchen Kaugummi gegen eine Zigarette, und die Zigarette plus das Foto der jungen Frau gegen ein bißchen Kokosfett.

Sie nannten sich die Windhunde, weil Emil fand, sie müßten einen Namen haben, und einen, der sagte, was sie zu tun hätten, müßten sie haben, da stimmten sie alle für Heinrich, denn der kannte die Stellen, traute sich zu den Negersoldaten, hatte die guten Ideen, und daß sie fürs erste niemals etwas für sich gebrauchen dürften, sondern immer nur horten und auf die günstige Gelegenheit warten, das gestohlene Brot nicht essen, sondern verkaufen, und wenn einem der

Magen bis zum Boden durchhängt, nur immer alles verkaufen und tauschen, da kommen die feinen Mahlzeiten wie von selbst.

Aus eurem Heinrich wird noch mal etwas, sagte Onkel Sebastian, wenn Heinrich wieder mal eine Extraportion Fleisch oder Gemüse nach Hause brachte, und nannte die Nachricht vom Tod des Führers eine gute, und als endlich Frieden war im Mai, waren sich alle einig, daß das eine gute Nachricht war, und besser als bei den Russen war es bei den Amerikanern allemal. Na gut, nennen wir's Frieden, sagte der Vater und vergrub das kleine Parteiabzeichen im Garten neben dem Apfelbaum, und die Mutter sagte: Ich wünschte, wir wären wieder unter uns, Matthias, das wäre ein Frieden, von dem ich träume, doch bis auf die Großmutter wollten alle fürs erste noch bleiben.

Anfang Juni verkaufte Heinrich den Negersoldaten das teure Fernrohr des Vaters und wenig später die ersten Flaschen mit gefärbtem Wasser, hatte eine Flasche Rotwein zum Kosten und ließ sie alle schön der Reihe nach probieren, aber was sie dann kauften, war falsch und sah nur aus wie echt, nur woher sollten die schwarzen Soldaten aus dem großen Amerika das wissen. Bald zehnmal im Verlauf des Sommers gelang ihnen die Sache mit den falschen Weinen, und dann kannten die Amerikaner ihren Heinrich und seine Weine und nahmen ihn mit und verpaßten ihm eine Lehre, aber nur mit der offenen Hand ein paar Schläge war die Lehre der schwarzen Soldaten aus Amerika, und ihre Hände waren innen ganz hell und rosig.

Die Geschäfte, sagte Heinrich, als er nach drei Tagen wieder zu Hause war, und da fragten die gar nicht groß, warum und weshalb, lebten alle ihr Leben. Theodor und der Vater gingen wie jeden Morgen ins Werk und erneuerten nach und nach die zersprungenen Fensterscheiben, und die

Mutter kämpfte ihre Kämpfe mit dem noch immer viel zu großen Haushalt, legte sich alle paar Wochen einen Tag in ihr dunkles Zimmer und dachte, der Kopf möchte ihr zerspringen, hatte im Kopf die Pflicht und den Eigensinn und die Liebe zu Mann und Kindern, da wollte sie es am Ende immer ertragen.

Gut zwei Monate waren die Amerikaner in der Stadt und blieben nicht und tauschten das schöne Thüringen gegen ein Stück der zerbombten Hauptstadt Berlin, gingen zum Vater ins Werk und packten alles in große Kisten und die Kisten auf Lastwagen, die besten Maschinen und die Patente und die erfahrensten vierzig Glasmacher und dazu den jungen Theodor, fuhren nach Westen und fragten nicht den Vater, denn der Vater hatte das Haus und wäre auf keinen Fall gegangen.

Kurz danach kamen die Russen. Die Russen sind da, sagte Heinrich Anfang Juli, und da war Theodor gerade wieder zurück und stand mit seinem Bruder unten in der Stadt und sah auf ihren Panjewagen die Russen, und ganz zerlumpt und dreckig sahen die Russen aus, hißten die rote Fahne bei *Zeiss* und waren im neuen Bettelstaat von nun an die Könige.

Da verachteten die Hampels die Russen, weil sie auf Pferdewagen in die Stadt zogen und ihre Uniformen nicht bügelten und keine Kaugummis verteilten, aber Angst und Schrecken verbreiteten sie und erschossen allein in der Siedlung zwei Familien den Vater, weil er die Tür nicht aufmachte und die alten Zeichen und Uniformen nicht herausrückte oder die Frau oder die erwachsene Tochter, man hörte schlimme Geschichten. Der Vater hatte sogar die teuren Stiefel abgegeben, und die Mutter sagte: Du bist verrückt, so teure Stiefel waren das, die gibt man doch nicht den Russen, und wenn es dir tausend Befehle sagen, aber der Vater wollte sich's mit den neuen Herren nicht verderben, denn mit den neuen Herren war nicht zu spaßen. Wir werden's überleben, sagte der Vater und meinte die Stiefel, und die Mutter war froh, daß sie endlich das Haus wieder für sich hatten und ein Zimmer für die Mädchen, die Söhne, und die seltenen Male, die er noch wollte, für sie beide.

Sie war nun in den Jahren, in denen allmählich das Blut ausblieb, war reizbar und unruhig, spürte hie und da eine Hitze in sich aufsteigen und konnte in den Nächten oft nicht schlafen, und außerdem war sie noch immer böse auf die lieben Verwandten aus dem Westen, die sie nicht vermißte, aber wenigstens bedanken hätten sie sich sollen für das Jahr bei den Hampels mit zwei warmen Mahlzeiten täglich und ein frisches Bettzeug jeden zweiten Montag.

So fallen wir euch also nicht länger zur Last, hatte der Onkel gesagt und die bevorstehende Besetzung durch die Russen eine vorübergehende Erscheinung genannt, und außerdem habt ihr ja euren Heinrich und das Haus und von *Schott* im Monat an die fünfhundert Reichsmark, da möchten wir gerne tauschen. Die Mutter hatte gehofft, sie sagen: Und wenn es ganz schlimm wird, seid ihr selbstverständlich willkommen, und wenn es länger als ein Jahr ist, so haben wir doch wenigstens den Frieden, und statt dessen waren sie da also beschäftigt und hatten für Briefe an die Hampels in Jena keine Zeit.

Es gab nun alles nur noch auf Marken, und manches gab es gar nicht oder nur in den Dörfern bei den Bauern, da mußten sie dann in aller Herrgottsfrühe zum Bahnhof und auf den Dächern der völlig überfüllten Züge durch die Landschaft reisen und hoffen und betteln und tauschen. Die Mutter nahm am liebsten Constanze mit, oder mit Paul und Heinrich fuhr sie, denn die Schulen waren seit Monaten geschlossen, und Theodor und der Vater gingen wie immer zum Arbeiten ins Werk, sahen die neue Fahnen in Rot und Blau, und die von den neuen Herren eingesetzten Herren sahen sie, alte und neue Kommunisten oder Sozialdemokraten, die ein paar Jahre verreist gewesen waren wie die Juden, und nun waren sie zurück und schätzten die Arbeit, die vor ihnen lag, die zertrümmerten Brücken, Plätze, Häuser, die falschen Gedanken, die in der Stadt wohnten, die müden, enttäuschten Seelen, wo sollte man nur beginnen.

Auch Emils Vater war einer von denen, die auf Anhieb nicht wußten, wo beginnen, zog für die Freunde seines Sohnes das Hemd und das Unterhemd aus und zeigte seine Narben aus Buchenwald, die waren auf seinem Rücken wie Krater, und dann standen sie alle da und schauten und legten ihre Finger in die Narben zum Etwas-draus-Lernen. Er war wie der Vater ein Mann des Zentrums gewesen vor Hitler, und Hitler war der Krieg und die Gestapo und ihre Keller und die Schläge in diesen Kellern, und nun war man da also zurück und schrieb in der Zeitung der Sozialdemokraten Artikel für die Idee der vereinigten Arbeiterpartei, oder was sonst sollte man bitte aus achthundert Toten allein in der Stadt Jena lernen, was sonst.

Ach was, die Toten, sagte Heinrich und zog mit Emil lieber über den neueröffneten Markt, sah eines Tages Wanda und hätte sie beinahe nicht erkannt hinter ihren beiden Kisten mit dem Gemüse, und das dunkle Haar trug sie ganz kurz und war zwei Jahre älter und eine Frau. Sie verkaufte immer nur samstags, hatte wenig Zeit oder tat ihm gegenüber so, doch weil er nicht müde wurde und sie fragte, fand er nach einer Weile heraus, sie ging mit einem Kommunisten aus Jena-West, der mochte sie nicht mit ihren Zöpfen, und deshalb hatte sie ihre Zöpfe dem Kommunisten zuliebe abgeschnitten, und weil nun eine neue Zeit begann, und für das ganze Land begann hoffentlich nun eine neue Zeit, was meinst du. Es waren immer nur ein paar Sätze, die sie ihm sagte und hinwarf, als müßte er davon eine Weile leben, und was er denn nun vorhat, wenn im Sommer die Schule vorbei ist, ja, keine Ahnung.

Auch der Vater und vor allem die Mutter machten sich ihre Gedanken, sahen ihn schon bei *Schott*, oder wenn sie ihn dort nicht nahmen, beim Handwerk, nur Heinrich dachte eher ans Verkaufen, Wein und Spirituosen oder Zigaretten, oder für seine Wanda einen Laden mit Nachthemden konnte er sich vorstellen, nur damit sie in den Nächten nicht fror, und dicke Federbetten und Matratzen so schmal, daß für einen Kommunisten kein Platz wäre, wenn sie am Abend ins Bett fiel und sich fragte, was wohl aus Heinrich wird: Na, da mach dir mal keine Sorgen, der wird schon, der macht sich, hat keine Meinung und macht sich, mit dem haben wir noch unsere Freude.

13

In den letzten Tagen roch er schon ein bißchen, nahm von den Mahlzeiten nur jede zweite und dachte immerzu an seine Frauen, soff ihnen noch einmal den Saft aus ihren Spalten in seinem blöden Hirn, in das im Februar der Blitz gefahren war und das die Gesichter manchmal nicht mehr wußte, aber die Namen der Geliebten in alphabetischer Reihenfolge: Anna, Bella, Dora, Emilia, Gerda, Gisela, Jana, Ljusja, Marga, Rita, Rosa, Vera und Wanda, die er unterschied nach ihren Gesängen, wenn sie bei ihm lagen, und an ihren Muttermalen an verschiedenen Stellen.

Und was macht nun unser Herr Hampel, fragten die Schwestern, wenn sie am frühen Morgen nach ihm schauten und ihn wuschen, aus seinen Gedanken ihn holten oder aus seinem Dämmer, und da war er immer überrascht, wie schnell die Nächte ihm vergingen und wie müde er nach diesen Nächten geblieben war, und wollte ans Sterben nicht denken.

Nur manchmal an Rosa und an die Kinder dachte er, aber Rosa und die Kinder waren seit langem fort im Westen, und die einzige, die ihm noch schrieb, war die treue Constanze, die Schwester, der letzte Brief im August. Sogar Harms und Gisela hatten ihn besucht, aber da war schon nicht mehr viel los mit dem Bürger Hampel, dem das Fleisch unter den Decken faulte, wahrscheinlich hatte er sie gar nicht erkannt. Die Mutter fiel ihm noch einmal ein und was für eine Arbeit sie gehabt hatte, als es ans Sterben ging, und dann legte er sich hin und lachte über die Mutter und war gestorben, vier Wochen nach seinem siebenundfünfzigsten Geburtstag an einem Mittwoch morgens früh um sechs, als gerade die Schicht wechselte, und also hatte er noch etwas Zeit und lag und wartete, daß man ihn fände, das war gegen Mittag, da sollte er essen und aß nicht, hatten die auf einmal eine Mahlzeit zuviel.

Ach je, der Herr Hampel, sagten die Schwestern, und wie schrecklich leid ihnen das tat mit dem Herrn Hampel, der keine Familie mehr hatte, denn die feine Familie war sich für ein Leben im Osten zu schade, aber auch die berühmte Martina aus Frankfurt/Oder war sich für ihn am Ende leider zu schade gewesen, oder er hatte sie am Ende erfunden, wer weiß.

Und dann wuschen sie ihn, zogen ihm ein Hemd an, banden ein Schild mit seinem Namen an den Zeh und suchten in seinen Kleidern und im Schrank und in der Schublade am Bett nach persönlichen Dingen, aber das, was sie fanden, hatte Platz in einer Schachtel und war nicht viel: eine Geldbörse mit Münzgeld und vier zerknitterten Kleinbildaufnahmen seiner verschollenen Familie, eine Herrenarmbanduhr, ferner ein Taschentuch mit den Initialen HH, seine Papiere, ein Notizbuch mit kyrillischen Buchstaben auf dem Einband, darin die Namen und Begebenheiten mit verschiedenen Frauen, intime Einzelheiten, an die man besser nicht rührte; keine Adressen.

Nur der stille graue Herr im Anzug, der vor ein paar Tagen zu Besuch gekommen war, hatte für alle Fälle eine Adresse hinterlassen und eine Nummer zum Anrufen, und da war er auch gleich am Apparat und sagte: Ja, leider, der Herr Hampel, das war zu befürchten, wir kennen uns, eine kleine Ewigkeit kennen wir uns, sie sollen ihn verbrennen, alles Nötige veranlassen sollen sie, er kümmert sich, holt auch die Schachtel ab, oder wir schicken jemanden vorbei die Tage, auf Wiedersehen.

Sie verbrannten ihn nicht gleich, denn zuerst wollten sie sehen, ob er noch zu etwas nütze war, brachten ihn in ihre kühlen Keller und fanden hie und da eine brauchbare Kleinigkeit, schickten ihn ins Feuer am dritten Tag, schütteten die Reste in eine Urne nach dem großen Feuer und ließen sie auf dem Nordfriedhof vergraben, und kein Name stand da, aber für die Toten der Jahre 1985 bis 1988 der Spruch auf einen Stein gemeißelt: Alles hat sich am Ende gelohnt.

Mitte Oktober war die Beerdigung, und es kamen der Genosse Major Harms und die Genossin Gisela mit ihren bulgarischen Parfüms und im Hintergrund die alten Freunde der Eltern, Anneliese und Friedhelm, die hatten in der Zeitung eine Notiz gelesen und kannten ihren Heinrich von früher. Ein paar Minuten standen sie alle da und sahen schweigend zu, wie zwei Arbeiter ein bißchen Erde aushoben auf der Grabstelle für die Toten des Jahres 1988, und die Urne in das schuhschachtelgroße Loch legen und sich verneigen, schweigen, war fast eins.

Sechsundzwanzig Jahre waren's im April, sagte Harms, und Gisela sagte, daß er ihr vor Jahren viel geschrieben habe, und die schönsten Briefe der Welt sind's ihr gewesen, sie hat erst gestern wieder darin gelesen. Ja, geschrieben hat er gern, sagte Harms, und ob sie noch mitkommt ins *Paradiescafé*, da hätten sie sich in all den Jahren manchmal getroffen, und auch Gisela war da mit Heinrich vor Jahren unten im Paradies gewesen, und nun wollen wir uns noch einmal erinnern und trinken und anstoßen auf diesen Hampel, da hätte er seine Freude.

Sie kannten ihn beruflich, sagte Gisela, und Harms sagte: Na ja, beruflich, ich habe mich etwas um ihn gekümmert, aber in den letzten Jahren kaum noch, da habe ich nicht viel gehört.

Hatte er nicht eine Frau, die Mutter der feinen Eva?

Ja, Rosa, sagte Harms und erzählte von Rosa und ihrer Tochter Eva, und auch die Schwester im Westen erwähnte er, ihre Briefe, von denen Heinrich lebte, ihre Pakete, um die er bettelte, da wußten sie beide nichts Genaues.

Es ist zum Heulen, sagte sie und wollte vor Harms nicht heulen, und dieser Harms fragte, ob er sie ein Stück im Wagen mitnehmen soll, das fand sie sehr nett.

Februar 1988

Liebe Constanze, Du wirst Dich wundern über die fremde Schrift, aber leider habe ich zum Schreiben nicht mehr die Möglichkeit. Am 7. des Monats bekam ich in den Morgenstunden einen Schlaganfall, meine rechte Seite ist gelähmt, mit dem Sprechen geht es. Es hat zwölf Stunden gedauert, bis man mich entdeckte, so lange mußte ich hilflos auf dem Teppich liegen. Ich möchte Euch herzlich bitten, mir in dieser Situation zu helfen und ein paar Sachen zu schicken, vor allem Seife, Zahnpasta, Rasierwasser und Klingen (*Wilkinson*), Erfrischungstücher, 1 Büchse *Aldi*-Kaffee, evtl. schwarzen Tee. Das müßte fürs erste reichen. Die Lähmung wird seit ein paar Tagen behandelt, aber was dabei herauskommt, kann man noch nicht sicher sagen. Verständigst Du die Geschwister? Es grüßt Euch alle recht herzlich. Euer Heinrich.

April 1988

Vielen Dank für Eure Zeilen und das Paket. Seid bitte nicht zu streng mit mir. Ich weiß, ich habe schon lange nichts mehr gut bei Euch, bloß wie soll ich leben. Ich hoffe nur, ich sehe Euch alle eines Tages wieder, denn wie sich jetzt herausstellt, werde ich kaum in der Lage sein, meine letzten

Tage ohne Hilfe zu verbringen. Das als Antwort auf Euren Brief. Die Turnschuhe sind angekommen, der Tee, die Seife, nur die Schuhe sind leider eine Nummer zu klein. Das Leben auch.

Mai 1988

Die Turnschuhe ziehe ich nun doch an. Das Leder gibt ja nach, der Fuß gewöhnt sich, unangenehm waren nur die ersten Tage. Es geht mir leidlich. An Schreiben ist natürlich nicht zu denken. Aber mein Bettnachbar nimmt sich die Zeit und erledigt das für mich. Auch Wünsche habe ich leider wieder: 2 Dosen *Aldi*-Kaffee, den Tee aus Ceylon oder Assam, Dosenmilch, 1 Hausanzug aus Cord, 1 Autobahnkarte der BRD. Hat Rosa die Unterleibsoperation überstanden? Was hört Ihr überhaupt von denen? Wahrscheinlich wenig.

Juni 1988

Vielen Dank für Deine Zeilen und das Paket mit den Sachen. Mir geht es langsam besser. Ich kann jetzt schon an der Krücke laufen und an der Laufhexe die ersten Schritte. Im August werde ich wahrscheinlich in ein Pflegeheim verlegt. Es ist ganz modern eingerichtet, ein Einzelzimmer ist mir versprochen. Habt Ihr inzwischen von Rosa etwas erfahren? Ich denke nicht oft an sie, aber wenn ich an sie denke, fällt mir ein, wie wenig ich an sie denke. Sie wäre bestimmt nicht begeistert von meinem Anblick, aber nun hat sie zum Glück ganz andere Sorgen, es sei ihr auch von Herzen vergönnt.

Juli 1988

Mir geht es den Umständen entsprechend. Ich laufe so gut es geht an der Krücke, und das Essen schmeckt mir. Verlegt werde ich, sobald im Heim ein Platz frei wird. Darf ich Dich noch einmal an meine Wünsche erinnern, es ist ja diesmal nicht gar so viel: 1 Hausanzug aus Cord, 2 x Kaffee von

Aldi, ein paar Büchsen Lachs und Muscheln. Gestern war zum ersten Mal Besuch da, eine Bekannte aus Frankfurt/Oder, sie hatte nur leider wenig Zeit. Die Freunde von früher lassen sich auch nicht blicken. Wenn Emilia noch leben würde, hätte ich in dieser Hinsicht kaum zu klagen, sie war mir doch immer eine zuverlässige Stütze. Manchmal geht bei mir die Tür auf, und ich denke, sie ist es, oder ich denke, Ihr seid es. Aber leider ist das alles ganz unmöglich.

August 1988

Habe ich schon geschrieben, daß hier manchmal die Tür aufgeht, und ich denke, Ihr seid es? So dumme Gedanken habe ich manchmal. Es geht mir leider nicht gut, wer weiß, wie oft ich Euch noch schreibe. Ein Bekannter hat mich die Tage gefragt, ob Ihr ihm helfen könnt. Er hat für sich und seine Familie einen Ausreiseantrag gestellt und möchte gern nach Bayern. Ich habe gesagt, ich frage Euch, obwohl ich kein Verständnis für Leute habe, die mit aller Gewalt Bundesbürger werden wollen. Von Konrad bekam ich vor Wochen eine Postkarte aus der Pfalz, seither gar nichts. Von Walter nicht mal ein Lebenszeichen. Könnt Ihr mir bei Gelegenheit etwas Unterwäsche schicken und ein paar Socken und in einem Umschlag zwanzig Mark für ein Geschenk, das ich meiner Bekannten aus Frankfurt/Oder machen möchte? Es ist mir wie immer sehr peinlich. Aber würden wir uns ohne meine Betteleien überhaupt noch kennen?

In den letzten Wochen, bevor der große Sturm losbrach und mitten im Winter das Gewitter mit Blitz und Donner in seinem Hirn, dem kranken, war Heinrich schon froh, wenn ihm die Tage noch vergingen, schrieb einen Haufen Briefe an seine Schwester Constanze oder Martina und hatte außer seinen Briefen nichts Rechtes zu tun, hatte Mühe mit den Tabletten in den vielen Gläschen und Schachteln und Tüten, machte lange Spaziergänge durch die nahe gelegenen Viertel oder trank eine Tasse Tee im *Thüringer Hof* bei Elli, die ihn bemitleidete, fuhr mit der Straßenbahn zum Friedhof und schilderte der toten Emilia die immer gleichen Tage, und wie oft sie doch kalte Füße gehabt hatte, die Arme, und nun lag sie da in ihrem Grab und hörte mit dem Frieren gar nicht mehr auf.

Den halben Dezember lebte er davon, daß er auf seine Bekannte aus Frankfurt/Oder wartete und sich ausmalte, wie sie ihm womöglich bliebe und eine neue Emilia würde, und als sie endlich kam, blieb sie gerade mal einen Nachmittag, sagte Sie zu ihm im ersten Moment und wollte den Jammer nach all den Briefen und Beschwörungen und Hoffnungen nicht glauben, und wie schäbig das alles war, wie erbärmlich er lebte.

Du riechst, du mußt dich mehr waschen, sagte sie, und nicht nur immer das Brot und die billigen Suppen und das Essen aus der Dose sollst du essen, oder warum sagt dir das keiner. Viel kostbare Zeit war ihnen durch ihre Ermahnungen vergangen, denn sogar das Klo hatte sie ihm geputzt und die alten Kartoffeln nach unten in den Müll getragen, als wäre sie seine Mutter oder die Putzfrau, denn bei diesem armen Schlucker mit dem kranken Bein reichte es ja nicht mal für Toilettenpapier. Aber ich will das gar nicht, hatte Heinrich gesagt und wollte nur immer, daß sie bleibt und die Gründe aufzählt, warum sie es bei sich zu Hause nicht aushält, und nur noch bei ihrem Heinrich will sie sein und holt in ein paar Tagen die Kinder und einen Koffer, trägt die alten Kleider ihm zuliebe, kann wieder atmen nach all den Jahren, den schlimmen, davon träumte er.

Sie sagte nicht: Herr Hampel, das schlagen Sie sich aus dem Kopf, daß ich hier einziehe und Ihnen den Haushalt mache oder was weiß ich noch, denn so schlecht kann meine Ehe gar nicht sein, daß ich sie tausche für ein mieses Leben wie dieses, das alles verschwieg sie, aber von einem großen Mißverständnis redete sie, und daß sie sich gar nicht kannten, genau betrachtet, also was wollte er.

Ich gehe in den Westen, sagte sie, vielleicht gehe ich wirklich in den Westen.

Sie sagte: Ich bin hier, weil du ein paar sehr schöne Sachen zu mir gesagt hast im Sommer, nur von ein paar schönen Sachen kann ich leider nicht leben.

Als sie fort war, freute er sich, daß sie in seinem Sessel gesessen hatte, und ging noch einmal durch, was sie gesagt hatte, fand sie erschöpft und fürsorglich, und daß sie ihn mochte, fand er, oder warum sonst würde sie ihn wohl tadeln, wenn sie ihn gar nicht mochte, da wäre er ihr doch am Ende völlig egal. Am Tag vor Weihnachten wusch er sich für sie und schickte ein Telegramm mit Glückwünschen, und daß er an sie denkt und wartet, ihr Besuch habe ihn sehr ermutigt, und also setze er sich immer in seinen Sessel und denke an sie, die Sache mit dem Westen soll sie sich gut überlegen.

Den ganzen Januar wartete Heinrich auf Antwort, und die Antwort kam nicht, aber Anfang Februar kam etwas, da schrieb sie ihm mit der Schreibmaschine ein paar Zeilen lang die Wahrheit, schrieb auch ihren Namen mit Schreibmaschine und schrieb, sie möchte etwas bitten, und zwar, daß er sie nicht weiter belästigt, möchte sie bitten, sie bitte ganz herzlich.

Im ersten Moment glaubte er nicht, daß sie ihn das bat, legte den Brief zur Seite und ging schlafen, zog sich auch richtig aus und schlief und erwachte, las noch einmal und nickte und weinte über sich und diese Martina und das ganze verfluchte Leben, das kümmerliche, das feine, herrliche Leben, das er gelebt hatte und noch immer lebte, und das war ja schließlich etwas, daß er noch lebte und auf etwas zurückblickte, die Schläge bekam und parierte oder selber austeilte, oder bei wem wollte er sich da etwa beklagen, wenn er am Ende einmal liegenblieb und nicht wieder aufstand, weil er mit dem Schlag nicht rechnete, da war es schon einer der letzten. Wie ein Gewitter mit Blitz und Donner war das an diesem Samstag im Februar 1988, als er umfiel und beim Umfallen die Gardinen vom Fenster riß, und nur deshalb sahen ihn nach Stunden ein paar Passanten wie erschlagen in seinem Zimmer und retteten ihn, verständigten den ABV und retteten ihn, schlugen die Scheibe ein mit Genehmigung des Abschnittbevollmächtigten und retteten dem Heinrich Hampel den Rest seines Lebens.

Er plapperte unsinniges Zeug, als sie ihn holten, sagte Namen und verwechselte sie, hatte eine Akte bei verschiedenen Ärzten, und einen speziellen Eintrag in seinen Papieren hatte er, kam vergleichsweise schnell auf die Beine.

Er aß gerne Suppe die erste Zeit.

Hampel, was für ein lustiger Name.

Er hatte Erfahrungen mit dem Kranksein. Selten waren die Briefe seiner Schwester Constanze, aber wenn sie an ihn gedacht hatte, war er der glücklichste Mensch auf Erden.

November 1987

Meine liebe, gute Constanze! Lange hatte ich keine Gelegenheit, Dir zu schreiben, und das lag daran, daß ich dumme Sachen gemacht habe und nicht in der Stadt war. Angefangen hat es im Oktober in der Klinik, als ich auf einmal große Gedächtnislücken hatte und zu verschiedenen Arztterminen nicht erschienen bin, ich glaube, drei- oder viermal. Die behandelnde Ärztin war sehr ärgerlich, ermahnte mich, stellte meine Therapiefähigkeit in Frage, und eines Tages rief sie ein Taxi und warf mich hinaus. Und da stand ich nun und war so erschüttert, daß ich mich zum

Bahnhof fahren ließ und eine Fahrkarte nach Frankfurt/Oder kaufte, ich wußte ja gar nicht wohin. Ich habe eine Bekannte dort, die allerdings bedeutend jünger ist als ich, aber ich war mit ihr einig. Am 23. gegen halb drei war ich in Frankfurt, nahm mir ein Taxi zu ihrer Wohnung und erlebte eine schlimme Enttäuschung. Kurz: Als ich zu ihr wollte, war schon ein anderer dort. Sie hat mir nicht mal die Tür aufgemacht, aber am nächsten Tag haben wir über alles geredet. Ich nahm mir ein Zimmer, und nach zwei Tagen wurde ich von einem Arzt in die Nervenklinik eingeliefert. Ich hatte ihn aufgesucht, weil ich ja ganz ohne Medikamente war. Da ich nicht mehr zusammenhängend reden konnte und einen Schock erlitten hatte, war das erforderlich. Drei Wochen war ich in Frankfurt, erst am 13. wurde ich nach Jena entlassen. Es war sehr grausam, sage ich Dir, aber auch lehrreich. Die Behandlung hat mir gutgetan, auch mit meinem Gedächtnis ist es nun wieder besser, ich habe größeren Schaden wohl gerade noch verhindert. Was ich sehr vermisse, sind Deine Briefe. Hast Du denn gar so wenig Zeit zum Schreiben? Wir hatten hier in Jena in den vergangenen Tagen heftige Stürme, bei denen zum Teil erhebliche Schäden angerichtet wurden. Zahllose Häuser wurden abgedeckt, Schornsteine stürzten auf die Straße, es gab Verletzte. Dazu Regen und Gewitter. Ich sitze hier und warte auf Besuch, trinke Deinen Tee und denke so vor mich hin. Gestern habe ich die Fenster geputzt und anschließend gewaschen. Das windige Wetter war für das Trocknen der Wäsche äußerst günstig. Jetzt muß ich noch bügeln und aufräumen. Langeweile kenne ich nicht. Bloß lese ich in der letzten Zeit viel zu wenig. Übrigens habe ich bei meinen Abenteuern nicht wieder getrunken. Ich trinke seit dem 15. August nicht mehr. Auch die beiden Tage in Frankfurt habe ich keinen Tropfen angerührt. Die behandelnde Ärztin war ganz erstaunt, denn damit hatte sie nicht gerechnet. Manchmal war mir danach zumute, aber die Angst vor den Folgen hat mich abgehalten. Ich weiß doch, wie das war. Also, zuletzt war es einfach nur noch gräßlich. Ich kannte mich selbst nicht, und alle, die mir lieb waren, kannten ihren Heinrich auch nicht. Ich umarme Dich. Das darf ich als Dein Bruder: Dich umarmen? Zum Jemanden-Umarmen habe ich nämlich derzeit nur wenig Gelegenheit.

November 1987

Die Sache mit Frankfurt habe ich verwunden. Sorgen macht mir mein Bein und daß es nun schon seit Wochen nicht heilen will, ich glaube, man nennt es Zuckerbrand. Gestern habe ich mit der Post die Jahresenergieabrechnung über 545 Mark Ost bekommen, und nun bin ich ganz verzweifelt, weil mir die Sperrung droht. Besteht die Möglichkeit, mich zu retten? Ich hätte jemanden, der dringend an Westgeld interessiert wäre. Könntest Du mir DM 150,- schicken? Ich weiß, Du hast schon viel zu viel für mich getan. Aber die Gefängnisleitung hat all die Jahre meine Miete nicht bezahlt, und so wird mir nun alles erst mal gepfändet. Ich weiß wirklich keine andere Möglichkeit. Zum Beispiel meine Bekanntschaft in Frankfurt kann ich ja schlecht bitten. Und sonst habe ich niemanden mehr, oder ich möchte ihn nicht fragen. In Jena ist es noch immer windig und kalt. In Rußland hatten wir um diese Zeit immer schon tiefsten Winter. Freust Du Dich, das alles wiederzusehen? Ich hätte ja tausendmal die Möglichkeit gehabt, aber leider habe ich sie nie genutzt. Und die anderen sind wohl auch nie mehr gefahren. Oder doch? Schreibst Du mir, wie es gewesen ist? Auf Deine Briefe freue ich mich immer, ich darf es gar nicht sagen, wie sehr. Weißt Du noch, in Rußland, der Fluß, in dem wir immer gebadet haben? Es war doch eigentlich eine schöne Zeit. Unsere Saale hat ja fast immer Schaumkrönchen, und jetzt im Winter hängt die Stadt beinahe ständig voll Rauch. Ich muß gleich los, etwas einkaufen, mein Kühlschrank ist fast leer. Aber ich brauche nicht viel. Denkst Du an die Sachen? Ich danke Dir.

Er war einfach aufgestanden und durch die Tür nach draußen gegangen, und da wartete schon das Taxi und fuhr ihn zum Bahnhof. Wir glauben nicht mehr an Sie, Herr Hampel, hatte die Ärztin gesagt, denn unsere Erfahrungen lehren uns: Das wird nichts mit diesem Hampel, und Land und Leute können sich's nicht leisten, daß wir so tun, als ob. Wir haben schwerere Fälle, und wir haben leichtere Fälle, hatte sie gesagt, aber die Schlimmsten sind die Empfindlichen und die sich im Leben nie hart anfassen und immer nur wünschen und fordern, als sei unser Sozialismus etwas zum Ausruhen oder wie im Märchen vom Tischlein deck dich, aber da habe sich der Herr Hampel leider getäuscht.

Noch im Zug mußte er wieder und wieder durchgehen, was die Ärztin zu ihm gesagt hatte, und die Sätze seiner Martina mußte er wieder und wieder durchgehen, und ob er das eigentlich durfte, sie so einfach überfallen und vor der Tür stehen ohne Quartier und Zimmer, aber weil er so in Not war, hoffentlich durfte er's, taumelte in seiner Not einmal quer durch die Stadt zu ihrer Wohnung und hoffte, sie ist zu Hause und empfängt ihn, nur da war schon wieder alles ganz anders.

Er hatte den anderen nicht gesehen, aber er konnte es sich denken, daß da ein anderer oben bei ihr in der Wohnung saß und auf sie achtete, sie nicht hinausließ und ans Fenster im zweiten Stock schickte, damit sie diesem Hampel Bescheid sagte, und was um Himmels willen er da macht und will, und um diese Zeit und ohne sich anzumelden, das war ja eine Frechheit. Morgen früh? Ja, morgen früh vielleicht, hatte sie aus ihrem Fenster zu ihm herunter gesagt, nur durch ein Nicken hatte sie's gesagt, aber nun sei es erst mal Abend, wir werden sehen, und du sieh zu, daß du dir ein Zimmer suchst, und etwas essen soll er, oder will er bis morgen hier warten.

Er hatte sich kurz überlegt, ob er gleich bleibt und wartet und unter ihrem Fenster die Nacht verbringt, auf und ab läuft und mit dem Laufen die Kälte vertreibt und die Stunden, aber dann war er doch froh, in seinem Hotelzimmer zu sein und kein Ärgernis zu erregen, hatte es auch warm und konnte früh zu Bett schlafen. Am nächsten Morgen trank er nur eine Tasse Kaffee zum Frühstück, putzte sich die Zähne und überredete sie zu einer Aussprache, klingelte und grüßte und wollte zu Fuß ein Stück in Richtung Grenze. Es ist nicht so, wie du denkst, sagte sie und merkte nicht gleich, in welchem Zustand er war, und als sie's merkte, erschrak sie. Du siehst fürchterlich aus, was ist passiert, und noch einmal: Es ist nicht so, wie du denkst, es war mein Mann, und er wollte über alles reden wie du.

Ich wußte mir keinen Rat mehr, sagte Heinrich und wollte wissen, was da genau gewesen war im Sommer in ihrem Café am Carl-Zeiss-Platz, denn von den Tabletten war sein Gedächtnis seit kurzem voller Lücken.

Das kann ich dir sagen, was gewesen ist, sagte sie, wir haben jeden Nachmittag Tee getrunken, und ein paar sehr schöne Sachen hast du mir gesagt beim Teetrinken jeden Nachmittag in diesem Café am Carl-Zeiss-Platz, nach ein paar Tagen kannten wir unser ganzes Leben.

Haben wir uns angefaßt?

Nein, wir haben uns nicht angefaßt. Du hast gesagt: Ich würde gerne. Aber ich habe gesagt: Das kann ich mir nicht vorstellen, nicht heute oder vielleicht nie, denn mein Mann hat mich verlassen, oder ich selbst war's, die ihn vor kurzem verlassen hat, was war das schließlich für ein Unterschied.

Ja, so war es, sagte Heinrich.

Nur beim Du habe ich gezögert.

Und immer Streuselkuchen mußte es sein.

Fast wie ein Anfang war's.

Aber du glaubst nicht daran.

Ja, leider, nein, sagte sie und sah, wie er's nicht leicht nahm, daß sie nur ein Nein hatte und nicht wollte, daß er sie berührte, denn das wünschte er sich doch wohl und sagte es, indem er nicht mehr darauf zurückkam, sie fand das alles sehr unangenehm. Ich bringe dich zu einem Arzt, sagte sie, weil er die Fassung verlor unter ihren Blicken, den Worten, und da wollte er das nicht, daß sie ihn zu einem Arzt brachte und sich aus dem Staub machte, aber sie überredete und begleitete ihn, wußte auch gleich einen Nervenarzt in der Nähe, brachte Heinrich vom Nervenarzt in die Klinik und versprach ihm, sie werde ihn gleich morgen besuchen, und solange er bleibt, sooft sie kann, werde sie ihn besuchen, wenn der Mann sie nur läßt, nun hatte Heinrich gar nicht mehr nach ihm gefragt.

In der Klinik ließen sie ihn erst mal eine Weile schlafen und schickten seine Martina fort, wenn sie sich nach ihm erkundigte, oder ob sie etwa seine Frau sei oder eine enge Verwandte, na ja, nicht ganz, er nenne sie da seit neuestem immer seine Braut. Leider, sagten die Ärzte und ließen sie unten in der Empfangshalle eine Postkarte schreiben, bei der sie lange nicht wußte, und wie man das macht, wenn man nicht weiß und jemand anderem zuliebe lügt und sagt: Das wird schon, Du schaffst das, ich warte auf Dich, und weil ich Deine Braut bin, wird mir die Zeit nicht lang.

Oktober 1987

Bitte erschreck nicht, aber seit drei Wochen geht es rapide abwärts. Ich bin jetzt im Stadium beginnender Verblödung.

Liebe Constanze, kannst Du Dich an unseren Großvater väterlicherseits erinnern? Ehe wir nach Rußland sind, wollte er einmal von Jena zu Fuß nach Aachen, ging bis zur damaligen Zonengrenze in Hessen und wurde von der Volkspolizei aufgegriffen und zurückgeschickt. Unser Vater ist in seiner Blödheit ja auch immer wieder gerne in andere Städte spaziert, und nun habe ich die Krankheit also geerbt. Seit nunmehr drei Wochen habe ich kein Kurzzeitgedächtnis mehr, aber die Ärzte und das Pflegepersonal wollten mir nicht glauben, waren lange der Meinung, ich simuliere. Dabei weiß ich manchmal die Namen der Schwestern nicht, verwechsele Pfleger und Besucher, gehe zweimal kurz hintereinander zum Mittagessen oder bleibe bis zum Abend auf meinem Zimmer und merke noch nicht mal den Hunger. Vorgestern habe ich in meiner Verblödung einer Schwester einen Heiratsantrag gemacht. Aber Herr Hampel, ich bin die Schwester Soundso, sagt sie und lacht, weil sie meine Tochter sein könnte, mißt die Temperatur und geht und kommt wieder, und kurz darauf schon wieder ich: Ob sie denn meinen Brief nicht bekommen hat, ich habe bis heute keine Antwort, möchte sie gerne heiraten usw. Es war sehr peinlich, sage ich Dir, aber danach waren sich alle einig, daß etwas mit mir nicht stimmt. Ich mußte zum Leiter der Anstalt und sollte berichten, was ich alles an mir bemerkt habe, und nun haben sie mir gestern eine Infusion gelegt. Nach vierzehn Tagen sollen alle Schäden behoben sein. Ich kann dem Herrgott bloß auf Knien danken, daß ich erst Mitte Fünfzig bin, denn sonst wäre ich dieses oder nächstes Jahr am Ende. 25 Jahre bin ich schon krank, aber bewußt geworden ist es mir erst jetzt, und nun ist es beinahe zu spät.

Nun aber zu den guten Nachrichten. Ich trinke seit über zwei Monaten nicht und werde nächstes Jahr mit einer neuen Frau beginnen. Eine Bekannte aus Frankfurt/Oder zieht zu mir nach Jena, wenn ich hier raus bin, und ewig wird es ja hoffentlich nicht dauern. Ich habe sogar schon ein paar Kleinigkeiten für den Haushalt gekauft, Wohnung bekomme ich nächstes Jahr durch die Klinik. Von Euch brauche ich dann eventuell Tapeten. Ich stelle mir alles sehr schön vor: vier Zimmer und eine große Küche zum Sitzen, Essen und Plaudern wie früher bei uns zu Hause in der Windbergstraße, das wäre ein Traum. Warst das nicht übrigens Du, die in den letzten Kriegsmonaten immer allein hinunter in den Felsenkeller gelaufen ist bei Bombenalarm? Du kleine, tapfere, feine Schwester, ich mochte Dich immer sehr. Oder hättest Du's am Ende gar nicht gedacht? Auf den Fotos, die Du mir geschickt hast, siehst Du übrigens blendend aus. Du hättest mir bestimmt auch gefallen. Ich meine, das sagen Dir ja gewiß viele, daß Du ihnen gefällst, nicht nur Dein auf den Hund gekommener Bruder aus der sozialistischen Großstadt Jena, der gerade zum hundertsten Mal ein neues Leben anfängt. So ein Trottel ist er. Wünsche hat er leider auch schon wieder, bis Jahresende folgendes: für meine Braut eine weinrote Hose Größe 36, dazu für mich einen neuen Trainingsanzug (blau), *Süßli*, Diabetikerschokolade und andere Süßigkeiten für Weihnachten sowie verschiedene Lebensmittel, haltbare Fertiggerichte mit Nudeln, *Pfanni*-Knödel, Kartoffelpüree, 1 *Aldi*-Kaffee, eventuell noch etwas Kosmetik für die Frau. Sie heißt Martina, ist bildhübsch und hat ein Mädchen und einen Jungen, zehn und vierzehn Jahre alt. Zur Hochzeit hier in Jena seid Ihr herzlich eingeladen. Werdet Ihr mit uns feiern? Ich rechne fest mit Euch. Unser Vater hat ja auch sehr spät noch einmal geheiratet, bloß ein bißchen mehr Glück als er möchte ich mit meiner Braut schon haben. Es werden nur ein paar wenige Leute da sein, kein großes Fest, doch für ein gutes Essen in einem Restaurant wird es reichen. Wie Ihr seht, ich werde es schaffen. Nach meiner vollständigen Genesung möchte ich auch wieder in meinem Beruf arbeiten und so viel verdienen, daß ich Euch nur noch mit sehr speziellen Wünschen belästigen muß. Euch verdanke ich meinen neuen Start. Mein Leben in den letzten zehn Jahren war die Hölle. Aber nun bin ich ein anderer Mensch. Bis 1989 bin ich in jeder Hinsicht über den Berg. So, das war der versprochene Brief, ich hoffe, er gefällt Dir. Es ist jetzt zwei Uhr nachts, und ich schreibe Briefe in alle Welt: an Dich, Sibylle, Paul, Eva und wer weiß noch wen. Ich freue mich, daß mein Leben noch einmal gerettet worden ist. Dein Dich liebender Bruder Heinrich.

Den ganzen Sommer hatte er getrunken und darauf gewartet, daß sie ihn benachrichtigten und die Flasche Weinbrand am Vormittag ihm abschafften, den polnischen Wodka am Samstag und den russischen am Sonntag, oder die Flasche Brennspiritus, wenn er gerade nichts anderes hatte, die brannte in seinen Eingeweiden wie Feuer. An seinem 56. Geburtstag ließen sie ihn kommen und gratulierten ihm, schenkten ihm zur Entgiftung in hohen Dosen das freundliche *Distraneurin*, und nach ein paar Wochen mußte er sich wie alle anderen zusammenreißen und ein paar unangenehme Fragen beantworten, oder warum konnte er mit dem Trinken seit Jahren nicht aufhören. Ja, wenn ich's wüßte, sagte Heinrich und wußte eine Ehe und das fremde Land und dreimal drei Jahre Gefängnis und mehr, doch da wollten die das alles gar nicht hören und redeten von seinem Charakter, oder hat ihn zum Trinken etwa jemand gezwungen: die Frau, das Land, die staatlichen Versuche, ihn zu erziehen, das Wohlwollen der Betriebe, in denen er Arbeit fand und immer auf krumme Wege geriet, da möge der Herr Hampel sich einmal prüfen und nachdenken, wer an allem die Schuld hat, wenn nicht der Herr Hampel, oder wie sie alle heißen, unsere lieben Säufer aus dem Bezirk Gera und weit über die Grenzen des Bezirkes Gera hinaus die schlimmsten Fälle.

Bettruhe um zehn, nicht jammern, eisern bleiben, sagten die Ärzte und Pfleger und sagten nur immer Hampel zu ihm, aber schöne bunte Wasserfarbenbilder malte der Herr Hampel in den kurzen Stunden am Vormittag, lernte sich bewegen und einen schweren Ball werfen in der großen Halle beim Turnen jeden Dienstag, oder die kleinen Laubsägearbeiten mittwochs zwischen halb drei und vier, die ihm gelangen, da wurden die Stunden leider schon sehr lang.

Es fiel ihm anfangs nicht leicht, sich an alles zu gewöhnen, nur was erwartete er, wohnte in einem Zimmer mit dreimal zwei Betten, und nicht mal ein Schnarcher war dabei, denn wegen der vielen Tabletten schliefen sie alle wie Steine, erwachten um sieben vom großen Klingeln, der Stimme der Schwester im Zimmer oder am Ohr, wenn sie nicht hörten: Aufstehen und waschen, anziehen, ein neuer Tag, die Herren, das Frühstück wartet nicht, die Doktoren auf ihrem Weg zur Visite, und später saßen sie alle im Kreis und erzählten sich das schlimme Leben und ihre Dummheit, ach, was waren wir Dummen dumm, mindestens für zwei Leben dumm waren wir, daß wir's nicht lebten und es uns nicht gemütlich machten, denn das schien im Rückblick doch beinahe möglich.

Heinrich redete manchmal von Rosa, wenn sie alle in ihrem Kreis saßen und ihre Bekenntnisse austauschten oder schwiegen und warteten, daß ein anderer etwas bekannte, und da mochten sie das nicht, daß Rosa in den Westen gegangen war und die beiden Söhne überredete, mit ihr zu gehen, aber der sie gar nicht verdiente und aus dem Land trieb, war unser Hampel, also was klagst du. Manche beneideten Heinrich, daß er eine wie Rosa gehabt hatte, und Heinrich beneidete sie, daß sie bald jeden zweiten Nachmittag Besuch empfingen, aber für ihn kamen keine Schwester aus dem Westen und keine Bekannte aus Frankfurt/Oder, keine Gisela und kein Harms, und dabei schrieb er ihnen Briefe, in denen er sie dazu aufforderte, oder zwischen den Zeilen die Bitte versteckte er, beschrieb die psychiatrische Klinik, als wär's ein Sanatorium in den Bergen oder ein großes Hotel, sie bräuchten sich nicht zu fürchten, alles ganz harmlos, alles Menschen wie du und ich.

Anfang Oktober gab es den ersten Ausgang, für ein paar Stunden ließen sie ihn heraus, und da sollte er ruhig unter die Leute und sich versuchen in einer Kneipe, sich ein Glas Wasser bestellen, wenn die Freunde sich ein Bier bestellen oder nach dem Essen einen von den hellen Klaren, denn davon hatte er hoffentlich genug für immer. Zwei-, dreimal die Woche war Heinrich nun draußen und ging spazieren, war froh, daß er für ein paar Stunden ohne die anderen war, war erleichtert, wenn er nach ein paar Stunden zu diesen anderen zurückkehrte und leider kein Brief auf ihn wartete, keine Antwort von Constanze, der Schwester, oder von Martina, die war erschrocken und wollte nicht glauben, was er da immer schrieb vom Heiraten, denn von allem, was er besitze, sei sie ihm nun einmal das Allerkostbarste.

Rosa hat schon Wohnung und Arbeit, schrieb Constanze im Oktober, und als Sekretärin bei der *Caritas* hat sie eine Stelle und nach Dir noch nicht mal gefragt. Keine Ahnung, warum ihn das traf, aber es traf ihn, als wär's eine schlechte Nachricht, und in den Malstunden zerriß er nun manchmal die Bilder. Er sagte: Keine Nachrichten sind schlechte Nachrichten, also was will ich, außer einer Antwort aus Frankfurt/Oder nicht viel. Womöglich störte sie ja das Wort kostbar, dachte er, oder sie wollte erst ganz sicher sein, spazierte da alle Tage mit seinem Brief in der Tasche durch die Gegend und überlegte, und am Ende stand sie hoffentlich eines Tages in der Tür mit einem Strauß Blumen, zwinkerte ihm zu und sagte: Ja, da staunst du, ich habe lange überlegt, und nach langer reiflicher Überlegung soll es nun also sein.

Juni 1987

Ich lag schon wieder drei Wochen im Bett. Es wird immer schlimmer mit mir. Da ich inzwischen kaum noch laufen kann, werde ich noch dieses Jahr in ein Pflegeheim müssen und allenfalls nebenbei irgendeine Tätigkeit ausüben können. Morgen fahre ich zu einer Bekannten nach Frankfurt/Oder und bleibe eine Woche. Gedanken an Rosa und die Kinder versuche ich zu vermeiden. Ich bin im Moment finanziell total am Boden. Wenn Du dem Paket noch einige Dinge zum Überleben beilegen könntest, wäre ich froh. Nicht mal zweihundert Mark haben sie mir am letzten Zahltag ausbezahlt. Ich lebe zur Zeit nur von Euren Gaben. Ich habe sie zum Glück gehortet, wissend, daß sie mir einmal das Überleben ermöglichen werden. Ich wüßte nicht, wie ich es ohne Euch schaffen würde, denn es laufen noch immer Pfändungen von alter Schuld. Seid für heute alle recht herzlich gegrüßt. Euer Heinrich.

Juli 1987

Auch diesen Brief schreibe ich in großer Not. Ich weiß nicht, wie es weitergehen soll. Am nächsten Zahltag habe ich nur dreihundert Mark zu erwarten, und wie ich damit den Monat überstehen soll, ist mir ein Rätsel. Ihr Lieben! Bitte helft mir noch einmal. Ich kann inzwischen kaum noch laufen und habe leider nicht mehr die Kraft, mir nebenbei etwas zu verdienen. Im August gehe ich in die Klinik, so es mit dem Platz klappt. Wenn es doch endlich soweit wäre. Von Sibylle und Paul habe ich schon lange nichts mehr gehört. Wie geht es Theodor und Ilse? Nach einer heißen und gewittrigen Woche regnet es seit gestern wieder. Es ist ziemlich kühl. Was soll ich Dir schreiben. Ich denke nur immer an Dienstag, denn da muß es sich entscheiden. Wie wird der Arzt die Lage einschätzen? Die Medikamente schlagen auch immer schlechter an. Seid Ihr eventuell wieder einmal in Jena? Wie sieht es aus? Soeben geht hier ein schweres Gewitter nieder. Die Straßen haben sich in Bäche verwandelt, und ich armer Tropf habe noch nicht mal einen Regenschirm. Es ist alles so deprimierend. Euer Heinrich.

August 1987

Liebe Constanze, ich sitze hier noch immer bei mir zu Hause und warte, daß in der Klinik ein Platz frei wird für den Entzug. Ich habe es auch schon ein paarmal selbst versucht; es war die Hölle. Spätestens am zweiten Tag habe ich es nicht mehr ausgehalten. Wegen meiner Wohnung brauchst Du vorläufig nichts zu unternehmen, denn es kann gut sein, daß ich nach erfolgreichem Entzug in ein Heim muß. Alleine schaffe ich es ja doch nicht mehr. Wer hätte das gedacht: mit bald 56 Jahren schrottreif. Ich würde meinen Geburtstag diesmal am liebsten ausfallen lassen. Zur Zeit regnet es wieder. Auch ist es nach wie vor kalt. Von Sommer keine Spur. Es ist trostlos. Habe ich Dir schon geschrieben, daß ich unsere Wanda nach all den Jahren getroffen habe? Ganz zufällig in einem Laden beim Einkaufen war das, da stehen wir auf einmal nebeneinander und schauen und überlegen. Das kann doch gar nicht sein, sagt sie. Wanda? sage ich. Und tatsächlich ist es unsere Wanda. Ist Leiterin einer LPG irgendwo in der Nähe, hat drei erwachsene Kinder, glücklich verheiratet mit dem Kommunisten von damals. Großes Hallo. Weißt du noch, die Kammer? sage ich, und sie sagt, sie weiß es, aber von mir hört man ja schlimme Sachen. Ja, Bautzen, sage ich, und sie lädt mich trotzdem zu einem Kaffee ein, ein kleiner Weinbrand dazu zur Feier des Tages, da hatten wir aber zu erzählen. Unsere Wanda. War sie es nicht, die Theodor einmal eine Ohrfeige verpaßte, weil er sie eine Kommunistin nannte? Nach Theodor frage ich ja gar nicht mehr. Er hätte an meiner Stelle natürlich alles viel besser gemacht, und er hat ja auch alles viel besser gemacht: hat ein Haus und Frau und Kinder, deren Namen ich kaum weiß, für ihn ist das Leben am Ende sicher gerecht. Aber ist es wirklich immer der Tüchtige, der Glück hat? Ist der Glückliche immer tüchtig, oder hat er eben nur Glück? Das ist doch sehr die Frage. Glück hatte ich in meinem Leben übrigens eine Menge. Nur leider ist es in meinem Fall nicht kostenlos.

Er hatte sie im Café *Kosmos* entdeckt und gedacht: Wie darf ich sie überhaupt ansehen, und am zweiten oder dritten Tag: Es ist das letzte Mal, nur noch das eine, das allerletzte Mal. Später erfuhr er, sie wollte über ihre Ehe nachdenken, wohnte bei einer Freundin um die Ecke und sah die Freundin nur immer an den Abenden, hatte zum Nachdenken viel Zeit. Sie war schon fast am Gehen, als er sie entdeckte und dachte: Wie darf ich sie ansehen, ich bin ein alter Mann für die, oder bin ich für eine Frau um die Mitte Vierzig etwa kein alter Mann, denn auf Mitte Vierzig schätzte er sie. Nur noch die letzten Seiten ihres Buches wollte sie lesen, nippte hin und wieder an ihrem Tee, blätterte noch ein paarmal um und war fertig, seufzte, als sie fertig war, und sah an einem der Tische Heinrich, wie er sie betrachtete, das tat ihr wohl.

Kein Wort hatten sie miteinander geredet, aber am nächsten Tag sah man sich wieder und war da nun schon miteinander bekannt. Es gefiel ihr, daß er sie betrachtete und mit seinen sie betrachtenden Augen sagte: Mit dir habe ich gar nicht mehr gerechnet, du bist bei mir nicht vorgesehen und am Ende noch nicht mal mein Fall mit deinen abgebissenen Fingernägeln und den vielen Falten von den Zigaretten und den Flaschen, die du zu diesen Zigaretten ausgetrunken hast, denn so war das. Oder die Augen sagten: Ich kenne dich in- und auswendig, und die dunklen Ringe unter den Augen kenne ich, die Scham beim ersten Schluck frühmorgens, den Brechreiz, den Ekel, das alles mußt du mir nicht erklären, dein Blick und das Wasser in deinem Blick und unter der Haut das Wasser verraten dich, bis auf die Knochen oder auf den Grund deiner Seele verraten sie dich und machen dich mir lieb. Ich werde mich zu dir setzen, sagten seine Blicke, wenn heute nicht, dann morgen, entscheide du, und da wollte sie es lieber gleich heute und staunte, hatte nichts dagegen.

Sie sind mir einer, hatte sie gesagt und sich gleich vorgestellt mit Namen: Martina Drosch, Näherin in einem volkseigenen Betrieb, zwei Kinder, was soll ich noch sagen, sie sei für ein paar Tage geflohen zu einer Freundin, und über die Gründe kein Wort. Tapetenwechsel, sagte Heinrich und war ganz vorsichtig, weil auch sie ganz vorsichtig war und nur Tee bestellte und ihr Herz nicht gleich ausschüttete, denn das tat man ja nicht, einen wildfremden Mann mit ein paar Blicken an den Tisch laden und ihm das Herz ausschütten in den ersten Sätzen, gekonnt hätte sie's. Ich esse am liebsten den Streuselkuchen, sagte Martina Drosch, die ein Gesicht voller Falten und Furchen hatte und zwischen jedem zweiten Satz einen schlimmen alten Husten, und so kam es, daß sie zusammen Streuselkuchen aßen und voneinander gleich Bescheid wußten, und nach ein paar Stunden mußte sie leider los zur Freundin essen, bis morgen.

Wir können auch du zueinander sagen, sagte sie am dritten Tag, und ein paar Schritte gehen wollte sie nach der zweiten Tasse Tee und dem Streuselkuchen im Café *Kosmos*, und damit es auch lustig wird, kaufen wir uns im *Konsum* eine Flasche Klaren, suchen uns irgendwo ein schönes Plätzchen zum Reden, also, was war sein Vorschlag, sie kenne die Stadt ja praktisch überhaupt nicht. Das Haus meines Vaters könnte ich dir zeigen, sagte Heinrich und führte sie die alten Wege hinauf auf die Wilhelmshöhe, zeigte ihr Haus und Garten und weiter oben die Wiese, auf der er einst das Büchlein des Professors aus Berlin verschlungen hatte und sich mit den Geheimnissen der Liebe bekannt machte, und was Vorfeier und Nachfeier waren, lernte er da, die Liebesanpassung im Liebesspiel, daß man die Liebe üben muß, und die Beglückung des anderen sei der oberste Grundsatz.

Du bist ja ein ganz Schlimmer, sagte Martina und trank und wurde lustig beim Trinken, wollte noch weiter bis hinauf zum Fuchsturm, und dort oben erzähle ich dir mein ganzes Leben, ich mach auch ganz schnell. Viel Glück mit den Männern habe sie gehabt, die erste Flasche mit dreizehn, nur so aus Übermut, wegen eines Jungen war es nicht. Hochzeit mit Mitte Zwanzig und drei Liebhaber wie nebenbei, die wollte sie vorläufig nicht aufgeben. Im Bett habe es ihr lange Spaß gemacht, nur mit der Zeit brauchte sie etwas zum Aufwärmen, und damit sie eine Lust hatte und sich aufmachte für den Mann, und danach noch ein Gläschen fürs Einschlafen, ohne ging es nicht. Ihr Ehemann: ein Guter eigentlich, ein Ungar. Kochte jeden Samstag ein Essen für die Familie, las ihr auch nach Jahren jeden Wunsch von den Lippen, zählte die Flaschen nicht, also woran lag es.

Nicht wahr, ich bin sehr leicht zu durchschauen, sagte sie, und da nickte Heinrich und brachte sie zurück in die Stadt zu ihrer Freundin, und danach hatten sie nur noch zwei Tage und mußten sich ein bißchen beeilen mit ihren Geschichten und den beim Gehen ausgetrunkenen Flaschen und den Fragen, die ihnen blieben, es waren auch nur ein paar. Mal sehen, sagte Martina Drosch aus Frankfurt/Oder, die Allerletzte, und Heinrich sagte: Nun fahr du erst mal nach Hause, und wenn er sie braucht, steigt er einfach in den nächsten Zug und besucht sie und ihren Mann und die Kinder, es würde ihn nicht stören.

Ja, bald, ja, schade, Mensch, sagte sie und umarmte ihn wie einen guten Bekannten, ihren Heinrich aus Jena an der Saale, der sie so einfach durchschaute, doch das war ja nicht unangenehm, so einfach von ihm durchschaut zu werden, und beim Trinken machte er wie sie ganz kleine Schlucke, also, das hatte sie sich gleich von ihm gemerkt.

Januar 1987

Hier schneit es seit zwei Tagen, und wir haben die erste geschlossene Schneedecke. Ich bin Euch wirklich sehr dankbar für den Parka und all die anderen Sachen, ich hätte doch ziemlich gefroren. Was machen die Kinder? Was wißt Ihr von Theodor? Gerade eben habe ich auf eine Heiratsannonce geantwortet. Ihr werdet es vielleicht nicht glauben, aber ich habe manchmal die Nase so voll, daß ich allerlei dumme Gedanken habe, warum nicht diesen. Schon über einen Monat höre ich nichts von Euch. Mich hat ein Vorfall vorigen Freitag tüchtig mitgenommen, als man mich nach einem Kreislaufkollaps am hellichten Tag bewußtlos auf der Straße aufgelesen hat. Mit der Arbeit geht es so. Theodor würde sich totlachen, wenn er's wüßte: Heinrich Hampel, von Beruf Fahrstuhlführer in der Universitätsfrauenklinik. Aber man ist doch wenigstens unter Leuten, sieht so manches Elend und lernt das eigene Elend schätzen. Viele liebe Grüße aus Jena. Euer Heinrich.

Februar 1987

Ich bin nach wie vor in Jena, die Operation ist verschoben, mit meinen Kreislaufwerten nicht durchführbar. Über die

Bettwäsche freue ich mich sehr, so wie ich mich auch täglich über die Decke freue, sie wärmt ganz wunderbar. Liebe Constanze! Was Du schicken willst, überlasse ich Dir, denn Du hast noch nie etwas ausgesucht, was ich nicht gebrauchen konnte. Nur Textilien bitte vorerst nicht, erst die Operation abwarten. Bitte verstehe das. Ein Paket wie die ersten wäre gerade jetzt sehr gut. Vielen Dank und herzlichste Grüße. Euer Heinrich.

März 1987

Von mir gibt es die Neuigkeit, daß ich wieder halbwegs gesund bin und arbeite. Ich hoffe, es wird nun einige Wochen gehen, in Sachen Operation hoffe ich auf April, die Durchblutung der Beine ist eine Katastrophe. Wie geht es den Jungs? Es ist doch hoffentlich nicht so, daß wir nur deshalb Korrespondenz führen, weil der arme Heinrich im Osten ohne Eure Pakete nicht über die Runden kommt. Ich möchte wirklich wissen, wie es Euch geht. Auch von Theodor würde ich gerne hören, er ist ja doch immer noch so etwas wie das Oberhaupt der Familie. Ich bin Euch so dankbar. Fünfzig Positionen standen auf Eurer Liste für das letzte Paket, und ich kann Euch versichern, daß ich über jede einzelne sehr glücklich bin. Lebt wohl, macht es gut. Euer Heinrich.

April 1987

Seit drei Wochen arbeite ich wieder. Der Blutdruck hat sich stabilisiert. Medikamente nehme ich so viele, daß ich sie kaum noch zählen kann. Müßte ich sie bezahlen, bliebe mir zum Leben rein gar nichts. Abgenommen habe ich seit September fast zehn Kilogramm. Aber das reicht nicht, die Ärzte wollen mich unter neunzig haben, sonst gibt es keine Operation. Ob ich Euch noch einmal zu sehen bekomme? Fertiggerichte und Kosmetikartikel sind gut angekommen. Ich danke wie immer herzlich. Ob Du bei Gelegenheit ein

Bettlaken nach Jena schicken könntest? Glaube nur bitte nicht, ich freue mich allein über die Pakete, auch über Deine Briefe freue ich mich, sie sind mir manchmal die einzige Unterhaltung. Anbei ein neueres Foto von mir. Ich habe mich selbst kaum erkannt. So sehr kann sich ein Mensch verändern, wenn er sich nicht ändert. In Dankbarkeit. Dein Bruder H.

Mai 1987

Dein Päckchen hat mir das Leben gerettet. Meine Nachbarin hatte es für mich angenommen, und gerade, als ich's abhole, spüre ich das Herz und falle ihr auf die Füße. Da hat es mich also schon wieder erwischt. Aber zum Glück im Unglück im richtigen Moment. Bitte grüße doch einmal Eure Jungs von mir. Es ist ja schade, daß wir uns so ganz aus den Augen verloren haben. Bei uns regnet es seit gestern. Ich sitze hier im Krankenhaus am Fenster, den Blick auf die Lobdeburg, die man vor lauter Dunst leider kaum erkennen kann. Das Krankenhaus ist ein Riesenkomplex. Aber man bemüht sich. Von der Woche Intensivstation weiß ich gar nichts mehr. Wann wart Ihr das letzte Mal in Jena? Eine Ewigkeit muß das her sein. Oder habe ich einen Eurer Besuche verpaßt oder vergessen?

Juni 1987

Vielen Dank für Euer Paket, das ich diesmal beinahe nicht bekommen hätte, denn als ehemaliger Strafgefangener besitze ich nur noch einen vorläufigen Ausweis für Bürger der DDR, denen der Personalausweis eingezogen wurde, die aber sollen Pakete nicht mehr erhalten. 2 Pullis, 2 Hemden habt Ihr geschickt, verschiedene Lebensmittel, den *Bac*-Roller, 1 Dose Oliven, Champignonsuppen, Fertiggerichte. Soweit bin ich also wieder einmal gerettet. Die Sachen passen sehr gut. Ich staune, wie Du immer wieder meine Größe kennst und meinen Geschmack. Nun habe ich erst mal zu tun, alles in der Öffentlichkeit vorzuführen. In einem Café unterhielt ich mich die Tage mit einer sehr netten Person aus Frankfurt, und seit gestern bin ich nun also invalidisiert. Familie im Westen. Von den alten Freunden keine Spur. Um zehn Uhr abends schreibe ich das. Ich habe mich gerade auf allen vieren zu meinem Bett gearbeitet, da ich aus heiterem Himmel umgefallen bin. Also macht es gut. Vielen, vielen Dank. Euer Heinrich.

Das hatte er Anneliese und Friedhelm zu verdanken, daß er im Herbst 1986 noch einmal Arbeit fand und als Fahrstuhlführer in der Universitätsfrauenklinik sein letztes Geld verdiente, denn Anneliese und Friedhelm hatten einen Bekannten unter den Ärzten und wollten das Elend des Heinrich Hampel nicht länger mit ansehen, und daß er alle paar Tage vor der Tür stand und sich nicht abschrecken ließ, wenn sie ihn lästig nannten, und warum um Himmels willen er nicht endlich vernünftig wird, am Ende habe er doch alle immer enttäuscht.

Vernünftig, hatte Heinrich gesagt, und vielen herzlichen Dank hatte er gesagt, denn das Danken und vorher das Bitten waren ja nun sozusagen sein Hauptberuf, bedankte sich auch bei dem Bekannten und später bei der Frau von der Verwaltung, die ihn mit gewissen Bedenken einstellte für 493 Mark im Monat, die Arbeit an sich war ja wohl nicht schwer. Ja, danke, nein, sagte Heinrich und ließ sich's erklären, drückte nun alle Tage die Knöpfe und machte für Patienten und Pfleger, Besucher die Türen auf und wieder zu, fuhr die Toten in den Keller und die frisch Operierten nach oben auf die Stationen, sah und hörte nicht, wenn die Chirurgen über die Unterleiber der Frauen ihre Witze machten, war gar nicht da und stand und zitterte in seiner Ecke vor den immer neuen Leuten, die ihn manchmal musterten, und dann wieder stand er nur herum und wartete in der Kabine seines Fahrstuhls auf die nächste Fahrt, spürte das schlimme Bein beim Warten und hockte, hatte keinen Stuhl zum Sitzen, verfluchte die Stunden, die noch vor ihm lagen.

Auch deshalb wäre er lieber Pförtner geworden, damit er bei der Arbeit hin und wieder sitzen konnte, aber nicht mal als Pförtner hatte man ihn nehmen wollen und als Fahrstuhlführer nur aus Mitleid, oder weil man ihm als Pförtner nicht vertraute, und das war wegen Bautzen, daß man ihm nicht vertraute, aber wer es offen aussprach, verstieß in der Republik von Bautzen gegen die Gesetze.

Nicht mal als Pförtner, war es sogar dem guten alten Harms entfahren, als sie sich noch einmal trafen, und das war ja nun sehr schön für beide, daß sie sich noch einmal trafen und über die alten Zeiten plauderten bei einem Essen im Gasthaus *Forelle*, aber nur so als Privatleute trafen sie sich zum Plaudern, und für Heinrich klang es wie: Nicht mal als Inoffizieller Mitarbeiter dürfen und wollen wir uns auf unseren Herrn Hampel noch verlassen, wir kommen, uns zu verabschieden und weil wir einen Narren gefressen haben an unserem Herrn Hampel, danken für treue Dienste und verschwinden oder bleiben Bekannte, die sich auf der Straße vielleicht nicht grüßen.

Harms hatte viel vom neuen starken Mann in der Sowjetunion geredet, und was da neuerdings alles möglich war in der großen Sowjetunion, ein Wunder war's und eine Hoffnung, die womöglich für die Deutsche Demokratische Republik nicht galt. Wenn es nach mir ginge: Warum nicht, sagte Harms, der ein Major geworden war und als Major und Privatmann eine Meinung hatte und manchmal leider auch zwei. Ich weiß nicht, sagte Harms, man kann ja auch noch gar nichts sagen, nur der Westen jubelt natürlich alles gleich hoch und hofft und rechnet seine alten Rechnungen, und das macht uns mißtrauisch und wachsam, denn vom Ende unserer Kämpfe sind wir leider meilenweit entfernt.

Er fragte nicht nach Rosa dieses letzte Mal, zahlte wie immer die Rechnung und wunderte sich, auf was Heinrich noch wartete, erriet es nicht und gab ihm die Hand, als wenn sie sich die Tage gleich wieder gegenübersäßen, klopfte ihm im Gehen auf die Schulter, drehte sich nicht um, als er ging, und hatte das alles hoffentlich für immer hinter sich: der Fall Hampel vorbei und erledigt, denn da blieb nichts, und für den Rest waren sie leider nicht zuständig.

Noch im November war das gewesen, daß sich der gute alte Harms von ihm verabschiedet hatte, und da kannte Heinrich schon die Stelle, wo sie vor bald zwei Jahren seine Emilia begraben hatten, die auf ihn warten wollte und des Wartens eines Tages so müde war, daß sie sich selbst den Garaus machte mit einer Handvoll Tabletten, und da war ihr Heinrich sehr böse und sagte es ihr bei jedem Besuch, stand vor ihrem Grab und beschimpfte sie, aber ganz sanft und behutsam, damit sie nicht erschrak. Das hätten wir anders haben können, sagte er und redete von seinem Fahrstuhl und das eine Mal von seinem Abschiedsessen mit Harms, und das wußte sie ja selbst, wie das war, wenn man sich verabschiedete, so ein bißchen schwer war es ja beinahe immer.

Ich übe noch, sagte er und gab sich noch ein paar Jahre, nur wenn er sie sich ausmalte, waren sie sehr kümmerlich und der Rede nicht wert.

September 1986

Ihr werdet mit Post gerechnet haben, aber ich konnte lange nicht schreiben, weil ich auf den Tag genau noch einmal drei Jahre in Bautzen war. Mittlerweile bin ich so krank, daß an Arbeit gar nicht zu denken ist. Ich habe einen Großteil meiner Verpflichtungen bereinigt, doch das Damoklesschwert schwebt noch immer über mir. Ich bin am 1. September gegen acht Uhr abends nach Hause gekommen. Die Wohnung war ausgeraubt, alle Wertgegenstände fehlten, die Toilette stand voller Kot. Tröstlich war nur ein Brief von Eva, sie hat vor einer Weile zum zweiten Mal geheiratet und lebt jetzt weit weg mit einem älteren Mann in Schwerin, Rosa und die Söhne bei Euch im Westen, so ist das. Kann ich überhaupt noch auf Euch rechnen? Ich sitze hier in meiner Wohnung, habe noch dreißig Mark in der Tasche und rechne und komme mit meinen Rechnungen nicht weit. 430 Mark haben sie mir als Lohn für die letzten drei Jahre ausbezahlt, und das reicht nun gerade für Strom und Gas, und damit die Wohnung wieder sauber ist, das Allernötigste. Ich kann auch nicht irgendeinen Bekannten um Hilfe bitten, da mir jede finanzielle Aktion sofort als Betrugsversuch angelastet wird, und schon wäre ich wieder zweieinhalb Jahre weg vom Fenster, und mein sicherer Tod wäre es dazu. Die Behörden sagen, ich soll mein Geld als Betonarbeiter verdienen, doch die Ärzte winken nur ab. Ich bin seit Jahren zuckerkrank, dazu die Arteriosklerose, Angina pectoris, Wasser in den Beinen, Kreislaufstörungen, eine steife Hand links, eine halb verkrüppelte Hand rechts, der Hüftgelenkschaden, die Wehwehchen des Alters, die Rechnung aus Bautzen. Bis zu sechshundert Tabletten im Monat haben sie in diesem verdammten Bautzen in mich hineingeschüttet, ich bin kaum noch aktionsfähig, fürchte mich vor jedem Tag. Habe ich noch etwas gut bei Euch? Briefe mit Dollars und Pakete in jeder Form wären das Beste. Von meiner Emilia gibt es leider auch schlechte Nachrichten. Erinnerst Du Dich? Sie wollte warten, hat es sich aber leider anders überlegt. Aber davon später einmal. Es ist zu traurig. Bitte schreib.

Oktober 1986

Ihr laßt mich wissen, ich könne auch diesmal mit Eurer Hilfe rechnen, aber mit Eurem Verständnis nicht. Ist das nicht etwas zu einfach? Wißt Ihr denn überhaupt, was sich hier abgespielt hat? Ich will mich hier gar nicht rechtfertigen, aber es gibt da einige Dinge, die Euch nicht bekannt sein können. Ich hoffe, daß wir eines Tages in aller Ruhe darüber reden können, dann wird Euer Urteil sicher anders ausfallen. Unterdessen ist mir gestern ein unfrankierter Briefumschlag mit 400,– Mark (Ost) zugesteckt worden, ich nehme an, das stammt von Euch. Was soll ich sagen. Auf alle Fälle herzlichsten Dank. Das Geld schickt Ihr gerade zur rechten Zeit. Ihr werdet es Euch kaum vorstellen können, aber mein derzeitiges Leben genügt noch nicht mal den primitivsten Anforderungen, mit 220 Mark Krankengeld für Miete, Strom, Gas, Versicherung und Lebensunterhalt reicht es noch nicht mal für das Nötigste. Ich bin immer nur wegen nicht erfüllbarer finanzieller Verpflichtungen bestraft worden, und wenn es so weitergeht, wird es nicht das letzte Mal gewesen sein. Hier ist man sehr hart und fragt nicht, wie einer nach Jahren im Gefängnis wieder auf die Beine kommt. Damit könnte ich mich abfinden. Nur schwer kann ich mich damit abfinden, wie Ihr so einfach den Stab über mich brecht. Bleibt gesund und seid für heute herzlichst gegrüßt. Euer Heinrich.

November 1986

Liebe Constanze, vielen Dank für Deinen Brief und das Paket mit den Lebensmitteln, den Pullover, die Socken. Ich kann es gebrauchen. Sonst ist alles unverändert. Seit Wochen versuche ich zu arbeiten, aber überall scheitert es an der Einstellungsuntersuchung. Kein Betrieb wagt mich in meinem gesundheitlichen Zustand einzustellen. Es hat mit der Vorstrafe nichts zu tun, das gibt es hier nicht, im Gegenteil, laut Gesetz ist mir ein Arbeitsplatz garantiert. Es wird also auf Invalidisierung hinauslaufen. Und damit beginnt das Elend erst richtig. Liebe Constanze, wenn ich ganz ehrlich bin, habe ich erst durch Deinen Brief wieder Mut bekommen. Ich habe mich auf den ersten Blick in zwanzig Jahren fast gar nicht verändert, sogar die Haare sind alle noch da, graumeliert, aber sonst das blühende Leben. Und immer die Frage: Sie? Sie sind doch so gesund, Sie wollen wohl nicht. Habe ich schon erwähnt, daß Emilia sich während meiner Haftzeit das Leben genommen hat? Es war ganz fürchterlich für mich. Eine Überdosis Tabletten, wie ich erfahren habe. Kein Brief, keine Erklärung, einfach so von heute auf morgen. Die Angehörigen haben mir den Schlüssel in den Briefkasten geworfen und dazu die Todesanzeige und ein paar Zeilen. Sie hatte ja den Schlüssel zu meiner Wohnung. Und nun stehe ich also wieder da und bettle. Ich bin für alles dankbar, was Ihr entbehren könnt. Ich habe ja seit Jahren praktisch nichts mehr angeschafft. Hier meine Bitten: 1 Anorak Größe 54, 1 Winterhose, eventuell Unterwäsche Größe 7. Und bitte schreib mir. Du glaubst ja gar nicht, wie wohl es mir tut, wenn Du hin und wieder an mich denkst.

Sie hatten sich ein paarmal geschrieben von Bautzen nach Jena und zurück von Jena nach Bautzen, kurze, fast nichtssagende Briefe, in denen sie sich einander versicherten, und eines Tages hatte seine Emilia einfach nicht mehr geantwortet, oder es fiel ihr nichts ein, was sie ihm noch hätte schreiben können, denn aus Bautzen kamen ja auch nur immer die gleichen Sätze, und daß er am Leben war, und an das und das denkt er, wenn er an sie denkt, sie soll nur immer schön auf ihn warten, soundso viele Tage sind es noch, da wurde sie seiner Briefchen auf die Dauer wohl ein bißchen überdrüssig.

Es wiederholt sich eben alles, schrieb Heinrich und nahm es ihr nicht lange übel, nahm übel und verzieh und wußte, sie hatte ihre Gründe, würde draußen auf dem Hof stehen, wenn sie ihn eines Tages entließen, und am Ende war das auf den Tag genau nach drei Jahren, daß sie ihn entließen, und wer ihn nicht erwartete, war seine dicke Emilia, die lag in ihrem kühlen Grab oben auf dem Nordfriedhof und vertrödelte ihre Zeit.

Da weinte Heinrich, daß ihn seine Emilia vergessen hatte und in ihrem kühlen Grab oben auf dem Nordfriedhof die Tage vertrödelte, und über seine ausgeraubte Wohnung weinte er und ging zu Anneliese und Friedhelm und bekam als Starthilfe ein paar alte Gardinen und zwei Töpfe und eine abgelegte Hose, denn mehr hatten sie leider auch nicht oder fanden's für einen entlassenen Sträfling mehr als genug.

Die ersten Tage war er noch ziemlich beschäftigt. Er brachte die Wohnung in Ordnung, schrieb die ersten Briefe an Constanze und Eva, die ihm hoffentlich geblieben waren, suchte das Grab von Emilia und fand es, brauchte fast eine halbe Stunde, bis er es fand, und weinte und schimpfte, als habe sie ihn verraten. Zu Fuß vom Nordfriedhof die lange Kurve hinunter in die Dornburger Straße lief er und war schon ziemlich klapprig, sah auch nur kurz nach drüben zum *Cosmetika*, wo er diesen Priem immer getroffen hatte, von dem er nicht wußte, was er ihm alles verdankte, aber ein gut Teil der letzten drei Jahre war es bestimmt.

Er wußte, er würde so bald wie möglich wieder arbeiten müssen, aber dachte er an Arbeit, fühlte er sich schwer und unbeholfen und zu jeder größeren Anstrengung nicht tauglich. Die Ärzte sagten: Auf keinen Fall auf den Bau und als Kellner höchstens ein paar Stunden, und also war Heinrich in den *Thüringer Hof* gegangen, und da waren sie auch im ersten Moment ganz freundlich und erschraken, was Bautzen aus ihrem Heinrich gemacht hatte. Leider, sagten sie, aber nun müsse er sich ja auch erst mal erholen von diesem Bautzen, von dem wir gar nicht groß hören wollen, nur ob Heinrich nicht auch ein klitzekleines bißchen Schuld an allem habe, müsse man doch fragen, ich meine, in dieses Bautzen stecken sie dich bei uns ja nicht ohne Grund.

Das war Elli gewesen, die fand, es müsse für Bautzen auch in den Hampels und wie sie alle hießen einen Grund geben, und wie es im *Thüringer Hof* sonst so gehe, na ja, wir wollen nicht klagen. Ich hoffe, du fällst mir nicht um, sagte Elli und bot ihm eine Tasse Tee an, damit er ihr nicht umfiel, da war er auch dankbar. Sie haben mir die Wohnung ausgeräumt, sagte der dankbare Heinrich, der sehr schwach war, und Elli sagte: Jaja, ein Unglück kommt selten allein, aber am Ende im Leben halte sich doch alles in etwa die Waage, oder etwa nicht.

Auch Eva war über den neuen Heinrich erschrocken, sie kam an einem Freitag mit dem letzten Zug aus Schwerin und nannte es ein Glück, daß sie sich noch einmal sahen, und da war er ihr also schon beinahe ein Toter, gütiger Himmel. Sie hatte noch immer das schöne lange rote Haar, das sie schon als Mädchen getragen hatte, und ein schmales Gesicht mit einem Haufen Sommersprossen hatte sie und dazwischen den Kummer ihrer beiden Ehen, lebte in ihrem Schwerin mit Mann und Kindern und redete sehr lange von nichts als ihrem Thomas und seiner hohen Stellung in der Bezirksplankommission, und wie sie da neuerdings alle über die befreundete Sowjetunion tuschelten und das seltsame Mal auf der Stirn des neuen Partei- und Staatschefs, das wie eine Landkarte aussah, und wie eine Drohung sah es aus oder wie ein Versprechen auf Reisen in weithin unbekannte Länder.

Und wie geht es dir, fragte Eva und nannte ihn Vater, und das rührte ihn, daß sie ihn noch immer Vater nannte, und der Vater hatte in den Nächten Träume und träumte vom großen goldenen Mond und wie er eines Nachts vom Himmel auf die Erde mitten in die Deutsche Demokratische Republik hineinfiel, es war aber zum Glück fast niemand zu Haus. An einem Donnerstag um sechs am Abend war's, daß ihm im Traum der goldene Mond vom Himmel fiel und im ganzen Land die Fabriken zerschmetterte, und eine laute Musik aus ein paar tiefen Tönen war in seinem Traum zu hören, und als er erwachte, war er mit sich und der Welt noch einmal zufrieden.

Es tut mir leid, daß du unglücklich bist, sagte Heinrich, und da lachte Eva und küßte ihn, weil er ihr Vater war, und ein großer Schuft war ihr Vater, der das Schlimmste noch vor sich hatte, aber gerade darum mußte sie ihn jetzt küssen, und zu einem Essen lud sie ihn ein, da läßt du dir's hoffentlich mal wieder richtig schmecken.

Schmeckt, das Essen, das Leben, wenn es gute Laune hat, sagte er.

Man müßte noch einmal von vorne anfangen können, sagte sie.

Ja, fangen wir noch einmal von vorne an.

Am besten gleich morgen, sagte sie.

Ja, morgen wäre ihm eigentlich ganz recht.